SEMANTIC
ERROR

스맨틱 오므

저수리 장편소설

2

SEMANTIC
ERROR

TONE

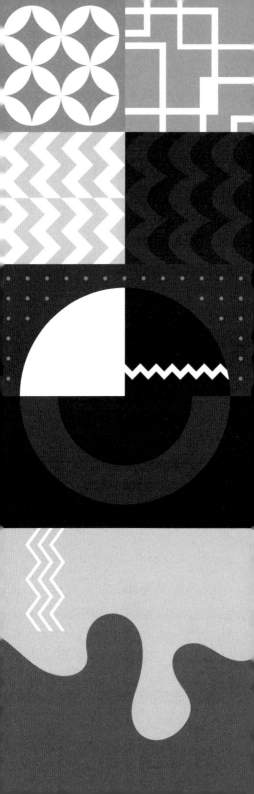

TABLE OF CONTENTS

Yellow 2

Yellow 2

[엄마: 영아 큰삼촌 돌아가셨어] 11:32

[엄마: 발인은 22일. 오늘저녁까지 내려올수 있지? 식사같이해]
11:33

간단한 메시지는 재영을 기분 나쁘게 했다. 매년 10월마다 있는
가족 모임이 앞당겨진 거나 다름없었으니까. 삼촌은 살았을 때나 뒈
졌을 때나 껄끄러운 존재였다. 곧 '핏줄'들을 봐야 한다는 생각에 불
쾌감이 들었지만 재영은 알겠다고 답장을 보냈다.

식사를 마치고 씻은 뒤, 피어스를 전부 빼고 책잡히지 않을 만한
옷으로 갈아입었다. 검은 정장 두 벌과 사흘간 입을 옷가지, 렌즈,
쓸 물건을 챙기고 집에서 나오니 2시였다.

차 시동을 걸고 상우에게 전화했지만 받지 않았다. 핸드폰을 늘
무음으로 해 놓는 그는 전화를 제때 받는 경우가 많지 않았다.

[나: 3일간지방다녀올예정-장례식] 14:02

메시지를 보내 놓고 출발했다.

3시간 반을 달리자 조금 열어 놓은 창문 사이로 바다 냄새가 났다. 아직 저녁 시간 전이었다. 바다에 인접했는데도 조금도 낭만적이지 않은 도시. 공장 굴뚝이 해안선을 빽빽하게 채운 그곳에만 가면 재영은 마음에 돌덩이를 얹어 놓은 것처럼 답답해졌다.

엄마가 예약해 놓은 호텔에 체크인하고서 그녀의 방으로 향했다. 작년 가족 모임 때 마지막으로 봤으니 7개월 만이었다. 노크하자 가벼운 발소리가 났고 곧 문이 열렸다. 문 사이로 잘 차려입은 아이가 빼꼼 고개를 내밀고는 긴장한 표정으로 문을 활짝 열었다.

"안녕하세요, 재영이 형!"

"안녕."

재영은 허리를 꾸벅 숙여 인사하는 소년을 지나쳐 방으로 들어섰다. 자신은 장 씨, 엄마는 신 씨, 아이는 백 씨였다. 재영은 그들에게 이질적인 성씨만큼 거리감을 느꼈다.

엄마는 어깨를 시스루로 처리한 검은 머메이드 드레스를 입은 채 화장대 앞에 앉아 있었다. 검은색이면 다인가, 옷과 화장이 화려하기가 신부 수준인데. 추모하겠다는 건지 축포를 터뜨리겠다는 건지 모를 모습을 재영은 속으로 비웃었다.

"영아, 왔니?"

그녀는 거울을 보며 제 모습을 살피고 재영에게 뒤늦게 몸을 틀었다. 내년이면 쉰이라고 믿기 어려울 정도로 젊고 아름다운 모습이었다. 재영이 다가가자 그녀가 검사하듯 얼굴과 옷매무새를 살피고선 어깨를 끌어당겨 등을 손바닥으로 몇 번 더듬었다.

"내 아들은 갈수록 잘생겨지네."

"삼촌은 어쩌다."

"뇌졸중 심장마비. 평소에 성깔을 얼마나 곱게 썼니. 그렇게 갈 줄 알았다, 난."

재영은 고개를 끄덕거리고 엄마의 품에서 벗어나 조금 떨어져 섰다. 그러자 아버지가 다른 동생이 쪼르르 다가와 엄마에게 안겼다. 엄마는 그 애의 어깨를 감싸며 거울 속 본인의 모습을 살폈다.

"너 졸업 건은? 어떻게 됐어?"

"그때 말한 그대로."

"이번엔 확실히 하는 거야?"

"어."

"한심하게 그게 뭐야. 주혁이는 벌써 검찰 연수원 들어간 것 같던데, 언니가 또 얼마나 거들먹거리겠어. 이번에 졸업하면 같은 학교 유학 가는 거지?"

"어."

"아무튼 식사 자리에서 잡음 안 나오게 해."

친척들한테 책잡히지 말란 소리였다. 엄마는 이미 완벽하게 세팅한 머리를 매만지고선 아이의 얼굴에 뭐가 묻었는지 살폈다. 그 애의 입가를 닦은 후 다시 재영에게 눈을 돌렸다.

"영아, 오빠 죽었으니 또 한바탕 난리 날 거 알지? 너도 이번에 할아버지한테 애교 부려서 점수 많이 따 놔. 어떻게 될지 모르는 거니까."

재영은 대답하지 않고 쓴웃음을 지었다. 큰외삼촌은 외할아버지의 경영 승계자이자 유산이 가장 많이 돌아갈 자식이었다. 이제 그가 죽었으니 그 몫을 두고 쟁탈전이 벌어지리라.

"용돈은 안 부족해?"

"어."

"홍이는 연락 없었어? 한국에 있긴 해?"

"몰라."

재영은 핸드폰을 확인해 보았지만 장재홍에게서 온 연락은 없었다. 그는 상우가 보낸 답장, '알았어요.'를 확인하고서 핸드폰을 주머니에 넣었다.

"더 할 말 없으면 가 볼게."

"그래. 병원 가서 조문하고 와. 식사 7시니까 늦지 말고."

재영은 등을 돌려 근사한 방에서 빠져나갔다. "안녕히 가세요, 재영이 형!" 하고 소리치는 어린 목소리가 뒤통수를 찔렀다.

재영은 식사 자리에 늦지 않았다. 어딜 가든 지각을 달고 살았지만 이 자리만은 예외였다.

높은 흰색 천장에서 수정으로 장식한 조명이 은은한 빛을 뿌리고 클래식 음악이 연주되는 홀에 세상에서 가장 저급한 인간들이 모여 있었다. 서로 한마디도 하지 않고 식탁에 둘러앉아 있던 이들은 노인이 들어오자 벌떡 일어서서 그에게로 달려갔다. 아버지, 어쩜 이렇게 정정하세요. 보고 싶었어요, 할아버지. 아버지는 어떻게 나날이 젊어지시는 것 같아요. 재영은 제자리에 앉아 엄마의 아들이 노인에게 안기는 것을 물끄러미 보았다.

외할아버지는 멋스러운 신사였다. 여전히 건장한 몸을 보기 좋게 감싼 차콜 그레이 맞춤 슈트는 각이 칼같이 살아 있었고 검은 수제 구두에서는 광이 났다. 재력을 과시하는 시계 아래 고급 커프스링크가 빛났고 네 번째 손가락에는 할머니 사후에도 한 시도 빼놓지 않는 결혼반지가 있었다. 희끗희끗한 머리칼은 흐트러짐 없이 뒤로 넘겼다. 일흔이 넘은 나이에 이렇게 근사하기란 쉽지 않다.

그가 자리에 앉아 커다란 식탁을 둘러보았다. 남자는 그의 씨로 이루어진 대가족을 모아 놓는 것을 좋아했다. 정당한 사유 없이 한 명도 빠지지 않은 테이블(상주와 큰 외숙모, 출장 갔다는 엄마의 남편, 사촌 두 명을 제외하고는 모두 와 있었다)을 둘러보던 날카로운 눈이 재영을 발견하곤 장난스럽게 휘어졌다.

"강아지 왔니."

재영은 눈웃음을 보이며 손을 뻗는 그에게 다가갔다. 가까이 가자 어릴 때부터 변하지 않은 중후한 향수 냄새와 독한 담배 냄새가 났다. 재영은 그의 냄새를 좋아했다. 엄마의 포옹과 달리 할아버지의 포옹은 따뜻하고 강했다. 그는 순간적으로 어린 시절로 돌아간 기분을 느꼈다.

"네. 저 왔어요."

"보고 싶었다."

감정을 표현하는 데 스스럼없는 사내가 속삭였다.

"저도 그랬어요."

재영은 진심으로 말했다. 할아버지는 이곳에서 그가 유일하게 좋아하는 사람이었다. 할아버지가 없었더라면 재영은 이런 자리에 발들일 일도 없었을 것이다. 자리로 돌아가는데 질투 어린 시선이 얼굴에 콕콕 박혀 들었다.

전채 요리가 나오며 의례적인 말이 오갔다. 아직 한창인 나이에 그리 되셔서 어쩌냐느니, 회사가 큰 인재를 잃었다느니, 마음에도 없을 소리들이었다. 그러나 메인 디시가 나올 때즈음엔 고인을 언급하는 사람은 아무도 없었다. 불같은 성격으로 말을 전혀 가려 하지 않던 탐욕스러운 남자는 본래부터 모두의 적이었으니까. 할아버지 조차 그를 탐탁지 않아 했다.

곧 자식 프로모션이 펼쳐졌다. 이 아이가 이렇게 대단해요. 할아버지의 세 자녀는 저마다 아들딸을 데려와 전시하고 뭐 하나라도 떨어질까 싶어 눈치를 보았다. 그중 엄마가 가장 열심이었다.

"얘가 제 할아버지를 닮았는지 아주 똑똑해요. 이번에 영재반에 들어갔는데 반에서도 1등이래요."

"음, 그래. 아가 이름이 뭐라고 했지?"

"승민이에요. 너무하세요, 정말. 이제 기억하실 때도 됐잖아요?"

가족과 의리를 강조하는 할아버지는 마초적인 남자였다. 그래서 딸들을 출가외인 취급했고, 신 씨가 아닌 핏줄에는 관심이 없었다.

"영아, 유학 언제 가니?"

유일한 예외가 막내딸이 이혼하면서 달고 온 재영이었다. 할아버지는 재영이 자신과 닮았다는 이유로 그를 어릴 때부터 아꼈다. 엄마가 재혼하면서 재영의 거취가 곤란해지자 제 집에서 직접 기르며 정을 붙였다.

"7월에요."

"얼마 안 남았구나. 내 강아지 미국 가면 보고 싶어서 어쩌나."

할아버지가 노골적으로 애정을 드러내자 불편한 기침 소리가 여기저기서 들렸다. 그러고선 정말 보고 싶겠다느니, 졸업까지 어떻게 기다리냐느니, 재영인 어딜 가든 잘할 거라느니, 진심이 담기지 않은 칭찬이 쏟아졌다.

그러나 할아버지가 잠시 자리를 비우자 분위기가 바뀌었다.

"너 그럼 요즘은 뭐 하니?"

이모가 다리를 꼬며 물었다. 남편도 의사, 딸도 의사, 사위도 의사, 아들은 검사 될 예정. 그들은 하나같이 허영심 가득하고 거만했다. 온몸에 명품을 휘감은 사촌 누나가 "작년에 졸업반이라고 했던 것 같은데……."라고 덧붙였다.

"마무리할 게 있어서 한 학기 더 다녀요."

비밀로 하라고 신신당부했던 엄마의 표정이 구겨졌다. 재영은 거짓말을 잘했지만 할 필요를 느끼지 못했다.

"그럼 아직도 학생이란 거야? 우리 주혁이는 이번에 연수원 들어 갔는데 말야……."

이모부가 혀를 차며 말했다. 우습지도 않은 공격이었다. 재영은 개 같은 상황에 단련되어서 이제 이런 것에 타격받지 않았다.

"주혁이도 군대 갔다 왔으면 아직 재학 중이겠죠."

"어머, 애 좀 봐. 요즘 곧이곧대로 군대 가는 애가 어디 있어?"

작은 외숙모가 어시스트했다. 그녀 아들도 군 면제 문제에서 자유롭지 못했기 때문이다. 재영은 웃으며 받아쳤다.

"20대에 결핵 걸리는 애들보단 많을 것 같은데……. 은성이는 그 나이에 벌써 폐병 걸려서 일은 어떻게 하냐고 할아버지가 걱정 많이 하시던데요?"

테이블이 조용해졌다. 이모와 외숙모는 이 공격으로 본전도 찾지 못했다. '보수주의자'인 할아버지는 손자들이 편법으로 국방의 의무를 지지 않는 것을 탐탁지 않게 생각했으니까.

"재영이 넌 아직도 그거 뭐냐, 벽에 만화 그리고 다니냐?"

이번에는 작은 삼촌이 치고 들어왔다. 알코올 중독, 머리 나쁜 다혈질. 사업에 손대는 족족 말아먹고 지금은 할아버지가 차려 준 휴대폰 대리점으로 생계유지 중인 화상이었다.

"그래피티 말하시는 거예요? 종종 하는 취미예요."

"졸업하면 그림 그려 주고 돈 받는 거, 그런 거 하지? 내 얼굴이나 한번 그려 봐. 용돈 필요할 텐데."

그가 주머니에서 펜을 꺼내 재영의 앞에 던졌다. 재영은 눈 하나 깜짝 안 하고 대답했다.

"삼촌도 제 앞에서 폰 한번 팔아 보세요. 바꿀 때 됐는데 살지 말지 결정할 테니까."

삼촌이 '싸가지 없는 새끼'라고 욕설을 내뱉자 그의 아들딸이 팔을 잡고 말렸다. 이모가 장 씨가 섞여서 저런 거라고 삼촌을 거들었다. 엄마의 얼굴이 분노로 창백해졌지만 나이, 재력, 사회적 지위, 모든 면에서 밀리는 그녀는 드센 사람들만 모인 이 자리에서 발언권이 적었다.

그러던 중에 할아버지가 돌아오자 씩씩거리던 삼촌이 금니를 드러내며 활짝 웃었다. 재영은 새삼 그가 하찮게 느껴져서 식사하다 말고 수저를 놓고 헛웃음을 지었다. 어릴 적에는 저 속물들을 보기만 해도 열 받아서 어쩔 줄 몰랐는데 이제는 그저 짜증 날 뿐 견딜 만했다.

"아버지, 저희 언제 같이 놀러 가요. 지난달에 호주 다녀왔는데 좋은 골프장 봐 놨어요."

"하하하. 호주 좋지."

재영이 가족 모임에 꾸역꾸역 얼굴 들이미는 이유는 오로지 할아버지 때문이었다. 자존감 드높고 리더십이 강한 자수성가형 사업가. 집 앞에 잠시 나갈 때도 정장을 입는 '가오'가 중요한 멋쟁이이자, 5년 전에 할머니와 사별한 이후 연애도 재혼도 하지 않겠다고 못 박은 로맨티스트. 그러면서도 출가외인 같은 말을 법처럼 따르는 옛날 사람에, 핏줄을 중시하는 꼴통 꼰대 면모가 다분한 그는 언제나 '선'을 지켜야 한다고 강조했다.

재영이 중학교 때 선배를 패서 징계받았을 때도, 고등학교 때 집에 여자친구를 데려왔다 걸렸을 때도 할아버지는 사내새끼가 그럴 수도 있지 웃어넘겼다. 할아버지 꼴 보기 싫다고 반항하며 한 달 넘게 가출했을 적에도, 서재의 양주를 몰래 마시고 담배를 피우고 다녀도 그럴 만한 시기라며 내버려 두었으며, 그가 바라던 경영자 코스를 밟지 않고 멋대로 시각디자인과에 진학했을 때도 재영의 결정을 존중해 주었다.

그러나 재영은 이 콩가루 집안과 연을 끊겠다고 대든 날에 난생처음으로 뺨을 맞았다. 집안 행사에 마음대로 불참한 날엔 집에서 쫓겨났으며 큰삼촌을 면전에서 개새끼라고 부른 날에는 골프채로 두들겨 맞았다.

할아버지는 재영이 아는 가장 자상하고 가장 무서운 남자였다. 재영은 그에게서 자유와 굴종을 동시에 배웠다. 영원히 안 볼 자신도 없고 그를 바꿀 수도 없으니 자신이 포기하는 수밖에 없어서 스무 살 이후로는 '선'을 지키며 살고 있었다.

가족 모임이 끝나고 몹시 지친 상태로 방에 돌아온 재영은 곧장 침대에 쓰러졌다. 이런 모임이 있을 때마다 보통 진이 빠졌으나 이날은 더 견디기 힘든 감이 있었다. 그는 왜인지 정확히 알고 있었다.

렌즈만 겨우 빼고 한동안 대자로 엎드려 있다가 주머니에 손을 넣어 무음으로 돌려놓은 핸드폰을 확인했다. 쓸데없는 곳에서 연락이 많이도 왔다. 그러나 정작 꼭 필요한 곳에선 연락이 없었다.

'너무 보고 싶어.'

이제까지 거의 매일 봐서 그런가, 고작 하루 안 봤다고 금단 현상이 일었다. 그동안 별일 없었겠지만 뭘 하고 지냈는지, 수업은 잘 들었는지, 밥은 잘 먹었는지 궁금해서 참을 수 없었다. 재영은 상우가 마지막으로 보낸 메시지 네 글자를 빤히 보다가 그에게 전화 걸었다.

뚜…… 뚜…… 뚜…… 뚜…… 뚜…….

'받아라, 좀.'

멍청한 핸드폰은 끝까지 재영이 원하는 목소리를 들려주지 않았다. 그래서 재영은 또 전화를 걸었다.

뚜…… 뚜…… 뚜…… 뚜…….

'대체 뭘 하고 있길래…….'

재영은 짜증을 느꼈다. 아니, 짜증보단 간절함이었다. 왜인지는 몰라도 당장 그 목소리를 들을 필요가 있었다. 기계음이 음성 사서함으로 연결되기 전에 전화를 끊고 다시 걸었다.

―여보, 여보세요?

수신자가 말을 더듬으며 전화를 받은 건 일곱 번째인가 여덟 번째 시도에서였다. 재영은 눈을 감으며 한숨을 길게 쉬었다.

―뭐예요? 왜요?

'효과 좋네.'

그는 속으로 중얼거렸다. 방금 전까지 마음에 가득했던 짜증과 피곤함이 상우의 목소리를 듣자마자 씻겨 나갔으니까.

―장례식장이에요?

"아니야."

―장례식 간다고 했잖아요.

조문은 진작 했다. 빈소에서 일을 돕기로 했지만 그건 내일과 모레였다. 이대로 있으면 상우가 아무 말도 안 하다가 끊어 버릴 테니, 내키지 않았지만 입을 억지로 열었다.

"어디야?"

―집이요.

"뭐 하고 있었어?"

―어, 이것저것. 게임도 하고…… 음……. 양치도 하고.

"그 전엔?"

―실기실에서 코딩했죠.

"혼자?"

―네.

대답이 너무 짧았다. 재영은 그 음성을 더 길게 듣고 싶었다.

"나도 없는데 실기실엔 왜 갔어?"

―거기서 작업하는 게 버릇돼서요.

"……."

―…….

오늘만은 침묵이 싫다고 재영은 생각했다.

"상우야."

―네.

"상우야."

―왜요?

"상우야."

―드디어 미쳤나 보죠.

웃음이 픽 나왔다. 그러나 축 처진 목소리를 듣고도 이상함을 느끼기는커녕 미쳤냐고 묻는 센스도 눈치도 없는 남자가 밉지 않았다. 요즘의 그는 무슨 짓을 해도 미워할 수가 없었다. 재영은 입가에 미소를 지으며 평소처럼 그에게 농담이나 건네기로 했다.

"지금 뭐 입고 있어?"

―잠옷이죠.

"너 잠옷 입고 게임하는 거 상상하니까 엄청 흥분돼."

―그럼 풀고 와요.

"네가 풀어 줘, 섹시한 목소리로."

―어떻게요?

"손장난하면서 신음 들려주면 이 자리에서 갈 수 있을 것 같은데."

상우는 한동안 아무 말도 하지 않았다. 황당하다는 표정이 눈에 그려질 듯 선했다.

―결론부터 얘기하자면 안 돼요.

"왜?"

―……조금 전에 해서 안 나와요.

불시에 공격 받은 재영은 웃음을 터뜨리는 수밖에 없었다. 피로감도 잊고 한참 동안 웃고 나자 상우가 생리적인 현상을 비웃는 건 온당하지 않다고 따지고 들었다.

"내 사진 보면서 했어?"

―뭘 물어봐요.

"씨발, 질투 나네. 어떤 거였어."

―그만 놀려요.

"나 진지해. 어떤 놈이었냐고."

―…….

"빨리."

―여러…… 장, 넘기면서 해서 잘…… 기억이 안 나요. 지금 너무 수치스러운데 끊어도 돼요?

"안 돼."

재영은 상우에게 오늘 한 작업 내역을 설명하게 했고, 그가 높낮이 없이 이야기하는 동안 눈을 감고 듣고만 있었다. 이 목소리로 책 읽어 주는 프로그램이 있으면 좋겠는데……. 그러면 매일 밤마다 들어서 박식해질 텐데……. 목소리만 듣고 내용은 전혀 이해하고 있지 않으니 그건 아닌가. 재영은 옷도 갈아입지 않은 상태로 이불 속으로 파고들었다.

─듣고 있어요?

"응."

─통화 시간 50분 넘은 거 알았어요?

"아니."

─최근에 통화 시간이 늘어나고 있어요. 이 패턴대로면 5회 뒤에는 3시간이 넘을 확률이 높아요.

"그럼…… 하면 되지…… 뭐."

─그럴 바엔 만나는 게 낫지 않아요?

"……그러네."

─자요?

"아…… 니."

─졸린 것 같은데, 끊고 자요.

"끊지 마. 목소리 계속…… 들려줘."

─왜요.

"계속……. 계…… 속."

─끊을게요.

상우는 그리 말하면서도 전화를 끊지 않았다. 재영이 말도 안 되는 소릴 하며 칭얼거리는 걸, 투덜거리면서도 받아 주었던 것 같다. 불도 끄지 않은 채 도중에 잠들어서 마지막은 기억할 수 없었다.

⌘W

다음 날은 아침부터 저녁까지 조의금을 받느라 정신이 없었다. 빈소를 서울에서 멀리 떨어진 지방에 차렸는데도 조문객이 끊이지 않았다. 조카랍시고 빈소를 지키면서도 혐오하던 남자가 죽어 버려서 이제 볼 일 없다고 생각하니 기꺼웠다. 이런 노동이라면 얼마든지 환영이었다.

저녁엔 가족끼리 좆같은 분위기 속에서 식사했다. 할아버지가 불러서 30분 정도 이야기하고 나오니 하늘이 깜깜했다. 장재홍한테서 연락이 온 게 그때였다.

—너 어디냐? 나 호텔 다 와 가는데…….

"오려고?"

—할 일도 없고 해서.

"조문부터 안 하고?"

—지금 갔다가 무슨 소릴 들으려고. 내일 할아버지부터 뵙고, 어머니랑 너랑 같이 가면 좀 덜하겠지.

그다지 다를 건 없으리라고 재영은 생각했다. 친척들은 재영을 싫어하고 견제했지만 재홍에 비하면 양반이었다. 그들은 아버지 손에 자란 재홍을 대놓고 무시하며 집안사람으로 끼워 주지도 않았다.

—너 호텔 앞이지? 보인다.

전화를 끊고서 얼마 지나지 않아 택시가 재영의 앞까지 미끄러져 왔다. 그리고 재영의 쌍둥이 동생이 내렸다.

'언제 봐도 기분 나빠.'

재영은 담배 연기를 뿜으며 속으로 중얼거렸다.

둘은 키, 생김새, 목소리가 똑같았다. 어릴 적엔 자신과 똑같이 생긴 사람이 존재한다는 게 참을 수 없어서 많이도 싸웠다. 그러나 그들은 겉가죽만 닮았을 뿐 속은 천지 차이였다. 성격도, 취미도, 옷 스타일도, 말투도, 표정도, 모든 것이 달랐다.

"오랜만이야, 장재영."

재홍이 딱딱하게 말하며 재영이 있는 쪽으로 걸어왔다. 기본형 검은 정장을 체형에 딱 맞추어 입고 타이를 착용한 그는 진중하고 엄격한 인상이었다. 가르마를 기준으로 양옆으로 빗어 고정한 머리도 재영의 취향엔 느끼했고 본인이 클래식하다고 주장하는 액세서리와 구두는 늙수그레하게만 보였다. 누가 저걸 20대로 보겠는가.

"별일 없었어?"

재홍이 곁에 서며 말했다. 재영은 담배 연기를 그의 반대편으로 내뱉으며 대답했다.

"여기야 늘 개판이지."

"이사 자리는? 누구한테 돌아간대?"

"좆도 관심 없어."

유럽에서 공부를 마치고 금융계에서 일하기 시작한 쌍둥이 동생은 사회적 성공에 관심이 많은 야심가였다. 그래서 장가라고 멸시당하면서도 늘 뻔뻔하게 가족 모임에 얼굴을 내밀었다. 재영은 얼굴을 찌푸리며 덧붙였다.

"넌 여기 왜 왔냐. 구질구질하다."

"휴가야. 마침 시간도 있고, 돌아가는 상황은 알아 놔야지."

재홍이 대수롭지 않다는 듯 말했다. 겉만 비슷하지 그들은 너무나 달랐다.

오랫동안 대화가 끊겼다가 재홍이 정적을 깼다.

"넌 별일 없고? 졸업했겠다."

"별일…… 있지. 졸업은 못 했고. 너한테 할 얘긴 아냐."

재영은 퉁명스럽게 답했다.

그들은 그다지 친한 사이가 아니었다. 열두 살 때까지 한 집에서 살았지만 성격이 너무 다른 탓에 같이 놀지 않았다. 재영이 벽에 낙서할 때 재홍은 책을 읽었다. 같은 외국어를 배워도 재영은 말하기에 재능을 보였고 재홍은 독해를 잘했다. 재영이 사고뭉치 골목대장이었다면 재홍은 착실한 모범생이었다. 그런 그에게도 비밀은 있었지만.

"너 어디서 자? 방 넓으면 나도 재워 줘라."

"지랄하지 말고 방 잡아."

"오랜만에 같이 자면 좋잖아."

재영은 욕할 가치조차 느끼지 못하며 다 피운 담배를 땅에 던지고 구둣발로 짓이겼다. 그의 표정을 본 재홍이 덧붙였다.

"조크야, 조크."

그때 재영의 주머니 속에서 핸드폰이 울렸다. 이제까지 일했는데 또 누가 찾나 싶어 짜증스럽게 핸드폰을 꺼냈다가 화면을 보고서 멍한 표정을 지었다.

베이비에게 전화 왔어요!

무의식에 가까운 반응으로 손이 통화 버튼을 터치하고서 기기를 귀에 바싹 붙였다. 무심코 발신자의 이름을 부르려다 관두었다. 재홍이 옆에서 주의 깊게 보고 있었기 때문이다.

─선배.

목소리가 유난히 크게 들린 것 같아서 볼륨을 서둘러 낮추었다. 재홍과 눈이 마주쳤다. 재영은 그를 성큼성큼 지나쳐 건물 뒤편으로 향했다. 주변에 아무도 없는 것을 확인하고 핸드폰을 다시 귀에 갖다 댔다.

"어, 왜?"

두근두근. 고작 전화가 온 것뿐인데 심장이 빠르게 뛰었다.

―오늘 중요한 버그 하나 잡아서 테스트해 봤는데…….

상우가 약간 흥분한 목소리로 자신의 업적을 떠벌렸다. 어쩌고저쩌고, 모르는 이야기가 귀에 쏟아졌지만 재영은 상우의 말을 방해하지 않았다.

―성능이 많이 올라갔어요. 모레 오면 핸드폰에 깔아서 얼마나 잘됐는지 보여 줄게요.

"그래? 잘했네."

―네. 솔직히 지금 시간 촉박해서 무한 모드랑 기능 몇 가지는 끝낼 자신이 없는데……. 그게 걱정이에요.

"빼고 출시하면 되지."

―다 하고 싶단 말이에요.

"내일모레 같이 생각해 보자."

재영은 벽에 등을 기대고 눈을 감았다. 상우에겐 미안하지만 지금은 게임에 전혀 관심이 가지 않았다. 그저 그의 목소리를 듣고 싶단 생각뿐이었다. 재영은 너무 피곤했으며 뾰족하고 냉소적인 상태였다.

―사실 핑계예요.

한동안 말이 없던 상우가 불쑥 내뱉었다.

"무슨 말이야?"

―혼자 테스트하고 나중에 얘기해도 되는데, 그냥 전화한 거라고요.

"……."

싫어하는 사람들 사이에 둘러싸여 있느라 꽁꽁 얼어붙었던 심장이 사르르 녹아 버렸다. 상우에게는 아무 속셈 없이 사람 마음 흔들어 놓는 재주가 있었다. 어쩌면 재영은 그 때문에 여기까지 왔는지도 모른다.

—듣고 있어요?

"응."

남자 만나는 거 알면 할아버지가 뭐라고 할까. 문득 그런 생각이 들었다. 재떨이가 날아오려나, 정신병원에 가두려고 하려나. 어쩌면 통 크게 웃어넘기며 적당히 놀다가 관두라고 말할지도 모른다. 선을 지키라고.

선. 그놈의 선.

—바쁜데 전화해서 미안해요.

잘못한 것도 없으면서 사과도 잘한다. PC방에서 '유감'을 표현하기 싫어서 뻔뻔하게 고개 들고 버티던 그놈이 맞나 싶다.

"아니야. 안 바빠."

—…….

"……."

—어제 전화하고서 무슨 생각이 들었냐면…….

상우는 조금 뜸 들이다 덧붙였다.

—목소리가 슬프게 들렸어요. 그래서 너무 슬퍼하지 말라고 말하고 싶었어요. 그게 용건이에요.

장례식에 왔다고 슬픈 줄 아는 건가. 역시 생각이 일차원적이다. 완전히 헛다리지만 추상우의 걱정은 귀하기 짝이 없었다. 재영은 입가에 미소가 번지는 걸 느끼며 대답했다.

"스트레스 받아서 그래. 늘 있는 일이라 괜찮아."

—누가 괴롭혀요?

"어."

—누구예요?

"알면 네가 뭘 어쩌게."

미소는 더욱 진해졌다. 서울을 떠난 지 고작 이틀째였다. 그런데 재영은 상우가 아주 많이 보고 싶었다.

—그러게요. 제가 주제넘는 소릴 했네요. 끊을게요.

"잠깐만."

재영은 핸드폰을 양손으로 잡으며 귀에 바싹 갖다 댔다.

"조금만 더, 목소리 들려줘."

상우가 없는 날을 하루 더 견디려면 버틸 힘이 필요하다. 재영은 작은 소리라도 놓칠까 봐서 통화 수신음을 최고치로 올렸다. 그러자 숨이 들락거리는 소리가 작게 들렸다.

"목소리 들려 달라니까, 왜 가만히 있어."

—할 말 없어요.

"아무 말이나 괜찮아. 생각나는 대로 말해."

상우는 한참 동안 말이 없었다. 그러다 그가 내뱉은 말은 재영이 숨 쉬는 법을 잊게 했다.

—장재영.

그의 목소리로 울리는 제 이름은 황홀할 정도로 듣기 좋았다.

—선배가 없으니까 실기실이 너무 조용하고 시간이 안 가요.

"……."

—보고 싶다.

중얼거림은 스쳐 지나가듯 미약하게 들렸다. 멍하니 있느라 잘못 들었나 싶었다. 다시 물어보려는 찰나, 상우가 빠르게 말했다.

—말이 헛나왔어요. 끊을게요.

전화가 곧바로 끊어졌다. 재영은 한참 동안 꼼짝 않고서 까만 화면을 쏘아보았다. 전화 한 통 했을 뿐인데 먼 거리를 뛴 사람처럼 숨이 찼다. 익숙하지 않은 아릿함이 번지며 가슴이 아프게 조여들었다. 불쾌한 듯 찬란하고, 무엇보다 강렬한 감정이었다. 재영은 등과 뒤통수를 벽에 기대고 휴대폰을 꽉 쥐었다. 계단 저 아래 있더니, 또 한 단계 올라온 걸까.

'적당히 논다고……. 될 리가 없잖아.'

적당히는 언제 적 적당히일까. 이미 이만큼 빠져 버려 다 엉망이 되었는데. 넘지 말아야 할 선? 어디가 선인지조차 모르겠다. 어쩌면 이미 훌쩍 넘어 버린 게 아닐까. 주먹에 힘이 들어갔다. 추상우의 폭격은 재영의 무기력함과 냉소조차 쓰러뜨렸다. 그래서 도리어 머릿속이 깨끗해졌다. 애초에 재영은 재고, 따지고, 일일이 신경 쓰는 기질을 타고나지 않았다.

그는 발걸음을 거칠게 옮겼다. 벽을 돌아서자마자 재홍과 부딪힐 뻔했지만, 그를 지나쳐 호텔 입구로 뛰다시피 향했다.

"너 뭐냐?"

재홍의 목소리에 웃음기가 가득했다. 날카롭게 돌아보자 의미심장한 표정으로 히죽거리는 얼굴이 보였다. 재영은 더욱 빠르게 걸었고 재홍은 속도를 맞추어 따라왔다.

"네 베이비, 보이스가 상당히 굵던데. 너무 보이시해서 놀랐어. 아니면…… 보이시가 아니고 보이인가?"

"꺼져."

"남자 만나?"

입을 크게 벌리며 즐거워하는 그를 무시했다. 언제부터 그렇게 되었냐고, 몇 살이냐고, 어떻게 생겼냐고 묻는 말을 모조리 무시하고 걷기만 했다.

"살다 보니 너랑도 공감대가 생기는 날이 오네. 장재영 강아지, 할

아버지한테 공인 받고 노는 건 아닐 테고…….”

“하고 싶은 말이 뭐야?”

“나, 네 약점 잡은 거 맞지?”

“가서 다 나불거리든가.”

거짓말하고 변명거리를 꾸며 낼 여유도 없이 엘리베이터 앞에 서서 버튼을 눌렀다. 성급한 손가락이 이미 불이 들어온 버튼을 두 번, 세 번 눌렀다.

“근데…… 어디 가?”

“서울.”

재영은 간단히 대답하고서 마침 도착한 엘리베이터에 타며 층수를 눌렀다. 재홍이 따라 타며 심각한 얼굴로 물었다.

“진심이야?”

“어.”

“아니, 그 남자하고, 진심이냐고…….”

진심? 그게 뭘까. 숱한 연애 경험이 있어도 재영은 모르겠다고 생각했다. 그는 어느 때보다도 단순한 상태였다. 짐을 챙기러 가는 이유는 단 한 가지였다. 추상우가 보고 싶다고 했다. 욕정이 들끓는다고, 남자의 몸이 필요하다고 말하지 않았다. 그뿐이었다.

“내일 발인인데?”

말도 없이 빠졌다가 생길 일들이 눈에 보듯 뻔했다. 그렇게 귀찮은 일을 방지하기 위해 재영은 ‘선’을 지키며 살아왔지만 지금은 눈에 뵈는 게 없었다. 재영은 8층에서 내리며 재홍에게 말했다.

“부탁 하나만 하자.”

“뭐?”

“나 이제껏 네 비밀 지켰어.”

"그래서?"

"너도 한 번쯤은 나한테 도움이 될 수 있잖아. 급한 일 생겨서 돌아갔다고 이야기 만들고 알아서 둘러대 줘."

"그게 될 거 같냐? 그냥 하루 더 지내고 가면 되잖아?"

"안 돼."

추상우가 보고 싶다잖아. 작업하라고 땍땍거리는 것도 아니고, 나랑 자고 싶다는 것도 아니고, 보고 싶다고 하잖아.

재홍이 얼굴을 찌푸리며 말했다.

"잘 둘러댈 자신 없어. 할아버지가 내 말 들어 주실 리도 없고……."

"그럼 어쩔 수 없고."

카드 키를 조작해 방에 들어섰다. 재영은 캐리어를 발로 차 눕히고 곳곳에 널브러진 옷가지를 쓸어 담았다. 재홍이 팔짱을 끼며 그 모습에 혀를 찼다.

"알았으니까 좀 진정해."

재영은 그를 무시하고 계속해서 짐을 챙겼다.

인상을 찌푸리고만 있던 재홍이 어느 순간 캐리어 가방 앞에 쪼그려 앉았다. 그는 정리되지 않은 옷가지 속을 헤집더니 재영이 여분으로 가져온 정장 한 벌과 셔츠를 꺼냈다. 재영은 그의 속셈을 알아채고 행동을 천천히 멈추었다. 재홍은 슈트를 탁탁 털어 펼치고선 살폈다.

"내 스타일은 아닌데, 어쩔 수 없지."

"자신 있어?"

"누가 상상이나 하겠냐."

어릴 적, 재홍이 아파서 학교 결석했을 때 그의 행세를 하며 선생을 골탕 먹였던 일이 떠올랐다. 재홍이 연기를 잘하리라곤 생각하지 않았지만, 그가 이곳에 온 걸 아는 사람이 없었다. 할아버지만 잘 속여 넘기면 아무도 알아채지 못할 것이다.

"야, 장재홍."

그를 가만히 부르자 재홍이 혀를 쯧 차며 딴청 피웠다.

"고맙단 말이라면 됐다. 공짜로 해 주는 거 아니니까 나중에 갚아."

"달아 놔."

"구두랑 향수도 줘, 할아버지 예민하시니까."

재영은 그와 구두를 바꿔 신고 향수를 던져 준 뒤 캐리어를 잠갔다. 그리고 뒤도 돌아보지 않고 호텔을 떠났다.

조금이라도 빨리 가려고 액셀을 밟아 댔다. 어쩌면 속도위반 고지서가 몇 장 날아올지도 모르지만, 재영은 제정신이 아니었고 그런 걸 신경 쓸 여유가 없었다. 휴게소 한 번 들르지 않고 달려 3시간도 되기 전에 서울에 도착했다.

상우네 원룸 건물 앞에 내리고 보니 온몸이 뻐근했다. 들어가기 전에 유리문에 비친 제 모습을 확인했다. 검은 슈트에 장재홍표 옥스퍼드 브로그. 상우가 좋아할 만한 모습이었지만 종일 일해서 땀 냄새가 날지도 모르겠다고 생각했다.

재영은 곧바로 들어가지 못하고 원룸 앞에서 서성였다. 이제껏 상대의 반응에 아랑곳하지 않고 제멋대로 들이대 왔다. 끊임없이 거절당해도 웃어넘겼지만 오늘만은 그럴 기분이 아니었다. 보고 싶다는 말 한마디에 먼 길을 달려왔는데 그가 식어 있지 않을까, 혹시 잘못 들은 건 아닐까, 피곤하다고 물리치지 않을까. 한 번도 든 적이 없는 불안함이 가슴 밑바닥에 맴돌았다. 약해진 상태라서 자신감도 사라진 것 같았다.

'그냥 돌아갈까……'

담배 생각이 절실했지만 비흡연자인 그가, 지금쯤 완벽하게 씻고서 깨끗하게 빨아 놓은 잠옷을 입고 있을 그가 싫어할지도 모르겠다는 생각이 스쳐 관두었다. 고개를 들어 커튼을 꼼꼼하게 쳐 놓은 창문을 물끄러미 바라보았다. 그 안에서 뭘 하고 있을까. 저와 달리 안정된 상태로, 아무 고민도 갈등도 없이 게임 생각이나 하고 있을까.

재영은 핸드폰 잠금을 풀고 운전하느라 못 본 메시지를 확인했다. 죄다 쓸데없는 곳에서 온 연락뿐이었다. 그때 새로운 메시지가 도착했다.

[베이비: 생각해 봤는데 무한 모드, 래더 랭킹, 신탁 퀘스트는 포기해야 할 것 같아요. 스토어 심사 2주 걸리니까 일정대로 6/3에 베타 테스트 들어가야 해요.] 23:04
[베이비: 바쁜 거 알아요. 답장할 필요 없으니 참고만 해요.] 23:04

사무적인 메시지를 곱씹어 몇 번을 읽는데, 시간차를 두고 하나가 더 왔다.

[베이비: 그리고 잘 자요. 수면을 충분히 취해야 낮에 받은 스트레스를 해소할 수 있어요.] 23:07

"사람을 들었다 놨다……."

그 순간에 왜 눈물이 핑 돌았는지 모른다. 재영은 핸드폰을 주머니에 집어넣고 유리문을 열었다. 계단을 두 개씩 뛰어올라 4층에 도착하고 문 앞에서 숨을 골랐다. 저 문이라면 쿵쿵쿵쿵 세게 두드린 기억뿐이었다. 손을 천천히 들어 뼈마디로 문을 세 번 노크했다.

긴장한 상태로 얼마나 기다렸을까, 문이 열리며 환한 빛이 어두운 층계를 비추었다. 눈을 찡그렸다 다시 뜨니 그가 앞에 있었다. 위아래 세트로 된 잠옷 차림으로 많이 놀란 듯, 입은 멍하게 벌리고 눈을 크게 뜨고 있었다.

"왜…….''

재영은 현관으로 천천히 들어서며 문을 닫았다. 상우는 멀찍이 떨어진 곳에서 우두커니 서 있었다. 그들은 한동안 서로의 눈을 바라보기만 했다.

'너, 나 많이 좋아하는구나.'

그의 얼굴만 봐도 알 수 있었다. 욕정이 점점 심해지기만 한다던 걱정이 이해되는 순간이었다. 천장을 쳤으면 떨어져야 하는 거 아닌가. 끝까지 갔으면 식어야 하는데, 왜 날이 갈수록 진해지는 걸까. 전혀 모르겠다고 생각하며 재영은 값비싼 구두를 접어 아무렇게나 벗었다. 한 발짝, 두 발짝 상우에게 다가갔다. 눈을 크게 뜨고 볼이 상기된 채, 상우는 시선을 피하지 않고 재영을 올려다보았다.

"올 줄 몰랐어요.''

"그래서, 싫어?''

까만 눈이 아니라고 대답했다.

재영은 상우의 목에 팔을 감아 제 쪽으로 당겼다. 어깨에 턱을 대며 무게를 실어 버리자 이전까지 심장에서 소용돌이치던 부정적인 감정이 손끝으로 서서히 빠져나갔다. 눈이 저절로 감기고 입술 사이에서 긴 숨이 빠져나왔다.

불안해하는 취미 따위 없었다. 즐기기도 아까운 시간을 왜 불안해하면서 보내야 하나. 하지만 그를 알면 알수록, 열정이 심해질수록 불안함도 커져만 갔다. 기분 나쁜 일이었다.

"기분 좋다."

아니, 재영은 상우를 만나면 늘 기분이 좋았다. 이렇게 걷잡을 수 없이 빠지기 전부터 안 그런 적이 없었다. 그의 목에 얼굴을 부비자 두 팔이 등을 단단하게 감아 왔다. 늘 애기 취급했던 상우의 품은 따뜻하고 널찍했다.

"선배 오늘 많이 이상하네요."

"왜?"

"처음 보는 옷이고, 처음 맡는 냄새 나서요."

"그래서, 싫어?"

"아뇨."

"그럼 됐어."

"그리고…… 장례식장에서 무슨 일 있었죠?"

그가 이제 제법 사람 흉내도 잘 낸다고 재영은 생각했다. 말없이 꼭 안기자 상우가 어색한 손길로 어깨를 툭툭 쳤다.

"괴롭혔다는 사람, 누구예요?"

"이모, 이모부, 삼촌, 외숙모들, 사촌들. 네가 가서 혼내 줘."

"바보. 친척이 갈궜다고 우울해진 거예요?"

"위로해 줘야지. 여기 구박 받으려고 왔겠냐."

"몸으로 위로해 달란 뜻이죠?"

"썩어 빠진 사고방식하고는……. 그거 아니야. 다정하게, 말로 해 줘."

따뜻한 위로. 추상우한테 그런 기능이 없는 거 알면서도 칭얼거려 보았다. 사실은 아무래도 상관없었다. 상우에게 무게를 기댄 채 그의 체향에 흠뻑 취한 이 순간, 재영은 위로가 따로 필요하지 않았다.

상우는 꽤 오랫동안 침묵을 지켰다. 재영에게는 소중한 적막이었다. 기분이 노곤해서 선 채로 잠들 수 있을 것 같았다. 온몸이 말랑말랑해진 기분이 들었을 때 상우가 말했다.

"자연에서 강인한 개체는 단독으로 행동해요. 예를 들어 블랙 맘바는 알에서 깨어난 날부터 맹독을 분비하니까 지켜 줄 무리가 필요 없죠."

"……."

"그렇지 않은 동물들이 무리 생활을 하는 이유는 크게 두 가지예요. 초식 동물은 개체의 힘이 약하니 포식자를 방어하기 위해 몰려다니고, 육식 동물은 협동해서 사냥하기 위해 무리를 이루어요."

재영은 황당한 기분으로 난데없이 시작한 동물학 강의를 들었다. 상우는 영양과 원숭이, 하이에나 같은 예시 몇 가지를 자세히 들더니 물었다.

"선배는 어느 쪽이죠?"

"글쎄."

진지하게 대답해 보려고 해도 될 리가 없었다. 동물과 인간 세계를 같은 선상에 놓는 것부터가 어불성설이니까. 게다가 평범한 가정에서 자랐을 상우가 어느 막장 드라마에 등장해도 이상하지 않을 콩가루 집안의 사정을 이해하기란 불가능했다.

"유대류 동물의 새끼라면 모를까, 성체라면 스스로 앞길을 헤쳐 나가야 해요. 약하다면 무리에 기대는 것도 한 방법이죠. 하지만 무리가 도리어 개체한테 악영향을 끼친다면……."

건조하게 말하던 상우가 잠시 뜸을 들였다.

"빠져나오면 그만이에요. 선배는 가족 없이 생존할 자신이 없나요?"

문제가 있으면 원인을 제거하면 된다는 사고방식. 재영의 처지를 몰라서 그렇지, 그 자체로 틀린 말은 아니었다. 다만, 보통 사람들은 이런 생각을 냉정하다고 여긴다.

"네 부모님도 네가 이렇게 생각하는 거 아시냐?"

"그럼요. 집 나온 지 5년쨌데."

"섭섭해하지는 않으셔?"

"가족 간의 유대감은 매달 통화하고 반년에 한 번씩 방문하며 채우고 있어요. 그리고 부모님이 저를 키우느라 들인 자금은 9년 뒤부터 상환할 계획이에요."

"……효자네."

말을 저따위로 해도 상우는 화목한 가정에서 자랐을 것이 분명하다. 이름에 하트를 붙여 달라고 졸라 대는 아버지, 요령 없는 아들이 어디 가서 손해 볼까 봐 술자리 예절을 친히 가르쳐 주는 어머니, 평범한 남매답게 아웅다웅하는 누나까지.

감정 기복이 적은 것도, 타인의 시선에 신경 쓰지 않는 것도, 자존감이 높은 것도 그래서가 아닐까. 재영은 살을 맞댄 남자에게 질투와 사랑스러움을 동시에 느꼈다.

"선배는 너무 모순적이에요. 중요한 수업은 막 빠지면서 스트레스받는 장례식은 왜 못 빠져요?"

"안 가면 난리 나."

"난리 치라고 해요. 친척도 타인일 뿐이에요. 누구도 선배의 행동을 강제할 수 없어요."

"네 말이 다 맞아."

재영은 어느새 미소 짓고 있었다. 그처럼 극단적인 해법에 위안이 되는 게 이상했다. 단호한 결론은 청량음료처럼 스트레스를 시원하게 날려 버렸다.

"엄살이 심하네요. 빨간 패딩한테 당해 보지도 않고서."

중얼중얼 덧붙이는 말에 재영은 상우를 꼭 껴안아 버리고 말았다.

"나 바보 같아?"

"조금요. 사람은 누구나 약점이 있으니까 이해는 해요. 슈퍼맨도 크립토나이트가 있잖아요."

"그러게…… 나처럼 완벽한 남자도 약점이 있어야지."

괜찮은 비유라고 재영은 생각했다. 자유롭게 살아가는 그가 유일하게 매여 마음대로 할 수 없는 약점. 외할아버지가 오랜 시간에 걸쳐 부여한 가족이란 선은 재영을 약하게 만들었다. 크립토나이트만 들이대면 비실거리는 슈퍼맨과 다를 게 뭐란 말인가. 그쯤 궁금해진 게 있었다.

"네 크립토나이트는 뭔데?"

"전 그런 거 없어요."

상우는 고민하는 기색도 없이 대답했다. 재영은 별 의심 없이 납득하고 말았다.

"좋겠네, 약점 없는 슈퍼맨이라."

사회성 부족, 센스 부족, 공감 능력 부족. 그러나 강인한 블랙 맘바에게 그런 것은 흠이 아닐지도 모른다. 남들과 못 어울린다고 해도 단독으로 행동하면 그만이니까.

'넌 이제껏 그런 식으로 살아왔겠지.'

상우가 재영의 등을 탁탁 두 번 치더니 말했다.

"자, 위로 끝났어요."

퍽도 다정한 위로였다.

"이제 키스해 줄까요?"

"응."

그의 손가락이 재영의 양 볼을 감쌌다. 재영은 턱을 들고 눈을 감앉지만, 상우는 그의 얼굴을 제 눈높이에 맞춘 뒤 아무 짓도 하지 않고 한참 동안 뜯어보기만 했다. 상우의 손가락이 재영의 이마를 간질이다 눈썹에 닿았다. 천천히 콧등을 쓸고 내려와 볼을 스치고서, 이윽고 인중을 거쳐 입술로 내려왔다.

"이상한 사람들이네……. 이렇게 잘생긴 친척을 왜 구박하는 거야."

피식 웃어 버린 순간에 다른 것이 입술에 와 닿았다. 재영의 아랫입술이 입 안으로 끌려 들어가며 그 위로 부드러운 혀가 뭉개졌다. 상우는 재영의 입술을 번갈아 가며 입에 머금고 빨다가 입을 크게 벌리며 안으로 들어왔다.

'이제 진짜 잘하네…….'

연습을 많이 시켰더니 어느새 선수가 되어 버렸다. 재영은 피곤하던 것도 잊고 상우가 끌어당기는 대로 끌려갔다. 초콜릿이 되어 뜨거운 입 안에서 녹는 기분을 느끼며 그가 혀뿌리를 달콤하게 희롱하도록 내버려 두었다. 혀끼리 얽히며 정신이 멍해졌다. 상우의 입술이, 혀가 닿는 곳마다 감각이 깨어났다. 사고를 멈추게 하는 아찔한 키스였다.

입술이 자연스럽게 떨어진 뒤, 재영은 상우를 다시 끌어안고 귓가에 속삭였다.

"자고 가도 돼?"

"네."

'너무 곧바로 대답하는 거 아닌가…….'

"그럼 잠옷 좀 줘. 씻고 올게."

"안 돼요. 갈아입으면 안 돼요."

상우는 재빨리 대답하더니 재영의 팔을 잡고 침대로 끌고 갔다. 그의 얼굴이 기대감으로 상기되고 눈빛이 이글거렸다. 재영은 이끄

는 대로 침대에 쓰러지면서도 마음이 내키지 않았다. 배 위에 올라
타는 상우를 주저앉히고 품에 끌어안으며 옆으로 몸을 돌려 누웠다.

"상우야."

"네."

"오늘은 엄마 아빠처럼 그냥 껴안고 자자."

말을 내뱉어 놓고서 아차 싶었다.

"우린 둘 다 남자니까 당연히 결혼할 수 없지만 비유적인 표현이
었어. 기분 나쁘면 내가 엄마 할게. 네가 아빠야."

상우는 말없이 눈을 맞추고만 있었다. 재영은 그에게 더 가까이
몸을 붙이며 허벅지 사이로 제 다리를 끼워 넣었다. 가슴끼리 맞닿
으며 기분 좋은 온기가 느껴졌다. 심장 터질 듯 격렬한 감정이 가라
앉고 입꼬리를 잡아 올리는 몽롱하고 따뜻한 기분이 찾아왔다. 증오
와 불안감을 몰아내는 잔잔한 파도는 마음을 안정시켰다. 재영은 상
우를 찾아오길 잘했다고 생각했다.

그에게 온기를 빌려주며 가만히 누워 있던 상우가 불쑥 물었다.

"정말 아무것도 안 해요?"

대답하지 않자 그가 꼼지락거리며 고개를 내밀어 눈을 맞추었다.

"엄마 아빠라면 아이를 만들어야 하지 않나요?"

재영은 그의 머리통을 다시 밀어 내리고 몸을 더 꽉 안았다.

"난 이렇게 있고 싶은데……."

'제발, 좀. 추상우. 너랑 섹스하러 온 게 아냐. 얼굴 보러 온 거란
말이야.'

속으로 아무리 외쳐도 상우는 드러나지 않는 명령어를 인식하지
못했다. 상우가 재영의 가슴을 밀고 거리를 벌리더니, 고개 숙여 아
래를 내려다보았다. 재영은 손바닥으로 눈을 가리며 반대로 누웠지

만 이미 늦었다.

"성 충동이 이성의 통제를 벗어났네요. 그 기분 잘 알아요."

"……."

남자로 살기 싫어지는 순간이었다. 재영은 정말로 섹스하고 싶은 생각이 없었지만 키스하면서, 아니 상우를 본 순간부터 몸이 반응한 건 어쩔 수 없었다. 상우가 바싹 붙으며 등을 끌어안았다. 그리고 다 이해한다는 듯이 귓가에 속삭였다.

"선배 양복 차림 처음 봐서 꼭 이 상태로 해 보고 싶었는데 인간성을 잃고 싶지 않은 그 판단도 존중해요."

그 포기 발언은 가장 아찔한 유혹이 되어 재영의 성욕에 불을 지폈다. 재영은 몸에 피가 빠르게 도는 것을 가만히 느꼈다.

"추상우."

"왜요."

"콘돔 어디 있어?"

"안 한다더니……."

"그럴 생각이었는데. 네가 가만히 안 내버려 두잖아."

"싫다는 사람하고 억지로 성교할 생각……."

"못 참고 박아 버리기 전에 얼른 가져오세요."

재영의 등에 달라붙어 있던 몸이 멀어졌다. 곧 불이 꺼지고 상우가 지난번과 같은 브랜드 제품을 들고 왔다. 재영이 그의 팔목을 끌어당기며 안으려 하자 상우가 가슴을 밀어 눕혔다.

"오늘은 피곤해 보이니까 알아서 할게요."

"뭐?"

"가만히 있어요."

상우는 그리 말하더니 침대 끄트머리에 앉아 잠옷 단추를 빠르게 풀었다. 재영은 누운 것도 앉은 것도 아닌 엉거주춤한 자세로 그를 멍하니 바라보다 천천히 누웠다. 얇은 잠옷이 살랑거리며 살결을 드러내는 모습을 보며 침을 꿀꺽 삼켰다. 옷을 갈기갈기 찢어 버리고 상우에게 달려드는 자신을 상상하면서도 가만히 있으라던 지시를 되새겼다.

상우는 잠옷을 벗어 네모나게 접어 바닥에 내려놓고 재영의 눈을 마주했다. 의외의 행동을 한 게 그때였다. 그는 말릴 새도 없이 바지를 조금 내리고선 콘돔을 뜯어 발기한 제 성기에 끼웠다.

"상우야?"

'가만히 있으란 게 그 의미였나.'

재영은 당황해서 몸이 굳어 버렸다. 언젠가 이런 날이 올지도 모른다고 생각했지만 오늘일 줄은 몰랐다. 그는 상우와 충분히 이야기해 보고 그가 정 원한다면 뭐든 허락할 의향이 있었지만, 지금은 몸도 마음도 준비가 안 되었다.

'괜히 엄마 얘기를 꺼내서.'

상우가 바싹 다가와 재영의 바지 버클에 손을 갖다 댔다. 재영은 그의 손을 꽉 붙잡고 눈을 바라보았다.

"잠깐만, 나 아직 마음의 준비가……."

"선배 오늘 진짜 이상하네요."

상우가 웃으며 말하자 재영의 얼굴에 의아함이 번졌다. 그의 손아귀 힘이 약해진 틈을 타 상우가 바지와 속옷을 끌어 내렸다. 재영은 그가 뭘 하나 지켜볼 심산으로 가만히 있으면서도 긴장을 놓지 못했다.

"상태가 이런데 그냥 누워 자자고 한 거예요?"

"기다리면 가라앉잖아."

"보고나 말해요."

상우는 너무 미끌거린다고 투덜거리며 휴지를 가져와 기둥을 훔쳤다. 휴지로 툭툭 건드리는 것뿐인데 재영은 혀로 핥아지는 듯한 착각을 느꼈다. 그 때문에 더욱 불이 붙은 좆대가리가 체액을 흘려 댔지만, 상우는 참을성 있게 전부 닦아 낸 뒤 재영의 것에도 콘돔을 씌웠다.

"왜 둘 다 끼운 거야?"

"지난번에 옷 버린 거 생각나서 하나 더 썼어요. 셔츠는 더 비쌀 거 아니에요."

상우는 대수롭지 않게 말하더니 재영의 재킷을 벗겼다. 불안감과 미심쩍음이 곧바로 흥분으로 돌변해 머릿속을 마비시켰지만 재영은 달려들고 싶은 마음을 눌러 참고 기다렸다. 조금만 더 기다리면 반드시 좋은 걸 볼 수 있으리란 확신이 들었기 때문이다.

상우는 콘돔 위로 윤활제를 넉넉히 짜 손바닥으로 펴 바르고선, 심호흡을 하고 하체를 들었다. 재영의 어깨 옆에 양손을 짚고 엎드려 귀두에 엉덩이를 갖다 붙였다. 그 작은 접촉에 재영은 혼이 나가 버릴 것 같은 흥분을 느끼며 상우의 어깨와 팔을 쓸어내렸다. 희고 뜨거운 팔뚝을 세게 쥐었다가 풀기를 반복했지만 간절하게 기다리는 자극은 도통 오지 않았다.

"잘 안 돼요."

얼굴을 찌푸리며 그가 말했다. 몇 번 더 시도하더니 포기하고서, 아쉽게도 다시 재영의 허벅지에 걸터앉았다.

상우가 심호흡을 하더니 몸을 옆으로 돌렸다. 어둠 속에서 희미하게 빛나는 옆모습은 앞모습만큼이나 보기 좋았다. 우락부락하지 않아도 남자다우며, 동시에 선이 예쁜 몸이었다. 열량을 지나치게 잡아먹지 않으며 생활에서 필요한 근육을 모두 갖춘 몸은 효율을 중시하는 그의 성격을 닮았다.

상우는 새 콘돔을 뜯어 손가락에 끼우고 젤을 짰다. 그러고선 손을 아래로 가져갔다. 재영은 입을 멍하게 벌리고 그의 손가락이 몸속으로 들어가는 광경을 지켜보았다. 숨이 턱 막혔다. 끈적끈적한 시선이 새까만 머리카락에서 시작해 그 아래 짙은 눈썹, 꼭 감은 채 찡그린 눈에 닿았다가 콧날을 지나 벌어진 입술을 정신없이 훑었다.

고개를 숙인 바람에 목뼈가 도드라져 보였다. 구부러진 목선과 등으로 내려오는 곡선이 아찔해서 마른침을 삼키며 주먹을 쥐었다 펴기를 반복해야 했다. 점성 있는 물질이 좁은 통로 안을 치대며 질척이는 소리가 고요한 방을 가득 채웠다. 강렬한 흑백 대비 속에서 아직 접촉하지도 않았는데 숨이 가빠졌다.

"하아……."

이윽고 상우가 한숨에 가까운 신음을 내뱉었다. 그의 오른손이 점점 더 부지런히 움직였다. 철벅철벅, 수렁에서 헤매는 듯한 소리가 재영의 귀에 꽂히며 귓불을 바싹 달아오르게 했다. 상우의 목이 바르르 움찔거리며 검은 머리카락이 흔들렸다. 그가 얼굴을 찡그리며 고개를 뒤로 젖혔다.

"아, 흐윽……."

추상우가 제 성기를 받기 위해 자진해서 손가락으로 뒤를 넓히고 있었다. 이제껏 본 어느 포르노보다도 꼴리는 장면이었다.

"뭘 그렇게 열심히 봐요? 변태 새끼……."

상우가 눈을 슬쩍 뜨곤 중얼거렸다. 입술을 꼭 깨문 채였다. 낮에 정직한 그는 밤에 욕망을 숨기지 않는다. 일관성 있는 행동일 뿐인데 왜 두 명의 다른 사람 같을까. 베이비라고, 네가 무슨 베이비야. 씨발 이런 아기가 세상에 어디 있어.

재영은 도저히 더는 참을 수 없었다. 그에게 달려들 심산으로 상체를 벌떡 일으켰다.

"가만히 있으라고 했잖아요."

상우가 짜증 내며 발바닥으로 재영을 도로 밀어 버렸다. 재영은 내심 당황해 머리끝까지 흥분한 것도 잊고 천천히 도로 누웠다.

"제가 할 거예요."

그는 재영의 눈을 똑바로 들여다보며 몸을 일으켰다. 땀이 흘러내리는 가슴도, 밝은색 유두도, 복근이 잡힌 배도, 목도, 팔도, 다리도, 뭐든지 재영에게는 심각한 자극이었다. 상우는 숨을 들이마시더니 손을 뒤로 가져가 제 엉덩이를 벌린 뒤, 아까부터 우뚝 서서 이 순간만을 기다리던 기둥을 삼켰다. 재영은 눈을 질끈 감아 버렸다.

"아, 아윽……."

갑작스러운 자극이 쏟아지며 신음이 저절로 나왔다. 말 그대로 집어삼켜지는 기분이었다. 상우의 무게가, 셔츠를 쥔 손길이, 뜨거운 피부가 머릿속을 어지럽게 했다. 상우는 엉덩이를 위아래로 몇 번 움직이고서 더 깊이 내려앉았다. 성기를 꽉 감싸며 빨아들이는 감각에 배를 얻어맞은 듯 강렬한 쾌감이 찾아왔다.

"상우야, 잠……깐만. 나 위험해."

상우는 재영의 말을 무시하고 더 깊이 미끄러지며 안을 조여 왔다. 이를 꽉 악다물고 사정하지 않으려고 어떻게든 참고 있는데 그가 푹 내려앉으며 기둥을 끝까지 먹어치웠다. 시트를 쥐고 마구 구기다 눈을 뜨자 잔뜩 찡그린 얼굴이 보였다. 재영은 제 가슴에 두 손을 짚고 헉헉거리는 상우를 올려다보았다.

"왜 그래. 괜찮아?"

"너무 깊어서 그래요. 그리고……."

이젠 익숙해질 때도 됐는데, 자세 때문에 받아들이기 힘든 모양이었다. 재영이 손가락을 까딱거리자 상우가 상체를 낮추어 왔다. 가까이서 본 그의 얼굴은 음란 그 자체. 재영은 농담으로라도 아기 같다고 표현할 수 없을 남자의 목에 팔을 감았다. 눈을 감고 한 호흡 고르고 있는데 상우가 귓가에 속삭였다.

"형…… 많이 흥분했어요? 너무 커졌어요."

방심하고 있던 차에 불시의 공격을 받은 재영은 원치 않게도 눈이 멀어 버리는 절정을 맞이했다.

"아이 씨."

"왜 그래요?"

시작도 하기 전에 한 차례 뱉어 버렸지만 어차피 이전과 다를 바 없는 상태라 상우는 아무것도 알아채지 못했다. 그러나 곧 기둥을 터질 듯이 감싼 고무 사이로 희뿌연 정액이 주르륵 새어 나와 체모를 적셨다. 재영은 머쓱하게 속삭였다.

"조절 실패. 이거 갈아야겠는데……."

"지금은 못 빼요. 그냥 해도 괜찮죠?"

고개를 끄덕이자마자 그가 재영의 가슴을 짚으며 상체를 일으켰다. 이윽고 엉덩이를 위아래로 움직이기 시작했다. 극점에 도달했던 쾌감이 채 잦아들기도 전에 자극의 파도가 밀려들었다.

상우는 눈을 반쯤 감은 채 몽롱한 눈빛을 하고 있었다. 뜨거운 속이 느릿한 템포로 빠져나갔다 들어오기를 반복했다. 질척이는 소리를 내며 꽉 맞물려 조였다가 언제 그랬냐는 듯 빠져나갔다. 그의 허리와 골반이 말 타는 사람처럼 유기적으로 움직일 때마다 배에 딱 붙어 선 성기가 흔들거렸다.

달콤하고도 감질나며, 하면서도 믿기 어려운 섹스였다. 가만히 있을 뿐인데 재영의 숨이 점점 거칠어졌다. 접합부가 맞닿을 때마다 성감이 고조되어 갔다. 놀고 있는 두 손으로 뜨거운 땀이 흘러내리는 허리를 잡았다가 엉덩이를 꽉 쥐며 근육의 움직임을 느껴 보았다. 부끄러움 없이 벌어진 하얀 허벅지를 손가락으로 간질이다 꺼떡거리는 중심을 거머쥐어 보았다.

어둠에 잠긴 새까만 눈동자가 고통스럽다는 듯 재영을 내려다보았다. 상우의 관자놀이를 타고 내려온 땀 한 방울이 턱 끝에 맺혔다가, 그가 엉덩이를 아래로 찍어 내리는 순간에 재영의 셔츠 위로 떨어졌다. 투둑 투둑, 몸이 흔들릴 때마다 계속해서 비가 내렸다. 재영의 입이 저절로 벌어져 가쁜 숨과 신음을 뱉어 냈다. 상우가 입술을 깨물며 말했다.

"형⋯⋯."

"⋯⋯어."

"그렇게⋯⋯ 보지 마요."

곧 손바닥이 눈가로 다가왔다. 재영은 시야가 잠시라도 가려지기 전에 손목을 쥐어 강하게 잡아당겼다. 그 힘에 상우의 상체가 재영의 가슴 위로 무너졌다. 재영은 그의 목을 당기며 입술을 찾아 거칠게 키스했다.

"으읍, 흑⋯⋯."

스스로 움직이던 상우가 몸을 떨며 움직임을 잠시 멈추었다. 원래 한 몸이었던 것처럼 꽉 맞물린 감각이 충만한 기분을 들게 했다. 재영은 그의 등을 세게 끌어안으며 배를 맞추었다.

"도와줄까?"

상우가 말없이 눈을 깜빡거렸다. 어김없이 눈가에 눈물이 맺혀 있었다. 평소에 찔러도 피 한 방울 안 나올 것처럼 구는 추상우는 쾌락에 약했다. 그것도 많이. 그 상반된 특질은 그를 매력적으로 만들어 주는 수많은 요소 중 하나였다. 재영은 무릎을 구부리며 자세를 잡고 상우의 엉덩이를 꽉 쥐었다.

골반을 살짝 틀었을 뿐인데 상우가 몸을 비틀며 재영의 목에 이마를 기댔다. 오늘따라 더 사람 미치게 하는 거 알고 있을까. 먼 길 달려온 보상일까. 그렇다면 차를 100시간이라도 타겠다. 재영은 한 팔로 상우의 등을 감싸며 하체를 쳐올렸다.

"아, 흐윽……. 잠깐만요."

"아파?"

상우가 재영의 목을 팔로 감으며 고개를 빠르게 저었다.

"그럼 됐어. 입 다물어."

재영은 정신 못 차리는 그를 보며 폭력적인 기분에 휩싸였다. 언젠가 상우가 저더러 사디스트라고 했던가. 허리를 흔들 때마다 움찔거리는 그를 더 괴롭히고 싶어졌다. 그렇게 제 것으로 만들고 싶었다.

완벽하게 맞물린 틈을 파고들며 안쪽을 찍어 눌렀다. 같은 곳을 몇 번 괴롭히자 상우가 아예 체중을 재영에게 실어 버리며 폭 안겼다. 물기로 번들거리는 머리카락 끝에서 농구 코트에서 흔히 맡을 수 있는 체향이 났다. 남자의 땀 냄새가 섹시하다고 여길 날이 올 줄은 몰랐는데, 그 때문에 정신이 혼미해졌다.

강한 소유욕이 마음속에서 들끓었다. 추상우를 저로 온통 채우고, 적시고, 칠하고 싶단 욕망으로 재영은 그의 허리를 양손으로 쥐었다. 그리고 본격적으로 움직였다. 제 목을 꽉 끌어안고 어쩔 줄 모르는 상우의 뜨거운 속을 마음껏 휘저을 기회였다. 세게 올려 치대자 상우의 엉덩이가 붕 떴다가 떨어졌다.

"아, 아! 형……."

대답하지 않고 한 손을 그의 뒤통수로 가져갔다. 땀에 젖은 머리카락을 잡아 쥐며 하체를 움직였다. 행위는 점점 격렬해져, 퍽, 퍽, 퍽 살끼리 마주치는 소리와 함께 상우의 몸이 공중에서 흔들렸다.

"으, 흐윽, 아……. 아웃, 천천히……."

고통과 쾌감이 뒤섞인 목소리를 연료 삼아 허리 짓이 더욱 거세졌다. 철썩거리는 소리의 주기가 점점 짧아지고 상우의 하체가 공중에 뜨는 정도가 심해졌다. 상우가 내려앉을 때마다 받아서 쳐올리자 그가 눈과 입술에서 물을 흘리며 우는 소리를 냈다.

"헉, 헉, 하아……. 으윽, 흑……. 아!"

감정표현이 풍부하지 않은 추상우는 흥분했다는 표시만은 숨기지 못한다. 그가 저 때문에 흥분했다는 걸 알고서 재영은 더 흥분해서 격렬해지고, 그 때문에 상우는 더 흥분하게 되고, 그렇게 그들은 끝까지 치달아 버린다.

'널 왜 이제야 만난 걸까.'

재영은 심장에서 온몸으로 펌프질하는 핏속에 체액보다 뜨거운 감정이 섞여 있음을 감지했다. 눈을 멀게 하고 이성을 마비시키는 감정은 비단 성욕으로만 설명할 수 있는 종류가 아니었다. 그는 위기감을 옆으로 치워 두고 그 감정에 푹 빠진 채 감각의 바다에 기꺼이 잠겼다.

상우는 그날따라 예민해서 재영의 몸짓 하나하나에 몹시 민감하게 반응했다. 얼마나 흥분했는지 눈에 뻔히 보여서 반응을 물어볼 필요도 없었다. 손톱이 등을 파고들고 이가 어깨를 깨물었다.

재영은 아무것도 꾸며 낼 줄 모르는 남자의 교성을 귀에 기꺼이 담았다. 뜨거운 살갗을 품에 꽉 안으며 머리카락과 이마에 키스했다. 그러면서도 페니스로는 집요하게 같은 지점을 공략했다. 재영은 뭐든 빨리 배웠다. 그러니 이제 상우가 어디를 찔러 주면 자지러지는지 잘 아는 것도 당연했다.

"아웃, 상우야……."

"아…… 하, 학, 윽, 흐윽, 흑……."

재영은 상우가 우는 건 한 번밖에 못 봤지만 그런 기분은 다시 느끼고 싶지 않았다. 하지만 침대에서 울리는 건 좋았다. 흐느끼며 품에 파고드는 상우를 부드럽게 안고 하체로는 쉴 새 없이 박아 올렸다.

둘이 함께 절정으로 달려가는 느낌은 황홀했다. 그를 만족시킬 수 있어서 다행이라는 감정, 가장 강한 쾌감을 그 몸에 아로새기고 싶다는 욕심, 그래서 자신을 영원히 못 잊게 하고 싶다는 생각. 재영은 그렇게도 복잡한 심정을 몸으로 표현했다. 다 쏟아 내기엔 아직 멀었다. 아직 보여 줄 게 많이 남았다.

"아, 아! 으윽……. 형, 재영이 형……."

그러다 내벽이 그를 꽉 조인 순간, 재영은 상우가 사정했음을 알 수 있었다. 움직임을 멈추자 그의 몸이 축 늘어지며 무게를 완전히 기댔다. 상우가 눈을 감은 채로 재영의 가슴을 더듬으며 안겨 왔다. 이번에도 셔츠는 하도 잡아당긴 탓에 엉망이 되었다. 재영은 그의 뒤통수를 쓰다듬으며 눈물로 범벅된 눈가를 쓸었다. 땀과 눈물, 어쩌면 정액으로 젖었을 손끝이 떨리고 있었다.

"하아, 하아……. 상우야."

상우는 대답하지 않고 숨만 쌕쌕거렸다.

"눈 떠 봐."

힘없이 감겨 있던 눈꺼풀이 깜빡거리며 새까만 눈동자를 반쯤 드러냈다. 눈이 마주치자마자 누가 먼저랄 것도 없이 입술이 서로를 찾았다. 질척이는 소리를 내며, 타액을 질질 흘리며 성행위를 닮은 키스를 오랫동안 나누었다. 입술이 떨어지고서 상우가 눈을 감고 옆으로 쓰러졌다.

"죽는 줄 알았어요. 복상사 있잖아요……."

쾌감이 진득하게 엉긴 눈꺼풀이 느릿하게 깜빡거렸다. 그가 간과하는 게 하나 있었다. 재영은 축축한 이마에 입 맞추고서 손등으로 상우의 볼과 턱에서 땀을 대충 훔쳤다.

"죽으면 안 되지. 나 아직 안 끝났는데."

"저 힘이 없어요. 오늘은 그만해요."

"그만하긴 뭘 그만해, 이제 시작인데."

재영은 그의 몸에서 빠져나와, 정액과 젤로 번들거리는 콘돔을 빼고 새로 장착했다. 젖어서 발목에 구질구질하게 엉킨 바지와 양말을 한 번에 내리고 살갗에 찰싹 달라붙은 셔츠를 벗어 던졌다. 상우가 아래쪽 단추를 모조리 떼어 놓은 덕에 수월했다. 정사의 여파로 축 늘어진 상우를 돌려 눕히고 허리를 끌어안았다.

"유혹했으면 책임져야지."

"……알았어요. 삽입해요."

조금 전의 흥분을 고스란히 간직한 재영은 자상하게 굴 여력이 없었다. 엉덩이 틈새를 벌리고 단번에 꿰뚫자 상우가 여유를 잃고 비명 닮은 신음을 흘렸다.

발정기 맞은 개들처럼 바싹 겹쳐진 채로 2차전이 시작되었다. 재영은 허리를 움직이며 상우의 머리카락을 쥐고 당겼다. 뒤로 꺾인 그의 고개에 얼굴을 묻으며 귀에 속삭였다.

"상우야."

"으흑, 왜."

"지금······ 무슨 생각해?"

"아, 학, 쾌락, 오······르가즘, 으읏. 장······재영. 인간성의 상실······."

"아직······ 이성이 살아 있다니, 안 되겠는데."

밤이 길어질 것 같다는 예감이 들었다.

⟨1001⟩

〈1001〉

9. 배우자가 있는 상대와 섹스하고 싶은 욕구를 느낀다.

'그 정도는 아니야. 게다가 불법.'

10. 하루라도 섹스하지 않으면 견딜 수 없다.

'하루는 참을 수 있어.'

11. 성욕을 이기지 못해 사창가를 찾는다.

'그럴 리 없잖아. 게다가 불법.'

12. 변태적인 섹스에 대한 강한 충동을 느낀다.

"······."

'변태적인'의 기준이 모호하다 보니 '예'라고 하기도 '아니요'라고 하기도 곤란했다. 상우는 어쩔 수 없이 결정을 보류하고 나머지를 읽어 내렸다.

스무 문항 중 열 가지 이상 해당하면 섹스 중독증이라는데, 완벽하게 부합하는 문항은 5번 '섹스 생각이 잦아서 일상생활에 불편함을 느낀다.' 하나뿐이었다.

'중독증이 아니었다니…….'

시도 때도 없이 생각나서 정신병을 의심했는데 아무리 간소한 자가 테스트라고 해도 결과가 이토록 뚜렷하다면 아니라는 거겠지. 그나마 다행이라고 상우는 생각했다.

핸드폰을 배낭에 넣고 가만히 있자 전날 일어난 일이 스멀스멀 떠올랐다. 상대와 실기실에서 작업하다 어쩌다 보니 불이 붙어서 조기 귀가했다. 차에서 유사 성행위를 한 후 헤어지려고 했으나, 집 앞에서 장난치다가 몸싸움으로 번지고서 난데없이 키스로 이어졌다. 집에 올라가 씻지도 않은 채 새벽까지 이 자세 저 자세로 성교하느라 늦게 자서 오늘 '임베디드 시스템' 수업에 지각할 뻔했다는 이야기다.

'요구 사항을 정확히 말해야지, 상우야. 목적어가 없잖아.'

장재영은 일관성 없이 그때그때 조금씩 달라서 어떤 날은 과묵하고 어느 날은 부드럽고 어느 날은 거칠게 굴었다. 어느 게 더 나은지 고르기 어려웠지만 작정하고 애태우는 건 별로였다. 어제는 하도 장난을 치길래 열 받은 채로 달려들었다가 실수로 침대맡에 벗어 놓은 안경을 손바닥으로 짓이겼다. 새벽에 자려고 보니 안경테가 반으로 부러져 있었다. 가격을 알려 달라고 해도 그는 대답해 주지 않았다.

상우는 손바닥으로 턱을 괴고 앉아서 생각에 잠겼다. 이죽거리던 얼굴을, 때리고 싶으면서도 관능적인 표정을 떠올리고 있는데 문이 벌컥 열렸다.

"헉, 헉, 죄송합니다! 선배님."

시야에 갑자기 등장한 남학생은 숨을 심하게 헐떡거렸다. 상우는 자신이 회의실에 앉아 있으며 과제 모임을 앞두고 있다는 사실을 뒤늦게 상기했다. 시계를 보니 7분 지각. 딴생각하느라 알아채지도 못했다.

"죄, 죄송합니다! 자전거 타고 오다가 넘어졌어요. 핑계인 건 알지만, 제가 더 일찍 나왔어야 했는데……."

거짓말 같지는 않았다. 반팔 티 아래 삐져나온 팔꿈치가 까져서 피가 고여 있었다.

"많이 아프면 보건실부터 가 봐요."

"네? 아뇨……. 괜찮아요."

남학생이 상우의 건너편에 앉더니 손등으로 땀을 닦아 냈다. 상우는 미리 펼쳐 둔 노트에 시선을 두며 샤프를 쥐었다.

"그럼 모임 시작하죠. 발표 주제는 오목 알고리즘으로 잡았어요. 마음에 안 들면 대안 제시해 봐요."

"잠…… 시만요."

그가 허둥대며 가방에서 태블릿 PC를 꺼냈다. 그러곤 메모장에 '오목'이라고 기입했다.

"시간도 별로 없는데 너무 복잡하지 않을까요? 전 ATM기 정도 생각했는데요……."

"그건 너무 단순해서 점수를 잘 받을 수 없어요. 오목으로 갈게요."

"……네. 말 놓으세요."

'알고리즘' 수업 미니 프로젝트 2인 발표 과제. 조원이 있었지만 상우는 그에게 아무 기대도 하지 않고 혼자 한다고 생각하고 있었다.

"프로그램으로 구현하면 가산점 있는 거 알지?"

"설마 하시려고요?"

"당연한 거 아냐?"

"어려울 것 같은데…… 그럼 바둑판부터 만들어야겠네요. 음……, 계획 있으세요?"

"바둑판 초기 값은 배열로 구현하고 셀 크기에 맞춰서 값 나눠 주면 돼. 그리고 턴 바뀔 때마다 대각선 두 종류, 가로, 세로로 검사. 3*3 처리가 조금 복잡하긴 한데…….."

상우는 남학생의 표정을 보고 덧붙였다.

"내가 알아서 할게."

"그럼 전 뭐 할까요?"

"넌 내가 프로그램 넘기고 나면 동적 계획법에 초점 맞춰서 프로세스 정리해. 메모이제이션하고 재귀함수도 언급할 수 있을 것 같고, 도표는 필수야. 일요일 자정까지 프로그램 짜서 보내 줄 테니 메일 주소 알려 줘."

남학생은 상우가 한 이야기를 빠르게 메모했다. 그러고서 상우가 내민 노트에 제 메일 주소를 적고 두 손으로 넘겼다.

"제가 코딩은 선배님처럼 잘하지 못하지만, 분석 정리랑 발표는 책임지고 다 할게요."

믿어도 될까. 상우는 그에게 의심스러운 시선을 보내다 거두었다. 제대로 안 한다면 혼자 해 버리면 그만이니까.

노트에 제 역할과 남학생의 역할을 나눠 적고 나니 정해야 할 역할이 하나 남았다. 발표 자료 제작.

"PPT는 나한테 맡겨."

상우는 자신 있게 말했다. 그는 미술에 소질이 없었지만 PPT는 제법 잘 만들 줄 알았다. 자료 제작까지 제 이름 아래 적어 놓고 나니 모임에서 정할 것이 남지 않았다. 샤프심을 밀어 넣은 뒤 샤프를 필통에 넣고 노트와 함께 가방에 집어넣었다. 일어서려는 찰나 남학생이 그를 불렀다.

"저…… 상우 선배님."

"왜?"

내내 굳은 표정으로 앉아 있던 그가 살짝 웃으며 말했다.

"오늘 그냥 넘어가 주셔서 감사해요."

"무슨 말이야?"

"'자료 구조' 수업에서 저랑 같은 조셨잖아요. 그때 제가 모임 3분 지각하는 바람에 선배님 가 버리시고 과제 따로 한 거, 기억나시죠? 저 그거 D 떠서 재수강 했는데…… 아, 이제 와서 원망하는 건 아니에요."

'이 새끼, 초범이 아니었네.'

상우는 얼굴을 찌푸렸다. 세상에 장재영식 시간 개념을 가진 사람이 많다는 건 참으로 끔찍한 일이다.

"이번에도 가 버리실 줄 알았는데…… 계셔서 깜짝 놀랐어요."

"……."

"몇 년 지나서 그런가. 그때하고 분위기가 달라지신 것 같아요."

그놈은 상우가 이해하기 어려운 이야기를 하고서 허리를 꾸벅 숙여 인사했다.

"저 많이 배울 각오로 열심히 할게요."

"어, 그래."

상우는 할 말이 없어서 대충 대답하고 회의실에서 퇴장했다.

도서관 건물에서 나오자 5월 말의 뜨거운 태양광이 검은 모자 위로 쏟아졌다. 상우는 남학생의 말을 곱씹으며 실기실로 향했다. 자료 구조 수업을 들은 학기라면 3년 전이었다. 그때는 모임 상대가 지각하면 상종도 안 할 정도로 엄격했던 건가.

'분위기가 좀 달라지신 것 같아요.'

물러졌다는 소리일까. 그렇다면 어느 정도는 사실인 듯했다. 이를 테면 상우는 이제 지각 좀 했다는 이유로 상대를 안 보지 않는다. 그런 원칙을 세워 버리면 장재영을 영영 만나지 못할 테니까.

어느덧 익숙해져 버린 예술대에 도착했다. 계단을 세 층 올라 네 번째 문을 열고 들어섰다.

"오셨습니까, 추 사장님."

재영이 핸드폰에서 눈을 떼지 않으며 말했다. 다리를 쭉 뻗어 발을 책상 위에 올려놓은 채 의자에 기대 게임을 하고 있었다. 파란 셔츠와 검은 슬랙스를 걸치고 있었는데 정장 차림도 아니건만 상우의 눈에는 중요한 자리에 가는 것처럼 근사해 보였다. 효과음을 들으며 그에게 다가가자, 팔이 뻗어 와 상우의 허리를 감고 제 쪽으로 당겼다.

"어때요?"

"생각보다 훨씬 재미있는데, 우리가 만든 거 맞냐?"

재영은 머리를 땋아 내리고 털옷을 입은 유목민 추추로 테스트 버전을 플레이하고 있었다. 수류탄을 던져 잡몹을 처리하고 소총으로 느린 적을 잡으며 쭉쭉 앞으로 나갔다. 상우는 가만히 보다가 한마디 했다.

"수류탄 데미지 조정해야겠네."

"그러게. 너무 사기야."

"효과음 적용한 거 괜찮죠."

"잘했어. 그리고 버그 두 개 찾았다. 부비트랩 설치하고 이동 없이 무기 바꾸면 강종되더라. 그거랑 스테이터스에서 제제 상태 창 확인해 줘. 옆으로 안 넘어가."

"첫 번째 건 알고 있어요. 두 번째는 확인해 볼게요."

상우는 자리로 돌아가려고 했지만 그의 엉덩이를 느릿하게 만지작거리던 손이 허리를 잡아당겼다. 안 넘어지려고 재영의 어깨를 잡고 몸을 조금 일으키자 어느덧 그의 두 눈이 상우를 빤히 바라보고 있었다. 입술이 금방 맞닿을 만한 거리였다. 재영이 눈을 내리깔고 상우의 입술을 보았다가, 다시 시선을 마주쳤다.

"야."

"왜요?"

"나 안 보고 싶었어?"

그가 아주 작게 속삭였다.

"오늘 아침까지 같이 있었잖아요."

"무슨 상관이야."

상우는 사정한 지 24시간이 지나기도 전에 욕정에 휘둘리는 건 문제가 있다고 말하고 싶었으나, 정신 차려 보니 또 그와 키스하고 있었다. 도저히 거부할 수 없는 달콤한 행위. 요즘 밥 먹는 것보다 자주 발생하는 이벤트.

상우의 티셔츠 속으로 손을 넣고 더듬던 재영이 고무 밴드를 당겼다가 놓았다. 그가 입술을 떼더니 시선을 내리깔았다.

"새 속옷 입었네. 봐도 돼?"

"속옷은 남이 보라고 입는 옷이 아닌데요."

"보려고 사 준 건데."

상우는 말도 안 되는 소리를 무시하며 뒤로 물러나 제자리에 앉았다.

"선배가 속옷을 네 벌이나 가져가는 바람에 새 걸 입을 수밖에 없었어요. 부탁인데 좀 가져와요."

"다른 건 왜 안 입어?"

"이미 옷이 넉넉하게 있어서 새 옷 입을 필요성을 못 느껴요."

"다음에 너희 집 가면 다 갖다 버려야겠다."

또 말도 안 되는 소리를 하고 있었다. 컴퓨터를 세팅하고, 부팅하는 동안 기다리는데 재영이 말했다.

"내일부터 알바 안 가지? 금, 토, 일 2박3일로 놀러 가면 딱이네."

같은 프로젝트를 하고 있는 사람이 맞나 싶다. 태평한 얼굴은 상우를 약 오르게 했다.

"어떻게 그렇게 놀 생각만 해요? 요즘 자꾸 스케줄 어겨서 일 밀린 거 봐요."

상우는 의자를 움직여 책상에 바싹 붙고는 벽에 붙여 놓은 도표를 가리켰다.

재영과 약속한 시간이 두 달 앞으로 다가왔다. 마지막 달은 개발 쪽 테스트와 플랫폼 심사로 채워질 예정이니, 사실상 한 달 동안 모든 기능을 구현하고 버그를 잡아야 하는 거나 마찬가지였다. 그마저도 QA와 베타 테스트 기간을 빼면 남은 기간은 1주일 정도. 알바도 관두었고 공부할 시간과 잠자는 시간까지 빼서 일하는 시간을 늘렸지만, 상우는 조바심이 났다.

"게다가 전 학과 공부도 있잖아요. 3주 뒤면 시험 주차예요. 주말까지 발표용 프로그램도 하나 짜야 하고."

"알았어. 그럼 여행은 미루고 오늘은 나랑 어디 좀 가자."

"이제까지 뭐 들었어요? 시간 없다니까요."

"내 말이, 그 말이야."

재영은 언제나처럼 상우의 말을 조금도 심각하게 받아들이지 않는 듯했다. 상우는 거절하더라도 어딘지는 알아야 한다는 생각에 심드렁하게 물었다.

"어딘데요?"

"전에 말한 스튜디오. 샘플 몇 개 왔는데 괜찮더라. 들어 볼래?"

"사운드는 선배한테 전권을 넘겼잖아요. 맡길게요."

재영은 음악을 꽤 열심히 알아보았다. 웹에서 여기저기 찾아보며 샘플 받아 보고, 오프라인에서도 아는 사람을 통해 알아본 듯했다. 지금 말한 스튜디오는 밴드 한다는 친구가 소개해 준 곳이었다. 아직 설립한 지 1년밖에 안 돼서 검증된 곳은 아니었지만 실력 있는 사람들이라고 했다.

"안녕하세요, 사장님. 네 맞습니다. 어제 보내 주신 샘플 마음에 들어서 직접 찾아뵙고 자세한 이야기할까 하는데요. 예. 아, 아무 때나요? 그럼 지금 출발할게요. 네. 혼자는 아니고 사업 파트너랑 둘이 가요. 30분 정도 뒤에 뵐게요."

재영은 제멋대로 상우를 데려간다고 말해 놓고 전화를 끊었다. 상우는 생각해 둔 일정이 있었지만 말없이 노트북을 끄고 선을 정리했다. 사실 재영을 혼자 보내도 되는데, 그가 자신을 어떻게 지칭했는지가 마음에 들어서 따라가기로 마음먹었다.

짐을 다 싸고 배낭을 등에 메자 재영이 어깨동무를 하며 들러붙었다.

"자, 갑시다."

"그거…… 다시 말해 봐요."

"뭐?"

"전화하면서 저 뭐라고 불렀잖아요."

"뭐더라."

"금붕어……. 기억 안 나면 됐어요."

"뭐지? 우리 상우가 무슨 말을 듣고 싶을까……. 자기, 여보, 이런 건가."

'미친 새끼.'

상우의 표정을 힐끔 본 재영이 농담이라고 덧붙였다. 아무리 농담이어도 그렇지, 어떻게 저런 말을 아무렇지도 않게 한단 말인가. 상우는 팔에 소름이 돋은 채로 계단을 빠르게 내려갔다.

스튜디오는 연석동에 있었다. 원체 유흥업소가 많은 동네라곤 하지만 그중에서도 치안이 안 좋아 보이는 어둡고 좁은 골목에 있었다. 재영이 골목 앞에서 난감하다는 듯이 말했다.

"여긴 다 좋은데 주차하기가 나빠."

"그럼 차 왜 가져왔어요? 눈도 안 보이면서."

"오늘은 렌즈 껴서 괜찮네요. 너랑 저녁 먹고 드라이브하려면 차 있어야지."

"대놓고 농땡이 치겠다는 거잖아요."

"여행을 깠으면 드라이브 정도는 같이 해 줘야 하는 거 아닌가. 양심 어디?"

재영은 그리 중얼거리더니 스튜디오 사장한테 전화를 걸었다. 몇 마디 하다 끊고서 길가에 세운 걸 보면 근처에 적당히 대라는 대답을 들은 것 같았다.

재영은 콘솔에서 전화번호가 적힌 판을 꺼내 놓고서 차에서 내렸다. 상우는 그를 따라 철제로 된 계단에 올랐다.

"재영 씨, 맞죠?"

"예. 안녕하세요, 사장님."

"이야, 승용이가 잘생긴 친구라고 하더니 진짜네. 찾아오느라 힘들었죠?"

문을 열고 들어가자 턱수염이 수북하게 난 남자가 웃으며 재영을 반겼다. 살집이 있는 대머리였고 목에는 금 목걸이를 둘렀다. 그는 재영과 악수하더니 상우에게 몸을 돌렸다. 재영이 상우를 엄지로 가리키며 말했다.

"우리 개발자예요."

"어린 친구가 대단하네. 어서 와요."

상우는 털보의 손을 맞잡으며 "어린 친구가 아니라 사업 파트너예요."라고 힘주어 말했다. 웃기라고 한 소리가 아닌데 재영은 웃음을 터뜨렸고 털보도 미소를 지었다.

게임 음악을 전문으로 하는 곳은 아니라고 했다. 그를 증명하듯 벽에 힙합 가수들의 포스터와 감성적인 엽서풍 디자인의 포스터가 몇 장 붙어 있었다. 허름한 건물 외관과 달리 내부는 마감이 잘 되어 있어서 상우는 신뢰감을 조금 느꼈다. 그들은 모니터 세 개와 신디사이저 두 대가 놓인 방에서 회의하기 시작했다. 스튜디오 사장은 그간 했던 게임 작업을 소개하고서 루프되는 배경 음악 샘플을 몇 가지 들려주었다.

"요즘 게임 음악 트렌드는 코드가 반복되는 게 티 나지 않게 베리에이션을 좀 주는 편이에요. 액션 장르에 어울릴 만한 거 뽑아 봤는데 어떠세요?"

가만히 듣던 재영이 상우에게 눈짓했다. 상우는 먼저 감상을 얘기했다.

"2번이 마음에 들어요. 말씀하신 유행과 달리 짧은 코드가 반복되지만 고전 게임에는 그런 게 많거든요. 단, 템포는 이보다 1.3배 빠르면 좋겠어요."

"제 '사업 파트너'가 하란 대로 해 주세요. 분위기는 눌러 주셨으면 좋겠는데……. 기획서 보셔서 아시겠지만 저희 콘셉트가 좀 으스스해서요."

재영의 말이 끝나기도 전에 사장이 음원을 다시 틀더니 프로그램을 조작했다. 그러자 속도가 빨라지고 조가 내려가 아예 다른 음악처럼 되었다. 기괴하게 들리면서도 중독성 있는 음조였다. 재영이 팔짱을 끼며 웃었다.

"사장님, 뭘 좀 아시네."

"좋아요. 얘기가 잘 되네요. 그럼 비젬은 요론 느낌으로 여덟 마디나 열여섯 마디 반복되게 짜 보겠습니다."

얘기하던 중에 문이 벌컥 열렸다. 키 크고 마른 여자가 쟁반에 컵 세 개를 들고 들어와 그들 앞에 하나씩 내려놓았다. 커피에서 김이 모락모락 났다. 사장이 황당하단 얼굴로 의자에 등을 기댔다.

"왜 안 하던 짓을? 저 직원들한테 이런 거 안 시키는데, 오해하지 마세요."

"손님들이 오시면 대접할 수도 있는 거지. 안녕하세요? 리프 프로젝트 보컬 분들이세요?"

사장을 흘겨보던 여자가 상우와 재영에게 웃으며 인사했다. 상우는 고개를 작게 까딱거렸고 재영은 "안녕하세요."라고 말했다.

"어제 말한 액션 게임 팀. 승용이 친구분들이셔. 여긴 저희 작곡가 윤희 씨예요."

"아, 아. 그 핸드폰 게임!"

작곡가는 쟁반을 든 채 멀뚱멀뚱 서 있었다. 한동안 불편한 침묵이 감돌다. 사장이 그렇게 서 있을 바엔 앉으라고 말했다. 그때 재영의 전화벨이 울렸다.

"죄송합니다. 잠시……."

그는 전화를 받더니 몇 번 네네 거리다 끊었다. 그러고는 귀찮다는 표정으로 뒤통수를 긁었다.

"어떤 아저씨가 화내면서 차 빼라는데요."

"그분 또 꼬장이네. 평소엔 잘 넘어가는데 오늘 기분이 안 좋은가 봐요. 좀 멀긴 한데 사거리에서 우회전하시면 공영 주차장 있어요. 거기에 대고 오세요."

"사장님하고 얘기하고 있어, 상우야."

재영은 일어서더니 상우의 어깨를 살짝 쥐고 나가 버렸다. 그래서 상우는 털보 사장, 작곡가와 셋이 남았다. 작곡가는 재영의 빈자리에 냉큼 앉더니 사장에게 물었다.

"누구야?"

"승용이 친구라니까."

"뭐 하는 분이야? 모델인가?"

"디자인과 학생일걸? 그렇게 들은 것 같은데……."

"대학생이라고?"

사장은 의자를 컴퓨터 앞으로 끌고 가더니 〈베지 벤처러〉 기획서를 화면에 띄웠다.

"학생 작품 안 같지?"

"저분이 이걸 직접?"

"어. 저예산 인디 게임이래."

"말이 학생이지, 실력은 프로네."

상우는 딴청 피웠지만 사실은 대화를 전부 듣고 있었다. 재영을 칭찬하는 말에 그의 가슴이 자부심으로 가득 찼다. 그 디자이너를 선택한 사람이 다름 아닌 자신이니까. 그의 상상을 구현해 내는 사업 파트너니까.

기획서를 훑어보던 사장이 커피를 홀짝거리며 물었다.

"상우 씨, 혹시 작업자가 몇 명인가요?"

"둘이요."

그들이 놀란 표정으로 시선을 교환했다. 상우는 잘난 척하고 싶은 기분이 들었다. 자신이 〈베지 벤처러〉 기획자이자 개발자이며 이 기획을 비주얼로 풀어낸 장재영 디자이너와 일하고 있다고 소문내고 싶어졌다.

"요즘 대학생들 멋지네. 나 땐 술밖에 안 마셨는데……."

사장이 다시 탁자로 돌아오며 말했다. 넋 나간 듯 모니터를 보고 있던 작곡가가 돌연 상우에게 시선을 돌렸다.

"저기…… 혹시 저분, 애인 있어요?"

사장이 "그래서 기어 나왔구만." 하고 중얼거리며 웃었다. 작곡가가 동그란 눈을 커다랗게 뜬 채 상우를 바라보았다. 이상하게도 그 순간에 불쾌한 감정이 치밀며 조금 전까지 느꼈던 즐거움을 대체했다. 상우는 아무 대답도 하고 싶지 않았지만 그녀가 기다리고 있었다.

"없어요."

"진짜요? 당연히 있을 줄 알았는데! 아, 오늘따라 왜 이렇게 추레하게 입고 왔지? 나 어떡해……."

"뭘 어떡해? 밥 한번 먹자고 해."

"연하잖아! 승용이랑 동갑이면 몇 살이지? 스물…… 여섯인가? 일곱인가? 너무 연한데……. 나 옆에 있으면 많이 늙어 보일까?"

"왜 그러냐, 주책맞게."

사장은 재미있다는 듯 연신 웃었고 작곡가는 얼굴이 빨개진 채 양손을 볼에 얹고 빠르게 이야기했다. 그들은 잘못한 것도 없는데 상우를 몹시 기분 나쁘게 하고 있었다. 상우는 둘의 음성을 음소거 하고 싶다고 생각했다.

"여기 앉아서 눈도장이나 찍다가 회의 끝나고 말 걸어 봐. 첫눈에 반했다는데 싫어할 사람이 어디 있어?"

"부담스러울 수도 있는데 어떻게 그래?"

"아니, 이런 면이 있는 줄 몰랐네……. 이 친구가 평소에 자신감이 대단한 타입이라서요."

사장이 웃으며 상우에게 말했다. 그래서 어쩌란 말이지요? 상우가 날카롭게 대답하려고 입을 열었을 때 스튜디오 대문에 달린 종이 울렸다. 작곡가가 벌떡 일어나더니 사장에게 빠르게 말했다.

"떨려서 못 있겠다. 일단 나갈게."

그녀는 방에서 도망쳐 버렸다. 그리고 얼마 지나지 않아 재영이 들어와 상우의 옆자리를 채웠다.

"무슨 얘기 했어?"

"아, 제가 궁금한 게 있어서 게임 얘기 좀 물어봤어요."

"추상우, 설명 잘 해 드렸어?"

"어유 그럼요. 상우 씨 덕에 문제 해결, 문제 해결."

'거짓말쟁이…….'

상우가 눈을 가늘게 뜨고 사장을 노려보는 사이 회의가 다시 진행되었다. 음악 이야기가 15분 정도 더 오갔고 마감과 작업 비용, 라이선스까지 논의되었지만 상우는 흥미를 조금도 느끼지 못했다.

이해할 수 없는 먹구름이 상우의 하늘에 끼어 비를 뿌려 댔다. 그래서 도무지 집중할 수 없었다. 상우는 작곡가의 얼굴을 다시 떠올려 보려고 애썼지만 쉽지 않았다. 예쁜 여자였던가. 그녀가 같이 밥 먹자고 하면 재영은 어떤 반응을 보일까. 지금은 비어 있는 재영의 '애인' 자리를 그녀가 차지할 수도 있지 않을까.

'기분 나빠…….'

심장이 쿵쿵 뛰며 불쾌감이 솟아났다. 재영이 팔꿈치로 옆구리를 찌르며 무언가에 관해 의견을 물었지만 상우는 듣고 있지 않아서 대답할 말이 없었다.

"이상하네……. 왜 이렇게 조용하지."

"상우 씨는 원랜 안 과묵하신가?"

"말도 마세요. 평소엔 진짜 까다로운데 사장님 조건이 다 마음에 드나 보네요."

재영이 어깨동무하며 손가락으로 정수리를 톡톡 쳤다. 상우는 묘한 짜증을 느끼며 그의 팔을 걷어 냈다.

둘은 상우를 내버려 둔 채 견적을 확정하고서 계약서를 주고받았다. 재영이 지렁이 같은 글씨로 서명하고서 상우에게 종이와 펜을 넘겼다. 상우는 한 글자도 읽어 보지 않고 재영의 이름 아래 제 이름을 정자로 적었다.

"나중에 나 혼자 다 정했다고 뒤집기 없기."

재영이 상우를 힐끔 보며 그리 말했다. 상우는 놀랍게도 그 순간에 계약서에 아무 관심도 없었으며 정신이 오로지 회의가 끝나간다는 사실에만 쏠려 있었다. 사장이 계약서 한 부를 서류 봉투에 넣고 재영에게 건넸다.

"작업 재미있을 것 같아요, 베지 벤처러."

"퀄리티가 샘플 정도로만 나와도 만족하겠는데 더 공들여 주시겠다니 바랄 게 없네요."

"기대하셔도 좋아요. 게임은 아직 제작 중이신 거죠?"

"큰 틀은 다 됐는데 개발 쪽 이슈가 좀 남았어요. 잘 부탁드릴게요, 사장님."

"예. 변동 사항 있으면 전화 주시고요. 살펴 가세요."

재영이 자리에서 일어났다. 상우는 불안한 마음으로 문에 난 유리창을 살폈지만 바깥이 잘 보이지 않았다.

"뭐 해? 일어나."

상우는 뻣뻣하게 일어나 재영이 열어 놓은 문틈으로 나갔다. 소파와 탁자가 있는 공간에 작곡가는 없었다. 그녀가 나오기 전에 빨리 이곳에서 벗어나야 한다. 상우는 조급한 마음에 앞으로 빠르게 걸어 나갔다.

"거기 아닌데."

재영이 엉뚱한 문손잡이를 쥐려던 상우의 어깨를 반대로 끌어당겼다. 스튜디오 문을 열고 나가려는 순간에 사장이 그들을 붙잡았다.

"잠시만요, 재영 씨."

"네?"

"그게 좀 개인적인 얘긴데⋯⋯."

그가 머쓱하게 웃으며 제 뒤통수를 만지작거렸다. 그러고는 손가락으로 뒤를 가리키며 말을 이었다.

"재영 씨 마음에 든다고 저희 직원이 그러네요. 여자친구분 없으신 것 같던데, 저녁 식사 저희랑 함께하시죠. 괜찮은 친구예요."

'뭐야, 자기 일도 아니면서⋯⋯.'

상우는 주먹을 꼭 쥐며 사장을 노려보았다. 그가 못 할 말을 한 것도 아닌데, 갑자기 짜증이 치밀었다. 재영은 분명히 상우와 저녁을 같이 먹겠다는 식으로 말했다. 하지만 구두 약속일 뿐이라 제멋대로인 그에게 얼마나 구속력이 있을지 의문이었다.

"죄송하다고 전해 주세요. 만나는 사람 있어서요."

그러나 재영은 무덤덤한 태도로 상우의 예상을 벗어난 대답을 내뱉었다. 그의 시선이 상우에게 돌아왔다.

"뭐 하냐, 아까부터."

재영은 문을 열고 상우의 등을 떠밀었다. 철제 계단을 내려가는 동안에도 기분 나쁘게 두근거리는 가슴은 진정할 기미가 없었다. 상우는 땅을 세게 밟았다.

"표정 봐라. 이 스튜디오 마음에 안 들어?"

"아뇨."

"그럼 왜 그래? 회의 막판엔 아주 정신을 놨더만."

"모르겠어요."

상우는 솔직히 말했다. 대체 뭐가 그렇게 싫었던 걸까. 뭐가 그렇게 두려웠던 걸까. 어렴풋이 알 것 같아서 더욱 기분이 나빴다. 그의 입이 짜증스럽게 열렸다.

"만난다는 사람, 저예요?"

"바보 아냐?"

"저예요?"

"웃기는 놈이네. 시간을 줘야 다른 사람을 만나든지 말든지 할 거 아냐. 맨날 부려먹으면서. 일단 뭐 좀 먹자. 나 저녁 안 먹었어."

"전 먹었어요."

"또 먹어."

재영은 빠르게 걷는 상우를 횡단보도 앞으로 돌려세웠다. 상우는 씩씩거리면서도 그가 이끄는 대로 얌전히 따라갔다. 어둠이 내린 큰 길에는 사람이 징글징글하게 많았다. 거리에 즐비한 옷가게와 술집, 음식점에서 시끄러운 음악이 흘러나왔고, 상가 위에서 간판이 번쩍 거려 정신이 사나웠다.

"멕시코 음식 좋아해?"

"저녁 먹었다니까요."

재영은 그 대답을 긍정으로 받아들인 듯했다. 상우는 정신 차려 보니 2층의 작은 타코 가게에 앉아 있었으니까. 눈이 크고 피부색이 어두운 외국인들이 운영하는 가게는 발 디딜 틈이 없었다. 이름도 이상한 메뉴 두 개를 시키느라 10분도 넘게 기다려야 했다.

상우는 차분하게 앉아 마음을 가라앉히려고 노력했지만 정신없는 분위기 때문인지 쉽지 않았다. 좁은 가게는 너무 시끄러워서 소통하려면 소리 질러야 했고, 서빙하는 점원이 지나다니면서 의자를 툭툭 쳐 댔다. 물은 미지근했고 테이블은 끈적끈적했다.

상우는 불만거리를 찾으려고 안달 난 사람처럼 예민하게 굴었다. 수저통의 젓가락 개수가 홀수인 것도, 냅킨을 모서리에 맞춰 접어 놓지 않은 것도, 벽에 걸린 그림이 비뚤어진 것도, 모조리 마음에 들지 않았다. 하지만 가장 마음에 안 드는 건 남들의 시선이었다.

좁은 가게는 테이블 간의 거리가 너무 가까워서 남들이 뭘 하는지가 훤히 보였다. 사람들이 죄다 재영을 바라보는 것 같았다. 옆 테이블 여자도, 주문 받은 점원도, 계산하려고 일어선 사람도, 다들 그가 신기한 장난감이라도 되는 것처럼 구경하고 있었다.

재영은 모르는 건지 모르는 척하는 건지, 턱을 손바닥에 괴고서 상우의 얼굴만 빤히 보았다. 시선이 마주치자 그가 입 모양으로 말했다.

"뭐가 그렇게 불만이실까?"

"그런 거 없어요."

상우는 눈을 재빨리 내리깔면서 무언가 잘못되었음을 실감했다. 식탁을 엎어 버리고 재영의 무릎에 올라가 그에게 거칠게 키스하고 싶은 충동이 강하게 일었다. 병풍이 있다면 그들 주변에 쳐서 아무도 재영을 보지 못하게 하고 싶었다. 도무지 설명하기 어려운 비이성적 감정이 뱃속에서 꿈틀거렸다. 상우는 답답함과 갈증을 느끼며 물만 벌컥벌컥 들이마셨다.

"까르네 아사다 타코, 엔칠라다 나왔습니다."

좁은 탁자에 접시 두 개가 올라왔다. 상우는 저녁을 충분히 먹었는데도 식기를 들고 음식을 입에 욱여넣었다. 무슨 음식인지도 모르고 씹어 넘긴 뒤 알록달록한 색 재료를 감싼 흰 밀가루를 포크로 찍어서 한입에 넣었다. 톡 쏘는 맛이 꼭 재영과 닮았다고 생각하며 어금니로 부수었다.

"배고팠어?"

재영이 포크를 든 채 상우를 바라보았다. 상우는 그 시선이 마음에 들지 않아서 김밥처럼 돌돌 말아 놓은 밀가루 음식을 크게 썰어서 포크로 쿡 찍고 그의 입가에 무작정 들이댔다.

"뭐야."

재영은 천천히 입을 벌리면서도 수상하다는 표정을 지었다. 상우는 그가 다 먹을 때를 기다렸다가 음식을 먹이고 또 먹였다. 그런 식으로 쉴 틈 없이 먹고 먹이다 보니 2인분 식사를 13분 만에 해치워 버렸다.

"빨리 나가요."

접시를 모두 비웠을 때 상우는 숨을 조금 헐떡이고 있었다. 냅킨으로 입가를 닦자 빨간 양념이 묻어 나왔다.

"어…… 알았어."

재영이 식사를 계산하는 동안 상우는 좁고 어두운 복도에 미리 나와 있었다. 그리고 아무도 없는 복도에 재영이 나왔을 때, 셔츠를 끌어당기며 무턱대고 입술을 부딪쳤다.

입술을 물어뜯듯이 빨고서 혓바닥으로 안을 정신없이 헤집었다. 재영의 입 안에선 그와 닮은 맛이 났다. 매콤하고 빨간 맛. 상우는 재영을 먹어 치울 기세로 달려들었지만 잘못된 해법이었다. 그렇게 폭력적으로 굴어도 갈증은 사라지지 않았으니까.

입술을 떼려는데 이번에는 재영이 놓아주지 않았다. 그는 손바닥으로 상우의 목을 감싸고 고개를 꺾으며 부드럽게 키스를 이어 갔다. 어느새 목이 차가운 벽에 닿고 뒤통수가 짓이겨졌다. 가슴이 격렬하게 박동하는 게 괴로움 때문인지 흥분 때문인지 구분하기 어려웠다. 모든 것이 뒤섞여 있었다. 짠맛과 단맛이, 분노와 욕정이.

엉망이었다. 상우는 어떤 지침도 기억할 수 없었고 숨 쉬는 법조차 잊어버렸다. 상대에게 굴복한 채 목에 팔을 감고 매달리는 수밖에 없었다.

"불만 있는 거, 맞잖아."

긴 키스가 끝나고서 재영이 속삭였다. 볼은 발갛게 물들었고 입에서는 거친 숨이 흘러나왔다. 상우는 할 말이 없어졌다.

"분노 조절 장애 옮았어요."

"네가 그렇게 터무니없는 소리 하는 거 처음 들어."

모자를 주워 쓰고 바깥으로 나오자 하늘이 더 깜깜해져 있었다. 높은 곳에서 반으로 쪼개진 달이 어룽어룽 빛을 내뿜었다. 재영은 복잡한 골목을 제집처럼 잘 아는 듯했다. 어두운 거리에는 술 취한 사람들이 지나다녔고 웃통을 벗거나 얼굴에 물감을 칠한 외국인들도 보였다. 건너편에서 걸어오는 사람들과 몇 번 부딪힐 뻔한 뒤에는 재영이 친구끼리 어깨동무하듯, 그러나 그보다 밀접하게 상우의 어깨에 팔을 두르곤 그를 은근히 품에 감싸며 걸었다.

그들은 곧 주차장에 도착했다. 재영은 상우를 먼저 차에 타게 하고서 요금을 내고 돌아왔다.

"음식값이랑 주차비, 스튜디오 계약금 절반 송금하게 얼마인지 알려 줘요."

"나중에."

"그냥 지금 알려 줘요."

재영은 상우의 말을 무시하며 주차장에서 차를 뺐다. 상우는 울적한 기분으로 까만 창밖을 보았다. 그래도 정신 사나운 곳에서 시달리다가 조용한 차에 타고 나니 기분이 조금 나아졌다. 퇴근 시간이 지난 도로는 한적했고 재영의 차는 상우의 답답한 속을 대변하듯 시원하게 달렸다. 재영은 스피커의 음량을 조절할 뿐 아무 말도 하지 않았다.

"사이키델 2집 앨범 프레셔, 7번 트랙, 다운 템포."

"정답."

첫 곡은 재영의 플레이 리스트 중 느린 편이었다. 무슨 악기인지는 몰라도 밑바닥에서 쿵쿵쿵 울리는 낮은 소리가 심장 소리와 비슷하다고 상우는 생각했다. 느린 전자음은 종일 오락가락하던 그의 정서를 안정시키며 기분을 나른하게 만들었다. 상우는 잠수하는 기분을 느끼며 좌석에 몸을 깊이 기댔다. 그러자 재영이 볼륨을 올렸다.

차는 어느새 한강을 따라 달리고 있었다. 손에 잡히지 않는 시간이 강물을 타고 천천히 흘러갔다. 다섯 번째 곡이 재생되기 시작하며 차가 교량 위로 미끄러졌다. 상우는 창문을 열고 부드러운 바람이 뺨을 때리게 두었다.

"윤시열 1집 앨범 낮과 밤, 1번 트랙, 온도 차이."

재영은 대답하지 않았지만 상우는 정답인 걸 알고 있었다.

차는 공원에 들어선 뒤 서서히 멈추었다. 시동이 꺼지며 어느새 거슬리지 않게 된 음악과 엔진 소리가 사라졌다.

공원 주차장 위에서는 강이 훤히 내려다보였다. 그림의 주인공은 하단이 수면에 잠긴 채 흰색으로 빛나는 아치교였다. LED 전구처럼 강물 위에서 빛나는 불빛은 매질이 온화하게 파도칠 때마다 굴절하며 춤추었다. 교량이 연결하는 양쪽 둔덕의 주거지는 새카만 밤에 집어삼켜지지 않으려 주황빛을 뿜으며 발악하고 있었다. 상우는 이제 서울에 산 지 햇수로 3년이나 되었지만 명암이 뒤섞인 강의 야경을 이렇게 자세히 감상해 본 기억이 한 번도 없었다.

"이쁘다."

한동안 말없이 있던 재영이 말했다. 그 말대로였다. 하늘에는 명멸하는 인공위성뿐 별 하나 보이지 않는데도 모든 것이 반짝거리고 있었다.

"그러게요. 밤이라 동공이 커져서 빛이 산란되어 보이는 것뿐인데."

"말고, 너 말이야."

무덤덤한 표정으로 상우를 바라보던 재영이 옅게 웃었다. 상우는 재빨리 그의 시선을 피했다. 손바닥을 들어 볼에 갖다 대자 열기가 느껴졌다. 잘생겼다는 말이야 친척집에 가면 어른들에게 종종 듣지만, 이쁘단 말은 난생처음 들어 보았다.

'자기가 더 이쁘면서.'

상우는 속으로 중얼거렸다. 그러니까 처음 보는 사람이 말 걸고 싶어 하고 주변에서 입 벌리고 쳐다보는 게 아닌가. 상우는 재영과 주로 실기실에서 둘이 있었고, 그가 밖에 나가서 어떻게 하고 다니는지에 관해 거의 알지 못했다. 이제까지 그런 것은 신경 쓸 필요도 없고 신경 쓰이지도 않았다.

'기분 나빠.'

들어가서는 안 될 방의 문을 연 기분이었다. 그 안에 있던 어둠이 사고를 오염시켜서 다시는 예전처럼 돌아갈 수 없다는 불안감에 휩싸였다. 생각은 꼬리에 꼬리를 물고 퍼져 나갔다. 재영을 좋다고 따라다니는 사람이 얼마나 많았을까, 그는 그중 몇 명과 연애했을까, 몇 명이나 옆자리에 태우고 이곳에 와 봤을까. 대답을 알아 봐야 전혀 유익하지 않을 질문이 연달아 떠오르며 상우를 괴롭혔다.

"이제 왜 그렇게 심통 냈는지 얘기해 주시지."

재영의 목소리가 침묵을 깼다.

"심통 안 냈는데."

"냈는데."

"아니라니까."

"냈잖아."

상우는 낯선 감정을 느끼며 얼굴을 찌푸렸다. 일반적으로 이제까지는 재영을 보면 기분이 좋아졌는데 오늘은 자꾸 화가 났다. 상우는 다시 자세를 바로 하고 앉아 왼쪽으로 고개를 돌렸다.

재영의 무표정은 오랜만에 보았다. 조금 처진 눈에는 장난기가 조금도 없었고 입은 일자로 다물려 있었다. 무슨 생각을 하는지 전혀 파악할 수 없었다.

커다란 손이 눈앞까지 다가오더니 챙을 돌려 모자를 옆으로 씌웠다. 그러고는 정수리를 꽉 눌렀다.

"상우야."

재영이 상우를 빤히 보며 말했다. 상우는 대답하지 않고 그의 눈을 노려보았다. 보기 좋은 입술이 한숨을 작게 내뱉고선 속삭이듯 말했다.

"작업해야 되는데 시간 빼앗겨서 화났어?"

"아니요."

"나한테 불만이 있으면 말해 줘야 알지."

"없어요."

솔직하게 답하자 재영의 미간이 살짝 좁아졌다. 밝은 눈동자가 상우의 말이 진실인지 판별이라도 하는 듯 얼굴을 찬찬히 살폈다. 그의 시선에는 부피와 온도가 있어서 뺨을 만지는 듯한 착각이 들었다. 상우는 가슴이 한없이 답답해졌다.

"그 스튜디오, 다시 갈 거예요?"

"아니. 작업물 메일로 받기로 했는데."

"음식점에서 사람들이 형을 쳐다봤어요."

"그럼 어때? 본다고 닳는 것도 아닌데."

"형, 바람둥이죠?"

"아닌데."

"이제까지 몇 명 사귀어 봤어요?"

"5,000명."

'이럴 줄 알았어.'

어느새 장난스럽게 변한 낯짝은 진지하게 말하던 상우를 또 열 받게 했다. 논점 회피, 엉뚱한 말 하기, 장난으로 때우기. 장재영을 본 지도 이제 3개월이 넘어가니 그의 수법이라면 익히 알았다. 재영은 소리 없이 웃더니 상우의 어깨를 끌어당겨 껴안았다. 상우는 그가 왜 그런 행동을 하는지 영문도 모른 채 숨을 멈추었다. 그가 이마 위를 턱으로 누르며 말했다.

"로봇 청소기가 질투도 하고, 펌웨어 많이 좋아졌네."

'질투라고?'

상우는 재영에게 안긴 채 눈알을 굴렸다. 질투란 감정이 너무나 무의미해서 자신처럼 합리적인 사람과 거리가 먼 건 둘째 치고, 그 단어를 적용할 만한 상황도 아니었다.

"아니에요, 그런 거."

"아니긴."

"아니라니까."

"응. 알았어."

재영은 그리 중얼거리며 팔에 힘을 더 꽉 주었다. 그의 체온은 36.5℃라기엔 너무 뜨거웠다. 상우는 그 열기 속에서 의문을 품었다.

장재영이 결혼 적령기의 건강한 여자들을 두고 자신을 만날 이점은 무엇인가. 잠시 고민해 보았지만 본인과 같은 이유밖에는 떠오르지 않았다. 재영은 상우의 성욕을 불가사의할 정도로 쉽게 불러일으키고 그만큼 효과적으로 해소해 준다. 상우도 그에게 같은 의미일까.

"재영이 형."

"말해."

"저 왜 만나요?"

"이유가 너무 많은데……. 다 말해야 돼?"

"네."

"우선…… 넌 목이 예쁘고."

상우의 귀 뒤에 머물던 손끝이 목을 타고 미끄러졌다.

"얼굴도 귀여워. 웃을 땐 더 귀엽고."

그 손이 상우의 볼을 부드럽게 감쌌다.

"하얗고, 몸매도 내 취향이고…….."

"껍데기가 마음에 든다는 거네요. 이해했어요."

"성질이 왜 그렇게 급하냐, 이제 시작인데. 이유는 백 가지도 댈 수 있어."

재영이 중얼거리더니 팔을 내렸다. 상우는 계속 그의 어깨에 얼굴을 파묻고 있고 싶었지만 재영의 손길에 몸이 천천히 떨어졌다.

그는 할 말이 있는 것 같았다. 야경을 등진 어둠 속에서 두 눈이 별처럼 반짝이고 있었다. 커다란 손바닥이 목덜미를 단단히 잡아당겨 다른 곳을 보지 못하게 하더니 곧 나직한 목소리가 귀를 간질였다.

"다 필요 없고, 진짜 큰 이유가 있는데……."

"……."

"말하면 네가 도망갈 게 뻔해서 말 못 해."

상우는 그럴 이유가 없는데도 잔뜩 긴장해선 입을 겨우 열었다.

"말해 줘요."

아무 짓도 안 하고 대화만 하고 있을 뿐인데 손바닥이 땀으로 축축해졌다. 재영은 대답하는 대신 상우를 빤히 바라보았다. 이윽고 진지한 얼굴이 다가왔고 상우의 눈이 질끈 감겼다. 곧 이마에 부드러운 입술이 닿았다. 잠시 머물렀다가 떨어지고선 왼쪽 눈두덩에 내려앉았다. 오른쪽 눈두덩에 다시 붙고는 코끝에 닿았다. 그다음은 양 볼, 그리고 종착지는 입술이었다.

키스하며 옷을 벗길 거란 상우의 예상과 달리, 재영은 입술끼리 누른 채로 가만히 있다가 제자리로 돌아갔다. 상우는 다시 눈을 뜨고서 무슨 생각인지 짐작하기 어려운 얼굴을 마주했다.

"왜 안 말해 줘요?"

"난 대답했는데."

"아무 말도 안 했잖아요."

"바보."

살면서 거의 들어 본 적이 없는 말인데, 오늘 두 번이나 들었다. 달그림자가 져서 새까매진 눈동자가 상우의 얼굴을 찬찬히 살폈다.

"상우야."

"왜요."

"안 어울리게 왜 그런 걸 신경 써? 나 너한테만 달라붙어 있잖아.

네가 옆자리에만 앉아 있어도 세우는 거 알잖아."

이미 달아오를 대로 달아오른 몸이 음란한 말에 반응했다. 상우는 어질어질할 정도의 정욕을 느끼면서도 재영의 질문에 답을 찾으려 애썼다. 흐지부지 넘어가선 안 될 중요한 문제란 걸 알 수 있었으니까.

이번 전쟁에서 컨트롤 타워를 차지한 승리자는 이성이었다. 스튜디오에서 기분이 왜 그렇게 상했는지, 음식점에서 왜 그렇게 열 받았는지. 상우는 이상하게 보였을 자신의 행동을 빠르게 분석하고 원인을 도출했다.

"사람들은 질병에 걸릴 걸 대비해서 보험을 들어요."

그는 창문을 노려보며 말했다.

"형이 저보다 마음에 드는 사람을 찾을 수도 있잖아요. 그럼 저를 안 만날 텐데……."

말을 내뱉으며 불쾌감의 정체가 확실해졌다. 스튜디오와 음식점에서 느꼈던 분노가 되살아나며 성욕이 천천히 가라앉았다.

"그런 상황에 아무런 대비도 안 되어 있으니 당황하는 게 당연하잖아요."

재영은 무덤덤한 얼굴로 상우를 바라보기만 했다. 잠시 동안의 침묵이 흐르고서 그가 건조하게 대꾸했다.

"일리 있는 얘기야."

그는 쉽게 인정해 버리고선 상우에게 조금 다가왔다. 등받이에 팔꿈치를 짚고서 눈을 지그시 마주했다. 가까이서 본 재영의 얼굴은 흥분한 것 같기도, 화난 것 같기도 했다.

"그러니까 말해 봐, 추상우. 내가 어떻게 해 줬으면 좋겠어?"

재영은 조금 갈라진 목소리로 이상한 걸 물었다. 상우는 격정적으로 일렁이는 그의 눈동자를 보다가 마스크를 쓰고 다니면 좋겠다고 대답할 뻔했다. 추잡스러운 월권행위를 가로막을 이성이 살아 있어서 다행이었다.

다시 통제권을 잡은 머리가 현 상황을 분석했다. 현재 재영이 뭘 해 줄 수 있을까. 어차피 두 달 뒤면 떠날 사람이었다.

"작업이나 열심히 해요. 대비는 제가 알아서 할 테니까."

다시 평정을 찾은 상우는 자신만만하게 내뱉었다. 비록 예상과 달리(1~2회면 해결될 줄 알았다) 성욕이 날이 갈수록 심해지고 있었지만 분명히 해법이 있을 것이다. 혼자의 힘으로 본능을 극복하기 어렵다면 심리 상담이나 중독 치료를 받는다든지, 템플 스테이를 하며 금욕을 배운다든지, 방학 때 뭐든 해 볼 생각이었다.

술집에서 장재영에게 키스하며 부적절한 관계를 맺은 지 42일째였다. 그간 많이 휘둘리기는 했지만 긴 인생에 대비해 보면 짧은 순간일 뿐이다. 언젠가 해결할 작은 오류. 상우는 디버깅에 자신 있는 개발자였다.

"대비? 무슨 대비?"

싸늘한 음성이 귀에 꽂혔다. 생각에 잠겨 있던 상우는 고개를 들었다가 저를 노려보는 재영과 눈이 마주쳤다.

"우유가 떨어지면 식성을 바꾸거나 마트에서 사다 놔야죠. 제가 알아서 할 일이에요."

"아……."

재영이 차갑게 코웃음을 쳤다. 그는 어이없다는 듯 천장을 쏘아보더니 다시 상우를 마주 보았다.

"잊고 있었네, 그 쓰레기 같은 마인드."

"뭐라고요?"

난데없이 욕을 들은 상우는 얼굴을 찌푸리며 몸을 조금 일으켰다.

재영은 대답하지 않으며 좌석에 등을 기댔다. 창밖을 쏘아보는 눈빛이 사납기 짝이 없었다. 오랜만에 보는 양아치 모드였다.

상우는 주머니에서 담배를 꺼내 불붙이는 재영을 멍하니 바라보았다. 그가 열 받았다는 건 알겠는데, 자신이 뭘 잘못했는지는 알지 못했다.

"화났어요?"

재영은 대답하는 대신 창문을 열고 바깥으로 담배 연기를 내뱉었다. 상우는 냉랭한 옆얼굴을 보며 중얼거렸다.

"왜 저한테 화를 내요?"

"너한텐 내가 대체 뭐야?"

"무슨 질문이 그래요."

"너야말로 나 왜 만나? 아냐. 알 것 같으니까 대답하지 마."

"그렇게 화내지만 말고, 제가 틀린 말을 했다면 얘기해 줘요."

"네가 다 맞아. 너 틀린 말 안 하잖아."

"근데 왜 화를 내요?"

재영은 대답하지 않았다. 문을 거칠게 열고 나가더니 난간에 기대 담배를 피우고 돌아왔다. 한참 뒤에 돌아온 그의 시선에는 여전히 온기가 조금도 없었다.

재영은 말없이 시동을 걸었다. 그리고 상우네 집까지 가는 동안에도, 그가 배낭을 메고 내릴 때까지도 아무 말도 하지 않았다.

return 0;

5/25 토요일

화가 단단히 난 장재영은 코빼기도 보이지 않았다. 상우는 혹시 핸드폰으로 연락이 올까 봐 생전 안 해 본 벨 소리도 설정해 놨고 그가 불쑥 찾아오면 알아챌 수 있도록 창문을 활짝 열어 놓았지만 소득이 없었다.

차라리 잘됐다고 치부하며 과제와 일에 전념하려 했으나 쉽지 않았다. 시선은 자꾸만 창밖으로 향했고 머릿속에선 싸늘하던 그의 표정이 사라지지 않았다.

'대체 내가 뭘 잘못한 거야.'

자기 전에 전날 일어난 일을 도표로 정리해 보았지만 재영이 화낸 원인을 구할 수 없었다. 대화하던 중에 열 받은 것 같은데 상우는 그에게 모질게 말하거나 틀린 정보를 제공하지 않았다.

그에게 날카롭게 굴던 것도 다 옛일이 되었다. 요즘은 마음에 안 드는 것도 눈감아 줘 가며 착하게 대했는데 왜 엇나간 걸까. 그런 것을 궁금해하며 잠들었다.

return 0;

5/26 일요일

토요일에 이어 능률은 최악이었다. 매일 누군가 옆에서 장난치고, 농담하고, 말 걸고, 방해하고, 들러붙고, 유혹하던 가닥이 뚝 끊겨 버리니 문제였다.

상우는 이틀간 실험 대상이 된 기분을 느꼈다. 무조건자극에 익숙해진 실험체가 자극 없이도 반응하는지 알아보는 조건 형성 실험, 실험체에게 익숙한 변수를 제거했을 시 원 상태가 유지되는지 보는 관성 실험, 특정 자극에 가벼운 중독 증세를 보이는 실험체에게 자극을 끊고 부작용을 탐구하는 금단 증세 실험.

'보고 싶어.'

결론은 하나였다. 장재영이 생활에 지나치게 깊이 침투했다는 것.

장재영 폴더를 몇 번 열어서 처음부터 끝까지 돌려 봤지만 효과가 없었다. 그러느라 낭비한 시간만 아까웠다.

상우는 잡스러운 생각이 들 때마다 더욱 이 악물고 열심히 작업했다. 집중은 잘 안 됐지만 가용 시간이 많다 보니 (09:00~24:00, 식사 및 휴식 3시간 제외) 작업량이 나쁘지 않았다. 과제는 오전에 끝내서 조원에게 보냈으며 오후에는 중요한 오류 하나를 바로잡는 쾌거를 이루었다.

return 0;

5/27 월요일

다음 날은 도서관에서 2시간만 공부하고 평소보다 3시간 46분이나 일찍 실기실에 갔는데 아무도 없었다. 상우는 작업하는 둥 마는 둥 몇 시간 버티다가 못 참고 재영에게 전화했지만 그는 받지 않았다. 평소처럼 실기실에 오후 10시까지 있었지만 작업량은 처참했다.

[나: 왜 화났는지 설명해 줘요.] 18:36
[나: 저 만나기 싫어졌어요?] 19:41
[나: 보고 싶은데, 오늘 만나면 안 돼요?] 21:00

그날 밤에 상우는 오랫동안 잠들지 못했다. 감정과 생각이 전혀 분리되지 않은 채 뒤엉켜 모든 것이 혼란스럽기만 했다. 본래 그는 이미 지나가 버려서 바꿀 수 없는 과거나 허상에 불과한 현재에 관심 갖지 않는다. 상우는 늘 미래에 관심을 두었다.

'난 바보야.'

재영에게 푹 빠진 나머지 자신을 망각했나 보다. 곧 다가올 미래에 대해 이상할 정도로 아무 대책도 세우지 않았다. 왜 한 번도 제대로 가정해 보지 않았을까. 성욕을 풀어 줄 사람이 곁에 없다는 상상, 그가 떠난다는 생각, 필요해도 찾아가 만날 수 없는 상황.

고작 사흘 만에 상우의 생활은 초토화되었다. 생필품은 소진되는 시기에 맞춰 잘만 채워 넣으면서 왜 이렇게 중요한 일에 대비하지 않았단 말인가.

'난 멍청이야.'

뒤늦게나마 양적으로 장재영이 얼마나 필요한지 수요를 계산해 보았다. 얼마나 자주 만나야 하는지, 일주일에 몇 번 키스해야 하는지, 성교를 얼마나 해야 성욕을 채울 수 있는지. 그러는 사이 밤이 까맣게 깊어 갔지만 상우는 잠들 수 없었다.

그러다 알게 된 사실.

i) 장재영을 너무 자주 만나고 있다는 점.

ii) 백 번도 넘게 키스했다는 점.

ii) 19일 동안 네 번이나 집에서 함께 잠들었다는 점.

iv) 그를 봐야만 하는 주기가 점점 짧아지고 있다는 점.

그리고 재확인한 제한 사항.

v) 그가 7월에 떠나리라는 점.

단타로 끝날 줄 알았던 성욕 해소 퀘스트에는 타임 어택 제한이 걸려 있었다. 상우는 게임 제작 기간이 부족하다고만 생각했지 그와 만날 수 있는 시간이 끝나 간다는 걸 심각하게 받아들이지 않았다. 성욕을 꾸준히 풀고 있으니 시간이 지나면 상태가 괜찮아지겠지 안 일하게 생각했다. 전혀 분석적이지도 합리적이지도 않은, 굿판에 가까운 희망 사항이었다.

상우는 어둠 속에서 심각한 두려움을 느꼈다. 대안을 떠올려야 한다. 그러나 괜찮은 생각을 전혀 할 수 없을 정도로 기분이 나빠서, 심장을 쥐어짜는 것처럼 마음이 아파서 이불을 더 깊이 뒤집어쓰는 수밖에 없었다.

상우는 재영이 필요한데 재영은 곁에 없었다. 더군다나 그는 떠날 예정이다. 어떻게든 설득해서 화를 풀게 한다고 해도 7월의 어느 날, 수요와 공급은 다시 어긋나게 된다. 상우는 끔찍한 미해결 문제를 안은 채 억지로 눈을 감았다.

return 0;

5/28 화요일

5시간의 수면은 짧으나마 상우에게 냉정을 되찾아 주었다. 자고 일어나니 마음이 한결 편해졌으며 심각한 문제와 비교적 가벼운 문제가 구분되었다. 일단은 눈앞에 닥친 문제부터 해결하기로 했다. 상우는 오늘 무슨 짓을 해서든 재영을 끌어내 왜 화났는지 물어볼 생각이었다.

[나: 재영이 형 주소 알려 주세요.] 9:51

[시각디자인과 최유나: ?모름] 11:23
[시각디자인과 최유나: 왜? 무슨 일잇오???] 11:40
[나: 모르면 됐어요.] 12:01

비록 첫 번째 시도는 실패했지만.

상우는 암묵적인 미팅 시간인 오후 6시 반까지 실기실에서 기다리다가 재영이 오지 않으면 학부 사무실에 그의 주소를 문의할 작정이었다. 만일 개인 정보라고 안 알려 주면 예술대와 연극부실에 가서 마주치는 모든 사람에게 물어볼 것이다.

상우는 투지를 불태우며 재영이 제멋대로 사 준 옷 중 일부를 꺼내 입었다. 머리에는 흰색 모자를 썼다. 욕실 거울 속 자신은 낯설었지만 어쩔 수 없다고 생각했다. 대비를 마치기 전까지는 어떻게든 재영을 곁에 붙들어 둬야 하는데, 그가 선호하는 옷을 입는다면 긍정적인 인상을 줄 가능성이 높았다.

밝은색 청바지는 입어 보지도 않고 산 것치고 잘 맞았지만 평소에 입는 옷보다 몸에 달라붙어서 자전거 타는 데 신경이 좀 쓰였다. 흰 티셔츠도 목 부분이 뾰족하게 파여 있는 바람에 허전한 느낌이 들었다.

그만큼 어색했지만 금세 적응했다. 수업 두 개 듣고 식사하고 도서관에서 2시간 공부하고 실기실로 향했을 즈음엔 새 옷을 입었다는 것을 잊었다.

그날도 재영의 자리는 비어 있었다. 그 대신 모르는 사람이 유나의 서랍을 뒤지고 있었다. 상우는 도둑은 아닌 것 같아서 그녀를 내버려 두었다. 도둑이었다면 문이 열렸을 때 놀라거나 도망쳤을 것이다. 남색 정장 재킷과 바지 차림인 여자는 뒤를 휙 돌아보더니 눈을 크게 떴다.

"오······. 오늘 뭔데 까리하지?"

"누구세요?"

새까만 머리를 하나로 묶은 여자가 얼굴을 찌푸렸다.

"추상추, 너 너무한 거 아냐?"

상우는 비슷한 말투, 비슷한 목소리를 가진 사람을 한 명 알았지만 눈앞의 여자는 그녀와 외모가 일치하지 않았다.

"면접 룩인데, 어때? 예쁘냐?"

머리카락 색, 머리 스타일, 옷도 죄다 달랐지만 무엇보다 눈가에 검은 걸 칠하지 않아서 아예 다른 사람처럼 보였다.

"······최유최?"

"누나라고 부르면 입이 찢어져?"

그녀는 깡패처럼 건들거리며 상우의 팔뚝을 툭툭 쳤고 그 행동은 상우의 의문을 끝내 주었다. 그녀가 아니고서야 그렇게 막돼먹은 짓을 하는 사람이 또 있을 리 없었다. 상우는 몸을 움츠리며 말했다.

"신체 접촉 삼가 주세요. 그리고 저 누나 있어요."

"사람들은 그냥 나이 많은 여자를 다 누나라고 불러."

"전 안 그래요. 가족 부르는 호칭은 가족한테만 써요."

"웃기시네, 장재영한테 형이라고 하면서."

유나가 짓궂은 표정을 지으며 상우를 비웃었다. 상우는 부들부들 떨며 그녀의 반론을 재반박할 논거가 있나 치열하게 고민했지만 그런 건 없었다. 모순은 상우의 내부에 있었기 때문이다. 치욕스럽게도 최초의 패배였다.

"혹시 알아요? 이 자리에 앉는 사람 어디 있는지?"

"네 형아가 어딜 싸돌아다니는지 내가 알 게 뭐야."

'괜히 물어봤어.'

상우는 이를 악물고 컴퓨터를 세팅했다. 유나가 이죽거리는 본새를 보아하니 아무래도 그들의 부적절한 관계를 눈치챈 듯했다. 내놓고 조롱하지 않는 게 다행이라면 다행인가. 소프트웨어를 켜서 막 작업을 시작하려는데 그녀가 말을 걸었다.

"너 쇼핑 갔다 왔어?"

외모가 점잖아졌다고 해서 속이 바뀌진 않는다. 그녀는 티셔츠가 예쁘다며, 굳이 목 뒤를 뒤집어 브랜드를 확인했다.

"이열, 돈 좀 썼는데……. 무슨 바람이야? 웬 새 옷?"

"문제를 해결하기 위한 전략적인 행위예요."

"그게 뭔 소리야."

"이 옷차림이 예전보다 보기 좋아요?"

"어. 많이. 엄청 엄청 엄청 많이."

"그럼 성공이에요."

유나가 팔짱을 끼며 짓궂게 웃었다. 외모가 바뀌어도 그 미소는 여전했다.

"누구한테 그렇게 잘 보이려고 그러시나?"

"누구겠어요? 다 알면서 왜 물어봐요."

"……."

유나는 재영의 자리에 앉더니 한동안 말이 없었다. 상우는 핸드폰을 확인했지만 재영에게서 온 연락은 없었다. 새 노트북이 필요하다며, 대단히 싸고 1kg 정도로 가벼우면서도 성능이 굉장히 좋은 제품을 알려 달라는 누나의 메시지만 와 있길래 읽고 무시했다. 메일함에도 그의 디자이너에게서 온 메일은 없었다. 상우는 문을 노려보았다. 그렇게 하면 재영이 들어오기라도 할 것처럼.

"요즘 둘이 잘 지내?"

유나의 질문이 주의를 흐트러뜨렸다. 상우는 문에서 시선을 떼고 새 메일이 없는 메일함을 노려보았다.

"아뇨."

"그래? 괜찮은 줄 알았더니…….""

"아니에요. 망했어요."

그리 답하고 나니 며칠간 속에서만 소용돌이치던 울화와 스트레스가 명확해지는 기분이 들었다. 상우는 표정이 일그러지는 걸 느끼며 손바닥으로 얼굴을 감쌌다.

"내가 그렇게 될 줄 알았다. 어떻게 해 줄까? 혼내 줄까?"

'웃기시네. 주소도 모르면서…….'

상우는 속으로 유나를 비웃었다.

"힘들면 나한테 말해. 밥 한 끼 정도는 사 줄 수 있으니까."

"물질적인 도움이 필요한 게 아니에요."

"말이 그렇단 거지. 밥 먹으면서 욕도 같이 해 주고 위로도 해 주겠다는 거 아냐."

"그런 거, 다 필요 없다고요."

상우는 옆을 돌아보았다가 저를 불쌍하다는 듯 바라보는 유나의 시선을 마주했다. 비록 주소는 몰라도 그녀는 재영과 꽤 가까운 사이다. 상우는 도움 받을 만한 구석을 한 가지 떠올렸다.

"그럼 재영이 형 예전 교제 상대와 기간 아는 대로 알려 줘 봐요."

사생활 침해, 뒷조사, 개인 정보 수집. 상우는 이제 신경 쓰지 않았다. 어차피 잠든(줄 알았던) 재영의 입술에 몰래 입 맞추면서 그는 비윤리의 길에 발을 들였다.

"너 집착이 심하구나? 그런 거 알아서 좋을 거 하나도 없어."

"미래를 예측하려면 과거의 데이터가 필요해요. 저한테 꼭 필요한 정보예요."

"음……."

유나는 한참을 머뭇거리다, 자신이 대학에 삼수해서 입학했으며 그 때문에 재영의 1, 2학년 시절은 전혀 모른다고 말했다.

"불완전해도 괜찮아요. 아는 대로 말해 줘요."

"알았어."

그녀는 곤란하단 표정으로 손가락을 하나 들었다.

"어. 내가 입학했을 때 디자인과 CC였어. 두 살 연상이었고 석 달쯤 사귀었을 거야."

두 번째 손가락이 올라갔다.

"여름쯤 소개팅 한다더니 명성여대 무용과 여자친구 만들어 왔고. 한…… 두 달? 이분도 연상이었는데 많이 싸우더라. 광장에서 뺨 맞고 차인 거 속 시원했는데. 가을에서 겨울 지나기 전에 또 여자친구 생겼지. 스튜어디스 언니……. 학교 온 거 봤는데 진짜 예쁘더라. 진짜…… 예뻤어."

유나가 손가락 세 개를 든 채 꿈꾸는 듯한 표정을 지었다.

"군대 가면서 헤어졌을 거야. 그러니까 세 달 만난 건가? 모르겠다. 군대 간 뒤로는 연락을 뜸하게 해서."

"계속해요."

"나 휴학 오래 했거든. 복학하니까 장재영도 와 있더라. 그게 작년인데…… 카피라이터 만나고 있었어. 서른 살이랬나. 잠깐이었던 것 같고. 법학과 동갑내기랑 네 달쯤? 얘도 진짜 예뻤어. 지금은 졸업했지만……. 내가 알기론 그게 마지막이야."

상우는 불완전한 데이터 다섯 가지를 분석했다. 주로 예술, 서비스업, 인문 계열 연상 혹은 동갑내기 여성을 평균 3개월 이하로 교제했다는 결론이었다. 일관적인 방향을 가리키는 데이터 속에서 이 공계, 연하, 남성, 성욕을 채울 상대에 불과한 상우는 홀로 동떨어진 점이었다. 그래서 그다지 참고할 만한 것이 없었다.

"결별 원인은요?"

"잘 질리는 것 같아. 애초에 연애를 진지하게 생각 안 하더라고. 애정 표현 없고 무뚝뚝하지 않아? 딱 애인 섭섭하게 할 스타일이지, 뭐."

상우는 드디어 그녀의 말에서 유효한 정보를 건졌다. 장재영은 아무래도 자신에게 질린 모양이었다. 그래서 아예 연락을 끊어 버린 것이다. 유나가 상우를 보며 말을 이었다.

"내가 볼 때 넌 승산이 있어."

"무슨 소리예요?"

"걔 이제껏 사귄 사람들 보면 다 어른스럽고 섹시한 스타일이었거든. 넌…… 굳이 말하자면 뭐냐 이게. 수수한…… 스타일인가? 연하고, 남자고. 사람이 안 하던 짓을 한다는 건 그만큼 특별하다는 거 아니야?"

'난 형의 애인이 아니니까요.'

상우는 속으로 중얼거렸다. 하지만 그렇기 때문에 상우는 그의 마음을 돌려세울 자신이 있었다. 그들은 몸으로 연결된 관계였다. 재영이 자신과 스치기만 해도 발기한다는 사실을 상우는 잘 알고 있었다. 인터넷에서 보고 익혔지만 그에게 아직 안 써 본 기술도 몇 개 있었고. 그러나 갖은 노력으로 그를 돌려세운다고 해도…….

"의미 없어요. 어차피 끝날 테니까요."

처음부터 끝은 정해져 있었다. 욕정에 빠져서 바보같이 아무 대비도 하지 못했을 뿐.

유나의 눈썹 끝이 아래로 처졌다. 시무룩한 개가 연상되는 표정으로 그녀가 말했다.

"나, 그 기분 알아……."

"……."

"그래도 시간 좀 남았잖아. 그동안이라도 화끈하게 만나다 보내 줘. 그래야 후회 없을 거야. 난 비슷한 상황에서 매달리고 싸우느라 정말 안 좋게 끝났어."

유나가 속상하다는 듯 한숨을 쉬었다. 자기 일도 아닌데 웃기는 사람이라고 상우는 생각했다.

"요즘 장재영이 잘해 줘? 어때?"

"최악이라니까요."

"보나 마나다. 연락 잘 안 되고, 어? 술 먹느라 전화 안 받고, 바람 맞히고, 주말에 피곤하다고 안 만나 주고. 단답식 답장에, 지 필요할 때만 찾아오고……. 맞지?"

꼭 그런 건 아니었지만 잠수 타는 건 그보다 더 나쁘다. 유나는 상우의 표정을 보더니 얼굴을 찌푸리며 팔짱을 꼈다.

"내가 다 열 받네? 다 잡은 고기라고 무시하냐고, 진짜……. 안 되겠다. 나 좋은 생각 났어. 가만있어 봐……."

그녀가 설명도 없이 갑자기 다가왔다. 그러고선 상우의 모자를 휙 벗기더니 책상 위로 던졌다.

"뭐 하는 거예요?"

"가만히 있어. 누나가 알아서 할 거야."

그녀는 흥분한 기색으로 재영의 서랍을 뒤져 손바닥만 한 둥근 통을 꺼냈다. 열어서 냄새를 맡아 보더니 들고 다가왔다.

"설마 제 머리에 바르게요?"

"어."

"아, 싫어요. 저리 가요."

"쓥! 잘 보이고 싶다며. 그럼 노력을 해야지."

"잠깐만요."

상우는 애써 방어했지만 유나의 의지가 워낙 강했다. 그녀가 확 달려들어 머리에 왁스를 발라 버리는 바람에 상우는 포기하고 말았다. 자포자기 심정으로 가만히 있자 그녀가 콧노래를 부르며 머리카락을 매만졌다.

"너 눈썹 쫌 잘생겼다?"

"눈썹이 눈썹이지, 어떻게 잘생길 수가 있어요."

"그럼 뭐하나, 백날 모자로 가리고 다니는데……."

그녀는 혼잣말을 중얼거리고선 자리에서 네모난 통을 가져왔다. 덜그럭거리는 소리를 내며 안에서 작은 칫솔같이 생긴 걸 빼더니 눈을 찌르려 했다. 상우가 무심코 얼굴을 피하자, 그녀가 뒤통수에 손을 받치며 얼굴을 다시 끌어당겼다.

"네가 애냐? 1분만 가만히 있어 봐."

"그거 칼 아니에요?"

"쉿. 조용히……."

금속이 눈썹 끝에 와 닿았다. 삭삭거리는 소리를 내며 조금씩 움직이고서 반대쪽 눈썹 끄트머리에 닿았다. 유나는 아주 중요한 일을 하는 사람처럼 진지한 표정이었다. 상우는 사고가 날까 봐 숨도 쉬지 않았다.

"오……. 나 아무래도 전공을 잘못 고른 듯."

유나는 네모난 가방에서 손거울을 꺼내 상우의 손에 쥐여 주더니, 돌아서서 실기실 구석에 있는 박스를 뒤지기 시작했다. 상우는 그녀가 잡동사니를 꺼내는 걸 가만히 보다 거울을 들었다.

'뭐가 달라졌는지 모르겠어.'

거울을 자세히 살폈지만 이마를 살짝 드러냈다는 것 빼곤 차이를 실감할 수 없었다. 그러고 있는데 유나가 그쪽으로 신발 한 켤레를 던졌다. 끈이 없는 갈색 단화였다.

"신발 몇 신어? 이거 맞는지 봐 봐."

"제 거 아닌데요."

"그냥 신어."

상우는 어쩔 수 없이 검은 운동화를 벗어 책상 밑에 가지런히 놓고 단화에 발을 집어넣었다. 약간 겉돌긴 했지만 사이즈가 그런대로 잘 맞았다. 유나는 재영의 서랍에서 립밤을 꺼내 입술에 발라 주며, 여름 다 됐는데 입술이 왜 트냐고, 그게 마치 상우의 탓인 것처럼 잔소리했다. 그러고선 일어서라고 명령했다.

바보가 된 기분으로 일어서자 유나가 팔짱을 끼고서 상우를 위아래로 훑어보았다. 그녀는 쪼그려 앉더니 바지 밑단을 접어 발목이 약간 드러나게 했다.

"좋아. 액세서리 하나만 있으면 완벽하겠는데……."

그러고는 제 자리로 뛰어가 서랍을 열고 수많은 잡동사니 사이에서 여러 가지 목걸이와 반지를 들고 다가왔다.

"전 그런 거 안 해요."

"이거 봐. 멋있지 않아?"

상우는 해골 모양 펜던트를 보고서 눈살을 찌푸렸다. 유나는 그의 표정을 보고서 나머지는 책상에 던진 뒤, 아무 장식이 없는 은색 팔찌만 남겼다. 그녀는 상우 손목의 전자시계를 빼앗아 배낭에 던져넣고서 그 자리에 팔찌를 걸었다. 그러고서 고개를 끄덕였다.

"장재영, 피가 거꾸로 솟겠네."

유나는 화면이 깨졌는데도 수리할 생각조차 없는 듯한 핸드폰을 주머니에서 꺼내 사진을 몇 장 찍었다. 찰칵, 찰칵, 찰칵. 상우는 팔 짱 끼고 삐딱하게 서서 그녀를 바라보았다.

"하란 대로 다 했잖아요. 이제 무슨 짓인지 설명해 줘요."

"전략적…… 아까 뭐라고 그랬지? 아무튼 전략적 훌륭한 정책이 다, 추상추."

"뭐요?"

"우리 같은 사람은 당하기만 하란 법 있어? 반격도 할 수 있다고. 너 지금부터 어디서 시간 때우다 저녁 먹고 8시쯤 연석동에 가. 아 무 바에나 들어가서 술 먹고 있으면 나머진 내가 알아서 할게."

"제가 왜 연석동에서 술을 마셔야 하죠?"

"거기 괜찮은 바가 많으니까? 내가 하란 대로 해. 그럼 장재영이 전화할 텐데, 두 번 정도만 씹고 그다음에 받아서 '네가 나한테 확신 을 못 줘서 기분 전환하러 왔다'라고 말해. 그럼 어디냐고 난리 치면 서 찾아갈 거야. 99% 검증된 전략이야."

"오차 범위가 몇인데요."

"이상한 거 물어보지 말고."

상우는 황당하단 표정으로 눈만 깜빡거렸다. 특정 지역에서 술을 마시면 재영을 볼 수 있다는 건데, 유나는 전략의 방법과 결과만 이 야기했지 어떤 식으로 작동하는지 설명하지 않았다.

"그렇게만 하면 형이 와요?"

"95%라니까."

"아깐 99%라고 했는데……. 성공 확률이 왜 떨어졌어요?"

유나는 짜증 난다는 표정을 지었다. 하지만 상우에게는 중요한 문제였다.

"만약에, 만약 형이 1~5% 확률로 저한테 질려서 안 오면 어떡해요?"

유나는 표정이 다양한 편이었다. 이번에도 극적으로 변하는 얼굴은 신기한 느낌을 주었다. 그녀는 끔찍한 울상을 지었다가 곧바로 얼굴을 펴며 웃었다.

"그러면 거기서 이쁜 누나나 잘생긴 형 찾아서 술 사 달라고 해. 장재영 버려, 버려."

상우는 고개를 끄덕이며 자리에 앉았다. 절전 모드가 걸린 검은 모니터 속, 브이넥 티셔츠를 입은 남자애와 어색하게 눈이 마주쳤다.

유나는 가 봐야 한다고 수선 피우더니 상우의 등을 탁 쳤다.

"힘내, 추상추. 연애란 원래 더러운 거야."

"연애 아닌데요."

"그리고 전화 두 번만 씹는 거 꼭 기억해……. 걔 화나면 무섭거든. 그럼 나 가 볼게."

"도와줘서 고마워요. 면접 잘 봐요."

유나는 말없이 웃으며 짐을 잔뜩 들고 실기실에서 나갔다. 문이 닫힌 뒤, 상우는 심호흡을 하고 버스 앱을 켰다.

"전략적 훌륭한 정책."

동선을 짜고 머릿속에서 계획을 체크했다.

18:00까지 작업, 식당에서 식사, 집에 들러 가방 놓고 양치, 19:20 버스 탑승, 19:56 연석동 도착, 음주, 전화는 두 번만 무시, 세 번째에 받는다. 장재영이 확신을 못 줘서 기분 전환하러 왔다고 말할 것. 그리고 대기.

그다지 믿음직한 지침은 아니었지만 별수 없었다. 물에 빠졌을 땐 지푸라기라도 잡는 수밖에.

return 0;

앱에는 분명히 36분 소요된다고 적혀 있었는데, 길거리에 사고가
나서 교통이 정체되는 바람에 도착 시간이 늦어졌다. 게다가 오늘
핸드폰을 너무 자주 들여다본 데다 GPS 기능과 지도 앱을 계속 켜
놓고 있어서 평소보다 배터리 소모가 두 배 이상 심했다.

불안감이 점점 커져 가고 있던 그때 유나에게서 전화가 왔다. 상
우는 곧바로 받았다.

"여보세요."

—너 어디야? 준비됐어?

"아직 버스예요. 8시까지 도착 못 할 거 같은데 어떡해요?"

—아직 연락 안 해서 상관없어. 9시로 미룰까?

"네. 그때까진 도착할 거예요."

—알았어! 끊어.

"잠깐만요."

—왜?

"지금은 성공 확률 몇 퍼센트예요?"

—100%야. 내가 한 말만 잘 기억해.

"알았어요. 끊을게요."

상우는 전화를 끊고 가쁜 숨을 몰아쉬었다. 버스 안에는 사람이
너무 많았고 공기가 후덥지근했다. 손잡이를 쥐고 서서 느리게 움
직이는 지도 앱의 빨간 점을 노려보고 있는데, 이번에는 재영에게서
전화가 왔다.

"……."

아직 작전은 시작하지도 않았는데, 뭘까. 유나가 배신한 걸까? 상우는 핸드폰을 꽉 쥐고서 아무 행동도 하지 못했다. 재영에게서 걸려 온 전화는 한참 동안 이어졌고, 끊긴 다음에 곧바로 또 걸려 왔다. 상우는 혹시 실수로 전화를 받을까 봐 꼼짝도 않고 가만히 있었다.

화면에 '부재중 전화 2통'이 뜬 뒤 이번에는 메시지 알림이 왔다.

[재영 ㅅㅂ♨: 항복] 19:55
[재영 ㅅㅂ♨: 너랑밀당하다가제명에못살듯] 19:55

상우는 얼굴을 찌푸렸다. 띄어쓰기를 제대로 하는 법이 없는 재영의 메시지는 그의 손 글씨처럼 가독성이 최악이었다. 상우는 '가제명에'가 어떤 단어를 잘못 쓴 것일지 고민하다가 포기했다.

[재영 ㅅㅂ♨: 중요한할말있어집앞으로갈게] 19:56

그래도 연달아 온 메시지는 해석 가능했다.

'나 집에 없는데…….'

연석동 가는 버스 안인데, 게다가 계획도 다 세워 놨는데……. 상우는 난감한 기분을 느끼며 입술을 깨물었다. 1분간 고민하다 유나에게 전화를 걸었다. 잘 모르는 일에는 자문을 받는 것이 낫다는 생각이었다.

─왜, 또?

"재영이 형한테 연락 왔는데, 제 집으로 간대요. 그냥 때려치울까요?"

─야, 절대 안 돼. 아홉 번 막 대하다가 한 번 잘해 주는 거. 흔한 수법이야. 그렇게 하자는 대로 다 해 주면 호구 잡혀.

"확실해요?"

─너 계속 끌려다닐래? 이번에 본때를 보여 줘야지. 전화 다 무시하고 내가 하란 대로 해.

"두 번만 무시하라고 했잖아요. 이미 두 번 무시했어요."

─변경, 변경. 9시 될 때까지 무시하는 거야. 알겠어?

"알았어요."

상우는 마음이 답답했다.

"그냥 집에 가면 안 돼요?"

─안 돼. 끊어!

계획의 설계자인 유나가 너무 단호하게 말해서 의견을 제대로 피력하지 못했다. 전화가 끊기고 지도가 다시 화면에 나타났다. 빨간 점은 집과 이미 멀리 떨어져 있었다.

버스는 9분이나 지나서 연석역에 도착했다. 상우는 미리 검색해 둔, 근방에서 가장 서비스가 좋고 쾌적하다는 바를 찾아 나섰다. 평일 저녁인데도 흥청망청 노는 사람이 가득한 거리는 기분 나빴다. 취객들은 어깨를 치고 가면서도 사과 한마디 없었고 침을 아무 데나 뱉어 댔다. 상우는 모든 불의를 모른 체하고 넘어갔다. 중요한 할 일이 있었으니까.

찾아간 바는 지하 1층에 있었다. 전구 박힌 간판도, 지하로 내려가는 층계도, 천장도 모두 검은색이었다. 깜깜한 통로를 통과하고 나니 침침하고 넓은 공간이 나타났다. 한쪽에서는 사람 몇 명이 춤을 추고 있었고 나머지 반에는 테이블을 둬 술을 마실 수 있게 해 두었다. 스피커에선 전자음이 크게 흘러나왔다. 재영이 좋아하는 장르였지만 플레이 리스트에 없는 노래였다.

상우는 여러 가지 술병과 생맥주 탭이 있는 바 앞으로 걸어갔다. 핸드폰을 긴 테이블 위에 올려놓고 발이 땅에 닿지 않는 높은 의자에 앉았다.

"메뉴 주세요."

레게 머리를 한 바텐더가 두 장으로 된 메뉴판을 주었다. 상우는 아무거나 마실 생각이었으나 술의 종류가 너무 많고 이름이 직관적이지 않아서 고르기가 어려웠다. 그는 인터넷에 칵테일 이름을 하나하나 쳐 원료를 확인해 보았다. 단것 제외, 과일 주스 제외, 콜라 제외, 이것저것 빼고 나니 몇 개 남지 않았다.

"마티니 주세요."

검색을 끝내고 나니 배터리가 6% 남았다. 상우는 불안한 마음에 핸드폰을 끄고서 43분 뒤에 다시 켜기로 했다. 그러고는 바텐더가 술 만드는 과정을 구경했다.

진과 베르무트를 5:1로 섞고 휘젓는 술이란 건 찾아봐서 알고 있었다. 그녀는 얼음을 집게로 빼서 버리고 투명한 원뿔 모양 잔에 내용물을 부었다. 레몬 껍질을 잔 가장자리에 문지르고 녹색 올리브를 하나 빠뜨리고선 상우에게 내밀었다.

잔을 받아서 한 번에 마시자 바텐더가 놀란 표정을 지었다. 단맛이 조금도 없는 쓴 술은 목구멍을 뜨겁다 못해 따끔하게 했다. 소주보다 두 배나 독한 술을 한 번에 많이 마셔서인지 심장이 빠르게 두근거렸다. 상우는 몇 잔 더 마시고 싶었다. 그러지 않으면 너무 긴장돼서 9시까지 기다릴 수 없을 것 같았다.

"하나 더 주세요."

"네."

"지금 몇 시예요?"

"잠시만요……. 8시 23분이요."

"네."

턱을 괴고 잠시 기다리자 바텐더가 이번에도 숙련된 솜씨로 칵테일을 만들어 주었다. 너무 빨리 취하면 안 되니까 두 번째 잔은 홀짝홀짝 마셨다. 바텐더에게 시간을 두 번이나 더 물어보았는데 아직 9시까지 30분 이상 남았다.

'여기서 뭘 하고 있는 거지…….'

상우는 문득 자괴감에 잠겼다. 그는 학업이 본분인 대학생이다. 그런데 100ml도 안 되어 보이는 칵테일을 비싼 돈 주고 사 마시며 바에 앉아 있는 것이다.낯선 옷, 낯선 장소, 낯선 행동. 성욕이 뭐길래 이렇게까지 해야 하는 걸까. 상우는 천천히 마시겠단 결심이 무색하게도 잔을 또 빠르게 비워 버렸다.

이번에는 더운 술기운이 목을 타고 올라오는 것이 느껴졌다. 동시에 분노와 불안감은 천천히 잦아들었다. 진정제인 술은 상우의 들쭉날쭉한 정서를 가라앉혔다. 그는 약간의 여유를 느끼며 의자를 돌려 주변을 바라보았다.

덩치 큰 사람, 마른 사람, 옷이 화려한 사람, 수수한 사람, 나이 든 사람, 어린 사람……. 바에는 온갖 사람이 있었다. 상우의 시선은 그 중 젊은 남자들에게 머물렀다.

꽤 노골적으로, 열심히 관찰했지만 마음에 드는 사람은 없었다. 체격이 너무 우락부락하지 않으면 지나치게 말랐고, 느끼하거나, 손이 못생겼거나, 목소리가 별로거나, 걸음걸이가 싫거나, 웃는 모습이 마음에 안 들거나, 표정이 너무 경직됐거나, 바보 같아 보이거나, 교활하게 생겼거나. 상우는 행인들의 결점을 너무 쉽게 찾아냈다.

'장재영의 첫인상을 생각해. 그땐 별로였잖아.'

그땐 그랬다. 40분을 지각해 놓고 죄책감도 느끼지 않는 양아치 새끼인 줄로만 알았다. 그 당시 주의 깊게 보지 않은 탓에 재영의 모습은 기억에 남아 있지 않았다. 그래서 상우는 괴로웠다. 술기운 때문인지 눈물이 핑 돌았다. 분노 조절 장애, 감정 기복, 정서 불안. 재영을 만나고서 상우에게는 이상한 증상이 여러 개 생겼다.

상우가 술을 한 잔 더 주문했을 때 왼쪽에서 누군가의 목소리가 들렸다.

"저 남자분과 같은 걸로."

옆을 돌아보자 의자 두 개 떨어진 자리에 앉은 남자와 눈이 마주쳤다.

'줏대 없는 사람이군.'

상우는 속으로 중얼거리고선 기다렸다. 그리고 바텐더가 잔을 앞에 놓자마자 쓴 술을 몇 모금에 걸쳐 마셔 버렸다. 독한 취기가 몰려오며 눈이 깜빡깜빡 감겼다. 자세를 무너뜨리며 테이블 위에 엎드리자 기분이 좋아졌다. 그렇게 게으른 자세로 다리만 달랑거린 지 얼마나 지났을까, 누군가 옆에 칵테일 잔을 내려놓았다. 올리브가 든 투명한 술이었다.

"여기서 취향이 같은 사람을 만나게 되다니, 반갑네요."

멀리 있던 남자가 상우의 옆자리에 앉으며 말했다. 상우는 엎드린 채 대답했다.

"취향이 맞아서가 아니라 나머지가 별로라 마시는 거예요."

"술 취향 말고요."

"그럼 무슨 소린지 모르겠어요."

"남자 찾고 있잖아요."

그가 몸을 굽히며 귓속말했다. 상우는 얼굴을 찌푸리며 물었다.

"어떻게 알았어요?"

"거기 앉아서 남자만 보길래."

"참견하지 마세요. 그쪽하고 상관없잖아요."

"왜 없어요? 나도 남잔데."

'그러네.'

상우는 뜻밖에 논리적 허점을 지적당하고서 상대를 다시 자세히 보았다. 밝게 염색한 머리카락은 짧았고 캐주얼한 차림이었다. 눈이 부리부리하고 성질이 더러워 보였다. 장신인 데다 귓불에 동그란 귀 걸이를 꼈고 목에 문신이 있다는 점에 가산점이 붙었지만 그래도 재영과 닮았다는 느낌은 들지 않았다.

"별로예요. 이제 말 걸지 마세요."

고개를 저으며 다시 테이블에 엎드리자 옆에서 코웃음 치는 소리가 들렸다. 남자는 한동안 가만히 있다가, 바텐더가 한참 왼쪽으로 향하자 의자를 끌고 상우에게 바싹 붙었다.

"야, 너 매력 있다."

"마음대로 말 놓지 마세요."

"몇 살이야? 스물셋? 넷?"

말이 통하지 않는 작자였다. 상우는 무시하기로 마음먹었지만 이번에는 그의 손이 얼굴로 다가오는 게 시야 끄트머리에 보였다.

"손대지 마세요. 경고했어요."

그러나 짜증 나는 남자는 말을 들어 먹지 않았다. 상우는 그런 막무가내 행동을 용납할 기분이 아니었다. 그는 꼼짝 않고 앉아 있다가 남자의 손가락이 볼에 닿기 직전에 손목을 잡아채 비틀어 뒤로 꺾었다. 남자는 상우를 밀치려 들었지만, 손목을 더 세게 꺾자 몸을 웅크리며 반항하기를 멈추었다.

"하지 말라니까."

"아, 아아, 아! 잠깐만!"

"성희롱으로 신고할 거예요."

"아, 잘못했어요. 잘못했어요. 그만!"

손목을 놔주자 남자가 씨발, 씨발, 욕을 연발했다. 상우는 긴급 상황을 대비하기 위해 핸드폰을 켰다.

화면에 크게 뜬 21:41이란 시간을 보고 그의 눈이 크게 떠졌다. 시간이 언제 이렇게 되었단 말인가. 술을 마시다 보니 약속한 9시가 훌쩍 지난 줄도 모르고 있었다. 잠금을 풀자 '부재중 전화 36통'과 '새 메시지 6통'이란 알림이 보였다. 상우는 당황하며 메시지 함을 열었다.

[재영 ㅅㅂ🔥: 벌써자?어디아파?] 20:42

[재영 ㅅㅂ🔥: 집앞이야문좀열어줘] 20:44

[재영 ㅅㅂ🔥: ㅋㅋ추상우어린이연석동엔왜갔어염?] 21:02

[재영 ㅅㅂ🔥: 전화와ㅔ꺼놨어] 21:03

[재영 ㅅㅂ🔥: 상ㅇ우야] 21:06

[재영 ㅅㅂ🔥: 어디야대체] 21:30

걱정시키려던 건 아니었다. 술을 마시느라 긴장이 풀어져서, 실내에 시계가 없어서, 핸드폰 배터리가 없어서, 이 모든 핑계로 상우는 재영에게 신경 쓰지 못했다. 또한, 신경 쓰고 싶지 않았던 것도 사실이다. 그는 발가락에 박힌 가시처럼 상우를 괴롭히고 있었으니까.

화면을 멍하니 보고 있는데 전화가 걸려 왔다. 상우는 심장이 아래로 꺼지는 기분을 느끼며 숨을 빠르게 쉬었다. 통화 버튼을 터치하고 기기를 귀에 갖다 대자마자 깊은 한숨 소리가 났다. 전자 기기를 통해 거친 숨소리가 들렸다.

　―너 뭐 하자는 거야?

　재영의 목소리가 너무 날 서 있어서 상우는 적당한 대답을 찾지 못했다.

　―뭐 하자는 거냐고, 어?

　나흘간 그리워하던 음성이 자신을 질책해서 혼란스러웠다. 그리움이 섭섭함으로 변하기까지는 오래 걸리지 않았다. 상우는 눈을 치켜뜨며 입을 열었다.

　"뭘 잘했다고 화를 내요?"

　―거긴 왜 갔어?

　"형이 잠수 탔잖아요. 연락해도 안 받았잖아요."

　―그래서, 내가 사 준 옷 입고 다른 사람 만나려고?

　재영이 말 마디마다 분노를 실은 채 사납게 물었다. 상우는 대답하지 않았다. 아니라고 한다면 거짓말이다. 만일 아까 말 걸었던 남자가 마음에 들었다면 연락처를 물어봤을지도 모른다.

　―대답 안 하냐?

　"형이 저한테 확신을 못 줘서 기분 전환하러 왔어요."

　외워 온 문장을 뒤늦게 읊자 재영이 "허." 하며 숨을 내뱉었다. 이어진 침묵은 쇳덩이처럼 차고 무거웠다.

　―내가 너무 잘해 줬지?

　"……."

　―너는 씨발, 날 병신으로 보는데 말야.

　"나한테 욕하지 마요. 누군 할 줄 몰라서 못 하는 줄 알아요?"

—어딘지 말해. 만나서 얘기해.

며칠간 그렇게 듣고 싶었던 목소리인데 통화 시간이 길어질수록 답답함은 심해지기만 했다. 재영을 보고 싶은 마음과 보기 싫은 마음이 이토록 심하게 충돌했던 적도 없었다. 그를 일상으로 편입하며 상우가 얻고자 한 건 쾌락이었지, 슬픔과 괴로움이 아니었다.

"왜 연락 안 받았어요? 저한테 질렸어요?"

—어딘지, 말해.

"싫어요. 먼저 대답해요."

—너 진짜 혼날래?

재영이 말을 멈추었다가 빠르게 내뱉었다.

—지금 돌아 버릴 거 같으니까 더 화나게 하지 마. 당장 어딘지 말해.

유나는 재영이 100% 확률로 찾아온다고만 했지, 머리끝까지 화나 있을 거라곤 알려 주지 않았다. 적반하장, 분노 조절 장애. 자기가 먼저 잘못해 놓고선 화나 빽빽 내고, 아무 설명도 안 해 주는 그에게 상우는 반감이 치밀었다.

"예쁘다고 해 주는 것도 한계가 있어요. 그렇게 제멋대로 굴면 나더러 어쩌란 거예요? 가뜩이나 머리가 터질 것 같은데……."

악다문 잇새로 악의에 찬 말이 흘러나왔다. 장재영, 베지 벤처러, 섹스 파트너, 유학. 요즘 밀어닥치는 시련의 파도는 상우가 감당하기에 너무 높았다. 상우는 어떻게든 숨을 쉬어 보려고 안간힘을 쓰고 있었지만 익사하기 직전이었다. 잘못한 것도 없는데 너무 억울했다.

"화내고, 잠수 타고, 욕하고. 못돼 처먹은 놈."

—야……. 추상우.

"어차피 가 버릴 거면서……. 개지랄이야, 씨발."

―어디냐니까! 몇 번을 물어?

"소리 지르지 마!"

너무 열 받아서 전화를 끊어 버릴 생각이었는데 마침 배터리가 떨어지며 화면이 검어졌다. 상우는 절망적인 기분으로 핸드폰을 탁자에 던지듯 내려놓았다.

멀리서 눈이 마주친 바텐더가 다가오길래 술을 한 잔 더 주문했다. 이번이 몇 잔째였더라. 셈이라면 실패해 본 적이 없는데, 기억이 잘 나지 않았다. 속이 안 좋고 머리가 어질어질했다. 칵테일을 섞는 바텐더의 모습이 흐릿해 보였다.

그때 그의 시야에 술잔이 들어왔다. 상우는 별생각 없이 투명한 칵테일 잔을 들어 술을 마셨다. 재수 없는 얼굴이 보인 건 반쯤 마셨을 때였다.

"아씨……. 짜증 나게."

상우는 잔을 거칠게 내려놓았다. 그가 받아 마신 술은 주문한 게 아니었다. 옆에 앉아 있던 남자가 슬쩍 내민 것이었다. 그를 이글이글 노려보자 남자가 황당하다는 듯 인상을 찌푸렸다.

"관심 있어서 한 잔 사겠다는데, 그 표정은 뭐야?"

상우는 제가 주문했던 술이 나오기를 기다렸다가, 잔을 곧바로 남자의 앞으로 밀었다.

"나는 거지가 아니에요."

"……성격 한번 칼같네."

상우는 그의 말을 무시하고 반쯤 남은 제 술잔을 바라보았다. 다 마셨다간 죽을 것 같단 생각에 테이블에 엎드리자 어김없이 재영의 목소리가 떠올라 그를 괴롭혔다.

'짜증 나, 씨발.'

생각이 바뀌어 절반이 남은 잔을 단번에 비우고 새로 주문했다. 그러자 한동안 잠잠하던 옆자리 남자가 또 귀찮게 굴었다.

"몇 살이야?"

"개인 정보."

"학생이지?"

"개인 정보."

"남자는 왜 찾아?"

"……."

"왜, 밑구멍이 벌름거려?"

상우는 한숨을 쉬며 왼쪽을 보았다. 어쩌다 저런 인간 말종한테 성희롱이나 당하는 신세가 되었는지 모른다. 상황이 너무 한심해서 헛웃음이 나왔다.

"화내다 웃으니까 째끈한데."

그 말에 또 기분이 확 나빠지는 상우였다.

'얼굴도 귀여워. 웃을 땐 더 귀엽고.'

재영의 목소리가 기억 속에서 재생되자 불쾌감, 슬픔, 분노, 짜증, 요즘 그를 따라다니는 네 마리 짐승이 미친 듯이 날뛰었다. 상우는 손바닥으로 얼굴을 쓸었다가 깜짝 놀랐다. 그의 뺨은 불판처럼 뜨거 웠다.

"아까 통화한 애인, 어디 멀리 간대? 군대?"

'이 개새끼가!'

짐승들이 모르는 남자를 향해 일제히 짖어 댔다. 그놈은 아무것도 모르면서 지껄이는 말마다 기분 나쁘게 했다. 상우는 애인이 아니라고 반박하기도, 장재영이 머지않은 미래에 떠나 버린다고 인정하기도 싫어서 말투로 트집을 잡았다.

"너 왜 자꾸 반말이야."

"미안요."

남자는 의외로 쉽게 꼬리를 내렸다. 상우가 아직 건드리지 않은 칵테일과 소지품을 들고 가장 끝자리로 옮기자 그가 따라와 조금 떨어진 곳에 앉았다.

"저기요."

"……."

"내가 너무 들이댄 것 같은데. 그쪽 스타일 마음에 들어서 그랬어요. 기분 나빴다면 사과할게요."

상우는 남자를 수상하다는 눈빛으로 바라보았다. 그는 손을 내밀었지만 상우는 잡지 않았다.

"학생이죠? 난 서른넷, 수입 넉넉한 자영업자예요. 잘해 줄 자신 있는데, 나 만나 보는 건 어때요? 난 잠수 같은 거 안 타."

남자는 무슨 바람이 불었는지 태도가 꽤 정중해졌지만 상우는 마음에 변화가 없었다.

"싫어요."

"이유는?"

"전 얼굴 많이 봐요. 목소리도 좋아야 돼요. 그림도 잘 그려야 돼요. 스케이트보드도 잘 타야 돼요. 농구도 잘해야 돼요. 그리고 스물일곱 살이어야 돼요."

그리 말하고 칵테일을 쭉 들이켰다. 상대가 어이없다는 듯 중얼거렸다.

"이거 또라이 아냐?"

취했다, 많이 취했어. 스스로 느낄 수 있을 정도로 상우는 취해 있었다. 술을 다 마시고 나니 성가신 남자는 사라지고 없었다. 계획은 처참하게 실패했으니 집으로 돌아갈 때였다.

화장실에 다녀와 계산하려는데 영어를 쓰는 여자 둘이 따라와 말을 걸어서 시간을 지체했다. 상우는 영어 독해와 문법은 자신 있었지만 회화는 아무리 노력해도 어려웠다. 게다가 음악 소리가 커서 말이 잘 들리지 않았다. 그녀들은 핸드폰을 내밀며 무언가를 자꾸 물어봤지만 상우는 도와줄 수 없었다.

상우는 "쏘리."라고 답하고 지갑에서 체크 카드를 빼서 계산서와 함께 바텐더에게 내밀었다.

"민증 주셨는데요."

"죄송해요."

실수를 교정하자 그녀가 웃으며 계산해 주었다. 술에 취해서인지 영수증에 찍힌 말도 안 되는 금액을 보고도 아무렇지 않았다. 상우는 다만 영수증 뒷면에 왜 전화번호와 스마일 표시가 적혀 있는지 의문을 가졌다가 머리가 아파서 관두었다.

일어섰더니 몸이 휘청거렸다. 벽을 짚고 겨우 걷다가 도저히 못 가겠어서 구석에 등을 대고 미끄러졌다. 눈을 잠시 감았다가 졸았던 것도 같다. 깨고 나니 음악이 달라져 있었고 가게에 사람이 훨씬 많이 돌아다녔다.

'엑스프로이드, 몇 집 앨범인지와 앨범명 기억 안 남, 트랙 넘버 기억 안 남, 사일런스.'

상우는 바닥에 앉은 채 쿵쿵거리며 크게 울리는 음악이 그를 헤집어 놓도록 두었다. 재영은 실기실에서 핸드폰으로 이 곡을 틀며 시간을 때우려고 한 적이 있었다. 나흘 전, 그의 차를 타고 한강 둔치를 달렸을 때도 이 곡이 나왔다.

'상우야.'

상우는 눈물이 왈칵 날 것 같은 기분을 느끼며 얼굴을 찡그렸다.

'상우야.'

왜 싸웠는지, 뭐가 그렇게 불만이었는지 기억나지 않았다.

'상우야.'

그저 보고 싶다는 생각뿐.

상우는 벌떡 일어나 종업원을 붙잡고 가게 전화를 빌렸다. 술기운에 다른 건 다 까먹어도 전화번호 열한 자리가 똑똑히 기억나는 것도 우스웠다. 그러나 재영은 통화 중이었다. 상우는 가게에서 나왔다.

계단을 두 발과 두 손으로 걸어서 올랐다. 특별한 이유가 있었던 것은 아니고 그게 더 편하게 느껴졌기 때문이다. 거리에선 다시 직립 보행하기를 택했다. 지하철역 건너편에서 버스를 타야 하는데, 지하철이 어디였는지 기억나지 않아서 발 닿는 대로 걸었다.

'귀찮은데 택시 탈까…….'

술값으로 한 5일 치 식비를 쓰고서 택시 탈 생각까지 하다니. 소득 없이 돈만 펑펑 낭비하는 날이었다.

상우는 분명히 걷고 있었는데 어느 순간 벤치에 앉아 있었다. 언제 그렇게 되었는지는 알지 못했다. 정신 차려 보니 누군가가 옆에 앉아 있었다.

"이게 무슨 인연이야."

상대는 아는 척했지만 상우는 그 낯을 처음 보았다. 누구냐고 물어볼 기운이 없어서 그를 무시했다.

"성질 드러운 대학생 씨, 또 만날 줄은 몰랐네."

그 말을 듣자 누군지 알 것 같았다. 상우는 옆을 돌아보았다가 머리를 밝게 염색한 남자와 눈이 마주쳤다.

"지금 상대 필요하지?"

그는 상우의 고충을 다 이해한다는 듯 부드럽게 말했다. 상우는 차마 아니라고 하기 어려워 아무렇게나 대답했다.

"중독증까진 아니야. 자가 테스트해 봤어."

"예쁜이 눈빛에 외로워 죽겠다고 쓰여 있는데……."

"그래서 어쩌자고?"

"아저씨네 집 가자. 저쪽에 차 있어."

"음주 운전."

"대리 부를 건데."

상우는 할 말이 없어졌다. 스트레스가 극심한 현재, 그는 재영이 제공했던 종류의 쾌락이 절실하게 필요했다. 그렇다고 모르는 남자의 집에 가서 성교할 정도로 타락했던가.

'어차피 망한 거…….'

생각해 보면 상우는 장재영과 몸을 섞은 날부터 잘못된 길로 발을 들였다. 그가 성욕을 해소할 수 있다고 꼬드겨서 시작한 일은 반대 효과를 냈다. 그와 보낸 몇 번의 밤은 색욕을 가라앉히기는커녕 더욱 부추기기만 했다. 강렬한 쾌락이 이미 일상에 깊이 침투해서, 상우는 이제 남자를 모르던 시기로는 돌아갈 수 없을 것 같았다.

한 명하고 했는데 두 명하고 못 할 건 무언가. 어차피 재영이 사라지고 나면 새로운 상대를 구해야 할 가능성이 높은데, 그 시기가 조금 앞당겨지는 게 뭐가 문제일까.

"너, 잘해?"

그런 물음이 상우의 입에서 툭 튀어나왔다. 상우는 제 발언에 내심 충격 받았지만 재영의 말을 빌려 이미 '막장'이 된 상황에 문젯거리도 아니었다. 남자는 웃으며 상우에게 상체를 바싹 붙였다. 술 냄새와 담배 냄새, 향수 냄새가 뒤섞여 코를 찔렀다. 최근에는 셋 다 싫다고 생각해 본 적이 없었는데, 그 순간엔 역하게 느껴져 그와 거리를 조금 벌렸다.

"나랑 놀다가 뿅 간 애들만 한 트럭이야. 한번 맛보고 들러붙지나 마. 질척거리는 건 질색이라⋯⋯."

"해 봤는데 만족도가 낮으면 어떻게 보상할 건데?"

"해 보기나 하고 말해. 너 때문에 이렇게 됐는데, 책임져야지."

그가 가리킨 청바지 지퍼 부위가 불룩 튀어나와 있었다. 곧 남자의 손이 상우의 얼굴로 다가왔다. 수전증 걸린 것처럼 손끝을 덜덜 떨고 있었다. 상우는 그의 손가락이 목에 닿았을 때 너무 불쾌해서 하마터면 폭력을 쓸 뻔했다.

궁둥이를 바싹 붙여 앉으며 자세 잡는 걸 보면 놈은 키스할 생각인 듯했다. 상우는 도망칠까 잠시 고민하다가 이왕 이렇게 된 거 기회를 줘 보기로 마음먹었다. 막상 해 봤는데 괜찮을 수도 있으니까⋯⋯. 눈을 질끈 감자 "순진하긴." 하며 낄낄거리는 소리가 났다.

상우는 볼에 손바닥이 부드럽게 닿기를 기대했지만 남자는 상우의 목을 쥐고 조르듯이 힘을 주었다. 입술이 닿는 순간부터 싫다는 느낌이 밀려들었다. 그는 입으로 쩝쩝거리는 소리를 내며 아직 흥분도 안 된 상우의 성기 위를 손끝으로 문질렀다.

'최악이다.'

그의 혀를 이리저리 피하다가 결국 붙잡혀 버렸다. 남자는 신음을 내며 상우에게 침을 묻히다 목구멍에 혀를 집어넣으며 구역질 나게 만들었다. 상우는 그를 밀어내며 다시 슬퍼졌다. 장재영 같은 잠자리 상대를 어디서 어떻게 찾아야 할지 눈앞이 막막해졌다.

"간만에 겁나 꼴리네. 너 여기서 따먹어도 돼?"

"말이 좀 이상하네. 난 과일이 아니야."

남자는 다시 몸을 붙이며 상우의 목을 핥고 살갗을 입 안으로 빨아들였다. 비슷한 행동을 즐겨 하는 누군가를 알았지만 느낌은 천지 차이였다. 상우는 슬픔에 잠겨 있다가 남자가 목을 세게 깨물었을 때 정신이 들었다. 지퍼를 내리려는 손을 치우고 들러붙은 상체를 밀어냈다.

"아프니까 그만해."

"너 혹시 발기부전이냐?"

"차라리 그랬으면 좋겠다."

테스트를 끝낸 상우는 벤치에서 일어났다. 남자가 목과 턱에 묻혀 놓은 침을 손등으로 닦고서 말했다.

"너, 내 취향 아냐. 나 갈 건데 이번엔 진짜로 따라오지 마."

"아……. 적당히 해야지. 오지게 튕기네."

상우는 빠르게 걸었지만 남자가 짜증 난다는 표정으로 따라붙었다. 할 짓이 없는 모양이었다.

"진심이야? 여기까지 해 놓고?"

"네가 별로인 걸 어떡해."

"예전 남자 못 잊어서 그래? 걔 어디 간다며. 새로운 사람 찾아야지."

남자는 또 아픈 곳을 건드렸다. 상우는 피로감을 느끼며 그를 향해 손가락질했다.

"열 받게 하지 말고 꺼져. 경고했다."

"들자 들자 하니까…… 너 나랑 싸우면 이길 것 같냐?"

"나 검은 띠 4단이야."

이런 상황을 대비해서 어머니는 그를 8년 동안 태권도 도장에 보냈나 보다. 상우는 폭력을 쓰지 않지만 약해서는 아니었다. 법만 아니었으면 놈은 진작 누워 있었을 것이다.

"이 좆만 한 새끼가 비위 좀 맞춰 줬더니 간댕이가 배 밖으로 나왔네."

남자는 정말 짜증 나게 굴었다. 입만 살았지 키스도 더럽게 못하고……. 상우는 그의 주둥이를 다물게 할 수만 있다면 마티니 한 잔 값 정도는 더 지출해도 되겠다고 생각했다.

"빨간 줄 그으려면 선빵 쳐. 난 합의 안 해. 이제까지 한 번도 해 준 적 없어."

상우는 빠르게 걸으며 그리 말했다. 남자가 팔목을 쥐고 당기는 바람에 몸이 반대로 휙 돌아갔다. 상우는 짜증스럽게 그를 보았다가 날아온 주먹에 하마터면 눈을 맞을 뻔했다. 겨우 몸을 숙여 피하자 남자가 허공에 팔을 크게 휘두르며 비틀거렸다.

'그렇다고 진짜 덤비냐, 답도 없는 새끼.'

상우는 재빨리 두리번거렸지만 주변에 증언해 줄 사람이 아무도 없었다. 경찰에 신고해야 하는 상황에 핸드폰은 꺼져 있었다. 그렇다면 남는 옵션은 두 가지였다. 상대를 때려눕히든가, 도망치든가.

"기분 더럽게 또라이 같은 게 걸려서. 야, 씹질 안 할 거면 주먹으로 한판 뜨자고."

만일 그를 한 대라도 때렸다가 경찰한테 걸리면 쌍방 과실이 된다. 상우는 더 안전한 방법을 택하기로 했다. 달리기 시작하자 남자가 쌍욕을 내뱉으며 쫓아왔다. 그들은 둘 다 취해 비틀거리면서도 쫓고 쫓기느라 최선을 다해 뛰었다. 지지부진한 추격전 끝에 도착한 큰길에는 사람들이 몇 명 지나다니고 있었다.

'목격자 확보.'

길 건너편, 지하철역 옆에 파란색 파출소 간판이 보였다. 상우는 이제 두려울 것이 없었다. 그래서 긴장이 풀렸나 보다.

"거기 안 서, 이 싸이코 새꺄!"

잘 달리다가 저주를 들은 지 얼마 안 돼 다리가 꼬여 바닥에 엎어졌다. 무릎과 턱을 찧어서 한동안 일어나지 못했는데, 곧 티셔츠가 뒤로 당겨지며 몸이 질질 끌려갔다.

몸이 휙 뒤집히며 남자의 얼굴이 보였다. 그가 허벅지에 올라타며 멱살을 잡고 상체를 끌어당겼다. 그러고선 잔뜩 약 오른 표정으로 상우의 뺨을 손바닥으로 툭툭 쳤다.

"왜 이렇게 열 받게 해? 귀여워해 줄 때 따라왔으면 좋았잖아."

"저기 파출소."

"오냐. 너 죽이고 감방 갈게, 이 개새끼야."

그는 상우의 생각보다 더 화난 듯했다. 곧 주먹이 높이 들렸다 얼굴 위로 떨어졌다. 상우는 손바닥을 모아 공격을 받아 냈다. 팔을 남자의 목에 휙 걸고 꽉 조르자 그가 비명을 지르며 무릎으로 상우의 허벅지를 세게 누르고 머리카락을 잡아당겼다. 많이 아팠다.

엎치락뒤치락, 싸움은 개판으로 치달았다. 주변에 사람들이 모여들어 웅성거리며 영상을 찍어 댔다. 상우는 아직 남자를 때리지 않았지만 이대로면 쌍방 폭행으로 몰릴 가능성이 높았다. 파출소로 피신할 생각에 앞으로 포복하자 남자가 허리를 안고 끌어당겼다. 상우는 공중에 발길질을 하며 난감함을 느꼈다.

'차라리 한 대 맞고 끝낼까.'

"이 좆같은 새끼!"

욕하는 소리가 흐릿하게 들리며 피곤함이 몰려왔다. 너무 지쳐서 모든 것을 포기하고 싶어졌다.

'씨발, 때릴 테면 때려라.'

상우는 짜증 나는 기분으로 순순히 끌려갔다. 어차피 상황이 최악이라 한 대 맞는다고 더 악화될 것 같지도 않았다. 차라리 저놈이 벌금 내는 꼴을 보면 기분이 훨씬 나아질 것 같았다.

'최유최, 가만히 안 둘 거야.'

몸이 휙 뒤집히는 것을 느끼며 이를 갈았다. 그의 인생에 이렇게 짜증 나는 날이 있었던가. 달력에서 아예 삭제하고 싶었다.

'장재영, 개새끼.'

마음속에 울분이 들끓었다. 비단 오늘 하루만의 문제가 아니었다. 그 에러 같은 새끼 때문에 상우의 인생은 엉망이 되었다. 상우는 남자가 굳게 쥔 주먹을 치켜드는 걸 보고 눈을 질끈 감았다.

짝! 살갗끼리 마찰하는 소리가 났다. 그러나 고통은 느껴지지 않았다.

실눈을 뜨고 보니, 누군가가 눈앞에서 남자의 손목을 붙들고 있었다. 상황을 파악할 새도 없이 거센 발길질에 남자가 나가떨어지며, 상우도 함께 바닥에 나동그라졌다.

상우는 땅에 손을 짚고 엎드렸다. 기침이 나와서 몇 차례 콜록거리고 나자 깨끗한 단화가 눈앞에 있었다. 발이 땅에 놓인 모양새가 묘하게 낯익었다. 상우는 두려움과 설렘을 동시에 느끼며 천천히 위를 보았다.

숨을 헐떡이며, 장재영이 한 번도 본 적 없는 무서운 눈빛으로 그를 내려다보고 있었다.

Black

Black

재영은 최근 추상우의 행동에서 애정을 감지했다고 확신했다. 어디서 느꼈는지 콕 집어서 말하기 어려운 직감이었다.

표정이 미세하게 달라졌고 행동이 약간 달라졌다. 말투가 살짝 달라졌으며 목소리가 어딘가 달라졌다. 요즘 상우는 아무 말 하지 않고 서 있기만 해도 다디단 내음을 풍겨서 재영은 늘 그에게 취해 있었다.

비록 최악의 관계로 시작했지만 일이 얽히고 몸과 마음을 맞추는 지금까지 오며 상우가 계단을 착실히 밟아 올라왔다고 생각했다. 이제 저와 같은 마음이라고 짐작했으며 질투를 보였을 때는 걸음마 뗀 아기처럼 대견한 상우를 끌어안고 그의 연인이라도 된 듯한 황홀감에 빠졌다. 그건 어마어마한 착각이었다.

'우유가 떨어지면 식성을 바꾸거나 마트에서 사다 놔야죠.'

수명이 다한 컴퓨터 부품을 교체하듯 재영을 대체하겠다고 선언하는 상우는 합의하에 성욕을 풀자고 말하던 날로부터 조금도 변하

지 않았다. 순진한 애 휘두르지 말라고 유나가 그랬던가. 순진하게
도 착각에 빠져 혼자 연애하는 기분을 실컷 낸 건 재영 자신이었다.

'넌 최악이야. 네게 대단한 감정이라도 느낀다고 착각한 내가 어리
석었어.'

사람을 물건 취급하는 싸이코패스식 사고방식, 필요한 것만 먹고
버리겠단 비즈니스 마인드에 질려 치를 떠는 한편, 재영은 유독 지
저분하게 헤어진 예전 여자친구 몇 명이 남긴 말을 떠올렸다.

'넌 내 몸만 보고 만나는 거 같아.'

'쓰레기 같은 놈, 넌 재활용도 안 돼!'

'재영아, 날 사랑하긴 했어?'

몸이 어때서요, 얼마나 좋은 건데. 내가 쿨해서 좋달 땐 언제고 이
제 와서 욕해. 네가 춘향이니, 사랑 타령이나 하게.

그랬는데, 그가 타인에게 날린 칼날들은 고스란히 돌아와 자신을
겨누고 있었다.

'애초에 네가 확실히 하지 않았잖아.'

마음속에서 양심의 소리가 말했다. 상우가 반드시 보일 거부 반응
을 이길 자신이 없어서, 시간이 모자라서, 관계가 무거워지는 게 싫
어서, 여러 이유로 재영은 적당히 굴었다. 그리고 그 대가를 혹독하
게 치르고 있었다.

'냉정해지자. 지금은 제정신이 아니야.'

추상우에게 더는 끌려다니지 않겠다고 독하게 결심했다. 이러다
공항에서 아쉬워하는 기색도 없는 그의 바짓가랑이를 붙들게 생겼
으니 누구 말대로 '대비'할 필요가 있었다.

재영은 상우에게서 거리를 두기로 했다. 지나치게 깊이 몰입해 버
린 관계를 멀찍이 떨어져서 볼 필요성을 느꼈으며, 저 없이도 잘 살

수 있다고 선언한 상우가 너무 미워서 한번 당해 보라는 심산이기도 했다.

첫날은 잘 지나갔고 둘째 날도 어떻게든 견뎠지만 셋째 날부터 급격히 힘들어졌다.

[베이비: 보고 싶은데, 오늘 만나면 안 돼요?] 21:00

그가 자신을 버튼만 누르면 뛰어오는 페니스로 여기는 걸 알면서도, 재영은 상우에게 달려가지 않기 위해 갖은 애를 써야 했다. 그동안 집에 틀어박혀 영화를 보고, 상우가 절대로 가지 않을 만한 곳에서 밤새 술을 마시고, 강변 유원지에서 몇 시간 동안 스케이트보드를 탔다.

다 시들시들했다. 상우가 없으니 아무것도, 놀랍게도 아무것도 재미가 없었다. 최악의 악당이 핵폭탄을 터뜨리는 바람에 재영은 잿빛 분진 속에서 콜록거리고 있었다. 블랙아웃. 정전이나 다름없는 날벼락 이후 재영의 세계는 빛깔을 잃었다. 추상우를 끊은 지 4일 만에 그는 두 손 두 발 들어 버렸다.

롤러코스터를 탄 기분. 재영에게는 그날이 그랬다.

계획 따윈 없었다. 늘 그렇게 살아왔으니까. 추상우가 견딜 수 없이 보고 싶어서 실기실로 출발했을 뿐이다. 깨끗하게 씻은 다음 그가 좋아할 만한 깔끔한 코디를 골라 입고 차에 탔다. 보타이를 매고 꽃다발이라도 사고 싶은 심정이었다. 실기실로 향하며 그에게 할 고백을 머릿속에 정리했다.

널 성적 대상으로만 보지 않는다고. 가장 뜨거운 연애 감정으로 널 좋아한다고.

그 뒤는 생각하지 않았다. 분명히 이해 못 하겠지. 상처 주는 말만 골라 하며 도망치겠지. 그러면 또 만신창이가 되겠지만 그래도 재영은 억지로 그의 귀에 그 말을 들려줄 생각이었다. 적어도 다시는 그 입에서 섹스 파트너 운운하는 개 같은 소리가 나오지 못하도록.

실기실이 빈 것을 보고 기대감은 실망감으로 변했다. 상우는 평소에도 자주 그랬듯 연락이 되지 않았다. 그의 집 앞, 불 꺼진 창문 아래서 서성이다 402호 문에 귀를 바싹 대며 기다리는 동안 걱정과 불안감은 커져만 갔다.

짤막한 메시지가 사진과 함께 도착했을 땐 황당함이 머리를 세게 때렸다.

하이틴 영화의 클라이맥스 같은 상황이었다. 집과 학교밖에 모르는 추상우가 굳이 자신이 사 준 옷을 걸치고 유흥 거리에 갔다는 게. 목적이 눈에 뻔히 보이는 조악한 연출. 이 클리셰에서 재영에게 준비된 자리는 불안감과 질투에 괴로워하며 몸부림치는 남자 역이었다. 처음에는 재미있다고 생각했다.

"지가 어딜 가겠어. 밥이나 먹고 있겠지."

자신만만한 혼잣말은 차라리 희망 사항에 가까웠다. 그 뒤로는 열받을 일밖에 없었으니까. 최유나가 기획했을 기막힌 구도 속에서 (추상우에게 이런 걸 생각해 낼 주변머리가 있을 턱이 없었다) 재영은 맡은 배역에 충실하게 걱정과 분노를 쌓아 갔다. 그리고 눈에 불을 켜고 연석동 거리 곳곳을 찾아다니다 급기야 유나에게 전화해 그 오지랖 때문에 애한테 무슨 일 생기면 어떻게 책임질 거냐고 소리를 빽빽 지르고 난 새벽 2시, 부재중 전화에 찍힌 유선 전화번호를 통해 상우의 행방을 알 수 있었다.

이전에 몇 번 가 본 적 있는 클럽 겸 바. 실내와 화장실을 샅샅이 뒤졌지만 상우는 없었다. 바텐더에게 사진을 보여 주며 물어보니 구석 자리에 앉아서 과음하고서 취한 채로 나갔다고 했다. 재영은 피곤한 줄도 모르고 길바닥을 뒤지고 다녔다. 지하철역과 버스 정류장, 큰길과 골목, 술 취한 사람이 쓰러져 있을 만한 모든 곳.

그러다 사람들이 모여 있는 곳에 가 보니 상우가 어떤 양아치와 엉겨서 레슬링을 하고 있었다. 그를 본 순간에 몸이 앞으로 튀어 나갔다. 재영은 어떤 생각도 하지 못한 채 싸움 한복판에 끼어들었다. 정신 차려 보니 상우가 길바닥에 널브러져 있었고 상우를 패려고 하던 개새끼는 도망친 뒤였다. 조금만 늦었어도 상우가 맞았을지 모른다는 생각에 주먹이 덜덜 떨렸다.

"너. 왜, 왜……."

감정이 너무 고양돼서 말이 제대로 나오지 않았다. 재영은 보고 싶었다고 덥석 끌어안아야 할지, 왜 이렇게 사람을 걱정시키냐고 버럭 화내야 할지, 핸드폰도 끈 채 뭘 하고 돌아다녔냐고 추궁해야 할지, 왜 길바닥에서 싸우고 있었냐고 차분히 물어봐야 할지, 갈피를 잡지 못했다. 그만큼 서로 다른 감정이 어지럽게 뒤섞여서 상우가 바닥을 짚고 몸을 일으키는 동안 가쁜 숨을 흘려보내기만 했다.

상우는 꼴은 엉망이었지만 다친 덴 없어 보였다. 몸을 제대로 못 가눌 정도로 취해 있었고 겁먹은 표정이었다. 그에게선 독한 리큐르 냄새가 났다. 재영은 일단 격한 감정을 억누르고 그를 집에 데려다 줘야겠다고 생각했다.

부축해 주려고 겨드랑이 사이에 팔을 넣었을 때, 재영은 상우의 몸에서 자신이 가장 좋아하는 곳에 키스 마크가 찍힌 것을 보았다. 그때부터 모든 것이 달라졌다. 걱정은 고스란히 분노로 치환되었고 부축은 강압으로 변했다. 재영은 며칠간 쌓아 온 그리움, 그에게 하고 싶었던 수많은 말, 직접 고른 옷이 잘 어울린다는 감상을 뒤로한 채 상우를 차로 끌고 갔다.

재영은 불안감과 질투란 검은 무대 의상을 걸친 채 자신을 기다리는 무대에 올랐다. 그는 한마디도 하지 못하고 핸들을 꽉 쥐었다. 뭘 해야 할지, 어디로 가야 할지, 상우를 어떻게 다뤄야 할지, 아무것도 모르는 백치가 된 기분을 느끼며 액셀만 밟아 댔다.

"이 길…… 아니잖아요."

문득 상우가 중얼거렸다. 그답지 않게 겁먹은 표정으로 눈치를 보았다. 길, 재영은 신경도 안 쓰고 있었다. 아무 곳으로나 달리다 금방 시를 벗어나는 톨게이트를 지난 참이었다.

"제 집으로 가는 길 아니잖아요."

이번에는 조금 더 강한 어조였다. 재영은 이번에도 그의 말을 무시했다.

"어디 가요? 표정은 왜 그래요? 싸우자는 거예요?"

질문이 거듭될수록 목소리도 커졌다. 팔짱 끼고 눈을 치켜뜬 상우는 이제 두려워하는 기색이 없었다. 그 뻐딱한 태도는 분노를 애써 참고 있던 재영을 들쑤셔 놓았다.

"야."

"왜요?"

"제발 입 다물어."

재영은 조용히 말했다. 퓨즈가 끊기기 직전이었다. 그는 당장 상우의 옷을 벗겨 또 어디에 키스 마크가 있는지 뒤지고 싶은 충동을 눌러 참고 있었다. 그 말을 듣고서 한동안 가만히 있던 상우가 불쑥 내뱉었다.

"내릴래요."

"조용히 하라고 했지."

"내릴래요."

상우는 차가 뻔히 달리고 있는데 도어 잠금을 풀었다. 재영은 당혹스러움을 느끼며 다시 잠갔지만 그런 것이 몇 번 반복되었다. 다섯 번째로 문을 잠그며 그는 폭발하고 말았다.

"씨발, 그만 안 해?"

고성을 내지르자 상우가 손을 문에서 뗐다. 무릎에 올려놓은 왼쪽 손이 약하게 떨리고 있었다. 그가 우측 창문으로 고개를 돌린 채 말했다.

"왜…… 나한테 소리 지르고, 욕하고, 무섭게 대해요?"

우스운 얘기였다. 재영은 그간 사람을 착하고 나쁘고로 나누는 그 피상적인 구분법에 자신을 맞춰 왔지만 이제 조금도 의미 없었다. 착한 사람이 되려고 노력한 대가가 고작 이건가. 가장 뜨거운 연애 감정으로 좋아한다고? 그딴 소리, 꺼내지 않은 것이 천만다행이었다.

"넌."

재영은 이를 악물며 말했다.

"내가 대체 뭐라고 생각하냐?"

"……."

"왜 대답이 없어, 평소엔 잘만 나불거리면서."

맞물린 어금니가 갈리며 으드득 소리가 났다. 연락 안 되는 동안 무슨 일 생겼을까 봐 온 동네를 뒤지고 다닌 건 알까. 걱정 때문에 말라 가던 심정을 대체 알기나 할까. 왜 이렇게 화났는지 알고 싶어 하기나 할까. 재영은 눈앞을 까맣게 물들이는 분노를 느끼며 말을 이었다.

"성욕을 채우는 도구, 아냐?"

상우는 아무 말도 하지 않았다. 재영은 그가 입 다물고 있는 것과 쓰레기 같은 말을 태연하게 하는 것 중 어느 게 더 열 받는지 고를 수 없었다.

'교제하는 사이에서 일반적으로 하는 행동을 서로에게 허락하는 거예요.'

'제가 이런 취향인 줄 몰랐어요.'

'만일 그때까지 정리 안 되면…… 다른 사람 찾으면 돼요.'

생각해 보면 재영이 외면했을 뿐 추상우는 일관적인 태도를 보여 왔다. 그 말들이 상우의 진심이었다면 그들 사이는 하등 복잡할 것이 없으며 한 가지밖에 남지 않는다.

재영은 운전대를 꽉 쥐며 천천히 말했다.

"말하기 싫어? 몸으로 때울래?"

"그게 무슨 말이에요?"

"섹스나 하러 가자고. 너랑 나랑 할 게 그 짓 말고 뭐 있어."

"싫어요."

대답은 곧바로 돌아왔다. 핸들을 너무 꽉 쥐어서 손가락이 마디마다 희게 변했다.

"왜? 이제 나랑은 싫어?"

"너 같은 거, 필요 없어."

말 한마디 한마디가 치명타였다. 이제까지 혼자 무슨 착각을 해 왔던 걸까. 이렇게 비참해지려고 여기까지 왔나. 눈앞이 새까매졌다.

"경고하는데……."

재영은 이를 악다물었다.

"나 도는 꼴 보고 싶으면 계속 그렇게 마음대로 지껄여."

"무슨 말을 하든 내 마음이잖아요."

그리고 또 시작되었다. 달리는 차 안에서 잠금을 풀려는 악착같은 시도가. 그만하라고 소리쳐도 이번에는 미친놈처럼 계속 문을 열려고 했다. 시속 70km로 달리고 있는데 대체 어쩌겠다는 건지. 재영은 머리끝까지 화가 났지만 정신을 붙들고 주변을 둘러보았다. 깜깜한 배경에는 아파트와 공장밖에 보이지 않았으며 이야기를 나눌 만한 장소는 없었다. 재영은 상우가 무턱대고 고속도로로 뛰어내리기 전에 갓길에 차를 세웠다.

"너 미쳤어? 죽고 싶어?"

재영은 이성을 잃고 소리를 질렀다. 꽉 쥔 주먹이 갈 곳을 잃고 무릎 위에서 떨렸다. 상우는 차창을 노려보며 씩씩거렸다. 그 모습이 말이 도무지 통하지 않는 벽창호 같아 보였다.

"어디 가냐고 물어봐도 안 알려 주고. 욕하고, 빈정거리고, 화내고, 협박하고……."

상우가 괴롭다는 듯 표정을 일그러뜨렸다. 그러고는 손바닥을 올려 얼굴을 쓸어내렸다. 재영은 가늘게 떨리는 어깨를 꼭 안아 주고 싶은 마음과 그에게 상처 주고 싶은 충동을 동시에 느꼈다.

"많이 취했어요. 갈게요."

상우는 문을 열려고 했지만 재영이 그의 어깨를 쥐고 몸을 제 쪽으로 향하게 했다. 재영의 손이 그의 목을 타고 올라가 턱을 잡았다. 목에 난 붉은 자국이 눈에 선명하게 보이며 손아귀에 힘이 들어갔다.

"누가 그랬어?"

재영은 엄지로 타인의 흔적을 짓눌렀다. 그러고서는 상우의 턱을 양옆으로 돌리며 다른 흔적이 있는지 살폈다. 상우는 입을 꾹 다물고 재영을 노려보기만 했다.

"아까 걔?"

그 새끼를 처음 봤을 때부터 더러운 직감이 들었다. 치정이 아니라면 추상우가 행인과 시비 붙을 일이 없으리라 재영은 짐작했다. 상우는 말없이 고개를 끄덕였다.

"둘이 뭐 했어?"

입에서 흘러나온 음성은 너무 날카로워서 제 목소리 같지가 않았다.

"대답해."

"키스했어요."

눈앞에 검은 불꽃이 번쩍거렸다. 재영은 꽉 다물린 입술을 그대로 삼켜 버렸다. 단단히 닫혀 있던 입은 목을 움켜쥐자 신음과 함께 열렸다. 입 안에선 담배 맛이 났다. 제가 피우는 것이 아닌 다른 제품의 냄새였다. 상우의 목을 쥔 손에 힘이 들어가고 혀와 입술이 더욱 거칠게 움직였다.

상우는 신음을 내며 가슴을 밀어내려 했지만 재영은 그를 배려할 의사가 없었다. 팔을 꽉 잡아 반항하지 못하게 한 뒤 입 안 깊숙한 곳까지 자신의 표식을 새기듯 막무가내로 헤집었다. 하지만 그럴수록 기분만 더러워졌다.

"너 싫어."

입술을 떼자마자 상우가 그리 내뱉었다. 재영은 그 말을 무시했다. 그의 시선이 상우의 입술에서 턱으로, 붉은 자국이 남은 목을 거쳐 브이넥 티셔츠 위로 드러난 쇄골과 목에 난 점으로 향했다.

이딴 옷을 사 준 게 실수였다. 남들도 이 모습을 봤다고 생각하니 미쳐 버릴 것 같았다. 누군가 상우를 만지고, 그에게 입 맞추고, 어쩌면 그와 몸을 섞었을지도 모른다는 가능성에 피가 새까맣게 식어 갔다. 타인의 자취가 또 있는지 샅샅이 관찰하던 재영은 청바지 버클이 열린 걸 보았다.

"너……."

입을 벌렸지만 말은 이어지지 않았다. 어떻게 나한테 그럴 수 있느냐고, 어떻게 나를 이렇게 아프게 하냐고 말할 수 있을 리 없었다. 그들은 아무 사이도 아니었으니까. 이제까지 방치해 둔 작은 균열을 타고, 추상우와의 관계가 망가지고 무너져 내리고 있었다.

'널 놓치지 않으려면 뭘 어떻게 해야 하지?'

늘 여유만만하고 순발력 넘치던 자신은 어디에도 없었다. 재영은 알지도 못하는 사람이 남겨 놓은 흔적을 보고 괴로워하는 볼품없는 남자일 뿐이었다. 눈물 날 것 같은 기분이 든 순간, 상우가 재영의 가슴을 거칠게 밀어냈다.

방심한 순간에 문이 열렸다. 비틀거리며 뛰쳐나간 상우는 지나가는 차를 향해 손을 흔들었다. 재영은 분노가 솟구치는 것을 느끼며 차에서 내려 성큼성큼 걸었다. 뛸 필요도 없었다. 술에 절여 놓은 듯한 상우는 제대로 걷지 못했으니까.

그는 뒷걸음질 치다 발을 헛디뎠지만 재영은 상우가 넘어지기 직전에 허리를 끌어당겼다. 품에서 몸부림치는 그를 꽉 안아 저를 밀어낼 수 없게 한 뒤, 미움으로 창백해진 얼굴을 죽일 듯이 노려보았다.

"그 새끼하고 뭐 했어?"

갈래갈래 갈라지고 걷잡을 수 없이 떨리는 목소리로 두려운 질문을 겨우 내뱉었다. 만일 상우가 재영을 '대체'할 대상을 기어이 찾았다면 그들은 어떻게 될까. 그간 함께한 시간은, 재영이 쏟아부은 마음은, 급기야 '사랑'이라고 여기게 된 감정은.

"이거 놔!"

상우는 반항했지만 술에 취해서 평소보다 힘이 없었다. 게다가 행동만 클 뿐이지 몸을 떨고 있었다. 그러나 재영은 자신이 상우보다 더 겁에 질린 상태란 걸 깨달았다. 그를 힘으로 일시적으로 제압했을 뿐 내일이 되면 무색해질 구도였다. 재영은 아무것도 가진 것이 없는 반면 상우는 제 마음을 쥐고 있었다. 그토록 가난한 상태에서 그를 대면하는 건 힘이 들었다. 재영은 상우가 이 불균형을 눈치채지 못하도록 더욱 사납게 굴었다.

"묻는 말에나 대답해."

숨을 몰아쉬며 상우의 일그러진 눈가를 들여다보았다. 저 머릿속에선 무슨 일이 일어나고 있을까. 그의 사고방식이 기계처럼 단순하다고 여기던 때가 있었지만 이제 추상우는 재영에게 세상에서 가장 난해하고 두려운 사람이었다.

이상할 정도로 얌전해졌다고 생각한 순간, 상우가 비웃음을 흘렸다.

"왜? 걔하고 잤을까 봐 그래······?"

재영은 숨을 헐떡이며, 지금만은 무슨 생각을 하고 있는지 전혀 파악할 수 없는 검은 눈을 들여다보았다. 술기운으로 흐리멍덩하던 눈빛에 독기가 서렸다.

"그랬으면 어쩌려고? 이번에는 성폭행이라도 하게?"

키스에는 키스, 섹스에는 섹스. 그의 등식은 너무나 간단했다. 그렇게 단순할 리가 없는데. 제게만 보여 주는 표정, 제게만 허락하는 몸짓, 제게만 들려주는 목소리를 남이 침범했다면 그런 방법으로 해결될 리가 없는데.

"왜 대답을 안 해! 맞아야 정신 차릴래?"

재영은 참지 못하고 또 소리 지르고 말았다. 이렇게 언성을 높이고 감정 때문에 자신을 잃었던 적이 최근에 또 있었던가. '선'이 흐릿했다. 넘었는지 넘지 않았는지 보이지 않았다.

"그것도 협박이라고."

상우가 피식 웃으며 눈을 흡떴다.

"맞으면 신고하면 그만인데, 그딴 게 무서울 리 없잖아요."

재영이 뭐라고 말하기도 전에 그가 눈을 노려보며 말했다.

"나한테 왜 그래요? 내가 죄인이라는 듯이, 나한테 실망했다는 듯이 내가 무슨 잘못이 있다고 화내는 거예요?"

나는 잘못이 없다 — 결국 또 그거였다. 재영은 이런 상황에서도 논리로 모든 것을 해결하려는 상우가 지긋지긋했다.

"네가 날 아프게 하잖아. 화나게 하잖아. 네가 날 버리려고 하잖아!"

"이 개자식이, 누가 할 소리를 해!"

상우가 버럭 소리쳤다. 재영을 올려다보는 눈빛이 분노로 이글이글 불타고 있었다. 재영은 낯선 시선을 맞받아치며 입을 열었다.

"씨발, 그게 무슨 말이야? 네가 다른 새끼하고 붙……."

"모르면 입이나 닥쳐. 아무 일 없었어, 이 거지 새끼야!"

재영이 무심코 입을 벌렸다 할 말을 고르는 사이, 상우가 그의 어깨를 강하게 밀쳤다. 이번에는 미는 대로 순순히 밀려났다. 몇 걸음 비틀거리다 다시 앞을 보니 어느새 멀어진 상우가 주먹을 꽉 쥔 채 저를 노려보고 있었다.

"해 보려고 했지. 근데 안 되는 걸 어떡해!"

"뭐?"

"개새끼."

"……."

"분노 조절 장애! 인간 말종!"

상우는 눈을 치켜뜬 채 악다구니를 질러 댔다. 그런 모습은 처음 보아서, 재영은 미처 해소되지 않은 뜨거운 분노의 틈새로 황당함이 밀려드는 것을 느꼈다. 아는 욕이란 욕은 다 내뱉는(하지만 레퍼토

리가 가난했다) 상우는 미친 사람 같았다. 그러는 사이 고속도로에 차 몇 대가 쌩쌩 지나갔다. 재영은 그가 도로로 달려 나갈까 봐 손을 뻗었지만 상우는 그 손길을 피하며 뒷걸음질 쳤다.

"바람둥이 주제에……."

"……뭐야?"

"지는 유학 가서 실컷 연애하고 다닐 거면서, 나는 키스 한 번 했다고 개지랄 떠네."

"넌 그게 말이나 된다고 생각해?"

"왜 말이 안 돼? 내 살길 찾겠다는데?"

상우는 도리어 화를 냈다. 다른 남자하고 붙어 있던 건 저면서, 마치 재영이 바람이라도 피웠다는 듯 으르렁거리는 것이었다. 그의 눈빛에 뾰족한 원망이 가득했다. 평상시에 겉으로 드러나지 않던 감정이었다.

"형이 가 버리면 난 어떡해요?"

"……."

"난 너 때문에 다 망했는데 어떻게 보상할 거야, 개자식아!"

"조용히 해. 그딴 얘기나 들을 기분 아니야."

재영은 사납게 대답했지만 꼭 쥐고 있던 주먹은 어느새 힘없이 풀어져 있었다. 상우가 하는 짓거리가 시리얼 떨어졌다고 짜증 내는 거나 마찬가지인 차원인 걸 알면서도, 화가 손끝으로 빠져나갔다.

"짜증 나……. 정말 지긋지긋해."

상우가 자기 머리카락을 쥐어뜯으며 거칠게 내뱉었다. 취기로 얼룩져 깜빡이는 눈은 고통스럽고 피곤해 보였다.

"다 망해 버렸어, 씨발."

상우가 짓씹듯이 욕설을 내뱉은 뒤, 한동안 헐떡이는 숨소리만이 공간을 채웠다. 그러다 그가 털썩 주저앉았다. 상우는 한참 동안 난간에 등을 기대고 검은 하늘을 쏘아보다 고개를 숙이며 작게 중얼거렸다.

"형하고 비슷한 사람, 어디서 찾아야 돼요? 또 있기는 해요?"

"······."

"꼬실 수 있기라도 한 것처럼······. 어차피 여자친구 있겠지."

재영의 입에서 한숨이 흘러나왔다. 속에서 들끓던 공격성과 분노는 어느덧 갈 곳을 잃었다. 서운함과 원망으로 선회했어도 절절한 마음의 일환이었다. 다시 큰 줄기로 돌아온 뜨거운 감정은 재영을 정신 못 차리게 했다. 술이라곤 한 방울도 안 마셨는데도, 그는 취한 것처럼 몽롱한 기분으로 상우에게 다가가 몸을 낮추었다.

"싫어."

어깨를 끌어안으려고 하자 상우가 배에 거칠게 발길질을 했다. 재영은 그의 발목을 잡고 진정시키려 했지만, 상우는 더 격렬하게 반항하며 품에서 빠져나갔다.

"싫다고. 너 싫어."

재영은 한숨을 쉬며 그에게서 물러나 멀리 떨어진 곳에 앉았다. 머리가 지끈지끈 아팠다.

'연애가 이렇게 어려운 거였나······.'

그는 손바닥으로 얼굴을 쓸어내리다 상우를 내버려 두고 일어났다. 차로 터덜터덜 걸어 들어가 운전석에 앉았다. 눈으로 상우를 주시하며, 시트에 등을 푹 기대 담배를 몇 대 피웠다.

돌이켜 보면 추상우는 늘 여지를 줘서 포기할 수 없게 만들었다. 숨이 턱 끝까지 차서 관두고 싶어지면 물 한 모금, 또 지쳐 쓰러지려고 하면 물 한 모금. 그렇게 재영은 탈진하지 않고 지금까지 달려왔다. 상대가 조금도 의도치 않았을 밀고 당기기는 그에게 지나치게 잘 듣는 경향이 있었다. 현재, 또 물을 한 모금 들이켠 재영은 그간의 갈증을 까맣게 잊고 만다.

이성을 잃게 하는 상대가 달가울 리 없었다. 재영은 주도권을 쥐고 관계를 리드하는 타입이지 이처럼 휘둘리는 데는 익숙하지 않았다. 그러나 반대로, 질투에 눈 뒤집히고 불안에 떠는 자신의 모습은 추할지언정 어떤 확신을 주었다.

시동을 걸고 차를 천천히 운전했다. 멀었던 거리를 좁히고 헤드라이트를 켜자 웅크리고 앉은 상우가 어둠 속에서 드러났다. 재영은 그를 가만히 보고 있다가 우측 창문을 내렸다.

"야."

상우는 무릎에 이마를 박은 자세 그대로 웅크리고 있을 뿐 대답하지 않았다.

"집에 데려다줄 테니까 타."

"……."

"거기 앉아 있으면 어쩌게. 너 내일 수업 있잖아."

수업 이야기를 꺼냈는데도 아무 반응 없는 걸 보면 많이 화난 모양이었다.

"추상우."

재영의 목소리는 어느새 약하고 부드러워져 있었다.

"상우야."

재영은 그 이름을 달리 부르는 방법을 알지 못했다. 처음에는 못마땅하게 불렀던 것도 같지만 그 시절은 까맣게 잊어버렸다. 상우는 대답하지 않았다. 재영은 어쩔 수 없이 차에서 내렸다.

"자냐?"

상우는 웅크린 자세 그대로 잠들어 있었다. 어깨를 몇 번 흔들어도 꿈쩍도 하지 않았다. 만났을 때 이미 잔뜩 취한 상태였고 시간도 어느덧 4시 반, 게다가 그 난리를 쳤으니 체력이 바닥났나 보다.

"남의 속은 실컷 긁어 놓고선, 속 편하시네."

재영은 그리 중얼거리고서 그의 곁에 앉았다. 가만히 보고만 있던 시간이 얼마나 되었을까, 무력감이 들었다. 잠든 옆얼굴이 야속하고 밉살스러우면서도 사랑스러워 견딜 수 없었다. 재영은 상우에게 마음을 저당 잡힌 지 좀 되었다. 그래서 아무리 열 받게 해도 이제 그에겐 화도 똑바로 못 내는 것이다.

재영의 손이 상우의 얼굴로 뻗어 나갔다. 마치 과거 어떤 날의 오마주 같다고 여기며 손등으로 볼을 천천히 쓸었다. 처음 그의 집에 들어갔던 날, 재영은 성질을 못 이겨 상우에게 화를 냈다. 그날도 상우는 술에 취해 있었고 제풀에 지쳐 먼저 잠들었다.

이런 식으로 하면 아무것도 안 된다는 걸 알고 있었는데⋯⋯. 마음이 너무 조급하고 불안해서, 질투에 눈이 돌아가서 폭발해 버렸다. 재영은 이제껏 연애에서 이렇게 상대에게 목말라 하는 배역은 맡아본 적이 없었다. 그러니 서툴고 잘 못하는 것도 당연했다.

재영은 상우를 물끄러미 바라보다 그의 어깨를 살짝 당겼다. 균형을 잃고 제게로 쏟아지는 몸을 기다렸다는 듯 끌어안았다. 마치 그들 사이에 아무 문제도 없다는 듯 상우를 부둥켜안고 한참 동안 앉아 있었다. 미끈한 목덜미에 코를 묻고 따뜻한 등을 토닥토닥 두드리니 기분이 한결 나아졌다.

"이게 연애가 아니면 뭐겠어."

깨 있을 때는 논란의 여지가 있을 말을 조심스럽게 그의 귀에 흘려 보았다.

"바보야, 너도 나 없으면 안 되잖아."

대답은 돌아오지 않았지만 재영은 만족해 버렸다. 불안감도 분노도 이제는 손 닿지 않는 곳에 있었다. 번잡스럽던 머릿속은 어느덧 깨끗해졌다.

분명히 골치 아픈 문제가 많다고 생각했다. 너무 복잡해서, 풀기 어려운 실타래처럼 보여서, 미래의 자신이 처리하도록 미뤄 두었다. 그러나 재영은 우선순위가 강력하다면 잡스러운 장애물은 아무 위협도 되지 않는다는 사실을 깨달았다.

간단한 이치였다. 끌리면 proceed, 별로면 stop. 이제까지 살던 방식에서 한 치도 벗어날 필요가 없었다. 여전히 이 관계의 장애물은 한 가지뿐이었다. 그 앞에 서서 몇 번이나 재고, 따지고, 주저했던 재영은 이번에야말로 그 뜸틀을 넘을 수 있다는 확신이 생겼다. 성급하지 않게, 느긋하게, 여유롭게.

'나랑 사귈래, 죽을래?'

문득 유명한 멜로 영화 명대사가 떠올랐다. 상우를 깨워서 그리 묻고 싶은 마음이 없는 건 아니었지만, 재영은 인내심을 조금 더 발휘해 보기로 했다. 어차피 이 고집불통에게 억지로 뭘 하려고 들었다가 성공한 역사가 한 번도 없었다.

말을 물가로 데려가도 물을 마시게 할 수 없다고 했던가. 마치 추상우를 위해 만든 격언 같았다. 이 유난한 사람을 만나며 재영은 상대가 준비될 때까지 기다리고 견디는 법을, 마음대로 안 돼도 포기하지 않는 법을 강제적으로 익혔다.

"상우야, 집에 가자."

재영은 상우를 품에 안은 자세 그대로 일어섰다.

⟨1010⟩

〈1010〉

상우는 눈을 뜨고서 낯선 풍경에 당황했다. 네모난 철제 시계의 초침이 1초마다 움직였다. 창문에는 커튼이 아닌 블라인드가 걸려 있었고 벽에 4인조 록 밴드의 콘서트 포스터가 붙어 있었다. 책상에는 제 손으로 포맷해 주었던 노트북 외에도 다른 랩톱이 하나 더 있었다. 그 외에도 차 키, 스킨 로션, 음반 몇 장, 지포 라이터가 보였다. 방구석에는 옷가지가 쌓여 있었고 스케이트보드가 비스듬히 벽에 기대어 있었다. 여기가 어디인지 알 만했다.

머리가 깨질 듯이 아팠다. 전날의 상황이 시간 역순으로 떠오르며 기억하는 일과 기억하지 못하는 일이 뒤섞였다. 그날이 수요일이란 걸 깨달은 순간, 상우는 침대에서 벌떡 일어났다. 11:23. 시계가 잘못되지 않았다면 이미 2교시가 시작한 상황이었다.

'안 돼!'

양치하고 옷 갈아입는 데 최소 3분, 학교까지 이동하는 시간 불명, 정문에서 인문대까지 이동하는 시간 최소 5분. 숙취가 몸을 지배하고 있었지만 상우는 헐레벌떡 일어나 미끄러지듯 문을 열고 나섰다. 밖은 블라인드를 쳐 놓은 방과 달리 환해서 눈이 저절로 찌푸려졌다.

장재영은 혼자 사는 것치곤 넓은 집에 살고 있었다. 방은 두 개였고 정사각형 거실에는 벽걸이형 TV가 있었다. 그는 통로에 길게 난 주방에 서 있었다. 회색 트레이닝 바지에 등 번호가 크게 프린트된 파란 티셔츠를 입은 채 국자를 들고 있었다. 공중에선 채소 끓이는 냄새가 났다.

재영이 시선을 느꼈는지 서서히 돌아보았다. 상우는 뭐라고 말해야 할지, 어떤 표정을 지어야 할지, 어떻게 행동해야 할지 혼란스러웠다. 어제는 최악의 날이었고, 상황을 냉정하게 분석하기엔 머리가 너무 아팠다. 재영은 간을 보더니 레인지를 껐다. 그러곤 국자를 놓고서 무덤덤한 표정으로 다가왔다. 상우가 뒷걸음질 치자 더 가까이 오지 않고 걸음을 멈추었다.

상우는 주먹을 꼭 쥐었다. 재영은 전날처럼 사나운 모습이 아니었지만 그를 보자마자 반감이 들었다.

상우를 위협하는 사람은 어디에나 있었다. 중고등학교 때도, 대학교에서도, 군대에서도, 상우는 물리적인 위협에 겁먹지 않았다. 그에게 윽박지르고 욕하며 폭력을 가하려는 시도를 침착하게 해결해 왔다. 실제로 공포를 느낀 적은 전날이 처음이었다.

비단 재영이 거칠게 굴어서는 아니었다. 몇 대 맞는 것 따위, 상처는 아물기 마련이니 두렵지 않았다. 무서웠던 것은 그의 태도였다. 차가운 시선과 굳게 다물린 입, 그리고 가라앉은 음성이 제게 아무해도 끼칠 수 없음을 알면서도 상우는 두려웠다. 재영이 그렇게 화내는 건 처음 봐서, 제게 실망했을까 봐서, 그리고 다시는 저를 보지 않겠다고 할까 봐서.

머리가 아팠다. 상우는 사고를 멈추고 급하게 해결해야 할 문제를 떠올렸다. 두리번거리며 현관을 찾았다. 옷은 어디 있지, 칫솔은 어떡하지, 허둥대다가 내뱉고 말았다.

"수업 가야 돼요."

"이미 늦었어."

재영이 벽시계를 보더니 아무렇지 않게 대답했다. 그는 학교까지 적어도 20분은 걸린다고 중얼거리며 상우의 희망을 짓밟았다.

"연강이라 2시간 빠지는 걸로 처리된단 말이에요."

"지금 가 봤자 수업 끝나 있을 텐데, 나더러 어쩌라고."

"깨웠어야죠."

"그렇게 푹 자는데 어떻게 깨워."

상우는 스트레스와 피곤함을 느끼며 벽에 등을 기댔다. 이제 수업은 어쩔 수 없다고 쳐도 이렇게 태연하게 대화나 하고 있을 때가 아니었다. 그는 눈을 뜰 용기가 없어서 감은 채로 말했다.

"나한테 할 말 없어요?"

"아, 반성의 시간인가."

상우는 그 뻔뻔한 말에 황당해하며 눈을 떴다가, 뜻밖에도 진지한 시선을 마주했다. 재영은 웃음기 없는 얼굴로 말했다.

"화내서 미안해. 거칠게 대한 것도, 그 전에 잠수 탄 것도."

상우는 그가 이번에도 장난이나 치며 넘어가려고 할 줄 알았지, 잘못을 인정할 줄 몰랐다. 무시무시하던 표정, 차갑던 말투, 아무리 싫다고 해도 듣지 않던 벽 같던 모습을 떠올리자 숨이 가빠졌다.

"형이…… 착해진 줄 알았어요. 그런데 아니었어요."

재영은 상우를 물끄러미 바라보다 고개를 돌렸다.

"나 원래 못됐어. 그간 너한테 착한 사람이 되어 보려고 노력했을 뿐이야."

"왜요?"

"안 그랬으면 안 만나 줬을 거잖아."

"······."

상우는 침을 삼키려 했지만 입 안은 바싹 말라 있었다. 재영이 잠시 뜸 들이더니 다시 시선을 맞추었다.

"사과 받아 줄 거야?"

"꼭 받아 줘야 돼요?"

"네 마음이지만······ 받아 주면 이제 다시는 안 그러려고."

사과를 들은 순간에 마음은 이미 제멋대로 판단을 끝낸 듯했지만, 상우는 곰곰이 검토해 보았다. 그리고 재영의 약속이 (시간 약속 제외) 꽤 믿을 만하다는 결론을 내렸다.

'서포트해 줄게. 네가 꿈에 다가갈 수 있도록.'

'기다려 줄게. 네게 아무런 강요도 하지 않을 거야.'

'다시는 안 그러려고.'

다시는 — 그 단어가 보증하는 기간이 며칠이나 남았을까. 문득 의문이 들었지만 상우는 일부러 사고하기를 멈추었다.

"알겠어요."

재영이 고개를 끄덕이며 팔짱을 꼈다.

"그럼 이제 네 차렌데······."

"······."

"반성할 거 없어?"

상우는 얼굴을 찌푸리고 전날 오간 대화를 곱씹어 보았다. 재영이 화낸 이유를 어렴풋이 알고 있었다. 하지만 전혀 합리적이지 않은 구실이었으며 반성할 필요도 없는 문제였다.

"없어요."

재영은 그 말에 아무 반응도 보이지 않았다. 눈을 깜빡이며 한동안 시선만 맞추다가, 어느 순간에 내뱉었다.

"나는 네가……."

그가 잠시 말을 끊었다가 이었다.

"나랑만 손잡고, 나랑만 키스하고, 나랑만 섹스했으면 해."

그건 정말이지, 그들의 관계에서 요구하기엔 너무 이상한 주문이었다. 무엇보다 이 시점에 아무 의미가 없었다. 상우의 표정을 본 재영이 덧붙였다.

"역지사지, 추상우. 너도 스튜디오 갔을 때, 거기 직원이 나한테 관심 있다는 소리 듣고 짜증 냈잖아."

"그런다고 뭘 어쩌겠어요. 구속할 방법이 없잖아요."

"기분에 관해 얘기하고 있어. 내가 어디 놀러 가서 네가 아닌 다른 남자랑 키스했다고 상상해 봐."

상우가 얼굴을 찌푸린 순간, 재영이 성큼 다가왔다. 그가 상우의 손을 끌어당겨 제 목에 갖다 댔다.

"여기에 그 새끼가 입을 댄 자국이 있어. 바지 버클은 열려 있어. 분위기가 심상치 않아. 아무래도 둘이 뒹군 것 같아."

설명을 따라가던 상우는 문득 기분이 더러워졌다. 재영이 맞잡은 손을 꽉 쥐었다.

"이제 내가 왜 화났는지 이해돼?"

그러나 대답할 수 없었다. 대답하면 안 될 것 같았다. 재영은 아랑곳하지 않고 말을 이었다.

"나는 어제…… 네가 다른 사람하고 키스했단 걸 알고서 많이 실망하고, 많이 화나고, 많이 아팠어."

그가 진지한 얼굴로 상우의 손을 목에서 끌어 내려 가슴께로 가져갔다. 상우의 손끝이 재영이 살아 있다는 증거에 천천히 맞닿았다. 살갗을 통해 조금 빠르게 뛰는 심장이 느껴졌다.

"그런 기분 다시는 느끼고 싶지 않아."

"요구예요?"

"부탁이자, 요구이자, 애원이자, 협박이야."

재영이 조곤조곤 말했다. 그러나 애원이나 협박처럼 들리지는 않았다. 상우는 천천히 몸을 앞으로 기대며 재영의 허리를 끌어안았다. 따뜻한 몸에 무게를 싣자 재영의 팔이 어깨를 감고 손바닥이 뒤통수에 와 닿았다.

"알았어요. 그간 저한테 해 준 일이 적지 않으니, 형이 떠날 때까지는 또 다른 부적절한 관계를 만드는 일을 자제할게요."

"그래……. 착하다."

재영이 상우의 앞머리 위, 이마에 입술을 문댔다. 가슴이 어느새 뜨겁게 뛰고 있었다. 그의 부탁이 얼마나 부질없는지, 그들이 얼마나 의미 없는 일로 길바닥에서 소리 지르며 싸웠는지, 그가 떠날 날이 며칠이나 남았는지, 여러 가지 생각이 들다가도 사고가 무너져 내렸다. 그리고 뜨거운 온도가 눈꺼풀을 덮은 순간 모든 것이 끌어 내려지고 무너지는 착각이 들었다. 상우는 돌연 울고 싶은 기분을 느꼈다. 요즘은 짜증 나게도 감정 기복이 너무 심해졌다.

"상우야."

재영이 그를 부드럽게 불렀다. 상우는 대답하는 대신 그의 품으로 더 깊이 파고들었다.

"나 계속 만나고 싶어?"

고개를 들었다가 심각한 눈빛에 시선이 붙들려 버렸다. 재영의 눈동자가 햇빛을 한껏 받아 갈색으로 반짝였다. 상우는 다른 대답을 떠올릴 수 없었다. 한참 동안 머뭇거리다 물리적으로 지속하기 불가능한 희망 사항을 입 밖으로 냈다.

"……네."

그러고 나자 재영이 귓가에 속삭였다.

"그럼 다시 한 번 대답할 기회를 줄게. 내가 어떻게 해 줬으면 좋겠어?"

지난주 금요일, 반짝거리는 아치교를 보며 그의 차에서 들었던 질문이었다. 상우는 여전히 그 질문의 모범 답안을 알지 못했다. 그래서 앵무새처럼 같은 대답을 내놓는 수밖에 없었다.

"모르겠어요."

상황은 그때보다 안 좋았다. 그날의 대답이 이성이 내린 결론이라면 지금은 엉망진창이라 자신이 무슨 말을 하는지조차 알지 못했다.

"과제니까 답 찾아와."

"객관식으로 내 주면 안 돼요?"

"안 돼."

재영이 포옹을 풀며 상우의 정수리를 눌렀다. 그는 상우에게 식탁에 앉으라고 권하고선 음식을 가져왔다. 흰밥과 콩나물국, 그리고 반찬 여러 가지를 옮기고 유리가 덮인 검은 식탁 건너편에 앉았다. 상우는 흰 그릇과 접시에 그럴듯한 모양으로 담긴 여러 음식을 멀뚱멀뚱 보았다.

"요리 잘해요?"

"……아니. 국만 하고 반찬은 다 사 온 거야."

김이 모락모락 나는 국에는 콩나물과 두부, 파, 달걀, 만두 등 재료가 듬뿍 들어 있었다. 상우는 국그릇에 숟가락을 담그고 내용물을 뒤적거렸다.

"이 음식의 정체성이 뭐죠? 콩나물국이에요, 만둣국이에요?"

"글쎄, 콩나물만둣국?"

상우가 피식 웃으며 국물을 한 모금 떠먹는 동안, 재영이 턱을 괴고 그를 빤히 바라보았다. 상우는 피드백을 해 줘야 할 필요성을 느꼈다.

"나트륨 함량이 높아요."

"물 넣어."

"조리법대로 안 했죠?"

"어."

"잘 먹을게요."

그러고는 내용물을 가득 퍼서 입에 욱여넣었다. 뜨거워서 입천장을 뎄고 식욕이 조금도 없었지만 걸신들린 사람처럼 퍼먹었다. 재영이 컵에 생수를 따라 주며 말했다.

"체하겠다. 천천히 먹어."

상우는 대답 없이 먹었다. 밥과 반찬에는 거의 손대지 않고 국건더기를 모두 비운 뒤 그릇을 들어 국물까지 벌컥벌컥 마셔 버렸다. 그는 그릇을 식탁에 탁 놓고 고개를 들었다. 건너편에 앉은 재영이 여전히 그를 빤히 보고 있었다.

"한 그릇 더 줘요."

"잘 먹네. 맛있어?"

"그런 것 같아요."

사실 상우는 맛있는 게 뭔지 잘 몰랐다. 하지만 계속 먹고 싶으니까, 오늘 말고도 다음에도 비슷한 기분을 느끼고 싶으니까, 그렇다고 했다. 재영은 상우에게 국을 더 주고서 저도 식사하기 시작했다.

"수업 끝났겠네요."

상우가 먹던 도중에 중얼거렸다.

"어, 그렇지."

"살면서 무단으로 수업 빠진 적이 두 번인데……. 둘 다 같은 사람 때문이네."

재영은 말없이 웃었고 그 모습이 어김없이 상우의 시선을 끌어당 겼다. 상우는 그가 입가에 미소를 띤 채 반찬 집어 먹는 걸 가만히 보다가 말했다.

"그러고 보니 오늘 수업 있잖아요, 인성 교육."

"또 F 뜨면 네 책임이야."

"미쳤어요? 지금이라도 교수 찾아가요."

"네 번까지 빠져도 돼."

"몇 번 빠졌는데요?"

"오늘이 네 번째."

"진짜 한심하다."

"……."

상우는 피식 웃어 버리고 말았다. 그 수업에 얽힌 일화와 지금까 지 그들의 관계가 어떻게 변했는지가 연결되며 우스운 기분이 들었 다. 또 졸업 못 하면 진짜 어이없겠다고 생각하면서도, 동시에 그럴 일이 없으리란 걸 알았다. 장재영은 이번 학기에 졸업하고서 서울을 떠나 버릴 것이다.

상우는 식욕을 잃고서 수저를 놓았다. 재영은 조금 더 먹다가 그 릇을 치우기 시작했다. 덜그럭거리는 식기 소리를 들으며 앉아 있기 를 한참, 싱크대에서 돌아온 재영이 말했다.

"방에 들어가서 누워 있어."

"일단 좀 씻을래요."

그는 새 잠옷과 칫솔, 그리고 예전에 입고 갔던 상우의 속옷 중 하나를 주었다. 상우는 욕실로 들어가 문을 잠그고 옷을 홀딱 벗었다. 온몸이 뻐근했다. 몸에서는 술 냄새가 났고 전날 남자가 목을 깨문 곳에는 반창고가 붙어 있었다.

깨끗하게 씻고 나왔을 때 재영은 소파에 앉아 통화 중이었다. 심각한 이야기를 하는 것 같길래 상우는 조용히 침실로 들어갔다.

책상 앞에 서서 책꽂이를 구경했다. 디자인 서적, 잡지, 소설, 영화 DVD, 스케치북이 꽂혀 있었다. 펜과 색연필이 가득한 펜통 뒤에 사진이 몇 장 껴 있길래 꺼내서 자세히 살펴보았다.

검은 산적 옷, 머리는 산발, 허리에는 긴 칼. 작년 여름에 공연한 연극 〈라쇼몽〉을 준비하는 모습이었다. 상우는 비록 연극을 보러 가지 않았지만 인터넷에 올라온 토막 영상을 봐서 재영이 무슨 배역을 맡았는지 알고 있었다. 허리에 손을 얹고 장난스럽게 웃는 재영의 얼굴 위에 다른 학생이 화장을 해 주고 있었다.

두 번째 사진에서는 머리 희끗희끗한 장년 남자가 짓궂은 미소를 지으며 소년을 거꾸로 안고 있었다. 반바지를 입은 남자애는 다리를 공중에 버둥거리면서도 활짝 웃고 있었다. 재영의 할아버지는 상당한 미남인 데다 체격이 좋았다. 재영이 나중에 늙으면 꼭 그런 모습이 될 것 같다고 상우는 생각했다.

마지막 사진은 꼬마 시절에 찍은 거였다. 금발 머리 여자애랑 머리가 흑갈색인 남자애 둘이 보드게임을 하며 놀고 있었다. 쌍둥이는 생김새가 똑같았지만 상우는 재영을 한눈에 알아보았다. 그는 신기하단 얼굴로 어딘가를 가리키고 있었는데, 오늘날에도 종종 짓는 표정과 비슷했다. 안경 썼든 안 썼든, 무슨 옷을 입었든, 몇 살이든 간에, 이제 상우는 그를 알아볼 자신이 있었다.

'절도하고 싶다.'

상우는 범죄 목록이 더 늘어나기 전에 사진을 책상 위에 올려놓았다. 넓은 책상 우측에 놓인 프린터에는 종이 한 장이 나와 있었다. 출력해 놓고 손을 안 댄 듯했다. 상단에 재영의 이름이 영어로 적혀 있길래 호기심에 꺼내 보니 대학원에 합격했다는 공식 문서였다. 오퍼 레터에는 학기 시작일과 등록금 납부 기한이 적혀 있었다. 그 외에는 다 쓸데없는 내용뿐이었지만 상우는 마지막 문장까지 독해하고서 종이를 원래 있던 자리에 돌려놓았다.

대학원 시작 시기야 〈베지 벤처러〉 제작 일정을 짜면서 검색해 봐서 진작 알고 있었다. 아무것도 변한 것은 없고 다만 확실해진 것뿐인데, 상우는 울적한 기분이 들었다.

"거기 서서 뭐 해, 누워 있지."

재영이 어깨로 문을 밀며 들어온 게 그때였다. 상우는 우울해했다는 티를 내고 싶지 않아서 일부러 밝게 대답했다.

"사진 봤어요. 더 없어요?"

재영이 사진 세 장을 훑어보더니, 어릴 적 사진을 가리키며 자기가 누군지 맞혀 보라고 했다. 왼쪽이라고 정답을 말하자 커다란 손이 머리를 쓰다듬는 보상이 돌아왔다. 재영은 책꽂이를 뒤지더니 사진 두 장을 더 찾아냈다.

"아, 이거 이상하게 나왔는데……."

"보여 줘요."

그가 말없이 사진을 건네주었다. 재영은 두 사진 속에서 교복을 입고 있었다. 한 장은 스케이트보드를 타는 거였고, 하나는 아이스크림을 먹는 모습이었다.

"노는 애 같아요."

머리를 짧게 깎은 소년은 눈빛이 맹수처럼 사납고 반항적이었다. 단추를 세 개나 풀어헤친 셔츠 사이로 지금보다 마른 몸이 드러났다. 회색 교복 재킷을 팔 사이에 끼고 무표정으로 아이스크림을 입에 문 그는 영락없는 불량 청소년처럼 보였다.

"수업 안 들었죠? 선생 때리고 정학 당했죠?"

"그 정도로 막장은 아니었어."

"하긴, 그럼 대학 못 갔겠죠."

"이래 봬도 할 건 다 하고 살아. 선은 지키라는 게 가훈이라서."

재영은 한동안 말이 없다가, 안 잘 거면 거실에서 영화나 보자고 권유했다. 상우는 거절할 이유도 없어서 알겠다고 대답했다. 소파에 앉아서 보자는 소리인 줄 알았는데 재영은 바닥에 이불을 깔고 베개를 그 위에 던졌다.

"누워서 봐요?"

"응."

"앉아서 보면 안 돼요?"

"네 마음대로 해. 난 누울래."

그는 베개에 머리를 베고 옆으로 눕더니 상우의 발목을 끌어당겨 그 앞에 앉혔다. 재영은 TV를 틀고서 영화 목록을 아래로 쓱쓱 넘겼다. 상우는 그 많은 것들 중 아는 제목이 하나도 없었다.

"어, 〈슈퍼맨6〉."

"이거 볼래?"

"네."

사실 뭘 봐도 상관없었다. 그저 아는 게 나와서, 함께 영화관에 갔던 기억이 떠올라서 언급했을 뿐이다.

곧 타이틀이 나오고 영화가 시작했다. 이 버전의 도입부도 위험에 처한 사람이 슈퍼맨을 부르는 장면이었다. 영화관에서 본 장면과 비교하고 있는데 재영의 손이 허리에 닿았다.

그 손은 티셔츠 속을 파고들더니 배꼽 근처에 머물다, 등으로 돌아와 등줄기를 타고 올라왔다. 허리를 펴고 양반다리로 앉아 있던 상우의 자세가 점점 무너졌다. 그러다 뒤를 휙 돌아보면 재영은 아무것도 모른다는 표정으로 화면만 보았다.

상우는 결국 슈퍼맨이 탈선한 기차를 손으로 받아 내며 아이를 구하는 장면에서 재영처럼 옆으로 누워 버렸다. 베개가 하나밖에 없어서 재영의 팔에 머리를 기대자, 그가 뒤에서 몸을 붙이며 허리를 꼭 끌어안았다.

목 뒤에 코끝이 느껴졌으며 더운 숨이 살갗에 주기적으로 부딪혔다. 엉덩이에 닿은 중심은 단단했지만 재영은 상우의 머리카락을 만지작거리거나 팔을 가볍게 쓰다듬을 뿐 야한 짓을 하지 않았다. 그런데도 상우는 집중할 수 없었다. 영화가 액션 위주라 겨우 따라갔지만 내용이 조금이라도 복잡했다면 인과 관계를 전혀 이해하지 못했을 것이다.

어느덧 영화 중반, 약점인 크립토나이트 때문에 슈퍼맨이 위기에 처하는 장면이었다. 슈퍼맨은 몹시 괴로워했지만 어차피 결말에 가서는 전부 극복할 것을 상우는 알았다. 그는 내용을 지켜보는 대신 몸을 뒤로 돌려 그새 잠든 재영을 바라보았다.

영화보다 이쪽이 훨씬 재미있었다. 상우는 코끝이 닿을 정도로 재영에게 가까이 다가가 얼굴을 구석구석 눈에 담았다. 다시 화면을 볼 생각은 들지 않았다. 그는 재영에게 가슴을 바짝 붙이고서 양손으로 그의 허리를 안은 채, 화면을 등지고 잠들었다.

다시 깨어났을 때는 오후 3시였다. 어느새 TV에서는 영화가 끝나고 다른 드라마가 나오고 있었다.

상우가 몸을 뒤척이는 바람에 재영도 눈을 떴다. 눈꺼풀이 올라가며 따뜻한 색감의 눈동자를 서서히 드러냈다. 그는 일어나자마자 나른하게 웃더니, 다시 눈을 감으며 상우를 안았다. 그 모습이 뭐가 그렇게 특별해서 그토록 두근거렸을까. 상우는 울렁증을 느끼며 재영의 입술에 키스했다.

기분이 이상했다. 강렬한 성욕에 슬픔이 깃들어 있었다. 그러나 서늘하지 않고 뜨거운 슬픔이었다. 심장이 뛸 때마다 펄펄 끓는 감정이 온몸으로 퍼져 나가는 듯했다. 재영을 못 견디게 갖고 싶은 기분은, 불안감을 닮은 그 정서는 상우로 하여금 재영에게 더욱 달라붙고 그에게 매달리게끔 했다.

'위험해.'

지켜야 할 경계가 허물어지는 기분이었다. 상우는 막연한 위기감이 들었다. 정말로 막연해서 정체가 무엇인지, 왜 위험한지 전혀 알 수 없이 두려웠다. 상우는 열정적으로 키스하다 말고 의식적으로 뚝 멈추어 버렸다.

재영의 눈꺼풀이 천천히 들리며 뜨겁게 일렁이는 눈동자가 나타났다. 그 안에 상우가 원하면서도 두려워하는 무언가가 갇혀 있는 것이 분명했다. 그들은 한동안 몸이 뒤엉킨 채 고요하게 시선만 마주치고 있었다.

"무슨 말을 하고 싶은 거예요."

상우는 힘겹게 내뱉었다. 그러면서도 자신이 무슨 의도로 그 같은 질문을 했는지 모르겠다고 생각했다. 대답을 꼭 듣고 싶기도, 듣기 싫기도 했기 때문이다. 재영은 천천히 고개를 저었다.

"말하고 싶어. 하지만 네가 따라잡을 때까지 참을 거야."

"무슨 말인지 모르겠어요."

재영은 약하게 웃을 뿐이었다. 그는 강변의 야경이 보이는 공원 주차장에서도 비슷한 말을 했다. 하고 싶은 말이 있는데 상우가 들으면 도망칠 게 뻔해서 안 하겠다고 했다. 도망갈 만큼 끔찍한 말이 뭐가 있을까, 머리를 굴려 봐도 떠오르는 게 없었다.

재영의 입술이 다시 상우를 덮쳤다. 옆으로 누워 있던 그가 어느새 배 위로 올라와 몸을 더듬었다. 그와 관계하지 않은 지도 어언 엿새째였다. 상우는 속에서 정욕이 화르르 타오르는 것을 생생하게 느낄 수 있었다.

"상우야."

목적 없는 부름은 자상했다. 재영의 손이 상우의 팔을 쓸어내리고 그의 혀가 목선을 따라 미끄러졌다. 간지러운 감각 때문에 그를 밀어내고 싶어졌지만, 상우는 애써 견디며 재영의 등을 끌어안았다.

곧 커다란 손이 배에 닿았고, 가슴까지 올라와 돌기를 희롱했다. 그의 손길은 어느 때보다도 부드러웠으며 간절했다. 상우는 고조되어 가는 성감 한가운데서 짙은 우울을 느꼈다.

"상우야."

그 뒤에 생략된 말이 무엇인지 알지도 못하면서, 상우는 몹시 슬퍼졌다. 상우는 제 빗장뼈에 고개를 묻은 재영의 볼에 양손을 갖다 댔다. 그의 입술을 제 몸에서 떼어 내고 눈동자를 가만히 바라보았다. 재영은 당혹스럽다는 표정을 지었다.

"하기 싫어?"

"모르겠어요, 이게 무슨 기분인지."

싫을 리 없었다. 상우의 몸에 일어난 모든 변화는 성적으로 자극된 상태를 가리키고 있었으니까. 이대로라면 성욕을 해결할 수 있을 텐데, 상우는 정체를 알 수 없는 이유로 내키지 않았다. 그는 재영의 볼을 당겨 제 얼굴 가까이 끌어왔다. 이마 위에서 흐트러진 흑갈색 머리카락과 곧은 콧날, 짙은 눈썹과 쌍꺼풀이 없는 큰 눈을 가만히 바라보다. 눈을 감고 부드러운 입술에 입 맞추었다. 재영은 코로 거친 숨을 뿜으면서도 얌전히 있었다.

'정말 모르겠어.'

소꿉장난 같은 뽀뽀나 하려고 그를 만나는 것이 아니었다. 무언가 모순이 생겼음을 짐작하면서도 상우는 입술을 맞댄 채 가만히 있었다.

"오늘은 그만해요."

입을 떼며 상우가 속삭였다. 재영은 느릿하게 눈을 뜨더니 몇 번 깜빡였다. 그러고는 장난스럽게 말했다.

"너무 잔인한 거 아니냐?"

"알아요. 피차 상태가 마찬가지니까 위안 삼아요."

"이유는?"

"글쎄. 기분 문제예요."

그 말에 의아한 표정이던 재영이 웃음을 터뜨렸다. 인용 표시를 하지 않아도 그 말이 어디서 왔는지 너무나 분명했다. 재영은 순순히 옆으로 비켰다.

"그런 거라면 이해해야지."

그가 일어나 어디론가 가 버린 뒤에도 상우는 한동안 누워 있었다. 아무리 생각해 봐도 자신의 판단이 이해되지 않았다. 그답지 않은, 다분히 감정적인 결정이었으니까.

잠시 눌려 있던 슬픔이 또다시 마음에 침투하기 전에 상우는 몸을 일으켰다. 재영은 주방에서 물을 마시고 있었다.

"집에 갈게요."

"하루 더 자고 가."

"갈래요."

상우는 두 발로 일어서서 재영의 방으로 향했다. 옷을 벗어 갠 뒤 옷 더미에 숨은 제 옷가지를 찾아 몸에 걸쳤다. 문틀에 기대 그 모습을 가만히 보던 재영이 말했다.

"데려다줄게."

"택시 타고 갈 거예요."

"안 되는데."

"왜요?"

"1분이라도 더 봐야 돼."

재영은 상우에게 더 있다 가라고 땡깡 부리지 않았고 억지로 관계하려고 들지도 않았다. 아무 표정 없이 차 키를 챙길 뿐이었다. 상우는 서랍을 뒤져 그간 재영이 입고 간 속옷과 옷을 모조리 챙기고서 현관으로 향했다.

재영은 차에서 과묵하게 굴었다. 짧지 않은 거리를 운전하며 눈이 마주치면 살짝 웃기는 했지만 아무 말도 하지 않았다. 상우는 그가 고마웠다. 그 순간에 침묵이 절실하게 필요했으니까.

차가 목적지에 도착했을 때 상우는 재영이 마음을 바꾸어 따라 올라올지도 모른다고 생각했지만 그 짐작은 틀렸다. 재영은 시동도 끄지 않고 상우가 내리기를 기다려 주었다. 상우는 옷가지가 든 쇼핑백을 들고 차에서 내렸다. 차 문을 닫기 전, 재영이 나직하게 이름을 불렀다. 그 음성이 정말 듣기 좋았다.

"왜요."

"그 옷, 너랑 잘 어울려."

"……."

"잘 가. 과제 잊지 말고."

"갈게요."

상우는 유리문 안으로 성큼성큼 걸어 들어갔지만, 계단을 오르지 않고 차가 골목을 빠져나가는 것을 지켜보았다.

return 0;

상우가 얼마나 울적하든 간에 시간은 기다려 주지 않았다. 현재는 때가 되면 그를 어김없이 미래로 밀어냈다. 미래를 한 번도 두려워해 본 적 없었던 상우였지만 이번만은 아무런 확신도 없었다. 재영을 만날 수 있는 날이 하루하루 줄어들고 있는데도 그는 마땅한 대책을 세우지 못했다.

달력은 유월로 넘어갔고 이동할 때 잠깐씩 눈을 둔 하늘에는 어느새 잠자리가 날아다녔다. 상우는 원래도 하늘을 감상하는 취미 따위 없었지만 요즘 들어 그럴 여유는 더더욱 없었다. 월요일부터 품질보증 및 베타 테스트 시작이니 주말까지 테스트 파일이 나와야 했다. 큰 오류는 다 잡았지만 아직 완료하지 못한 기능과 자잘한 문제들이 남아 있었다.

상우는 실기실에도 나가지 않고 집에서 작업에 몰두했다. 마감 시간에 쫓기는 것이 익숙하지 않아서 스트레스가 심했지만 자초한 결과라 불평할 처지가 아니었다.

재영은 목, 금, 토 사흘 동안 수업 시간 외엔 집에만 처박힌 상우에게 끼니마다 밥을 사다 주었다. 김치볶음밥, 초밥, 커리, 불고기

덮밥, 규동 등 메뉴가 계속 바뀌었고, 음식만 전달하고 조금 있다가 돌아갔다. 상우는 말하지 않았지만 식사보다 배달부를 기다렸다. 지친 와중에 휴식처럼 나타나는 그를 3분간 안고 있으면 모든 것이 나아지는 기분이 들었기 때문이다.

일요일 16:33, 상우는 자체 테스트에서 합격한 베타 테스트 파일을 클라우드에 업로드했다.

비록 무한 모드, 래더 랭킹, 신탁 퀘스트 기능을 포기하기는 했지만, 그리고 서버 연동과 인앱 결제, 기기별 최적화에 손댈 부분이 남아 있었지만, 최종 결과물에 가까운 형태였다. 추상우와 장재영의 프로젝트가 드디어 형태가 잡혀 세상에 나갈 준비가 얼추 된 것이다.

[나: 베타 테스트 파일 생성 및 업로드 완료.] 16:33

[재영 ㅅㅂ🔥: 고생했다내개발자] 16:34

[재영 ㅅㅂ🔥: 이렇게좋은날샴페인이라도터뜨려야하는거아닌가] 16:34

[나: 실기실로 와요. 부탁 있는데 들어주면 저녁 사 줄게요.] 16:36

[재영 ㅅㅂ🔥: 최소꽃등심] 16:36

[나: 알았어요.] 16:37

샤워하고 나갈 준비를 하는데 입가에 미소가 지어졌다. 분명히 아무 표정도 짓지 않았는데 거울 속 얼굴은 다른 표정을 모르는 사람처럼 히죽거렸다. 상우는 베이지색 바지에 녹색 티셔츠를 걸치고 머리엔 흰 모자를 썼다. 24일 전에 재영이 가져온 와인 병을 배낭에 넣고서 집을 나섰다.

자전거가 회색 보도블록 위로 부드럽게 미끄러졌다. 낮게 뜬 해가 뿜어내는 빛을 받으며 페달을 밟았다. 그는 해야 할 일을 만족스럽게 해내고서 보고 싶은 사람에게 달려가는 길이었다. 〈베지 벤처러〉 출시가 가까워진다는 건 곧 그의 디자이너가 떠날 날이 다가오는 걸 뜻한다. 그러나 그 순간이 너무 반짝거려서 상우는 슬픔조차 느낄 겨를이 없었다.

상우는 예술대 계단에서 재영을 만났다. 누가 뒤에서 헤드록을 걸길래 미친 사람인가 싶었는데 얼굴을 확인하자 곧바로 히죽 웃음이 나왔다.

"어쭈, 입 찢어지겠네."

그 말을 들은 순간 얼굴 근육이 완전히 풀어져 바보같이 웃어 버렸다.

"이런 데서 유혹하면 곤란한데……."

재영은 남들이 볼 수 있을 만한 곳에서는 늘 처신을 조심했다. 그러나 상우는 그 순간 아무 신경도 쓰고 싶지 않아, 그의 손을 잡고 빠르게 층계를 올랐다. 어차피 일요일 오후에 학교에 나와 있는 학생은 많지 않았다.

실기실에 들어서자마자 불을 켜고 재영을 재촉했다.

"확인해 봤어요?"

"바로 출발하느라 아직. 폰에 옮겨 놓기만 했어."

"빨리 틀어 봐요."

재영이 의자에 앉으며 주머니에서 핸드폰을 꺼냈다. 그는 부분 테스트만 몇 번 해 봤을 뿐 사운드까지 완벽하게 적용한 오프닝을 보는 건 처음이었다. 상우는 그의 의자 팔걸이에 엉덩이를 걸치고 시작 화면을 구경했다.

둥둥거리는 북소리가 울리며 까마귀 울음소리가 약하게 났다. 으스스한 실로폰 음이 깔리며 타이틀과 등을 맞대고 선 남녀 캐릭터가 나타났다. 그들은 각각 당근 칼과 호박 다이너마이트를 들고 있었다. 추추는 불량한 표정으로 칼을 돌렸고 제제는 분홍색 풍선껌을 불었는데 6초마다 한 번씩 터지게 되어 있었다. 어둡게 처리한 농장 배경에선 형광 녹색 방사능 물질이 빛났고 이빨 뾰족한 몹들이 눈을 깜빡거렸다.

"장난 아니죠?"

"이야……. 역시 사운드에 돈 들인 보람이 있네."

재영은 시작 버튼을 누르고 농장으로 들어갔다. 템포가 빠른 중세풍 오르간 음악을 배경으로 주인공 캐릭터가 당근으로 쥐를 썰어 죽였다. 분위기는 음산한데 캐릭터 모션이나 효과음은 밝아서 묘하게 캐주얼한 느낌을 주었다. 그는 몇 군데 더 테스트하더니 말없이 손바닥을 들었다. 상우가 기다렸다는 듯 손을 마주치자 짝 소리가 났다.

웃음을 억제하는 모듈이 망가진 것 같았다. 상우는 너무 기뻐하는 것처럼 보이고 싶지 않았지만 잘 안 됐다. 차라리 얼굴을 숨겨야겠다 싶어서 재영을 껴안자 그가 목에 키스하며 뒤통수를 문질렀다.

"고생했어, 추상우."

"제가 그랬잖아요, 형 디자인 다 구현해 주겠다고……."

"너 지금 아이언맨 같아."

"또 기계 같다는 뜻이에요?"

"아니, 존나 멋있다고."

노력해서 얻은 보상이 단 거야 당연하지만 열매를 누군가와 나눠 먹는 즐거움은 낯설었다. 상우는 재영과 같은 기쁨을 공유하고 있다는 사실이 못 견디게 좋았다. 재영이 포옹을 풀며 상우의 양어깨를 쥐더니 흥분한 기색으로 말했다.

"좋아. 그럼 내일부터 넌 시험 기간, 내가 QA지?"

"네. 검수 분야랑 자세한 지침, 체크 리스트 메일로 보냈어요. 동시에 베타 테스트도 시작해요. 테스터들한테 파일 뿌리고, 돌아온 리뷰는 형이 취합 정리해서 저한테 보내 주면 돼요."

"오케이."

"테스터 명단은 다 짰어요?"

재영이 핸드폰 메모 프로그램을 띄워서 상우에게 넘겼다. 50명이나 되는 명단 중 상우가 아는 이름은 최유나뿐이었다.

"수준은 어때요?"

"주로 소프트 유저. 페인도 몇 명 있긴 해."

"그럼 제가 아는 고급 수준 게이머 두 명 포함 시킬게요."

"어. 파일은 네가 넘기고 내 메일 주소만 전달해 줘."

이로써 일 얘기가 얼추 끝났다. 상우는 앞으로 2주간 시험 공부에 전념하며 개발에는 최소한의 시간만 투자할 생각이었고 품질보증과 유저 테스트는 재영이 도맡기로 했다.

"부탁할 건 뭐야?"

"저녁 사 줄 테니까 PPT 디자인 봐 줘요."

상우는 배낭에서 노트북을 꺼내며 말했다. 재영은 뜻밖이란 표정을 지으며 눈썹을 올렸다. 상우가 '알고리즘' 미니 프로젝트 발표 자료를 열자 그가 의자를 끌고 가까이 왔다.

"도둑놈 심보 봐라, 서른여덟 장이나 되잖아."

"누가 공짜로 해 달래요? 밥 사 준다니까요."

"받고, 한 장마다 뽀뽀 한 번 추가."

"알았어요."

"이거 끝나고 소고기 사 가서 집에서 구워 먹자."

"알았어요. 와인도 가져왔어요."

"좋은데……. 또 먹고 싶은 거 있어?"

상우는 잠시 주저하다, 재영의 티셔츠를 끌어당기며 그의 귀에 속삭였다.

"있어요. 먹고 싶은 거."

"……."

"근데 음식은 아니에요."

재영의 귀가 실시간으로 빨개졌다. 그는 동상처럼 가만히 있다가, 고개를 돌려 상우의 눈을 보았다. 그 눈빛이 약간 미친 사람처럼 보였다.

"지금 먹어도 되는데……."

"여기선 비위생적이라 안 돼요."

재영은 몇 번 키스하려고 시도했지만 상우는 그의 이마를 밀어냈다.

"빨리 괜찮은지 봐 줘요. 점수 잘 받아야 돼요."

"무조건 10분 안에 끝낸다."

재영이 손가락을 우득 꺾더니 노트북 앞으로 몸을 당겨 앉았다. 그는 자신만만했으나 슬라이드를 전체 화면으로 보자마자 낯빛이 나빠졌다. 분명히 상체를 앞으로 내민 진취적인 자세로 시작했건만, 마지막 장에 다다랐을 땐 등을 의자에 기대고 난감하단 표정을 짓고 있었다.

"이거 10분 만에 안 돼."

재영은 뚱한 얼굴로 웹에서 무료 폰트를 두 개 다운받았다.

"야, 추상우."

"네."

"이 서체는 이제 안 쓰기. 나랑 약속해."

재영은 웹상에서 가장 범용적이고 널리 쓰이는 서체를 미워하는 듯했다. 상우는 그가 내민 새끼손가락에 손가락을 걸어 주었다.

재영은 제목과 본문을 두 가지 서체로 일괄 통일하더니 표지로 돌아갔다. 그러고선 괴롭다는 듯 얼굴을 찌푸렸다.

"배경 때문에 글자가 하나도 안 보이잖아."

"자세히 보면 되는데……."

"그건 네 생각이고."

재영은 상우가 배경에 깔아 놓은 오목 대전 캡처 화면을 삭제해 버리더니 웹에서 바둑돌 몇 개를 클로즈업한 무료 이미지를 찾아 흰 배경 오른쪽 하단에 붙였다. 여러 색과 다양한 크기를 적용한 제목을 검은색과 한 가지 크기로 통일하고 상우와 조원의 학번과 이름에 적용한 이탤릭, 밑줄체, 볼드체를 전부 없애고 왼쪽으로 정렬했다.

상우가 여러 꾸밈을 넣은 이유는 화면이 너무 허전해 보였기 때문이다. 재영은 상우가 넣어 놓은 장식을 죄다 뺐는데 이상하게도 이제 화면에는 비어 보인다는 느낌이 전혀 없었다. 보고서도 믿기 어려웠다.

"진태는 너보다 두 학번 아래네. 잘생겼어?"

"잘 몰라요."

"그래. 계속 모른 채로 지내. 개인적으로 아무 얘기도 하지 말고, 눈도 마주치지 말고, 싸우지도 마. 알았어?"

"관심 없어요."

재영이 웃으며 첫 장을 마무리했다. 상우는 변경된 디자인이 마음에 쏙 들었다. 잊지 않고 재영의 볼에 입 맞추자 그의 미소가 진해지며 화면이 다음 슬라이드로 넘어갔다.

"글씨가 너무 크다고 생각해 본 적 없어?"

"커야 잘 보이죠."

"다 크면 다 안 보여. 그리고 보는 사람 화병 걸려."

"그렇군요."

마스터 슬라이드에서 제목과 본문 글자 크기가 바뀌었다. 상우는 그가 몇 퍼센트를 축소할지 궁금해서 자세히 보았는데, 재영은 감으로 때려 맞추듯 몇 번 크기를 변경하더니 그대로 내버려 두었다. 재영은 상우가 꾸며 놓은 장식을 모두 삭제하고 선과 삼각형으로 제목 영역을 구분 지었다.

"넘어가게 빨리 뽀뽀하세요."

보상을 주자 재영이 더욱 속도를 냈다. 이 분야에서는 뭐든 그가 정답이었다. 어렵다는 기색 없이 클릭 몇 번, 단축키 몇 번 두드려 쓱쓱 만질 뿐인데 모든 게 나아졌다. 드래그해서 아무 데나 놓는 것 같은데 요소가 가장 조화로운 위치를 찾았다. 상우는 입을 벌리고 화면을 바라보았다.

'정말 마법사 같아.'

입 밖으로 내지는 않았지만 속으론 감탄이 끊이지 않았다. 재영이 옆에서 작업하는 걸 하루 이틀 본 게 아니었지만, 자신이 최선을 다해 만든 결과물을 쓱쓱 고치는 모습은 없던 걸 창작하는 것보다 오히려 대단해 보였다.

"진심으로 놀랍다. 다섯 줄짜리 제목은 태어나서 처음 봐."

중요한 것과 중요하지 않은 것이 그의 손끝에서 판가름 났다. 아무리 내용이 좋아도 효과적으로 전시하지 못한다면 가치가 퇴색된다. 상우는 알고는 있지만 잘 활용하지 못하는 그 사실을 새삼 깨달았다. 넋을 놓고 앉아 있는데 재영이 툭 내뱉었다.

"디자인비 제때 안 낼래?"

"지금 하면 되잖아요."

"세 개 밀렸어."

발표 자료를 보기 좋게 만든다든지, 남들에게 호감을 줄 만한 옷을 차려입는다든지, 말을 잘 포장한다든지. 상우가 그중 어느 것에도 재능 없는 반면에 재영은 전부 능한 사람이었다. 그래서 그가 근사한 장난감처럼 반짝거리는지도 모르겠다고 상우는 생각했다.

"얜 왜 넣었어?"

"사람들에게 호감을 주는 인기 캐릭터예요."

"응……. 삭제."

전문가의 손길에 휙휙 바뀌는 화면은 고작 학과 발표 자료인데도 불구하고 상우에게 큰 인상을 주었다. 핀잔을 주면서도 빠진 부분 없이 고쳐 주는 섬세함도, 복잡한 문제를 가장 간단하게 해결할 줄 아는 영리함도, 대충대충 하는 것처럼 보여도 모든 요소를 손쉽게 컨트롤하는 능숙함도, 전부 장재영을 황홀하게 보이게끔 하는 요소였다.

상우의 시선이 키보드와 마우스를 능숙하게 조작하는 손에서 입가에 미소를 띤 잘생긴 옆모습으로 옮아갔다. 빨간 티셔츠, 삐딱한 자세, 금속 귀걸이, 팔뚝의 문신, 달달 떨리는 무릎. 처음에는 마음에 들지 않았지만 장재영의 일부란 이유만으로 이제는 싫지 않았다. 상우는 문득 주체하기 어려운 강렬한 감정이 마음 깊은 곳으로부터 솟구치는 것을 느꼈다.

'살면서 이렇게 신기한 사람을 본 적이 있었나.'

양아치, 인간 말종, 쓰레기, 싸이코, 사디스트, 게으름뱅이, 분노 조절 장애, 다혈질, 이중인격자, 언제 터질지 모르는 폭탄. 상우는 자신이 그에게 붙였던 이름들을 하나하나 떠올려 보았다. 장재영은 완벽함과 거리가 멀며 상우가 싫어하는 면모를 많이 가진 사람이었다. 그러나 상우는 문득 자신이 그런 것을 개의치 않는다는 걸 깨달았다. 이글거리는 감정의 파도는 진작 파악한 재영의 수많은 결점을 뒤덮고서 상우를 휩쓸었다. 기쁨과 슬픔을 5:1로 섞은 칵테일은 격렬하게 소용돌이치다 이내……

"이야……. 그라데이션에, 테두리에, 그림자까지 넣었네. 애 많이 썼……."

"좋아해요, 형."

안에만 있기 싫다고 아우성치며 나와 버리고 말았다.

딸깍거리던 마우스 소리가 멎었다. 바쁘게 움직이던 재영의 손이 멈추었다. 그리고 상우는 자신이 부적절한 소리를 했음을 깨달았다.

'무슨 말을 한 거지?'

머릿속이 새하얘졌다. 베타 테스트 파일을 만들고서 너무 흥분해서 뇌가 좀 이상해졌나 보다. 술 취한 것처럼 생각이 아무렇게나 가지를 뻗다가 아무 필터링도 없이 입 밖으로 툭 튀어나왔다.

'내가…… 사람을 좋아한다고?'

그것도 남자를, 장재영을, 마치 연애하는 것처럼? 그는 애초에 연애가 성립되지 않는 상대였다. 논리적으로 말도 안 되는 이야기였다.

상우는 고개를 들었다가 재영의 시선을 마주했다. 어느새 저를 향해 몸을 완전히 튼 채, 그가 이제까지 본 것 중 가장 멍청한 표정을 짓고 있었다.

"제대로 못 들었어. 다시 말해 봐."

"아무 말도 안 했는데……"

"했잖아, 나 좋아한다고."

"못 들었다면서요."

크게 벌어져 있던 재영의 입이 다물리며 입가에 진한 미소가 번졌다.

"얼른, 다시 들려줘."

상우는 기가 차서 눈을 가늘게 떴다. 저는 너무나 심각한데 그는 장난칠 건수를 발견했다는 듯 눈을 반짝이고 있다는 게 화났다. 상우는 일어서서 뒷걸음질 쳤다. 가방을 챙길 새도 없이 문을 열고 뛰쳐나갔다. 곧바로 재영이 따라 나오길래 전력을 다해 달렸다.

"야! 거기 서!"

상우는 재영이 칼 든 범죄자라도 되는 것처럼 최선을 다해 도망쳤다. 계단을 빠르게 내려가 그가 쫓아올 수 없도록 온 힘을 다해 달렸지만 재영은 포기하지 않고 계속해서 따라왔다.

'잡히면 안 돼.'

뭐가 문제인지, 어떻게 해결해야 하는지, 머리가 돌아가지 않았다. 한 가지 확실한 건 장재영에게 잡히면 안 된다는 사실뿐이었다. 붙잡히면 그가 뭐라고 놀릴지, 무슨 짓을 할지, 상우는 두렵기만 했다.

어느덧 공학대 앞까지 왔다. 혹시 속도가 지체될까 봐 다리를 빠르게 놀렸다. 낮게 가지를 드리운 꽃나무를 고개 숙여 스치고 두 동상 사이로 빠져나가며, 울퉁불퉁한 돌길을 거쳐 인문대와 자연대를 차례대로 지났다. 이쯤이면 되었겠지 싶었을 때 뒤에서 고함 소리가 났다.

"씨발, 적당히 안 하냐?"

상우는 다시 전속력으로 뛰었다. 목소리는 그리 멀리서 들리지 않았다. 재영은 열 받게 하지 말라며, 상우에게 욕을 일체 안 하기로 결심했는데 일주일도 못 간 게 그의 탓이라며 저주를 퍼부었다. 상우는 마침 보인 풋살장 뒤로 숨었다.

"어디 갔어. 얘기를 해야 할 거 아냐!"

"……."

"이 새끼는 툭하면 도망이야⋯⋯. 너 쫓아다닌 게 지구 반 바퀴야! 알아?"

"할 말 없으니까 가요!"

상우가 답하자마자 재영이 그쪽으로 달려왔다. 상우는 정사각형으로 된 풋살장의 지형을 이용해 다음 변으로 피신했다. 녹색 그물 너머에서 재영이 주먹을 쥐고 서 있는 모습이 보였다.

"가요, 백날 해 봐도 안 잡히니까."

풋살장을 무너뜨리지 않는 이상 재영은 상우를 잡을 수 없다. 그러나 그는 포기하지 않고 달려왔다. 그래서 괜히 서로 체력만 낭비하며 풋살장 주변을 빙글빙글 세 바퀴나 돌았다.

"존나 징하네, 진짜."

재영이 더는 못 견디겠다는 듯, 등을 철조망에 기대며 주저앉았다. 상우 또한 숨이 턱 끝까지 찼지만 그가 갑자기 돌진해 올 것을 대비해 앉지는 않고 선 채로 호흡을 골랐다. 한동안 그들의 입에서 거친 숨소리만 나오고 말은 오가지 않았다. 그러다 재영이 툭 내뱉었다.

"너처럼 이상한 사람은 난생처음 봐."

상우는 그가 돌변해서 뛰어올까 봐 긴장하며 실루엣에서 눈을 떼지 않았으나 재영은 얌전히 앉아 있었다. 그들은 풋살장을 사이에 두고 대화했다.

"이쪽으로 와. 너한테 할 말 있는데 이 상태에선 하기 싫어. 사실 이딴 식으로 하기 싫었는데, 어쩔 수 없지."

"⋯⋯뭐라는 건지 모르겠고."

상우는 혼잣말이나 마찬가지인 그의 주절거림을 끊고 심호흡을 했다. 그러고는 힘주어 말했다.

"실기실에서 한 말은 실언이었어요."

"아닐 텐데."

재영은 대수롭지 않다는 듯 대꾸했다. 그 뻔뻔한 태도는 상우를 정말 짜증 나게 했다.

"아니라고 하잖아요."

"아, 오늘도 아니야?"

"날짜를 말하는 게 아니라, 실언이라는 뜻이에요."

"시간이 필요하면 얼마나 필요한지 정확히 말해. 이제껏 기다렸는데 더 기다리는 거 일도 아니야."

오늘따라 동문서답이 너무 심했다. 상우는 얼굴을 찌푸리며 가슴을 쥐고 심호흡했다. 여전히 심장은 미친 듯이 쿵쾅거리며 뛰고 있었지만 체력적으로 지쳐서 그런 건 아니었다. 가만히 서서 숨을 고른 덕에 그는 다시 움직일 수 있는 상태가 되었다.

"저 갈 건데, 쫓아오지 마요. 따라오면 다시는 안 만날 거예요."

그리 외치고서 도서관으로 내달렸다. 뒤에서 쫓아오는 소리는 들리지 않았다.

그다음에 무슨 일이 일어났는지 상우는 잘 기억하지 못한다. 습관처럼 자전거를 탔고, 어느새 집에 도착했으며, 층계를 폭풍처럼 올라 문을 열고, 화난 것처럼 냉수를 목에 들이부었다.

땀에 전 옷을 거칠게 벗어 세탁기에 넣고 차가운 물로 빠르게 샤워했다. 깨끗한 옷으로 환복하고 나온 뒤에도 가슴은 빠르게 두근거렸다. 시간은 19:12. 저녁을 먹지 못했지만 배가 전혀 고프지 않았다. 상우는 뭘 해야 할지 몰라서 주변을 불안하게 둘러보다 의자에 천천히 앉았다. 떨리는 손이 이마를 받치자 눈이 감겼다.

'좋아해요, 형.'

'필요해요, 형'이라면 몰라도, 자신이 그런 발언을 했다는 사실을 믿을 수 없었다. 요구 사항도 아니고, 평가도 아니고, 아무짝에도 쓸 모없는 의도 불명인 말을……. 기분이 정말 이상했다. 어이가 없기도 하고, 화가 나기도 하고, 슬프기도 했다.

'사람을 좋아한다고?'

어떤 사람이 지나치게 특별해져서 대체할 수 없게 되는 현상. 국가 지도자들을 파멸로 몰아넣고 가장 현명한 사람도 바보로 만들어 버리는 위험한 감정. 사람을 좋아한다는 건 끔찍한 착각이라고 상우는 알고 있었다. 섹스 중독증을 치료할 수 있는 의사는 많지만 상사병은 의학 사전에 등록조차 되어 있지 않다.

정말 실언이었을까. 상우는 거짓말을 하지 않지만 요즘은 워낙 상태가 오락가락해서 아무 말이나 하는 경우가 종종 있었다. 상우는 지끈지끈거리는 머리를 양손으로 감싸 쥐고 그간 자신의 행동을 분석해 보았다.

5/29 장재영의 집
5/28 연석동 바
5/24 한강, 장재영의 차
5/23 집
5/22 집
5/19 백화점
……

제삼자의 시선으로 냉정하게 본 상우의 행적은 대체로 강한 성욕으로 설명할 수 있었지만, 분명히 그렇지 않은 부분도 있었다. 가령 재영의 집에서 자고 일어난 5월 29일 수요일, 상우는 성교할 기회가 있었는데도 하지 않았다.

그날은 성욕을 조금도 풀지 못했는데도 이상하게 긍정적인 기억으로 남아 있었다. 그다지 한 것도 없었다. 재영이 해 준 음식을 먹고, 사진을 보며 쓸데없는 이야기를 조금 하고서, 영화를 보다가 나란히 누워 낮잠 잔 게 다였다. 상우는 콩나물국이 얼마나 따뜻했는지, 재영의 사진이 얼마나 훔치고 싶었는지, 잠든 그의 얼굴이 심장을 얼마나 두근거리게 했는지 떠올리다 절망감을 느꼈다.

"망할……."

꽉 쥔 주먹이 책상에 쾅 떨어졌다. 둘이서 함께한 시간을 떠올릴수록 점점 자신이 없어졌다. 성욕 때문에 만난다고 하기에는 그의 생식기 말고도 다른 부분에 주목할 만한 점이 너무 많았다.

재채기할 때 콧등에 세로로 나는 주름이 얼마나 귀여운지, 마우스를 쥔 손 모양은 얼마나 단정한지, 기지개 켤 때 맨등에 잡히는 근육은 얼마나 근사한지, 눈웃음치는 눈꼬리가 얼마나 예쁜지, 치아는 얼마나 가지런한지, 햇살을 받은 머리카락은 얼마나 반짝거리는지.

나지막한 목소리로 이름을 불러 주면 얼마나 듣기 좋았던가. 실없는 농담에 얼마나 자주 웃었던가. 그러다가도 진지하게 내뱉는 말에 가슴이 얼마나 두근거렸던가. 어깨를 꽉 감싸는 팔과 이마에 부드럽게 닿는 입술을 떠올리다, 상우는 패배를 예감했다.

문득 중학생 시절에 누나에게 좋아하는 남학생이 생겼다는 걸 알게 되고서 얼마나 우스웠는지가 떠올랐다. 누나는 온종일 그의 이야기를 하고 못생긴 종이학을 500마리나 접었다. 괴물인 데다 바보라고 그녀를 놀렸다가 주먹으로 등을 몇 대나 얻어맞았다. 그때는 누나가 새 옷을 사 달라고 어머니한테 난리치는 것도, 하교 시간이 한참 지났는데 집에 오지 않는 것도, 주말에 그 남학생을 보겠다고 나가는 행위도 비이성적이라고 비웃었던 상우였다.

그런데 상우는 더한 짓도 많이 했다. 장재영이 좋아하는 옷을 입고서 그의 관심을 끌려고 유흥가의 술집에서 값비싼 술을 몇 잔이나 마셨으며 그의 뒷조사를 했다. 잠든 사이에 허락 없이 입 맞추기도 했다. 그와 관련된 일이라면 미리 정해 둔 스케줄을 어기며, 온종일 그의 생각에 잠겼다.

키 크고 눈동자가 진한 갈색에 가까운 미남이 성적 취향에 맞는 게 아니었다. 연석동에서 만난 남자가 그보다 못생겨서 별로인 게 아니었다. 단지 장재영이 아니면 안 되는 거였다.

상우는 절망적인 기분으로 책상에 천천히 엎드렸다. 장재영이란 종잡을 수 없고 요사스러운 사람은 처음에는 일상의 평온을 파괴하더니, 성적으로 상우를 자극해 그가 없으면 견딜 수 없는 몸으로 만들어 놓고선, 급기야는 마음까지 빼앗아 가 버린 것이다. 건강한 결혼 적령기 이성이 아닌, 교제할 수조차 없는 남자에게 빠져 버린 멍청이가 여기 있었다.

"망했다."

상우가 이제까지 좋아한 것들은 전부 구매하면 그만이었다. 그런데 좋아하는데도 소유할 수 없는 것이 처음으로 생겨 버렸다. 늘 제멋대로 움직이고 손에 잡히지 않는 것. 곧 떠나가 버릴 것.

상우는 비로소 그의 세계를 지배하는 시맨틱 에러의 정체를 맞닥뜨렸다.

return 0;

재영이 형. 저 이대로는 안 되겠어요. 처음 합의한 것과 달리 감정

적으로도 형이 좋아졌어요. 이제까지 이래 본 적이 없어서 형이 떠나고 나면 어떻게 될지 예상할 수 없고 두려워요. 그러니까 이제 그만 만납시다. |

재영이 형. 저 이대로는 안 되겠어요. 처음 합의한 것과 달리 감정적으로도 형이 |

재영 |

선배님. |

[나: 선배님. 저 시험 기간이라 2주간 미팅 없어요. 그 뒤에도 미팅 없이 쭉 원격으로 진행하겠습니다.] 02:31
[시각디자인과 장재영 선배: 안경살건데어느게나은지골라봐(사진)(사진)] 02:33
[나: 제 메시지 읽었어요?] 02:34
[시각디자인과 장재영 선배: 읽음] 02:34
[시각디자인과 장재영 선배: 1아니면2빨리] 02:35
[나: 1. 가격 알려 줘요. 그 전 안경 제가 파손했으니까 배상할게요.] 02:36
[나: 알려 달라니까요.] 02:38
[나: 알려 달라고.] 02:40

지구는 전날과 같은 속도와 방향으로 자전하고 공전해 같은 시간에 날이 밝고 새로운 하루가 찾아왔다.

그러나 엉망진창으로 파괴된 상우의 세계는 여전히 밤이었다. 감정이 휩쓸고 간 폐허는 황량하고 초라했다. 남은 거라곤 이성의 빛을 받지 못한 야만뿐. 상우를 구성하던 본질은 태풍에 휩쓸려 사라진 듯했다.

월요일도 화요일도 수요일도 상우는 영혼 없는 로봇처럼 살았다. 몸에 밴 습관이 있다 보니 정해진 시간에 학교에 가서 같은 자리에 앉아 수업을 들었지만 아무것도 습득하지 못했다.

그는 의학 사전에도 없는 병에 걸려 골골대고 있었다. 어떤 사람이 머릿속에 콕 박혀 나가지 않아 생활에 지대한 악영향을 미치는 질환. 그 끔찍한 병은 잠복 기간 동안 상우의 마음 가장 깊은 곳에 뿌리내렸다가, 감정을 인지하고 나니 곧바로 고통이란 증상으로 나타났다. 그는 무거운 슬픔에 맞서 싸울 도리도 없이 잠식당하고 있었다.

턱을 괴고 있던 상우는 누가 책상을 치고 지나가는 바람에 정신이 들었다. 멍하니 있느라 수업이 끝난 줄도 모르고 있었다.

무덤덤한 표정으로 샤프를 필통에 넣고 교재를 덮었다. 취약한 과목인 데다 시험 전 리뷰 시간이었는데도 아무것도 듣지 않았다. 지난 시간은 결석, 이번 시간은 출석했지만 결석한 거나 다를 바 없었다. 시험 때 처참하게 망해 버릴 것이 불 보듯 뻔했다.

느릿하게 가방을 싸던 상우의 눈에 낯익은 뒷모습이 들어왔다. 최근에 정신을 놓고 살다 보니 해야 할 일도 잊을 뻔했다. 상우는 문 앞에서 신발 끈을 매는 여학생 앞에 섰다. 아무렇지 않은 얼굴로 일어난 그녀가 상우를 보고서 눈을 크게 떴다.

"엇! 아니! 아, 안녕하세요!"

지혜는 말을 더듬으며 눈을 피했다. 꾸벅 인사하고 가려는 걸 보면 급한 일이 있는 모양이었다.

"그럼 안녕히 가세요!"

"류지혜, 잠깐 시간 괜찮으면 나 좀 도와줘."

까만 머리카락을 하나로 묶은 뒤통수에 대고 말하자 그녀가 멈춰 섰다.

"보상으로 밥 사 줄게. 너 밥 좋아하잖아."

지혜는 문 밖으로 고개를 내밀고서 두리번거리더니 다시 상우 앞으로 왔다. 그러고는 누가 엿듣기라도 한다는 듯 목소리를 낮추며 말했다.

"뭔데 그러세요?"

"잠깐 앉아 봐."

상우는 서서 이야기하기 적절하지 않다고 판단해 자리로 향했다. 그러자 지혜가 쭈뼛거리며 의자 하나를 두고 떨어져 앉았다. 상우는 핸드폰에 〈베벤〉 베타 테스트를 실행해 그녀에게 넘겼다.

"내가 만들고 있는 게임이야."

"이걸 오…… 아니, 선배가 만들었다고요?"

"어. 테스트 기간인데 컨이 좀 되는 게이머가 필요해."

그 말에 지혜가 머쓱하게 웃으며 고개를 마구 저었다. 그녀는 핸드폰을 다시 책상에 올려놓으며 말했다.

"저 게임 같은 거 못해요. 도움 하나도 안 될 거예요."

'초등학교 1짱 테트신이었달 땐 언제고……'

상우는 지갑에서 다섯 장이나 되는 식권 뭉치를 꺼내 그녀 앞에 놓았다.

"이거 주고 밥도 사 줄게. 시험 기간이라 바쁜 건 알겠지만 30분 정도만 테스트하고 리뷰 문항 작성해 주면 돼. 최저 임금을 고려할 때 파격적인 조건이야."

"……안 돼요. 그랬다가 저 죽어요."

'어지간히 시간 내기 싫은가 보군.'

상우는 아쉬웠지만 이해 못 하는 바는 아니라, 다시 식권을 지갑에 넣었다. 그를 물끄러미 보던 지혜가 불쑥 말했다.

"근데 분위기가 좀 달라지셨네요."

두 번째로 듣는 소리였다. 상우는 자조적인 웃음을 지었다. 첫 번째는 그러려니 했지만 이번에는 정말로 좋게 들리지 않았다.

"어디가?"

"음……. 좀 부드러워지셨나? 원랜 더 단호? 약간 기……계 같은 느낌이었던 것 같은데. 아! 신경 쓰지 마세요. 제 주관적인 생각이에요."

물러지고, 부드러워지고, 나약해져서 이 모양 이 꼴이 되었나 보다. 감정 따위에 휘둘리기나 하고. 상우가 한숨을 푹 내쉬자 지혜가 눈치를 보았다.

"잘 지내셨어요?"

"아니."

"죄송해요……."

손목시계를 보니 밥 먹을 시간이 지났지만 상우는 무시했다. 그의 일상은 철저히 망가져서 스케줄과 몇 분쯤 오차가 생겨도 문제 축에도 끼지 못했다.

"넌 공부 잘 돼?"

"뭐, 늘 똑같죠……."

"부럽다."

늘 일정하고 예측 가능하던, 균열 없던 일상으로 돌아갈 수만 있다면. 상우는 아무 슬픔도 괴로움도 없던 시절을 향한 강렬한 그리 움을 느꼈다.

"이거 봐요. 진짜 달라지신 게, 예전 같았으면 제가 테스트 안 한 다고 했을 때 바로 일어나셨을걸요?"

'그러네.'

상우는 고개를 갸우뚱거렸다. 왜 용무도 끝났는데 쓸데없이 잡담 이나 하고 있는 걸까. 그는 일어나야겠다고 생각했다. 어떤 대화가 떠오르기 전까지만 해도.

'그 사람이 내가 마시는 커피를 전부 사 갔어.'

'인터넷으로 한 박스 주문해요. 하루 만에 배송되는데 뭐가 문제예요.'

13주 전인 개강 첫 주, 상우는 지혜에게 생활의 고충을 털어놓았 고 지혜는 유연한 해법을 내놓으며 그를 놀라게 했다. 결과적으로 아무 소용없긴 했지만 상우는 틀에 갇히지 않는 그녀의 사고방식을 신선한 충격으로 기억했다.

"하하하하······. 그럼 저 가 볼게요. 못 도와 드려서 죄송해요!"

"잠깐."

상우의 만류에 엉거주춤한 자세로 일어나던 지혜가 다시 앉았다. 그녀가 불안한 표정으로 웃었다.

"······왜요?"

"내가 퀴즈를 하나 낼 건데, 응모하면 식권 줄게."

상우는 지갑에서 식권 다섯 장을 다시 꺼내 책상 위에 올려놓았 다. 지혜는 얼굴을 이상한 방식으로 찡그리고선 이마를 손톱으로 긁 었다.

"퀴즈요?"

"어. 할 거야?"

"아니, 갑자기 무슨⋯⋯. 알았어요. 근데 식권 때문에 그런 건 아니에요. 저기, 선배님? 제가 밥만 사 주면 뭐든지 한다는 건 정말로 오해예요."

지혜는 손사래 쳤지만 상우는 그녀의 책상에 식권 뭉치를 던졌다. 지혜가 난처하단 표정을 지으면서도 식권을 주머니에 넣자 상우는 이야기하기 시작했다.

"개인 정보 보호를 위해 실명은 밝히지 않겠지만 x라는 사람과 y라는 사람이 있어."

"네."

"그런데 x가 y를⋯⋯ 좋아해."

억지웃음을 짓는 지혜는 불편해 보였다. 아무래도 시험 기간인데 쓸데없는 얘기를 듣고 있으려면 짜증 날 것이다. 상우는 심호흡을 하고서 다시 입을 열었다.

"어⋯⋯. x가 y를 좋아하는데⋯⋯."

사생활 정보를 숨기고 감정을 절제하기 위해 이름을 알파벳으로 치환했다. 첫 번째 목적은 달성했지만 두 번째 목적은 이루지 못했다. 상우는 제 얼굴이 일그러지는 것을 느낄 수 있었다. 배낭에서 물을 꺼내 마시고 다시 도전했다.

"x가⋯⋯ y를 좋아해."

이번에도 마찬가지였다. 도무지 다음 단계로 넘어갈 수가 없었다.

"아, 그래서 어쨌다는 거냐고요."

"⋯⋯."

시간을 너무 질질 끌어서 지혜가 열 받은 듯했다. 퀴즈를 빨리 맞혀야 식사하러 갈 수 있는 그녀 입장에선 온당한 감정 표출이었다. 상우는 고개를 끄덕이며 말했다.

"근데 y가 먼 곳으로 떠난대."

"……헐."

"x는 y랑 계속 있고 싶은데 이제 그럴 수 없잖아. 이 상황을 어떻게 극복해야 할까? x 입장에서 해답을 내 봐."

지혜가 인상을 쓰더니 괴롭다는 듯 신음을 냈다. 이윽고 그녀가 상우와 시선을 맞추었다.

"오빠, 혹시 아이큐 한 자리세요?"

"……나 고지능잔데."

"답답함을 드러내는 표현 방식이에요. 꼬투리 잡지 마세요."

지혜는 상우가 한마디도 못 붙이도록 톡 쏘고선 손가락 두 개를 들었다.

"두 가지 방법밖엔 없잖아요? 첫 번째는…… 붙잡는다."

상우는 지혜가 훨씬 획기적인 방안을 내놓으리라고 기대했다. 그는 내심 실망했지만 참을성 있게 대답했다.

"붙잡을 수 없어. 이건 y가 전부터 계획했던, 커리어에 중요한 일이야."

"그건 제가 알 바 아니고요. 둘째, 따라간다."

"……."

두 번째 방법은 상우가 생각해 보지 못한 해법이었다. 상우는 그녀가 제시한 대안을 검토해 보았다.

'미국에…… 따라간다고.'

그러면 재영과 헤어지지 않아도 되겠으나, 곧바로 골치 아픈 의문이 쏟아졌다. 상우는 한숨 쉬며 입을 열었다.

"그게 말처럼 쉽냐? 학업은? 살 곳은? 비자는? 생활비는? 언어는? 게다가 x도 인생 계획이 있어. 그렇게 아무렇게나 정할 수 없잖아."

"그럼 y를 안 좋아하는 거죠. 사랑한다면 어디든 쫓아가야 하는 거 아닌가요?"

지혜는 마치 감정만으로 살아갈 수 있는 사람처럼 쉽게 이야기했다. 상우는 고개를 저으며 배낭을 어깨에 멨다.

"네 해법은 두 가지 다 터무니없어서 도움이 안 돼. 그렇다고 식권을 내놓으란 소린 아냐. 갈게."

"네? 잠깐만요……. 근데 왜 그렇게 이상한 걸 물어보세요? 애인 사이에서 서로 이야기해서 풀어야죠."

상우는 일어서기 전에 한마디 덧붙였다.

"애인 사이 아냐."

"뭐라고요?"

지혜의 두 눈이 커졌다. 설명을 요구하는 눈빛이라 떠날 수가 없었다. 하긴, 중요한 전제 조건이니 미리 언급해야 했는지도 모른다. 상우는 그녀의 시선을 피하며 빠르게 말했다.

"비윤리적으로 들리겠지만 x와 y는 서로 육체 관계만 갖는 사이야."

"네? 아니……. 이해가 안 되는데……."

지혜가 황당하다는 듯 중얼거렸다. 그러다 그녀가 심각한 표정으로 상우에게 말했다.

"저기……. 왜 안 사귀어요? 그게 뭐 하는 짓이에요?"

"불가능해."

"왜요?"

"사생활이라 얘기할 수 없어."

"말해 보세요. 어차피 오빠 일도 아니고, x와 y의 얘기잖아요."

그 말은 일리가 있었다. 상우는 숨을 크게 들이켜고서 최대한 담담하게 답했다.

"x와 y는 같은 성별이야."

"그래서 뭐요. 장난해요?"

"……너 나한테 화내냐?"

지혜는 상우의 물음을 무시하고선 도무지 이해가 안 된다는 듯 물었다.

"둘이 만나면 뭐 하는데요? 그…… 관계만 해요?"

"다른 것도 해. 보통 일을 하지."

"그리고요."

"밥…… 먹고. 영화를 본 적도 두 번 있었어. 농구도 했고. 아무것도 안 하고 누워 있기도 했어. 산책도 하고, 차 타고 돌아다니기도 하고……. 백화점에서 옷을 샀고……."

"그게 연애가 아니면 뭐예요?"

"너야말로 아이큐 한 자리냐? 남자끼리 어떻게 연애를 해?"

"구한말 위정척사파세요?"

지혜는 핸드폰을 꺼내 빠르게 몇 번 터치하고서 상우에게 주었다. 상우도 그녀가 하도 몰아붙이는 통에 성질이 난 상태라 다소 거칠게 전자 기기를 받아 보았는데, 인터넷 브라우저에 사전이 떠 있었다.

연애 [love, 戀愛] 인간의 육체적 기초 위에 꽃피는 애정. 서로를 어느 정도 성적으로 사랑하는 두 사람 사이의 친밀한 관계

그 정의는 참으로 낯 뜨거웠다. 상우는 목부터 열기가 올라와 얼굴이 점점 빨개지는 것을 느낄 수 있었다.

"x랑 y랑 연애하는 거 맞지 않아요?"

상우는 그 순간 익숙한 감정을 느꼈는데, 그건 바로 누나와 언쟁

할 때마다 치미는 분노였다. 누나는 꼭 상우가 타당한 근거를 갖고
한 이야기를 아무것도 아닌 것처럼 깔아뭉개곤 했다.

'문과생들은 다 그런가 보지.'

상우는 속으로 중얼거렸다.

"너 뭘 모르나 본데, 잘 들어."

상우는 좀 열 받은 상태에서 지혜에게 인류의 생존 방식과 사회
제도의 관계를 자세히 설명했다. 역사 속에서 제도는 인류가 번영을
이루기 유리한 방식으로 정착되어 왔고, 연애란 결혼이란 코어 제도
를 뒷받침하는 작용이기에 재생산을 이룰 수 없는 남성 간에는 성립
하지 않는다고 못 박았다.

"……그렇기 때문에 이성 간의 결혼과 연애만이 합법화, 제도화된
거잖아."

상우는 열띠게 말하고서 배낭에서 물통을 꺼내 물을 벌컥벌컥 마
셨다. 팔짱을 끼고 듣고 있기만 하던 지혜가 핸드폰에 무언가를 검
색하더니 말했다.

"반례 들게요. 동성혼은 전 세계적으로 합법화되는 추세예요. 이
미 동성 부부를 제도적으로 인정하는 나라는 30개국 이상이고 북미
와 유럽 등 선진국이 주류네요."

"……."

그녀는 그러고는 딩크족과 정관 수술을 사례로 들며 아이를 낳지
않고 결혼 생활을 영위하는 부부들을 소개했다. 결혼이 반드시 출
산의 전제 조건은 아니며 연애가 반드시 결혼의 전제 조건은 아니란
걸 삼단으로 논증하고선, 인류가 야만의 시대엔 본능에 따라 살았을
지 몰라도 문명이 고도화되며 개인의 의지와 자유에 가치를 두는 쪽
으로 발전했다고 주장했다.

데이터로 무장한 지혜는 늘 막무가내로 우겨 대는 누나와 비교할 상대는 아니었다. 상우는 위기감을 느꼈다. 그는 일반 상식과 과학 지식이라면 자신 있었지만 동시대 시사에는 관심이 전혀 없었기 때문이다. 동성혼이니 딩크족이니 하는 문제에 관해 잘 몰라서 반박하기가 어려웠다.

"인류의 특권인 사랑을 가치 절하하는 오빠는 야만인이나 다름없어요!"

"……진정해. 너 너무 흥분했어."

8분 동안 쉬지 않고 말하던 지혜가 그제야 입을 다물었다. 상우는 그녀의 말을 대체로 이해하기는 했지만 아직 설득되지는 않았다.

아무리 인간이 문명화되어 야만을 어느 정도 극복했다고 한들 모든 행동에는 목적이 있다. 인간은 에너지원을 얻기 위해 식사하고 몸을 휴식하기 위해 잠자며 후대를 잇기 위해 성교한다. 연애와 결혼이란 결국 안정적으로 출산하고 육아하기 위해 생겨난 부산물에 불과하지 않은가. 지혜의 말대로 출산 없는 결혼, 결혼 없는 연애를 하는 사람들이 세상에 있다고 한들 그 행동이 합리적이란 뜻은 아니다.

"출산도 결혼도 하지 않을 거라면 연애가 무슨 의미가 있지? 시간 낭비일 뿐이잖아."

상우가 조용히 꺼낸 질문에 지혜가 고민하는 표정을 지었다. 그녀는 1분 정도 가만히 있더니 그의 눈을 마주쳤다.

"오빠, 밥은 왜 드세요?"

"에너지원이 필요하니까."

"아, 그렇죠. 그럼…… 공부는 왜 하세요?"

"전공 분야에 전문성을 높여서 사회에 성공적으로 편입되어야 생존할 가능성이 높아져."

"네. 그러네요. 음, 으음……. 아! 게임 왜 하세요?"

"……."

상우는 함정을 밟은 듯 서늘한 감각을 느꼈다. 지혜가 그런 그의 심정을 눈치챈 듯 눈을 가늘게 뜨며 웃었다. 상우는 아무렇지 않은 척 대답하려 했지만 식은땀이 났다.

"어……. 승부욕을 자극해서 생활에 활기를 주고, 지식을 제공하는 등 유익한 면도 있고, 그리고……."

"그건 효과죠. 제가 물은 건 목적이잖아요."

지혜의 거미줄에 걸린 상우는 빠져나갈 구석이 있는지 골똘히 고민했지만 마땅치 않았다. 게임은 그의 인생에서 예외적인 행위였다. 목적 없이 하는 유일한 일이었으니까.

"재미있어서, 아닌가요?"

"……맞아."

"그럼 딱히 인류의 번성에 도움이 되지 않네요. 시간 낭비니까 앞으로 하지 마세요."

지혜가 씩 웃었다. 상우는 그녀가 무슨 말을 하려는지 듣지 않아도 알 것 같단 생각이 들었다. 지혜는 잠시 뜸을 들이더니 자신만만한 표정으로 상우를 짓밟았다.

"연애도 게임하고 비슷한 거예요. 일반적으로 상대가 못 견디게 좋아서 한다고들 해요. 저도 잘 모르겠지만."

입을 벌렸지만 반박할 논거는 떠오르지 않았다. 상우는 할 말을 잃었다. 지혜가 논리의 망치로 그의 기반을 부수어 버리는 바람에 설 곳이 없어졌다.

문득 상우의 뇌리에 장재영과 함께 지낸 나날이 빨리 감은 영화처럼 스쳐 지나갔다. 그와 일을 하고 성교를 했다. 그러나 그렇지 않은 시간이 훨씬 길다는 걸 상우는 깨달았다.

'전혀 유익하지 않았어.'

시간을 비효율적으로 썼단 건 부인할 수 없는 사실이었다. 재영은 늘 옆길로 샜으며, 놀자고 꼬드겼고, 장난을 쳐서 집중력을 흐트러뜨렸다. 그러나 아무짝에도 쓸모없다고 생각한 그 시간들은 한순간도 빼놓지 않고 상우의 기억 속에 새겨져, 대체로 긍정적인 인상으로 남아 있었다. 상우는 괴로움을 느끼며 양손으로 관자놀이를 받쳤다.

"다시 처음으로 돌아가자면, x와 y가 동성이라 연애할 수 없다는 명제는 틀렸어요. 이미 하고 있으니까요. 검은 양에게 존재해선 안 된다고 말해 봐야, 사라질 리 없잖아요?"

'졌다.'

상우는 확인 사살 당한 기분으로 입술을 깨물었다. 인문 계열 전공자라고 다 누나나 아버지처럼 비합리적이진 않은 것이다. 지혜가 상우의 표정을 보더니 한숨 쉬었다.

"저기요…… 지금 저를 이겨 먹는 게 문제가 아니잖아요. 저 1시에 수업 있는데 지금 오빠 도와 드리느라 굶게 생겼어요."

"지금이라도 가서 먹어."

"10분밖에 안 남았는데 먹긴 뭘 먹어요. 됐고요……."

지혜는 잠시 말을 멈추더니 상우의 눈을 바라보았다. 그녀는 꽤 진지한 태도로 말했다.

"x 씨한테 전해 주세요, 오빠. 뻘짓 그만하고 애인 간수 잘 하라고요. 대체 뭘 어떻게 했길래 떠난단 얘기가 나오는 거야……."

"……애인 아니라니까."

"y 씨한텐…… 가긴 어딜 가냐고 전해 주세요. 진짜…… 웃겨. 아무 데도 못 간다에 500원 걸게요."

"······."

"아, 짜증 나! 저도 시험 끝나면 소개팅이나 거하게 해야겠어요."

지혜는 영화배우라도 되는 것처럼 아련한 표정으로 먼 곳을 바라보았다. 그러고선 어깨에 가방을 메고 자리에서 일어났다.

"힘내요, 추 씨."

그녀는 상우가 뭐라고 대답하기도 전에 웃으며 강의실에서 나가버렸다.

'이상한 일이군.'

상우는 빈 공간에 오랫동안 꼼짝 않고 앉아 있었다.

지혜와 나눈 논쟁을 몇 번이나 곱씹어 보았지만 자신의 주장이 논파되었음을 받아들이는 수밖에 없었다. 승리로만 가득하던 인생이었다. 1등, 100점, 타의 모범, 최고.

말싸움에서 논리로 지니 생경한 기분이 들었다. 아니, 이번만이 아니다. 최근에는 패배한 기억뿐이었다. 치이고, 동요하고, 휘둘리고, 영향 받고, 빼앗기고, 흔들리고, 약탈당했다. 하지만 낯선 기분이 단지 패배감 때문은 아니었다.

'검은 양에게 존재해선 안 된다고 말해 봐야, 사라질 리 없잖아요?'

지혜의 말이 뇌리에서 떠나지 않았다. 느껴서는 안 될 감정이라고, 그래선 안 된다고, 부적절하다고 아무리 강조한들 버젓이 존재하는 오류가 알아서 없어질 리 없었다.

'육체적 기초 위에 꽃피는 애정.'

작은 가정은 며칠간 음울하게 가라앉아 있던 상우의 세계에 파문을 일으켰다. 99도까지 잠잠하다 100도에서 끓기 시작하는 물처럼, 장재영과 함께한 시간이 연애였다는 걸 인정하자마자 상우는 그와 모든 것을 함께하고 싶은 욕망에 시달렸다.

일하고, 살 맞대고, 걷고, 운동하고, 게임하고, 밥 먹고, 영화 보고, 누워 자고, 수업 듣고, 사진 찍고, 옷 사고, 그 외에도 상상할 수 있는 모든 것을. 기묘한 욕망은 거기서 멈추지 않고 그와 같은 집에 살고 결혼하며 그를 닮은 아이를 갖고 싶은 마음으로 변하여 격렬하게 들끓었다. 생물학적으로 이룰 수 없는 목표마저 욕심낼 정도로 맛이 간 것이 분명했다.

'미쳤어, 추상우?'

상우는 주먹으로 제 머리를 쳤다. 장재영과 함께 보낸 시간이 연애였든 아니든, 그와 교제할 수 있든 말든, 의미가 없었다. 7월까지 한 달도 남지 않은 시점, 이제는 정말로 아무런 소용이 없었다.

'내가 어떻게 해 줬으면 좋겠어?'

재영이 남긴 서술형 문제는 막다른 길이나 다름없었다.

'형이 뭘 해 줄 수 있어요? 아무것도 없잖아요.'

상우는 속으로 중얼거리며 자리에서 일어났다. 어느새 점심시간이 끝나고 다음 수업을 듣는 학생들이 들어오고 있었다.

상우는 터덜터덜 식당에 들어서서 꾸역꾸역 식사했다. 숟가락 두 개와 젓가락 한 개를 가져오는 바람에 군대에서처럼 숟가락으로만 식사했다. 생선 가시를 제대로 안 바르고 먹어서 목구멍이 따끔거렸다.

"상우 선배님, 상우 선배님!"

도서관으로 가는 길에 누가 상우를 불렀다. 곧 발소리가 들리며 누군가 옆에서 나란히 걸었다.

"헉, 헉, 선배님…… 이거 드리려고, 사 왔어요."

남학생이 플라스틱 컵에 든 검은 음료수를 내밀었다. 상우는 손을 저었다.

"나 마시는 커피 따로 있어."

"고급 입맛이셨구나……. 그럼 다음에 다른 거 사 드릴게요."

"됐어. 네가 나한테 커피를 왜 사."

"에이, 선배님 덕분에 점수도 잘 받았는데 이 정도는 해 드려야죠!"

그저께 발표한 미니 프로젝트 점수가 벌써 나왔단 말인가. 상우는 몇 점이냐고 물었고 남학생은 19점으로 최고 점수라고 대답했다. 상우는 고개를 갸우뚱거렸다.

"이상하네. 1점이 어디서 깎였지."

"……발표력에서 4점 떨어요. 죄송해요!"

그는 빌빌거리며 몇 번이나 사과했지만 상우는 그다지 상관없다고 생각했다. 최근에 그는 성적에 관심을 잃었다.

"아, 그리고 사람들이 피피티 쩐다고 난리예요. 직접 만드신 건 아니죠?"

"시각디자인과 학생이 만든 거야."

"역시…… 그럴 줄 알았어요. 폼 보내 달라는 사람 많은데 보내 줘도 돼요?"

"안 돼. 내 거야. 열람권, 사용권 다 나한테만 있으니까 너도 영구 삭제해."

"너무하세요."

그들은 나란히 도서관을 향해 걸었다. 햇살이 따사로운 날이었다. 어느덧 여름이라 조금 움직였을 뿐인데 등줄기에 땀이 났다. 누군가 옆에서 걷는 건 오랜만이었다. 하지만 상우가 바라는 상대는 아니었다. 강하고도 막연한 그리움이 마음을 아프게 했다.

"선배님은 코딩 동아리나 학회 안 하세요?"

"안 해."

"왜요?"

"프로그래밍은 오픈 소스가 많아서 혼자서 공부할 거리가 무궁무진하잖아. 웹의 전문가들이 학생보다 나은 것도 당연하고."

"저 다음 학기에 학회 할까 했는데…… 안 하는 게 나을까요?"

"그런 건 네가 알아서 해."

"에이, 그러지 마시고 충고 좀 해 주세요."

'왜 이렇게 귀찮게 굴지?'

상우는 얼굴을 찌푸리며 더욱 빨리 걸었다. 예전에는 안 그랬는데, 요즘은 개나 소나 저를 만만하게 보았다.

"저기 사람 엄청 모여 있네. 연극부인가 봐요. 또 공연 시즌이 됐구먼."

지나가듯 중얼거린 후배의 말에 발이 우뚝 멈추었다. 그 말대로였다. 그가 가리킨 곳에 사람이 잔뜩 몰려 있었다.

"줄 서세요, 줄!"

누군가 째지는 목소리로 소리를 질렀다. 학생들이 식탁을 설치해 표를 팔고 있었고 줄이 너무 길어서 삼중으로 꺾여 있었다. 벽에 붙은 검은 포스터에 해적선이 크게 박혀 있었다. 그 옆에 출연자 목록이 사진과 함께 붙어 있었는데, 상우는 가장 앞에 배치한 사람을 보고서 한달음에 달려갔다.

'악명 높은 해적' 프랜시스 역 – 17기 장재영

증명사진 크기 정도 되는 사각형 안에서 해적으로 분장한 재영이 거만한 표정을 짓고 있었다. 모자를 비뚜름하게 쓰고 단검에 혓바닥을 대고 있었다.

상우는 땅에 박힌 사람처럼 멍하니 사진을 보다가, 줄 끝에 가서 얌전히 섰다. 그러고 있으니 바보가 된 기분이었지만 다른 선택지는 없었다.

줄은 천천히 줄어들었다. 상우는 원숭이들처럼 꽥꽥거리는 사람들 틈바구니에서 인내하며 한 발자국씩 걸었다. 계속 기다리니 그의 앞 사람 차례가 되었다. 그녀가 여섯 장을 사 가자 표를 판매하던 학생 둘이서 하이파이브를 했다.

"와우! 시험 기간인데도 35분 만에……. 역시!"

"거 봐, 앞에 넣길 잘했지."

"주연이 아니시니까 그랬지. 과대 홍보잖아. 이거 욕먹을 수도 있어."

"등장 순서로는 맨 앞이 맞으니까. 아, 그나저나 다음 학기부턴 어떡하냐…… 망했다."

그들은 상우가 뻔히 서 있는데도 저들끼리 수다를 떨어 댔다. 그러다 그들 중 하나가 상우를 보았다.

"죄송해요. 표 매진됐어요."

"왜요?"

"네? 매진이라니까요."

"제 앞에서 매진됐다고요?"

"네."

상우는 좌석의 수와 대기 줄의 길이를 고려해 하필 그의 앞에서 표가 매진되었을 확률을 계산한 뒤 황당한 기분을 느꼈다.

"온라인 판매는 안 해요? 볼 수 있는 다른 방법 없어요?"

"당일에 환불 표 사시면 입장하실 수 있긴 해요."

'꼭 보고 싶은데…….'

상우가 앞에 서 있는데도 그들은 자리를 정리하기 시작했다. 뒤에 줄 서 있던 사람들이 아쉽다는 말을 중얼거리며 어디론가 떠났지만 상우는 꼼짝도 하지 않았다.

"다른 방법은 없어요?"

"네. 죄송해요. 입석이 없는 공연장이라서요."

"정말 없어요?"

"네."

"다시 잘 생각해 보세요, 정말 없는지."

"……우리 팬이신가 봐. 포스터라도 한 장 드려."

연극부원이 벽에 붙은 포스터 중 하나를 찍 떼서 돌돌 말더니 불쌍하단 표정으로 상우에게 건넸다.

"일찍 오셨어야죠. 원래 출연자에 따라 금방 매진되기도 해요. 다음 학기부턴 좀 나을 거예요."

"다음 학기엔 볼 일 없어요, 이런 연극."

상우는 그리 중얼거리며 포스터를 받아 들었다.

집에 돌아가는 길은 스트레스가 극심했다. 날씨는 화창하기만 한데 그는 비 맞은 것처럼 어깨가 축 처져 있었고 얻어맞은 사람처럼 힘이 하나도 없었다.

'공부…… 해야 하는데.'

상우는 자전거를 보관대에 매어 놓고 절망적인 기분으로 유리문을 밀었다. 402호 우편함에 광고지가 삐져나와 있었다. '광고 넣지 마세요'란 노트를 붙여 놔도 소용이 없었다. 상우는 본래 우편함을 매일 확인하는 습관이 있었지만 그날만은 귀찮아서 내버려 두었다.

도어록을 해제하고서 깜깜하고 차가운 집에 들어섰다. 늘 편안했던 공간이 낯설게 느껴지며 상우를 울적한 기분에 휩싸이게 했다.

'거지 같은 상사병!'

그는 한숨을 쉬며, 구겨지지 않도록 조심스럽게 옆구리에 끼고 온 포스터를 풀어 보았다. 사진 속 재영은 다른 출연자가 눈에 들어오지도 않을 정도로 근사했다. 그런데도 왜 좋은 기분이 아닌 가슴 아릿한 고통이 느껴지는지 이해할 수 없었다.

작은 직사각형 사진을 이리 보고, 저리 보고, 가까이서 보고, 손가락으로 만져 봤다가, 포스터를 벽에 붙였다. 포스터가 훼손될 것을 대비해 핸드폰 카메라를 켜고 자세를 잡았다. 촬영하려는 찰나에 화면이 바뀌었다.

시각디자인과 장재영 선배에게 전화 왔어요!

상우는 너무 깜짝 놀라서 핸드폰을 떨어뜨릴 뻔했다. 다시 기기를 손바닥에 꼭 쥔 그의 눈동자가 빠르게 움직였다. 프로젝트를 원격으로 진행하겠다고 메시지로 통보한 이후로 그들은 연락을 주고받은 적이 한 번도 없었다. 용건이 뭘까, 시답잖은 일일까, 〈베벤〉 이야기일까, 급한 일이 있는 걸까, 혹시 위험한 상황에 처했을까.

이야기를 들어 봐야겠다고 결심한 순간에 전화가 끊어졌다.

"아 씨…….."

참고 있던 숨이 입술 사이로 새어 나왔다. 요즘은 정말이지 되는 게 없었다. 전화를 다시 걸어야 하는지 고민하는데 메시지가 왔다.

[시각디자인과 장재영 선배: 주민번호좀] 14:22

상우는 인상을 찌푸렸다.

[나: 사용처.] 14:23

[시각디자인과 장재영 선배: 야동사이트가입] 14:23
[시각디자인과 장재영 선배: 농담이고펀딩관련된거니까빨리좀] 14:23

"……펀딩? 무슨 펀딩."
그들은 제작 초기에 비용을 자체적으로 처리할 수 있다는 결론을 내렸고 펀딩 이야기는 해 본 적이 없었다.

[시각디자인과 장재영 선배: 야시간없어] 14:24

그와 더 메시지 주고받는 것도 고역이라, 상우는 주민 등록 번호를 순순히 알려 주었다. 어차피 도용하면 알림이 오게끔 설정해 두어서, 정말로 재영이 포르노 사이트에 가입한다면 곧바로 알 수 있을 것이다. 상우는 이제 그만하고 싶었으나 재영이 계속 성가시게 굴었다.

[시각디자인과 장재영 선배: 자격증있어? 한국사시험,굴삭기자격증,***토익***같은거] 14:26
[나: 산업 기사, OCJP, 리눅스 마스터] 14:27
[시각디자인과 장재영 선배: 토익없음?] 14:27
[나: X] 14:28
[시각디자인과 장재영 선배: 넌토익도안치고뭐했어?] 14:28

'왜 지랄이지.'
상우는 핸드폰을 던지고 싶어졌다.

[나: 제가 졸업 예정자도 아니고 토익 시험을 왜 치나요. 그리고 왜 물어보는 거예요?] 14:29

[시각디자인과 장재영 선배: 앱스토어심사넣을때쓰는란이있는것같아] 14:29

[나: 그럴 리가 없잖아요.] 14:30

[시각디자인과 장재영 선배: 아냐분명히봤어] 14:30

[나: 캡처해서 보내 봐요.] 14:30

[시각디자인과 장재영 선배: 나바빠치근덕거리지마] 14:31

장재영은 참 이상하다고 상우는 새삼 생각했다. 대체 남의 주민 등록 번호는 왜 알고 싶은지, 자격증은 왜 궁금한지, 도대체 의도를 알 수가 없었다.

'이상한 거 하루 이틀도 아니고.'

상우는 한숨을 쉬며 알겠다고 답장했다.

3분간 기다렸지만 다른 메시지는 오지 않았다. 상우는 곧바로 핸드폰을 잠그지 않고 메시지를 다시 읽어 보았다. 손이 자연스럽게 화면을 아래로 밀며 이전 메시지를 드러냈다. 그는 어느새 둘 사이에 오간 대화를 시간 역순으로 정독하고 있었다.

[재영 ㅅㅂ🔥: 어제꿈에너나왔어] 3주 전
[재영 ㅅㅂ🔥: 홀딱벗고있었어] 3주 전

'변태 새끼.'

[무임승차3: 오늘ㅈ긴아] 5주 전

[무임승차3: 오는길에아메리카노점] 5주 전

'게으름뱅이.'

[무임승차3: 전화좀주세요] 4달 전
[무임승차3: 조장님??저랑얘기좀하자니까요???] 4달 전
[무임승차3: 답장을안하네손가락이부러지셨나] 4달 전

'다시 봐도 답 없다.'
상우는 첫 메시지까지 읽고서 핸드폰을 힘없이 내려놓았다.
"띄어쓰기 너무 안 하네. 손가락이 부러졌나."
입가에 쓸쓸한 웃음이 번졌다.

return 0;

연극 당일이 되었다. 시험 전 주 금요일, 도서관이 미어터져 나갈
시기였지만 문화관 강당 앞은 연극부 정기 공연을 보러 온 학생으로
바글거렸다. 상우는 공연 시작 2시간 전에 도착해 연극부원에게 환
불 표가 있으면 알려 달라고 전화번호를 남겼지만, 그를 믿지 못해
주변에서 서성였다.
공연 시작으로부터 13분 남은 시점. 표가 남았냐고 문의하는 학생
은 몇 명 있어도 환불하겠단 사람은 보이지 않았다.
'살 수 있을 거야.'
상우는 근거 없는 믿음에 매달리고 있었다. 입장 대기 줄을 보며
변심을 잘 할 것 같은 사람이 있는지 얼굴을 살폈고, 지금 당장 환불

하라고 믿지도 않는 텔레파시를 보내기도 했다.

공연 시작으로부터 8분 남은 시점. 상우의 가슴은 불쾌하게 뛰었다. 연극부원들이 줄선 사람들의 표를 확인하고 그들을 공연장으로 들여보내기 시작했다. 검은 바탕에 출력된 표가 찢기는 것을 보며 상우의 기대감도 찢어졌다.

'저 많은 표들 중에 왜 내 건 없는 거야.'

상우는 그중 누군가가 환불할지도 모른다고 생각했지만 사람들은 기대에 찬 표정으로 옆 사람과 재잘거리며 문화관으로 들어갈 뿐이었다.

공연 시간으로부터 3분 남은 시점. 상우는 아직 포기하지 않았다. 이제껏 그가 간절하게 노력했는데도 이루지 못 한 일은 없었다. 이번에는 비록 정보력이 부족해서 표를 미리 사지 못했지만, 마지막 순간에 기적이 일어날 것이 분명했다.

'보고 싶어. 꼭 볼 거야.'

상우의 시선이 출연자 목록의 첫째 사진을 살피고 또 살폈다. 이제는 너무 자주 봐서 눈 감고도 그릴 지경이었지만 부스스한 가발과 턱에 붙인 수염, 비뚤어진 해적 모자, 아래를 내려다보는 오만한 눈빛과 살짝 보이는 혓바닥을 또 눈에 담아 보았다.

그러는 동안 3분이 지나 버렸다. 줄 서 있던 사람들은 공연장으로 모두 들어갔고, 스태프는 자리를 정리하며 벽에 붙여 놓은 포스터를 떼기 시작했다. 상우는 믿을 수 없다는 기분으로 그들 중 한 명에게 다가갔다. 남학생이 상우를 보더니 억지로 웃었다.

"하하하…… 아직 안 가셨네요? 죄송하지만 환불 표 없어요."

"진짜…… 없어요?"

"네."

"진짜, 없어요?"

"네."

"진짜예요?"

"……네."

몇 번을 더 물어봐도 대답은 같았다. 상우는 그 자리에 서서 눈만 깜빡거렸다. 머리로는 알고 있었다. 자신이 미리 준비하지 않아서, 표 판매 시간을 맞추지 못해서 관람 기회를 놓쳤다는 걸. 하지만 마음은 그렇지가 않았다.

'형이 그 안에서 연극하는데 왜 난 볼 수가 없어요?'

평소에 그곳에 있는지조차 인식하지 못했던 문화관 건물은 너무나 크고 높아 보였다. 상우는 그 안에 들어갈 방법이 한 가지도 없었다. 그는 연극부원들이 자리를 정리하고 어딘가로 가 버릴 때까지 제자리에 서 있었다. 아무 희망도 없었다. 남은 건 깜깜한 밤뿐이었다.

도서관으로 걸어가 보관대에 매 둔 자전거에 올라탔다. 일조량이 주기적으로 변하는 현상일 뿐인데, 상우는 어둠이 두렵다고 생각했다. 그는 불안감을 부추기고 팔에 소름을 돋게 하는 암흑을 찢고 달렸다.

'표를 미리 샀어야 해. 암표라도 구했어야 해. 정가의 다섯 배, 열 배에 표를 팔라고, 입장하는 사람들에게 일일이 물어봤어야 해.'

이미 끝난 일을 두고 끔찍한 후회가 들었다. 손 놓고 있다가 원하는 것을 놓쳐 버린 자신이 너무 한심해서 견딜 수 없었다.

익숙한 골목에 들어서며 브레이크를 잡아 속도를 줄였다. 몸에는 어느새 땀이 나서 검은 티셔츠가 등에 찰싹 달라붙었다. 자전거를 보관대에 매어 두고 건물 안으로 힘없이 들어섰다. 며칠 만에 광고지는 더 늘어나, 입구에 걸려 찢어져 있었다.

"씨발, 넣지 말라니까."

상우는 마구 밀어 넣어 놓은 광고지를 손으로 쥐고 거칠게 빼냈다. 그렇게 두 번 하고 나서야 안에 공과금 고지서가 들었을 봉투와 지로 고지서가 보였다. 상우는 그것들을 한 번에 빼내 들고 계단을 올랐다.

집에 들어서자마자 마트 광고지를 모서리끼리 접어 분리수거함에 던졌다. 그러고선 공과금과 각종 요금을 체크하고 뒤로 넘겼다. 마지막 봉투에는 주소지가 찍혀 있지 않았으며 우측 하단에 대단히 읽기 어려운 글씨로 '추상우'라고 적혀 있었다. 상우의 손에서 흰 봉투들과 지로 고지서가 스르르 바닥으로 떨어졌다.

심장이 살갗을 뚫고 나올 듯이 쿵쾅거렸다. 상우는 몹시 조심스러운 손길로 봉투를 톡 뜯어 실눈을 뜨고 안을 보았다.

"아……."

봉투 안에는 검은색 직사각형 종이와 폴라로이드 사진이 한 장 있었다. 떨리는 손이 빳빳한 표를 앞뒤로 뒤집었다. 틀림없는 오늘 공연 표였으며 그것도 가장 앞자리였다. 상우의 얼굴이 속수무책으로 일그러졌다. 폴라로이드 사진 속에는 그가 그리워하는 사람이 있었다. 공연 의상을 걸친 채 특유의 자신만만한 표정으로 상우와 눈을 마주치고 있었다. 뒷면에는 짤막한 편지를 적어 놓았다.

시험 기간이라 바쁘겠지만 보러 와
앞에 5분밖에 안 나오니까 나만 보고 나가든지

상우는 메시지와 달리 띄어쓰기가 잘 된 글을 몇 번 반복해 읽었다. 그러다 눈물이 그 위로 떨어져, 혹시 글자가 번질까 봐 소매로 급히 닦았다.

'너무 늦었어요, 형.'

눈물이 계속해서 흘러나왔다. 우편함을 진작 확인할걸. 후회해도 소용없는 걸 알면서도 머릿속은 되돌리지 못할 시간을 향한 원망으로 가득했다. 해적으로 분장한 장재영이, 무대 위에서 연기하는 남자가, 그가 너무 보고 싶은데 실패했다는 게. 원인이 다른 것도 아닌 자신의 부주의였다는 게 못내 한심하고 분하게 느껴졌다.

눈물이 뚝뚝 떨어지고 콧물이 줄줄 나왔다. 아무리 안 그러려고 노력해도, 휴지로 훔쳐 내도 멈추지 않았다. 상우는 처음 겪는 질환에 항체가 전혀 없었다.

'난 아무것도 모르는 바보야.'

이성은 한참 뒤에 돌아왔다. 상우는 세수하고서 냉수 500ml를 한꺼번에 마셨다. 가슴이 거친 숨으로 오르내렸다. 그의 눈에는 전에 없던 독기가 생겨나 있었다.

'하지만 실패에서 배울 줄은 알아.'

삼각형의 크기를 키워도 세 각의 합은 변하지 않는다. 작은 사건에서 발생한 작은 문제는 큰 사건에서 큰 문제로 나타나기 마련이다. 오늘 겪은 일로 상우는 교훈을 얻었다. 이렇게 손 놓고 있을 때가 아니었다. 연극 하나 못 봤다고 질질 짜는 걸 보면 재영이 떠난 뒤에 그가 보고 싶어서 매일 울 게 뻔했다.

감정을 배제하기 위해 모든 변수를 알파벳으로 치환하고 이 사건을 냉정하게 제삼자의 눈으로 바라보았다.

조건: x는 y와 물리적 거리가 없는 상태를 선호한다.

문제: x와 y 사이에 유의미한 물리적 거리가 발생할 예정이다.

해결책:

i) y의 위치를 변동하지 않는다.

ii) x의 위치를 y와 같은 값으로 변동한다.

iii) x는 y와의 물리적 거리에 적응한다.

생각할 수 있는 방안은 세 가지뿐이었다. 상우는 알파벳을 다시 이름으로 치환하고서 조금 놀랐다. 지혜가 언급했던 방법이 두 가지나 들어가 있었기 때문이다.

첫째 해결책은 y에 재영의 이름을 넣는 순간 비활성화되었다. 장재영의 유학은 변수가 아닌 상수였다. 그 결정에 상우는 아무런 권한이 없었고, 영향을 미치고 싶지도 않았다. 상우는 두 번째 솔루션을 고려하기 시작했다.

'학업은? 살 곳은? 비자는? 생활비는? 언어는? 게다가 x도 인생 계획이 있어. 그렇게 아무렇게나 정할 수 없잖아.'

군인처럼 딱딱하게 컴퓨터 앞으로 걸어가 전원을 켜고 의자에 앉았다. 바탕 화면이 뜨자마자 손이 바빠졌다. 웹 브라우저에 여러 검색어가 생겨났다 사라졌다. 미국 비자 종류, 취득 방법, 유학, 한국 대 홈페이지, 교환 학생 조건, 미국 생활비, 항공권. 상우는 꼼짝 않고 자리에 앉아 1시간 동안 A4 문서 세 장에 달하는 정보를 손에 넣었다.

상우의 판단이 다양하지 않은 옵션 사이를 헤맸다. 인생 계획, 지금은 고려할 새가 없었다. 상우는 내년에 졸업하고 원하는 기업에 취업하며, 결혼을 전제로 연애한 이후 30세에 결혼할 예정이었다. 다음 학기에 해외에 거주한다는 계획 같은 건 없었지만 목마른 사람처럼 정보를 찾아 헤맸다. 야심찬 학생이 사회적으로 성공하기 위해 하는 일이 아니었다. 연애에 빠진 어리석은 남자가 생존을 위해 하는 일이었다.

'방법은 교환 학생뿐인데…….'

상우는 검색 결과를 정리한 문서를 쭉 내려 보며 검토했다. 그러나 교환 학생마저도 여의치 않았다. 학교에서 제공하는 프로그램 중 재영의 대학원이 있는 주 공대에 해당하는 것은 두 개뿐이었고 나머지는 신청 기간이 종료되었다. 그중 자격 요건이 맞는 건 하나였는데 토익 점수를 3일 안에 제출해야 했다.

'망할…….'

스트레스가 밀려왔다. 반년 뒤에 시작하는 프로그램이라면 몰라도, 당장 다음 달에 비자 문제 없이 미국에 체류할 수 있는 방법은 없었다. 상우는 절망을 느끼며 두 번째 해결책을 약간 변형해 보았다.

ⅱ ') x의 위치를 6개월 뒤에 y와 같은 값으로 변동한다.

과연 이게 해결책일까. 그동안 견딜 수 있느냐는 논외로 치더라도, 반년 뒤에 다시 만난 장재영은 상우가 바다까지 건너 저를 따라왔다는 사실을 어떻게 생각할까.

'그러고 보니 한 번도 들은 적 없었어.'

재영은 유학 이야기만 나오면 말을 돌렸고 똑바로 뭘 얘기해 준 적이 한 번도 없었다. 그래서 그의 감정도 어렴풋이 짐작만 할 뿐 확실하지 않았다.

상우는 이제까지 그런 건 신경 쓰지 않았다. 하고 싶은 것이 있으면 요구하고 싫으면 거절했다. 재영은 늘 변수가 아닌 상수였기 때문에 교섭이나 설득의 대상이 아니었다. 저를 괴롭히는 장애물, 실력 있는 디자이너, 성욕을 효과적으로 풀어 주는 장치, 그리고……

상우는 얼굴을 찡그렸다.

'*왜 너만 생각하고 끝이야, 이 싸가지 없는 새끼야. 내 입장도 물어봐야 할 거 아냐.*'

'*경쟁 관계 아니야. 협업하는 거 잊지 마.*'

그의 인생 계획을 물어본 적이 한 번이라도 있었나. 형은 어떤 생각이냐고, 나를 만나면 어떤 기분이 드냐고, 왜 게임 만들자고 했을 때 수락했냐고, 왜 나랑 자고 싶었냐고, 왜 나만 보면 웃냐고, 집에는 왜 자꾸 찾아오냐고, 물어본 적이 있었나.

그때는 관심이 없었다. 그가 무슨 생각을 하는지, 뭘 하고 싶은지, 유학 가서 뭘 할 생각인지, 끝나면 어떻게 살 건지, 결혼은 언제 할 생각인지. 지금은 이렇게 궁금한데.

'장재영의 마음'이란 변수는 모든 것을 복잡하게 만들었다. 상우는 최적의 솔루션을 도출하고 실행에 옮길 준비가 되었지만, 그전까지 상수인 줄로만 알고 있던 변수 때문에 머뭇거리고 주저할 수밖에 없어졌다.

상우가 파악한 장재영은 인내심이 적고 성질이 쉽게 포악해지는 사람이었다. 변덕스럽고 일관성 없으며 뭐든지 장난처럼 생각했다. 현재는 상우에게 꾸준히 관심을 표현하고 연애 감정이 있는 듯이 행동하지만 반년 뒤에는 어떨까. 그때까지 기다려 줄까.

'*잘 질리는 것 같아. 애초에 연애를 진지하게 생각 안 하더라고.*'

유나는 최근 5년 동안 재영의 평균 교제 기간을 3개월 미만으로 추정했다. 그를 설득해서 교제하기 시작한다고 해도 데이터는 실패를 예측하고 있었다. 인생 계획을 고쳐 6개월 후에 미국에 따라갔는데 재영이 차가워졌다면, 새로운 애인이 생겼다면, 상우와는 아무것도 하고 싶지 않다고 말한다면, 어떻게 해야 할까.

'너무 힘들어요, 형.'

상우는 머리를 싸매고 한참 동안 앉아 있었다. 아무리 생각해 봐도 두 번째 해결책을 쉽게 채택할 수 없었다. 데이터를 고려해도, 상황을 봐도, 인생 계획을 생각해도 버리는 게 합리적인 결론이었다. 남은 건 세 번째 해결책뿐이었다.

iii) x는 y와의 거리감에 적응한다.

원점이었다.

긴 인생에 장재영과 함께한 넉 달은 작은 흔적에 불과하다. 일관적이던 그래프에서 나타날 수 없는, 동떨어진 새빨간 점. 어쩌면 인생에서 가장 격정적이고 행복했던 시간으로 기억될지 모르겠지만 그가 없다고 해서 삶은 끝나지 않는다. 당장 재영이 떠나고 나면 어떻게 살아갈지 상우는 고민해야 했다.

공급이 완전히 끊겼을 때를 대비해 수요를 낮추는 것 외엔 방법이 없었다. 결국은 0에 수렴하도록, 그가 필요 없어지는 날이 오도록. 사람이 공기나 물, 식량 같은 기초 자원은 아니니 불가능하지 않을 것이다.

상우는 컴퓨터를 끈 뒤 재영의 폴라로이드 사진을 쥐고 침대에 누웠다. 마음에 슬픔이 무겁고 자욱하게 끼었지만 울 기력이 없었다. 그는 사진을 물끄러미 보았다.

자신이 정글의 블랙 맘바인 줄 알고 살았다. 무서울 게 없었다. 뭐든지 잘할 수 있었고 원하는 건 노력하면 얻을 수 있었다. 남들이 어렵다는 것도 상우에겐 어렵지 않았고 힘들다는 것도 상우에겐 힘들지 않았다.

"내가 감정 없는 기계 같다고 했죠."

로봇 청소기 같다고 얼마나 조롱당했던가. 그러나 감정에 휘둘리지 않는 건 그의 최대 강점이었다. 그 덕에 상우는 남들처럼 쓸데없는 짓 하지 않고 늘 생산적인 일에 집중할 수 있었다.

"이젠 아니에요."

그전까지 슈퍼맨처럼 겁 없이 살았을지 몰라도, 장재영이란 크립토나이트를 만난 뒤 상우는 초능력을 잃고 평범한 사람이 되어 버렸다.

상우는 재영과 한동안 눈을 마주치고 있다가 폴라로이드 사진에 입을 맞추었다.

return 0;

시험 기간은 쏜살같이 지나갔다. 먼 미래에 누가 인생에서 최악의 시기가 언제였냐고 물어본다면 상우는 자신 있게 지난 일주일이었노라고 대답할 수 있었다. 그는 살면서 이토록 준비되지 않은 채 시험에 임한 적이 단 한 번도 없었다.

중학교 2학년 2학기, 독감 고열에 닷새간 시달리면서도 평소 실력을 바탕으로 전교 1등을 놓치지 않았다. 고등학교 1학년 1학기, 시험 전날 할머니 장례식에 다녀오느라 종일 공부하지 못했는데도 결과는 당연히 전교 1등이었다. 대학교 올라와서도 '초급 중국어' 수업에서 불명예스럽게 A0 받은 걸 제외하곤 전 과목 A+를 기록하고 있었다.

'이번 학기는 완전히 망했어.'

그나마 게임 만든다고 다섯 과목만 듣는 게 다행인가. 평소에 공부해 놓아서 기초 실력이 있는 전공과목은 문제를 대체로 풀 수 있었지만 '중급 중국어'는 불안했고 '대중문화와 문화 이론'은 아주 망쳐 버린 것 같았다. 시험 끝나고 지혜를 불러 답을 맞춰 볼 수도 있었지만 상우는 점수가 궁금하지 않았다.

쓸쓸한 기분으로 다리를 움직여 식당으로 향했다. 마음속은 차갑고 어둡기만 한데 하늘 높이 뜬 불그스름한 해는 밝게 빛을 뿜고 있었다. 꼭 누구 같다고 느끼며, 상우는 재수 없는 해를 향해 얼굴을 들고 한동안 가만히 서 있었다.

'하늘만 봐도 떠올리면서, 수요를 줄이겠다고…….'

입가가 자조적으로 구겨졌다. 공급은 끊긴 지 오래였지만 수요는 조금도 줄지 않았다. 어제만 해도 괜히 '장재영 폴더'를 복구 불가능하도록 영구 삭제했다가 파일을 다시 다 찾아 놓느라 시간만 날렸다.

공부를 뒷전에 둔 채 인터넷에서 '짝사랑 극복하는 법'과 '미련 버리는 법'을 찾아 실행해 보았는데 아무 소용도 없었다. 특별한 음식을 시켜 먹어 봐도, 잠을 오래 자 봐도, 음악을 들어 봐도, 영화를 관람해도, 장재영은 마음속에서 떠날 줄을 몰랐다.

'극복할 수 있을까…….'

인터넷에선 시간이 모든 것을 해결해 준다고 했지만, 그들이 상우와 같은 강도의 열병을 앓았다는 보장은 어디에도 없었다. 누구나 겪는 성장통이라는데, 믿기 어려웠다. 이런 고통이 흔할 리 없었다.

생각 없이 걷다 보니 학생식당을 한참 지나쳤다. 10m 쯤 앞에 빨간 간판이 보였다. 장재영을 떠올리게 하는 장치는 학교 어디에나 있었다. '공학수학2' 시간, 그의 코에 컴퓨터용 사인펜으로 낙서한 날이 기억 속에서 되살아났다.

상우는 무언가에 홀린 것처럼 가게 안으로 들어갔다. 그날 식사했던 자리에 앉아 그날 먹었던 피자를 주문했다. 피자집에 앉아 있는 사람들은 다들 일행이 있었지만 상우는 홀로 앉아서 매콤하고 짭짤한 빨강색 페퍼로니 피자 한 판을 먹어 치웠다.

계산하고 나온 뒤에는 평소처럼 커피를 사 마실 요량으로 편의점으로 향했다. 과자 코너, 라면 코너, 아이스크림 코너를 지나자 음료수 냉장고 세 개가 나타났다. '블랙홀릭'은 세 번째 냉장고 다섯 번째 단에 있었지만 상우의 시선은 두 번째 단으로 향했다.

그는 새빨간 캔을 눈싸움이라도 하듯 한동안 노려보다, 기어이 냉장고를 열고 꺼냈다. 계산대로 가져가자 점주가 못 살 음료수라도 샀다는 듯 상우를 이상한 눈으로 바라보았다.

자극적인 음료를 홀짝홀짝 마시며 캠퍼스를 돌았다. 시계를 들여다볼 생각조차 하지 않은 채 느긋하게 걷다가 빈 콜라 캔을 학생회관 앞 휴지통에 던져 넣었다.

발 닿는 대로 가다 보니 정문까지 왔다. 그 앞에 넓게 펼쳐진 잔디밭 위에서 학생 몇 명이 빨래처럼 늘어져 휴식하고 있었다. 처음 보았을 때만큼 낯설지는 않았다. 상우는 그 풍경을 가만히 보다가 천천히 앞으로 걸었다.

잔디를 밟으며 가운데까지 가 머쓱하게 앉았다. 책상다리를 하고 앉아 풀 냄새를 맡으며 하얀색 나비가 날아다니는 것을 구경했다. 조금 떨어진 곳에 한 여학생이 얼굴에 책을 덮은 채 대자로 누워 있었다.

상우는 배낭을 풀어 땅에 놓고 조금 민망한 기분으로 그 위에 뒤통수를 대고 누웠다. 처음에는 어색했으나 조금 지나자 놀랍도록 편해졌다. 습기를 머금은 초여름 바람이 살랑살랑 불었다. 검은 모자를 벗어 배에 올려놓자 앞머리가 바람에 흔들렸다.

"피예니—피예니—타이—피예니……."

파란 하늘에 둥둥 떠다니는 구름을 보고 있은 지 얼마 되지 않아 눈이 감겼다. 이렇게 좋은 날인데 기분은 울적하기만 했다. 하지만 비애마저도 대수롭지 않게 느껴질 정도로 쾌적한 날이었다.

상우는 할 일 없는 건달처럼 잔디밭에 누워 4개월간 느낀 감정을 하나씩 꼽아 보았다. 장재영은 첫 만남부터 40분이나 지각하며 상우를 화나게 했다. 짜증, 황당함, 서러움, 불신, 증오로 그들은 시작했다.

그러다 재영이 착한 척하며 밥을 사고, 그림을 그려 주고, 중국어 스킷을 도와주었던 나날, 아직 '선배'였던 시절에 상우는 마음을 조금씩 빼앗기기 시작했다. 그땐 가슴이 두근거리는 이유가 화나서인 줄 알았고, 도서관에서 그가 귓속말하는 바람에 발기했을 때는 몸이 고장 났다고 생각했다.

같이 게임을 제작하면서 연애가 시작된 게 아닐까. 상우는 늘 가슴이 두근두근 뛰었고 혈류가 빠르게 돌았으며 조금씩 흥분해 있었다. 그 남자의 농담에 웃는 빈도가 늘어났다. 셀 수 없이 했던 키스, 재영이 유독 근사해 보였던 영화관 데이트, 한 번도 느껴 본 적 없던 쾌감을 선사해 준 섹스, 강하고 따뜻했던 포옹, 이동하기 위한 목적이 아닌 발맞추어 걷기 위한 산책, 염불보다 잿밥에 관심 있었던 농구 내기, 야경보다 사람이 더 볼만했던 드라이브.

재영은 걸치고 다니는 옷만큼이나 다채로운 사람이었다. 그는 상우의 세계에 청록의 설렘, 보랏빛 쾌감, 짙푸른 성취감, 황금빛 행복감, 그리고 붉은 열정을 칠해 주었다. 또한 자줏빛 질투, 샛노란 두려움, 회색 불안감, 백색 공포, 그리고 검은 절망을 들이부었다. 상우는 그의 색에 흠뻑 물들어 있었다.

'보고 싶어.'

열흘이 넘도록 머릿속에 가장 자주 떠올린 문장을 또 한 번 흘려보냈다. 그래 봐야 소용없다는 것은 잘 알고 있었다. 그가 사는 현실 세계는 게임 속에서처럼 마법이 통하지 않는다.

'많이 보고 싶어.'

그래도 상우는 부질없는 주문을 외워 보았다. 어차피 아무 일도 일어나지 않을 텐데, 바보 같다고 생각했을 때 얼굴 위로 그늘이 졌다. 상우는 조금 짜증스럽게 눈을 떴다.

"어디 있나 한참 찾았네."

기적이 일어났다.

장재영이 밝은 해를 등지고 선 채 상우를 내려다보고 있었다. 청바지와 흰 티 차림에, 손가락을 갈고리처럼 구부려 눈에 익은 빨간 저지를 걸고 있었다. 피어스 세 개가 햇빛에 반짝였다. 코에는 가는 금속 테로 된 동그란 안경을 걸쳤다. 상우는 꿈인가 싶어 눈을 몇 번 깜빡거렸지만 보이는 광경은 그대로였다.

"니—하—오."

"그 발음 여전하네. 한 학기 동안 뭐 배웠냐?"

12일 만에 등장한 재영은 아무 일 없었다는 듯한 태도였다. 상우는 아무렇지 않은 척하며 하늘을 노려보았지만, 심장은 박동하는 소리가 겉으로 들릴까 걱정될 정도로 시끄럽게 뛰었다. 재영이 곁에 털썩 앉으며 말했다.

"좋은 소식 나쁜 소식, 어느 것부터 들을래?"

"둘 다 듣기 싫어요."

"좋은 소식은 내가 이사를 간다는 거야."

"아, 예……."

기다란 손가락이 다가와 상우의 이마에 가볍게 딱밤을 먹였다.

"너 때문에 졸업 못 해서 계약 꼬였잖아."

"그게 왜 저 때문이죠? 아무것도 안 하고 학점 날로 먹으려고 한 선배님 탓이지."

"옛날 생각나네."

재영이 웃는 소리가 부드럽게 들렸다. 웃는 장면을 눈으로 본 것도 아닌데 몸에서는 그만큼의 화학 반응이 일어났다. 상우는 찡그리며 눈을 감아 버렸다.

"나쁜 소식은요?"

"나쁜 소식은…… 네가 이사를 도와줘야 한다는 거야."

"싫습니다. 절 호구 새끼로 보시는 모양인데, 무임 노동 안 합니다. 안녕히 가세요."

"시험 끝나서 할 일도 없잖아. 좀 도와줘. 밥 사 줄게."

"싫어요."

"술 사 줄게."

"싫어요."

"키스해 줄게."

"……."

상우는 입을 벌렸지만 말문이 막혀 버렸다. 옆을 돌아보자 뻔뻔한 표정을 한 재영과 눈이 마주쳤다. 상우는 욕을 몇 마디 해 주고 싶었지만 입이 제멋대로 대답을 내뱉었다.

"선불로…… 줘요."

재영이 피식 웃었다. 그 모습이 너무 근사해 보여서 가슴이 지끈거렸다. 그를 빤히 바라보자 재영이 얼굴을 조금 찌푸리며 되물었다.

"여기서? 진심이야?"

"네."

"나야 곧 졸업하니까 상관없는데, 너 남자랑 키스했다고 소문 다 난다."

"신경 안 써요."

"됐어. 이따 많이 해 줄게."

"지금 당장 해요, 착한 척하지 말고."

재영이 황당하단 표정으로 고개를 뒤로 꺾었다. 그는 눈알을 굴려 주변을 살피더니 어느 순간에 자세를 낮추어 가까이 왔다. 어깨에 걸어 놓았던 저지를 펴서 그들의 머리 위로 덮자 시야가 온통 붉어졌다. 빨간빛이 덧씌워진 재영이 빠르게 다가왔다. 그리고 입술이 맞닿기 전, 눈을 감으며 고개를 옆으로 살짝 틀었다.

상우의 아랫입술에 재영의 혀가 넓게 닿았다. 그러더니 입술이 그의 입속으로 빨려 들어갔다. 상우는 숨 쉬는 법을 잊은 채 동상처럼 가만히 있었다. 먼저 해 달라고 해 놓고선, 심장이 쿵쿵거려 정신을 차릴 수 없었다. 얼마 지나지 않아 붉은 장막이 걷히며 다시 햇살이 눈꺼풀에 닿았다. 짧은 키스는 뜨겁고 빨갰다. 남은 건 입술 주위에 맴도는 바닐라 향뿐이었다.

"넌 가끔 너무 대담하단 말이야."

재영이 구부정하게 앉은 채로 중얼거렸다. 고개를 돌리고 있어서 얼굴은 보이지 않았지만 목과 귀가 붉게 물들어 있었다.

"가요, 이사하러."

상우는 그리 중얼거리며 자리에서 일어났다.

대가를 받았으니 어쩔 수 없이 도와주기는 해도, 상우는 이 상황이 달갑지 않았다. 그는 재영을 아예 만나지 않으며 미련을 극복할 생각이었기 때문이다. 미팅을 원격으로 돌리고 방학 때 집에 틀어박혀 코딩만 하려고 했는데, 재영은 늘 그렇듯 예상을 벗어나며 상우의 계획을 파괴했다.

　재영의 집에는 싸다 만 박스가 여기저기 흩어져 있었고 텔레비전이나 책상 등 주요 가구는 이미 사라진 뒤였다. 상우는 고용된 일꾼답게 묵묵하게 일했다. 재영은 그를 방해하지 않았고 정말로 일손이 필요해서 부른 후배처럼 대했다. 상우는 물감 팔레트를 방불케 하는 옷장에서 수많은 옷가지를 꺼내 가장 효율적인 방법으로 포장했으며, 군소리 한마디 없이 박스를 차로 옮겼고, 쓰레기를 갈무리해 커다란 종량제 봉투에 정리해 버렸다.

　일을 끝내고 나니 저녁 6시였다. 재영은 짜장면이라도 시켜 먹자고 제안했으나 상우는 그를 한시라도 빨리 떠나야 한다는 압박에 시달리고 있었다.

　"됐어요. 저 갈게요."

　"가긴 어딜 가. 새집에 짐 옮기는 거 도와줘야지."

　"이 정도 해 줬으면 됐잖아요."

　"키스 한 번 더 해 줄게."

　상우는 한숨 쉬며 고개를 저었다.

　"아니에요. 무보수로 할게요."

　입맞춤 한 번으로도 약탈 당한 기분을 느꼈다. 또 키스한다면 겨우 붙들고 있는 이성을 잃고 그에게 이상한 소리를 하게 될 것 같았다.

　재영은 중국집에 중국집에서 탕수육과 짜장면 두 개를 주문했다. 음식이 도착하기까지 그들은 각각 다른 방에 들어가 있었다. 상우는 방을 정리하는 척하며 끊임없이 움직였지만 실은 아무것도 하지 않았다. 재영이 뭘 하는지는 알 수 없었다.

　배달부가 오고서 둘은 거실에서 다시 만났다. 신문지를 깔아 놓고 휑한 바닥에 앉아 플라스틱 용기에 담긴 음식을 먹기 시작했다. 한참 동안 말없이 식사하다 상우가 물었다.

"이사 어디로 가요?"

"일찍도 물어본다."

"어디로 가는데요?"

"학교 근처."

"왜요?"

"내 마음인데."

"그러네요."

상우는 다시 먹기 시작했다. 시선을 신문지 끝에 고정한 채 까만 양념에 버무린 면을 입에 억지로 넣고 씹었다. 한 달 뒤면 유학 갈 거면서 뭐 하러 새로 집을 구했냐는 물음이 떠올랐지만 묻지 않았다. 그러다 재영이 그의 이름을 불렀다.

"상우야."

"왜요."

상우는 짜장면 용기를 쏘아보며 대답했다. 곧 시야에 휴지를 든 손이 들어왔다.

"너 입술에 짜장 묻었어."

"다 먹고 나서 한 번에 처리할 거니까 참견하지 마요."

"너무 신경 쓰여서 밥을 못 먹겠는데."

고개를 휙 든 상우는 미소 짓고 있는 재영과 눈이 마주쳤다. 돌연 분노가 치밀었다. 저는 일상이 파괴된 채 잔해에서 허우적거리고 있는데 그는 한결같이 여유 있는 모습이라는 게 짜증 나서. 나무 젓가락을 그릇 위에 탁 내려놓았다.

"성질하고는……. 그렇게 귀찮으면 내가 해 주면 되잖아."

재영은 예고도 없이 손을 뻗어 상우의 목 뒤를 감았다. 순식간에 그의 얼굴이 눈앞까지 다가왔다.

"뭐…… 예요."

재영은 대답하지 않았다. 그의 눈이 깜빡거리며 긴 속눈썹이 느릿하게 움직였다. 재영은 너무 가까이에 있었다. 그가 눈을 내리깔며 상우의 입술을 살피더니, 손에 든 휴지가 아닌 혀로 양념을 닦았다.

상우는 너무 놀라서 아무런 대처도 하지 못하고 당하고만 있었다. 재영이 혀를 세워 입술 주변을 핥았을 때도, 입술을 통째로 제 입 안으로 빨아들였을 때도 눈을 크게 뜨고 굳어 있기만 했다. 그가 아무렇지 않게 자리로 돌아가서 젓가락을 들었을 때는 심장이 터져 나갈 듯이 두근거렸다. 설렘을 동반한 자극은 곧 분노와 슬픔으로 바뀌었다. 상우는 울고 싶은 기분을 느꼈다.

"저기요, 이제 이런 짓 함부로 하지 마세요."

얼굴을 잔뜩 찡그린 채 가장 단호한 말투로 내뱉었다. 그리고 재영에게 대답할 새도 주지 않고 빠르게 말을 이었다.

"도와주기로 약속했으니까 새집까지는 짐 옮겨 줄게요. 그 다음에 제 집으로 돌아갈 거예요."

"그러시든지."

"그 뒤엔 연락하지 말고 찾아오지도 말아요."

심각하게 한 말은 그다지 진지하게 받아들여지지 않은 듯했다. 장재영은 대수롭지 않다는 표정으로 탕수육 한 조각을 입에 쏙 넣었으니까. 상우는 식욕이 완전히 떨어져서 그를 내버려 두고 방에 들어갔다.

그들은 7시경에 집 정리를 끝내고 엘리베이터에 탔다. 이미 박스와 짐으로 꽉 찬 차 트렁크와 뒷좌석에 잡동사니가 든 쇼핑백 두 개를 구겨 넣고, 상우는 조수석에 탑승했다. 벨트를 매고 기다리자 차가 출발했다.

"내비 찍게 집 주소 불러요."

"여러 번 가 봐서 안 찍어도 돼."

"알았어요."

상우는 입을 다물고 울적한 기분으로 창밖을 보았다. 우울함의 원인이 손 뻗으면 닿을 곳에 있는데도 아무것도 할 수 없다는 사실이 믿기 어려웠다.

'난 아무것도 할 줄 모르는 바보야.'

이 문제를 해결해 보려고 할 수 있는 일은 다했다. 어머니는 실패도 좋은 경험이 될 수 있다고 했지만 상우는 실패하고 싶지 않아서 늘 전력을 다해 살아왔다. 장재영은 상우의 유일한 오점이었다. 아무리 노력해도 극복할 수 없는 시련, 아무리 최선을 다해 부딪쳐도 풀 수 없는 문제, 아무리 열심히 살펴봐도 잡아낼 수 없는 에러. 상우는 인생 최초로 실패를 배우는 중이었다.

말없이 앉아 있는 사이, 창밖으로 모르는 거리의 풍경이 휙휙 스쳐 지나갔다. 그러다 학교가 보였고 그때부터는 도로가 눈에 익었다. 평소에 자전거를 타고 통학하는 길이었다. 어쩐지 좋지 않은 예감이 들었다. 상우는 창밖을 한동안 지켜보았지만 차는 아는 길에서 조금도 벗어나지 않았다.

"선배님 새로운 집 주소가 어떻게 됩니까?"

"은명로17길."

"제 집 근처인가 보네요."

"그렇다면 그렇고."

'망할.'

상우는 속으로 내뱉었다. 재영이 가까이 산다면 외출할 때마다 신경이 쓰일 것이 뻔했다. 하다못해 마트에 갈 때도 마주칠 것을 걱정하며 시간 낭비, 감정 낭비하지 않을까. 상우는 불만스러웠지만 타인의 주소 이전할 권리를 침해할 수도 없는 일이라 속으로 복잡한 마음을 삭였다.

그러는 중에도 차는 상우가 잘 아는 길에서 벗어나지 않으며 그를 불안하게 만들었다. 큰길 위에서 달리다 오른쪽 깜빡이를 켰을 때는 저도 모르게 고개를 돌려 재영을 보았다. 그러나 무표정한 옆얼굴에선 아무 단서도 찾을 수 없었다.

급기야 차는 좁은 골목에 들어섰다. 상우는 황당한 기분으로 눈을 깜빡거리다, 재영과 원룸 건물을 번갈아 가며 보았다.

"여기 살아요?"

"어."

"몇 호요?"

"402호."

"누구 마음대로. 이 또라이 새끼가!"

상우는 상황을 이해하자마자 버럭 소리 질렀다. 저는 그를 잊으려고, 그가 떠난 뒤에 어떻게든 살아 보겠다고 아등바등하는데 장재영은 아무 생각 없이 하고 싶은 대로 굴고 있었다. 감정이 폭발하며 의연한 척하려고 억누르던 분노와 설움이 터져 나왔다. 상우는 잔뜩 일그러진 얼굴로 재영을 대면했다.

"대체 사람이 왜 그렇게 제멋대로예요?"

"갈 데가 없어서 그래. 좀 재워 줘."

"아는 사람도 많으면서, 거짓말하지 마요!"

"그중에 같이 살고 싶은 사람은 없어."

"무슨 말도 안 되는 소릴…… 민폐 끼치지 말고 호텔에 가서 자든지 해요!"

"상우야."

"하지 마. 그렇게 다정하게 부르지도 말고, 착한 척하지도 말고, 웃지도 말고, 다 하지 마!"

주먹을 쥐고 고래고래 소리치는데도 재영은 침착하게 듣고만 있었다. 늘 반대였는데, 분노 조절 장애가 전이된 것이 틀림없었다.

"무슨 말인지 알겠는데, 일단 내일까지만 기다려 봐. 그때 되면 다 얘기해 줄게."

"안다고? 네가 알긴 뭘 알아. 내가 무슨 심정으로 멀리하는지도 모르면서……. 또 마음대로 들어와서 사람 마음 흔들어 놓고, 이러고 나면 난 또 일상이 망가질 텐데! 아니, 이미 망가질 대로 망가졌는데!"

이상한 일이었다. 상우가 목에 핏대를 세우며 화내는데 재영의 입가에는 미소가 번졌다. 장난으로 넘길 일이 따로 있지, 상우는 화가 머리끝까지 났다.

"야, 장재영."

"나 아무래도 사디스트가 아니라 마조……."

"그냥 너 여기 살아. 내가 나갈게."

차 문을 부술 듯이 열고 내린 뒤 세게 닫아 버렸다. 쿵쿵쿵 걸어가 유리문을 통과하고 계단을 올랐다. 도어록을 여는 동안 재영이 등 뒤에 따라붙었다. 상우는 개의치 않고 집으로 들어가, 신발도 벗지 않고 집 구석에 있던 캐리어 가방을 거칠게 끌어와 바닥에 눕혔다.

"상우야."

"그렇게 부르지 말랬지."

"내 말 다 듣고 화내도 늦지 않잖아. 일 복잡하게 만들지 말자."

상우는 그의 말을 무시하고 옷을 손에 집히는 대로 가방에 쑤셔 넣었다. 서랍에서 속옷을 꺼내고 욕실에서 칫솔과 치약을 쥐고 나와 옷 위로 던졌다. 챙겨야 할 짐은 아직 많이 남았지만 가방을 거칠게 잠갔다. 가장 중요한 컴퓨터가 눈에 밟혔으나 분리해서 챙길 정신이 도저히 없었다.

돌아서고 보니 재영이 문 앞을 막고 있었다. 상우는 캐리어 손잡이를 꼭 쥐고 그를 노려보았다. 재영은 화난 기색도 즐거운 기색도 아니었다. 속을 알 수 없는 무표정으로 뻬딱하게 서 있을 뿐이었다. 상우의 가슴이 빠르게 위아래로 오르내렸다. 그는 이를 악문 채로 말했다.

"비켜요."

"싫어."

"비키라고 했어요."

"기한 끝났어. 더는 못 기다려."

"그게 무슨 소리예요?"

"나 때문에 성적 망쳤다고 할까 봐 시험 기간까지만 기다려 준 거야. 이제 하루도 더 기다릴 생각 없어."

"폭력 쓸 준비 되어 있어요. 잘난 얼굴에 멍들기 싫으면 비켜요."

"아, 그래?"

상우가 가방을 끌고 그 앞까지 갔으나 재영은 방어하는 노력 없이 그를 내려다보기만 했다. 그는 양손을 주머니에 찔러 넣고 있었다. 어딜 봐도 싸우려는 사람의 자세는 아니었다. 재영은 안경을 벗어서 신발장 위에 올려놓았다.

"맞아 줄 테니까 때려. 그러고 나서 얘기해."

말은 그렇게 해도 상우가 때릴 수 없다고 생각하는 듯했다. 그의 자신만만한 반응은 분노에 좋은 땔감이 되었다. 상우는 캐리어를 놓고 주먹을 꼭 쥐었지만, 그러고 어쩔 줄을 몰라 가만히 서 있었다. 상대를 해칠 준비가 된 주먹은 돌덩이처럼 무거웠으며 들기조차 어려웠다.

'할 수 있을 리 없잖아…….'

상우는 폭력이란 선택지를 포기하며 답답함과 무력감을 느꼈다. 재영이 제멋대로 굴며 마지막 남은 성역까지 위협하는데도 그를 저지할 방법이 한 가지도 없었다.

"눈 감아요."

"왜?"

"감으라면 감아요."

재영은 수상하단 표정을 지으면서도 하란 대로 했다. 상우는 마지막이라고 생각하고 그의 모습을 눈에 담았다. 미련 가득한 시선이 근사한 남자를 머리부터 발끝까지 훑었다. 세상 그 무엇보다도 갖고 싶다. 하지만 소유할 수 없다는 것을 잘 안다.

'많이 보고 싶을 거예요.'

상우는 속으로 중얼거리고선, 재영을 민첩하게 지나쳐 도어록을 재빨리 열었다. 재영이 뒤늦게 돌아보는 사이 몸을 빼내고 문을 닫았다. 도어록이 한번 잠기고서 잠시간 작동하지 않는 딜레이 시간을 이용해 계단을 미친 듯이 뛰어 내려왔다.

문이 다시 열리는 소리가 났을 때 상우는 이미 2층까지 내려와 있었다. 재영이 서라고 고함을 질렀다. 상우는 뒤에서 쿵쿵 울리는 발소리를 들으며 건물에서 뛰쳐나왔다. 곧바로 큰길을 향해 전속력으로 달렸다.

"야, 이 미친. 추상우!"

뒤도 돌아보지 않고, 길가에 정차해 있던 택시 문을 열고 조수석에 탔다. 골목 끝에서 재영이 달려왔다. 그의 모습이 빠르게 가까워졌다.

"문, 전부 잠가 주세요."

상우의 주문에 달칵거리는 소리가 나며 차량의 네 개 문이 잠겼다. 조금 늦은 재영은 손잡이도 당겨 보고 손바닥으로 창문도 탕탕 쳤지만 소용없었다. 상우는 고개를 돌리고 그를 보지 않았다.

"너 당장 안 내려?"

창문을 통해 들리는 고함이 멀게 느껴졌다.

"어디 가? 어디 가는지만 말해."

무시하자 고함의 강도가 더 커졌다. 재영이 차체를 주먹으로 두드리며 외쳤다.

"어디 가냐니까?"

택시 기사는 좀 난처해 보였다. 상우는 한숨을 쉬며 그에게 말했다.

"사실 어디로 가야 할지 모르겠어요."

"네?"

"어디든 상관없다는 뜻이에요. 일단 출발해 주세요."

"알았어요."

차가 천천히 출발하고서 상우는 재영의 모습을 마지막으로 눈에 담기 위해 창밖을 보았다. 그런데 창문에 붙어 난리 치던 사람은 어디에도 보이지 않았다. 상우는 의아했지만 택시 기사가 저를 부르는 소리에 생각이 흩어졌다.

"그럼 한 30분 돌다가 이쪽으로 다시 올까요?"

"아뇨, 다른 곳으로 가야 해요. 일단 출발하시면 제가 10분간 생각해 볼게요."

상우는 그리 말하며 팔짱을 꼈다. 어디로 가야 하나, 집에 놔두고 온 짐은 어떡하나, 컴퓨터의 백업 못 한 자료는 어쩌나, 수업은 어떻게 하나……. 골치 아픈 일들을 고려하는데 백미러에 눈에 익은 차가 보였다. 루프와 미러에 빨간색을 입힌 흰색 해치백이었다. 상우는 잘못 보았다고 생각하며 아예 뒤돌아 자세히 보았지만 차량 번호까지 일치했다.

"저 미친 새끼!"

좀 살아 보겠다는데, 한 달 더 휘둘리다가 아예 박살 나 버리기 전에 그만두겠다는데, 그 꼴을 못 보겠나 보다. 현재가 중요한 분이시니. 제 욕망이 가장 우선인 분이시니. 하고 싶은 건 다 해야 하는 분이시니. 상우는 이를 악물었다.

"저 7285번, 따돌려 주세요."

엄지로 뒤를 가리키자 택시 기사가 허허 웃었다.

"영화를 너무 많이 본 거 아닌가요, 학생?"

"아닌데요."

상우는 그가 좀 더 빨리 달려 주기를 기대했으나 택시는 정지 신호에 걸려 횡단보도 앞에 얌전히 섰다. 7285번이 택시의 오른편 차선으로 정차하더니 창문이 내려갔다. 재영은 알아듣기도 어려운 소리를 고래고래 내질렀지만 상우와 택시 기사는 외면했다.

"저 차가 못 쫓아오도록 고속도로로 가 주세요."

"30분 뒤에 퇴근하려고 했는데……."

"요금 두 배로 드릴게요."

"자, 갑시다."

택시 기사의 눈이 의욕적으로 반짝였다. 상우는 뒤늦게 벨트를 착용하고 좌석에 등을 푹 기댔다. 그때까지만 해도 이 추격전이 2시간 동안 이어질 줄 몰랐다.

신호에 일일이 멈추고 제한 속도를 칼같이 지키는 택시 기사는 준법정신을 칭찬할 만했지만 고객의 요청에 미약하게 대응한다는 점에서는 별로였다. 상우는 더 빨리 달려 달라고 두 번이나 부탁했지만 택시는 재영의 차를 따돌리기는커녕 나란히 느리게 달리는 게 다였다.

그러다 서울시를 벗어났고, 누가 이기나 해 보자는 심정으로 버티다가 동해까지 왔다. 뚜껑이 빨간 해치백은 2시간 내내 택시 곁에서 달렸다. 그리고 고집 센 운전자는 가끔 창문을 열어 태평하게 손을 흔들며 상우의 속을 뒤집어 놓았다.

"학생, 친구랑 싸우지 말고 이제 화해해요. 해수욕장에 내려 줄 테니까 남자답게 치고받든지."

"친구 아니라니까요."

택시 기사는 2시간이 넘고서는 잊을 만하면 한 번씩 상우를 내리게 하려고 유도했다.

"이쯤 해. 저 친구, 땅끝마을까지 가도 쫓아올 것 같은데……."

그 말은 부인하기 어려웠다. 상우가 볼 때도 더 멀리 도망간다고 해서 재영이 포기할 것 같지는 않았다. 알면서도 고집부리는 거였다. 그를 대면하고 싶지 않아서, 마주 보고 이야기하고 싶지 않아서.

택시 기사가 기대하는 표정으로 상우를 바라보았다.

"그럼 여기서 멈출까요?"

"……알겠어요."

상우는 더 가도 소용없다는 결론을 내렸다. 택시 기사는 눈을 반짝이며 '더블' 요금을 적용하자 택시비가 껑충 뛰었다. 상우는 비현실적인 금액을 애써 못 본 척하며 결제했다. 택시가 쌩 가 버린 뒤, 상우는 처음 밟는 장소에 서서 바람을 맞으며 낯선 풍경을 바라보았다.

회색 방파제 너머로 밤이 내려앉은 백사장이 펼쳐져 있었다. 그 위로 검은 파도가 철썩철썩 쳤다 물러나기를 반복했다. 새까만 하늘에는 서울에서는 보이지 않는 별이 빼곡하게 박혀 있었다. 주변에는 편의점 하나 없었고 불 꺼진 주유소와 낡아 보이는 여관 몇 개뿐이었다.

뒤에서 차 문 열리는 소리가 나고 발소리가 터벅터벅 가까워졌다. 이제 도망칠 곳도 없어서 자포자기 심정으로 서 있는데, 재영이 상우를 지나쳐 걸었다. 그는 마치 놀러 온 사람처럼 자연스럽게 바지 주머니에 손을 낀 채 돌계단을 내려갔다.

재영은 해초가 군데군데 늘어진 모래사장을 조용히 걸었다. 파도가 닿는 곳까지 갔다가 물러났으며, 바닥에서 돌을 주워 바다 멀리 던졌고, 하늘을 향해 고개를 꺾은 채 가만히 서 있기도 했다.

상우는 꼼짝 않고 서서 그를 구경했다. 가로등 하나 없는 어둠 속, 창백한 별빛이 상우가 세상에서 가장 좋아하는 사람을 밝혀 주고 있었다.

해변에서 놀던 재영이 어느 순간 모래 위에 무릎을 세우고 앉았다. 곧 붉은 불꽃이 켜졌다가 손가락 사이에 낀 담배 끝으로 옮겨 갔다. 강한 바람이 불었다. 바람은 재영이 걸친 빨간 저지를 펄럭이고 상우에게도 밀려와 검은 티셔츠 안을 휩쓸고 지났다. 상우는 순간적으로 추운 기분을 느끼며 재채기를 두 번 했다.

다시 눈을 떴을 땐 재영이 뒤를 돌아보고 있었다. 너무 어두워서 그의 얼굴이 잘 보이지 않았다. 재영을 보고 싶다는 기분이, 그의 이목구비를 눈에 담고 싶다는 충동이 밀려와 상우는 다리를 움직였다.

단단한 계단을 밟고 내려가자 운동화가 마른 모래 사이로 움푹 들어갔다. 한 걸음씩 빨간 뒷모습과 가까워졌다. 구부정한 등을 보니 뒤에서 안고 싶어졌지만 상우는 그에게서 1m 정도 떨어진 곳에 앉았다. 책상다리를 하고서 수평선에 반짝이는 빛을 보는데 무릎에 무언가가 툭 닿았다. 재영의 겉옷이었다.

"입어."

이제 흰 티셔츠 차림이 된 재영이 담배 연기를 하늘로 뿜으며 말했다. 상우는 빨간 저지를 그에게 도로 던졌으나 5초 안에 다시 돌아왔다. 그렇게 세 번 하고 나자 재영이 무덤덤하게 중얼거렸다.

"직접 입혀 달란 뜻이지?"

"아니에요."

상우는 그가 몸싸움을 걸기 전에 순순히 팔을 소매에 끼워 넣었다. 재영이 그를 슬쩍 보더니 말했다.

"너 그거 가져라. 빨간색도 잘 받네."

상우는 대답하지 않았다.

액체가 고체에 부딪히는 소리와 먼 곳에서 나는 배 경보음이 침묵을 대체했다. 상우는 쓸쓸한 기분으로 수평선을 바라보았다. 장재영은 옆에 앉아 있었지만 이미 멀리 가 버린 사람처럼 낯설었다.

눈앞까지 다가왔다가도 다시 물러나 버리는 파도도, 속에 무엇이 들었는지 알 수 없는 바다도, 윤곽을 흐트러뜨리는 어둠도, 전부 다 두렵게 느껴졌다.

"좋다……. 너랑 여행 가고 싶었는데 이렇게 기회가 생기네."

같은 상황에 놓여 있어도 그들은 서로 다른 생각을 하고 있었다. 상우의 불안감을 자극하는 모든 요소는 재영에게 아름답고 낭만적으로 보이는 듯했다. 상우는 낙천적인 사고방식이 그답다고 생각하며 작게 웃었다. 다시 정면을 보았을 때는 풍경이 조금 달라져 있었다.

눈앞까지 다가왔다가 다시 물러나는 장난스러운 파도, 속에 무엇이 들었는지 알 수 없을 정도로 깊은 바다, 윤곽을 흐트러뜨리는 신비로운 어둠. 상우는 온통 장재영에게 둘러싸여 있었다.

가슴이 두근두근 박동하며 그 사실을 일깨워 주었다. 설렘과 불안감, 행복과 절망, 기쁨과 슬픔. 양립할 수 없는 감정이 마음속에서 뒤섞였다. 사람의 감정이 이렇게 복잡할 수 있는지 상우는 이전에 알지 못했다.

"담배 한 대 줘요."

말이 충동적으로 나왔다. 사람들이 담배나 술에 의지하는 건 다 나약함의 표상이라고 생각했던 상우였다. 이제는 왜 그런 것이 필요한지 알 것도 같았다.

"몸에 안 좋아."

그 대답에 비웃음이 나오는 건 당연했다. 저는 매일 피우면서, 한 대 달라니까 한다는 대답이.

"줘요."

재영은 주머니에서 담배를 꺼내더니 제 입에 물고 불을 붙였다. 연초 끝이 빨갛게 타는 것을 확인하고 상우에게 내밀었다. 상우는 담배를 받아서 한동안 보고만 있다가 어색하게 입에 물었다.

조심스럽게 숨을 들이마셨지만 아무 효과도 느껴지지 않았다. 입에서 연기가 나왔지만 고작 이런 거라면 사람들이 왜 중독되는지 이해하기 어려웠다. 재영이 상우의 표정을 보더니 조언했다.

"깊이 마셔야 돼."

상우는 그 말대로 코로 숨을 깊이 빨아들였다가 날카로운 것이 걸리는 느낌 때문에 얼굴을 찡그렸다. 그 뒤론 기침이 자꾸 나와서 정신을 차리기 어려웠다. 재영이 나직하게 웃는 소리가 들렸다. 눈물이 날 정도로 콜록거린 뒤, 상우는 그러는 사이 줄어든 담배를 노려보았다.

"난 엉망이에요. 제대로 하는 게 없어요."

"너희 과 애들이 들으면 울어."

상우는 대답하지 않았다. 그는 담배를 버릴 생각으로 두리번거리며 휴지통을 찾았다. 상우가 일어나려 하자 재영이 손을 내밀었다.

"줘. 내가 버리고 지옥 갈게."

커다란 손바닥을 보기만 하자 그가 덧붙였다.

"나 담배꽁초 모으는 취미 있어."

"입만 열면 거짓말이야."

그의 손이 가까이 오더니 상우가 들고 있던 담배를 채 갔다. 재영은 상우를 빤히 보며 담배를 입술 사이에 머금었다. 그리고 눈웃음을 쳤다.

"간접 키스, 존나 설렌다."

상우는 울적한 기분도 잊고 시답잖은 말에 웃어 버렸다. 재영이 담배를 모래에 비벼 끄고서 긴 침묵이 흘렀다.

상우는 여러 가지 말을 머릿속에 썼다가 지웠다. 재영에게 하고 싶은 말이 너무나 많았지만 무분별하게 쏟아 내고 싶지는 않았다. 그렇게 모순적인 기분으로 앉아 있는 사이 뱃고동이 세 번 울렸고 파도가 스물다섯 번 쳤다. 회색 구름이 달 위를 덮어 세상이 한층 더 검어졌을 때 그는 조용히 말했다.

"형은 이상하고, 변덕스럽고, 시간관념도 없고, 비이성적이고, 가끔은 무섭게 화도 내요."

"……."

"그런 걸 다 알면서도 좋아해요."

내뱉고 나자 마음이 놀라울 정도로 편해졌다. 재영은 아무 말도 하지 않았다. 꼼짝 않고 바다만 바라보며 아무런 반응도 보이지 않았다. 상우는 눈을 부릅뜨고 파도를 쏘아보았다. 하고 싶은 말을 다 쏟아 내고서 마음을 정리하리라. 상황을 자세히 이야기하면 재영도 이해해 주리라. 그리 마음먹자 용기가 생겼다.

"난 형하고 달라서 아무거나 좋아하지 않아요. 그리고 한번 좋아하면 싫어지지 않아요. 이제까지 사람한테 그런 적은 없었지만……."

미래를 생각하면 막막하기만 했다. 하지만 현재 재영이 옆에 앉아 있다는 이유로 상우는 기분이 나쁘지 않았다. 위험한 상황이 닥치기라도 한 듯이 쿵쾅거리는 심장도, 열기를 내뿜는 피부도, 손금을 따라 땀이 고인 손바닥도 모두 한 가지 작용의 증상이었다.

"처음에는 에러 같은 새끼라고 생각했어요."

"……뭐?"

"그만큼 싫었는데 지금은 형도, 형을 좋아하는 나도 싫지가 않아요."

이상하게도 그 순간, 상우는 남자를 좋아해서 시간 낭비한다는 사실도, 그가 곧 떠나 버릴 거란 사실도 상관없다고 생각했다. 검은 양을 부정한다고 해서 세상에서 사라질 리 없으니까. 상우의 가슴은 강렬한 감정으로 터질 듯이 뛰고 있었다.

처음 겪는 감정을 오랫동안 이해하지 못했다. 존재를 알았을 때도 부인하려고 애썼지만 이제는 그 정체를 잘 알았다. 상우는 너무 커져 버려서 자신을 좌지우지하는 사랑스러운 괴물을 외면하지도 증오하지도 않았다.

"너무 힘들어요. 하지만 이게 형 잘못은 아니잖아요. 누구의 잘못도 아니잖아요. 내가 형을 좋아하는 게…… 잘못은 아니잖아요."

목소리가 떨려서 나왔다. 재영을 만나 백 가지 감정을 느꼈다. 전혀 안정적이지도, 효율적이지도 않았으며 희열 뒤에는 반드시 슬픔과 고통이란 그림자가 뒤따랐다. 그런데도 이 순간, 상우는 후회하지 않았다. 기쁨이 대단히 커서, 판단력을 눈멀게 할 만큼 찬란해서, 가슴을 황홀한 기분으로 가득 채워서, 어떤 대가를 내도 아깝지 않았다.

"사랑이란 게…… 원래 이래요?"

꼼짝 않고 앉아 있던 재영이 주먹을 들어 입을 가렸다. 그의 눈꼬리가 휘어져 있었다. 상우는 한숨을 쉬며 물었다.

"비웃는 거예요?"

"아냐. 감격스러워서 그래. 네가 지었던 삼행시가 생각나서."

"그딴 거, 기억 안 나요."

"장…… 마가 왔다. 재…… 수가 없다. 영…… 원히 꺼졌으면 좋겠다. 이 명작을 잊다니."

재영은 그게 대단한 시조라도 되는 양 손짓을 곁들여 근엄하고 멋들어지게 읊었다. 상우는 웃어 버리는 수밖에 없었다. 진지하게 입 밖으로 낸 고백이 파도에 휩쓸려 가 버린 기분이었지만 이젠 아무래도 좋았다.

"그때 점수 낮게 줬잖아요. 이번엔 어때요."

"음……."

재영이 턱에 손가락을 대고선 고심하는 듯 인상을 찌푸렸다. 시선의 종착지는 상우의 얼굴이었다.

"감정의 진정성 부문 10점 만점에 10점."

장난기 가득한 얼굴을 보고 있자니 시간을 거슬러 올라가 정문에서 도서관 가는 길을 걷는 듯한 착각이 들었다. 향수와 슬픔, 웃음이 버무려진 기분으로 상우는 다음 항목을 기다렸다.

"호소력 부문 10점 만점에 10점."

"왜 이렇게 후하지."

"귀여움, 잘생김, 사랑스러움, 섹시함 부문…… 전부 10점 만점에 10점."

"……뭐래."

"총점 5천만 점."

"셈이 왜 그래요? 그보다 참신함은요?"

"음……. 그건 넘어가자. 시인의 아들치고는 표현이 좀……."

"진짜 못됐다."

재영이 농담이라며 웃었다.

진심 어린 고백을 가볍게 넘겨 버리는 그가 원망스러울 법도 한데, 마냥 사랑스럽게 느껴지는 것이 이상하다고 생각했다. 상우는 문득 강한 그리움을 느끼며 손을 뻗었다.

"이리 와 봐요."

재영이 기다렸다는 듯이 무릎걸음으로 다가왔다. 공중에서 맴돌던 상우의 손이 바람이 이미 흐트러뜨려 놓은 머리카락 위로 떨어졌다. 어둠을 잔뜩 먹은 머리칼을 손에 가득 쥐어 보았다가 뒤통수를 부드럽게 끌어당겼다.

재영의 눈꺼풀이 천천히 움직였다. 빛을 빨아 당기는 심연처럼 깊은 눈동자가 가려졌다가 드러났다. 어둠에 잠긴 진지한 얼굴은 여느 때처럼 무슨 생각을 하는지 알기 어려웠지만 상우는 한 가지만은 확신할 수 있었다. 그 두 눈에서 숨길 수 없이 흘러넘치는 감정이 자신이 느끼는 것과 동류임을. 바라보는 상대가 근사한 장난감이라도 된다는 듯한 시선이 저 눈동자 속에 늘 들어 있었는데, 너무 늦게 알았다.

둘의 코끝이 맞닿은 순간 재영의 눈이 천천히 감겼다. 큼직하고 따뜻한 손이 상우의 등을 타고 올라와 목을 감싸며 얼굴을 천천히 끌어당겼다. 볼캡이 밀려나며 뒤로 벗겨졌다. 조금은 강하게 부딪히며 둘의 입술이 동시에 열렸다. 서로를 머금고 빨아들이는 키스에는 장난스럽거나 가벼운 구석이 조금도 없었다. 단지 성급하고 뜨거울 뿐이었다.

'마지막일지도 몰라.'

입 안으로 거칠게 파고드는 혀를 받아들이며 상우는 속으로 중얼거렸다. 지금 키스하는 게 무슨 의미가 있을까. 재영의 등을 아무리 꽉 안아도, 그의 혀를 아무리 강하게 휘감아도 붙잡을 수 없다는 것을 알았다.

그러나 한순간에 반짝거렸다가 사라질 빛이라도 아름답다면 가치 있다는 걸 재영이 알려 주었다. 황홀한 감각, 찬란한 현재…… 다시 오지 않을 지금.

'마지막이라도 괜찮아.'

상우는 눈을 꼭 감은 채 재영에게 열정적으로 달려들었다. 마음이 아파질수록 더욱 뜨겁게 키스했다. 더, 더, 더 가까워지고 싶어서 몸을 맞대다 보니 어느새 그의 무릎 위에 올라가 있었다. 재영이 상우를 완전히 품에 감싸 안으며 혀로 입 안을 헤집었다. 숨이 거칠었다. 타액이 섞이다 입술을 타고 턱으로 흘러내렸다. 상우는 감각을 곤두세우고 재영의 숨소리를 귀에 새기고 그의 체온을 피부에 기억했다.

불시에 상우를 습격한 슬픔은 눈가에 빠르게 고였다. 뺨을 타고 내려온 한 줄기 눈물은 머지않아 입술로 흘러 들어갔고, 그 때문에 재영이 몸을 굳혔다. 상우는 그의 표정을 보고 싶지 않아서 티셔츠를 쥐고 끌어당겼지만 재영은 심각한 얼굴로 상우의 가슴을 밀어냈다.

당황한 듯 떨리는 손가락이 눈두덩에 닿았다. 재영이 엄지로 상우의 눈가를 조심스럽게 닦았다. 제 딴에는 달래려고 한 행동이었겠지만 역효과였다.

"아이 씨……. 또 울렸어."

"안 울어요."

상우는 그의 무릎에서 내려와 소매로 얼굴을 서둘러 훔쳤지만 한 번 터진 눈물은 쉽게 멈추지 않았다.

"이거 아니야. 오늘 슬픈 날 아닌데……."

"안 우는데."

재영이 한마디 할 때마다 진정되기는커녕 슬픈 감정이 더욱 북받쳤다. 고요하던 울음은 어느새 약한 흐느낌으로 바뀌어 있었다.

"어떻게 하면 멈출래? 나도 같이 울까?"

재영은 한 손으로 상우의 볼을 감은 채, 어쩔 줄 모르겠다는 표정으로 핸드폰을 몇 번 터치했다. 그러고선 이 쌍놈 새끼들은 일을 존나게 안 한다고 알 수 없는 대상에게 욕했다.

"돌아 버리겠네."

그가 혼잣말하고서 상우의 몸을 끌어안았을 때는 그간의 서러움이 폭발하고 말았다. 상우가 엉엉 우는 동안 재영은 한마디도 하지 않았다. 오른쪽 뺨에서 떠나지 않은 손은 불에 덴 듯 뜨거웠고 넓은 품은 상우를 폭 감쌌다. 재영의 오른쪽 어깨가 젖어 가는 동안 파도가 철썩철썩 쳤다. 상우는 그 소리에 숨어 부끄러움도 모르고 마음껏 울었다.

처음에 상우의 어깨를 으스러뜨릴 듯 꽉 안고 있던 팔은 어느덧 어깨 위에 가볍게 얹어져 있었다. 축축한 오른손은 상우의 볼에 닿은 채 엄지로 눈두덩과 눈썹, 콧날을 천천히 쓸었다.

'뜨거워.'

그의 손가락도, 손바닥도, 품도, 팔도, 살이 맞닿은 곳은 어디든 뜨거웠다. 상우는 눈가에 고였다 볼을 타고 내려오는 눈물도, 옷을 팔에 찰싹 달라붙게 하는 땀도, 몸에 흐르는 피도 전부 펄펄 끓고 있다고 느꼈다. 어질어질한 뜨거움에 몸을 맡기고 눈꺼풀에 힘을 풀자 편해졌다. 모래사장을 쓸고 떠나가는 파도처럼 집착했던 모든 것이 멀어져 갔다.

"그렇게 서러웠어?"

한참 뒤에 재영이 물었다. 그의 손가락이 뒤통수를 파고들며 땀에 젖은 머리카락을 만지작거렸다. 한여름의 바람처럼 기분 좋은 손길이었다. 상우는 재영의 어깨에 무게를 완전히 실은 채 대답했다.

"이제 괜찮아요."

"이성이 돌아왔어?"

"그런 거 사라진 지 오래예요. 애초에 이성이 있었다면 형 같은 사람 좋아하지 않았겠죠."

"일리 있네. 영원히 돌아오면 안 되겠다."

재영이 포옹을 풀더니 상우의 턱을 들어 저를 보게 했다. 엄지로 광대뼈에 남은 물기를 닦아 내고서 시선을 마주쳤다.

"드디어 얘기할 준비가 된 것 같은데……."

허스키한 목소리가 낮게 속삭였다. 상우는 그가 무슨 말을 하려는지 알지도 못하면서 고개를 끄덕였다. 코끝이 맞닿을락 말락 한 거리에서 재영이 말했다.

"전에 내준 과제, 대답 생각해 왔어?"

또 그건가. 몇 번이나 생각해 봤지만 상우는 정답을 맞힐 자신이 없었다.

"너무 어려워서 모르겠어요."

"여기까지 와 놓고 그걸 몰라? 천재인지 바보인지 모르겠다니까."

"바보예요."

"오늘 보니까 그런 거 같네."

상우는 한숨을 쉬었다. 부정할 생각은 없었지만, 왜 과제를 완수하지 못했는지 이유는 들려줘야 할 것 같았다. 상우는 재영의 두 눈을 들여다보며 입을 열었다.

"형이 떠나는 게 문제가 아니에요. 난 1년이 지나든 2년이 지나든 확신만 있다면 인내할 수 있어요. 이런 감정이 다른 사람에게 생길 리 없어요. 이제까지 그런 적 없으니까……."

상우는 숨을 고르고 말을 이었다.

"하지만 형은 그 자리에 없을 거잖아요. 더 유명해지고, 더 잘나지고, 핸드폰 번호는 바뀌고, 애인이 생겨서 나는 안 만나고 싶어 할 거잖아요. 그러지 말라고 내가 얘기해도 소용없을 거잖아요."

이야기를 다 들은 재영은 재미있다는 듯이 웃기만 했다. 그는 상우의 두 눈을 빤히 들여다보다가 이마에 키스했다. 상우가 좋아하는 행동이었다. 부드러운 입술이 이마를 떠나는 순간이 아쉽게 느껴졌다. 잠시 후 재영이 입을 열었다.

"너 그 이야기 알아? 나무를 너무 좋아해서 나무가 되어 버린 사람."

"처음 듣는데요."

"그렇겠지. 내가 방금 지어냈으니까."

"……뭐요?"

"네가 하도 포크레인, 포크레인 하다가 굴착기가 되어 버린 건 아닌가 해서."

대화의 흐름을 이해하기 어려웠다. 상우는 표정을 조금 찌푸리며 다음 말을 기다렸다.

"삽질 그만할 때도 되지 않았냐?"

가슴 절절한 사랑을 고백해도 삽질이라고 치부해 버린다. 재영이 뭐든 심각하게 여기지 않는 거야 잘 알지만 너무하다는 생각이었다.

"그래서 귀여운 건 사실인데, 존나 빡치기도 해."

"그게 무슨 소리예요?"

"보통 사람 같았어 봐. 네가 게임 만들자고 찾아온 날 첫 키스, 그 다음 날 대화하고 연애 시작. 그 주말에 첫 데이트, 잠자리 갖고 동거 시작. 우린 시간을 얼마나……."

재영이 말을 끊고 눈알을 굴리더니, 웃으며 다시 상우를 보았다.

"낭비라곤 하지 않을래, 다 좋았으니까. 어쨌든 데이트 몇 번을 더 하고 네가 좋아하는 성교는 몇 번을 더 했겠냐, 어?"

"그러네요. 제한된 시간 동안 너무 적게 했네요. 후회된다……."

"앞으로 널린 게 시간인데 뭘 걱정해."

상우는 얼굴을 찌푸렸다. 그들에게 남은 시간은 한 달도 되지 않는데 재영은 이상한 이야기를 하고 있었다. 반박하려고 입을 연 순간에 그의 손이 정수리에 내려앉았다. 재영이 상우의 머리를 누르며 말했다.

"과제의 답은 '내 곁에 있어 줘요'였어."

"……."

"되게 쉬운 건데, 그걸 몰라?"

상우는 입을 벌렸지만 아무 말도 나오지 않았다. 쉽다고? 그에게는 전혀 쉽지가 않았다. 실현 가능성, 당위성, 유익함을 고려한다면 절대로 할 수 없는 말이었다.

재영이 상우의 눈을 빤히 들여다보았다.

"지금이라도 말해 봐. 그럼 맞힌 걸로 쳐 줄게."

"……할 수 없어요."

"빨리."

"안 돼요."

"이 고집불통……. 많이 말랑말랑해진 줄 알았는데 여전하네."

머리를 누르고 있던 손이 관자놀이를 타고 내려와 볼을 꼬집었다. 재영은 상우의 얼굴에서 손을 떼더니 주머니에서 다시 핸드폰을 꺼냈다. 이 개새끼들은 메일을 보낸 지가 언젠데 답장을 안 하느냐고 중얼거리다가 돌연 눈을 크게 떴다.

"어……. 왔다."

"뭐가요?"

재영은 대답 없이 화면을 뚫어지도록 보았다. 상우가 궁금증에 슬쩍 보았더니 영어로 된 메일이었다. 그의 유학과 관련된 것임을 직감할 수 있었다. 스크롤을 내리며 빠르게 내용을 읽은 재영이 욕설을 내뱉었다.

"좆같은 토익."

상우는 그의 손에서 핸드폰을 빼앗아 글줄을 읽어 나갔다.

우리는 사과한다 거절하기 때문에 너의 요청. 우리는 이해한다 후보자가 훌륭한 학생이라는 것을 그러나 안타깝게도 그의 어학 능력이 증명되지 않는다면 그는 할 수 없다 우리와 함께 공부. 너는 필요하다 너희 학교에서 받는 것 어학 능력 증명을. 부디 이해해라 우리가 요구 조건을 굽히기 곤란함을…….

정신없이 문장을 독해하던 상우는 문득 메일의 의미를 이해했다.

스크롤을 아래로 내리자 재영이 적은 원문이 나타났다. 교환 학생을 문의하는 장문의 메일이었으며, 상우의 개발 포트폴리오와 영문 재학 증명서, 성적 증명서가 첨부되어 있었다.

메일의 수신처는 상우도 아는 해외 대학교였다. 재영의 대학원이 있는 주의 공과 대학. 그들은 서로 연락하지 않는 동안에 같은 방법을 모색했던 것이다. 재영이 상우와 함께하기 위해 치열하게 고민하고 노력했다는 증거였다. 비록 결과는 실패여도 상우의 가슴은 그와 영원히 헤어지지 않아도 된다는 허락이라도 받은 듯 방망이질 쳤다.

턱을 만지작거리며 땅을 노려보던 재영이 고개를 들었다. 다시 마주친 눈빛에는 실망감도 기대감도 없었다. 그는 무덤덤한 표정으로 중얼거렸다.

"좋아. 깔끔하네."

그러더니 상우에게 바싹 다가와 그를 마주 보고 앉았다. 재영은 핸드폰을 빼앗아 주머니에 넣고선 진지한 얼굴로 상우의 눈을 들여다보았다. 상우가 먼저 입을 열었다.

"나 할 말 있어요."

"안 돼. 너 말 많이 했잖아. 내 차례야."

재영은 단칼에 거절하더니 양손을 상우의 어깨에 올려놓았다.

"네가 본 메일, 내가 유학 가려던 지역 주립 공대에서 온 거야. 우리 학교에서는 토익 점수 없으면 교환 학생 신청조차 불가능하단 말만 반복해서 그쪽에 직접 연락했는데 안 된다네……. 만일 여기서 허락했다면 너를 어떻게든 설득해서 7월에 같이 떠나려고 했어."

두근거리는 마음으로 듣던 상우는 어느 순간 인상을 찌푸렸다. 곱씹어 본 말에 넘겨들을 수 없는 부분이 있었다.

"유학…… 가려던?"

목소리가 갈라져서 나왔다. 재영이 깍지를 끼며 상우의 목을 제쪽으로 끌어당겼다. 그의 머리카락이 상우의 이마에 닿았다.

"네 시험 기간 2주, 내겐 체험판이었어. 견딜 만하면 원거리 해 보려고 했는데 도저히 안 되겠더라. 네 집 앞에 몇 번이나 찾아갔는지 모르지?"

"찾아왔다고요?"

"열한 번. 후드 뒤집어쓰고 수업 청강도 세 번 했어."

"웃기지 마요. 못 알아봤을 리가 없잖아요."

"모르던데……. 뽀로로 교수 거 두 번 들었고, '알고리즘' 발표 날도 네 뒷자리에 앉아 있었어. 네 목소리 들으러 갔다가 엉뚱한 새끼가 발표해서 좀 열 받았지만."

그건 재영이 이제껏 한 말 중에 가장 황당한 이야기였다. 상우는 농담인가 싶어 그의 눈을 자세히 살폈지만 재영은 심각한 얼굴을 하고 있었다.

"그게 문제가 아니라…… 유학 안 가요? 또?"

"너 두고 못 가."

"그게 무슨 말이에요. 그거 아니잖아요."

상우가 고개를 저으며 뒤로 물러나려 하자 재영이 양팔을 강하게 붙잡았다.

"너, 다음 학기에 졸업 못 한 어느 미친놈이 따라다니면서 괴롭히면 어떡해? 누구 짐 들어 줬다가 걔가 너한테 반하면 어떡해? 누구랑 부딪혔다가 걔가 너한테 꽂히면 어떡해? 누군가가 네가 거기에 있는지 알아채면…… 나는 어떡해?"

"그게 말이 된다고 생각해요? 왜 그렇게 비이성적이에요."

"난 원래 그래. 너 만나고 훨씬 심해졌으니까 책임져."

"형, 잠깐 진정하고…….."

"진정 못 해. 시차가 14시간이야. 내가 아침에 일어나면 네가 잘 시간이라고. 넌 종일 연락 안 되다 저녁 7시나 돼야 일어날 텐데. 수업 듣고 공부한다고 연락할 리가 없지. 나는 네가 잘 있는지, 별일 없는지, 누가 말 걸지는 않는지 알고 싶어서 말라 갈 테고…….."

"영상 통화…… 있잖아요."

"전화도 더럽게 안 받으면서 무슨 놈의 영상 통화? 나 혼자 보고 싶어서 끙끙 앓다가 어느 순간에 폭발해서 넌 날 좋아하긴 하냐, 너 변했어 난리 치면 너는 질려 버리겠지. '이럴 바에는 그만해요', '공부에 방해돼요', '역시 시간 낭비였어요' 하면서 내 번호 차단해 버릴 거 아냐?"

"……그럴 리가 없잖아요."

한참 동안 열띠게 말하던 재영이 말을 멈추었다. 그는 잠시간 입을 다물고 있었다. 그러곤 손바닥으로 얼굴을 쓸더니 시선을 다시 맞추었다.

"확실히 얘기할게. 나 너 때문에 유학 포기하는 거야."

"그럴 필요…….."

"말 끊지 말고 끝까지 들어. 그러고 나서 알겠다고 대답해."

상우는 인상을 찌푸렸다. 알겠다고 대답하라니, 이야기를 들어야 뭐라고 답할지 결정할 수 있지 않나. 그런 생각을 하는데, 재영이 그의 양 볼을 손바닥으로 감싸고 저를 보게 했다. 조금 처진 눈은 진지한 눈빛을 하고 있었다. 상우는 가슴이 울렁거리는 것을 느끼며 마른침을 삼켰다.

"추상우."

"……네."

"나 이제 네 섹스 파트너 하기 싫어. 네 욕정이 풀리면 버려질 상대, 불안해서 못 하겠어. 너랑 데이트하고, 경치 좋은 데 가서 맛있는 거 먹고, 같이 놀고, 같이 걷고, 같이 잠들고, 네 파트너, 네 짝, 네 반쪽 할래. 남자끼리 어떻게 연애하냐고? 자, 잘 봐."

쉴 새 없이 쏟아 내던 재영이 말을 잠시 멈추었다. 그가 주머니에서 핸드폰을 꺼내더니 파일을 하나 열어 상우에게 넘겼다. 그래프와 차트를 직접 만든 듯한 인포그래픽 자료였지만 상우는 흘깃 확인만 한 뒤 재영의 눈을 멍하니 바라보았다.

"세계 인구의…… (어쩌고저쩌고) 자연에서도…… (어쩌고저쩌고) 자유를 중시…… 인권 의식의…… (어쩌고저쩌고) 합법화되며……."

이상한 일이었다. 재영은 분명히 데이터를 제시하며 이치에 닿는 이야기를 하는 듯했지만 상우의 귀에는 들리지 않았다. 그가 그전에 했던 말 중 '파트너', '짝', '반쪽'이란 단어만이 머릿속에서 커다랗게 울려 댔다.

"야……."

상우는 이마를 똑똑 두드리는 손길에 다시 현실로 돌아왔다.

"딴생각을 해? 심각하게 얘기하는데."

"그게 아니라, 너무 놀라서……."

재영이 상우의 입술을 손가락으로 누르며 "쉿." 숨을 내뱉었다. 어느 때보다도 진지한 그의 두 눈이 깜빡였다.

"제안."

아직 들은 것도 아닌데 상우의 심장 박동이 급격하게 빨라졌다. 재영은 상우의 눈을 빤히 보며 호흡을 골랐다. 상우는 저도 모르게 숨을 멈추고 그의 말을 기다렸다.

"추상우, 나랑 연애하자."

기다린 보람이 있는 제안이었다. 상우는 그 말을 듣자마자 웃음이 만면에 번져 버렸다. 재영은 대답도 듣지 않아 놓고 상우를 따라 웃었다. 그 모습이 이미 희열로 터질 것 같은 가슴을 설렘으로 뒤흔들었다. 상우는 입이 찢어지도록 웃으며 작게 중얼거렸다.

"이미 하고 있는 줄 알았는데……."

"정정. 오늘부터 나랑 정식으로 교제하자."

먼 거리를 달린 사람처럼 벅찬 숨이 입술 사이로 나왔다. 다른 대답을 할 수 있을 리 없었다.

"좋아요."

재영이 고개를 뒤로 꺾더니 긴, 긴 한숨을 내쉬었다. 그러고선 주먹을 꽉 쥐고 공중에 한 차례 휘둘렀다. 그 모습이 정말 바보 같고, 동시에 몹시 사랑스러워 보였다.

"떨려 뒤지는 줄 알았네."

재영이 사납게 중얼거렸다. 그는 손바닥으로 얼굴을 쓸어내리더니 상우의 어깨에 이마를 천천히 기댔다. 재영은 거칠게 심호흡을 몇 번 하더니, 상우의 손을 쥐고서 제 왼쪽 가슴으로 가져갔다. 상우는 얇은 티셔츠 너머 심할 정도로 빠른 심장의 박동을 느낄 수 있었다.

장재영은 우회적이고 장난스러우며, 은유적이고 추상적인 사람이다. 그런 그가 직접적이고 진지하며, 직설적이고 구체적인 자신의 방식에 맞추기 위해 용기 냈음을 알 수 있었다.

상우는 재영의 방식대로 말없이 그를 꼭 안아 주었다. 부드러운 어둠에 폭 잠긴 채 그의 등을 몇 번이나 손바닥으로 쓸어내렸다.

"그리고……."

한참 동안 상우에게 기대 있던 재영이 어느 순간에 고개를 들었다.

"예전부터 해 주고 싶은 말이 있는데……."

그의 목울대가 움직이며 눈이 느릿하게 깜빡거렸다. 재영은 입을 살짝 벌렸지만 이내 다물어 버리고 말았다. 그가 긴장한 듯이 침을 삼켰다. 뭐든 능숙하게 하는 그도 많이 어려워하는 게 있는 모양이었다.

참을성 있게 기다렸지만 재영은 아주 오랫동안 상우의 눈을 보고 있기만 했다. 아무리 봐도 질리지 않는 얼굴이니 그것도 괜찮다고 생각하던 차에 그가 눈을 사르르 감고 품에 안겼다. 그는 턱을 상우의 어깨에 기댄 채 고개를 살짝 틀었다. 귓가에 더운 숨이 부딪혔다.

"사랑해."

재영이 들릴 듯 말 듯하게, 아주 작게 속삭였다. 상우는 숨 쉬기를 멈추었다. 귀가 먹먹해지며 파도치는 소리가 멀어졌다. 두근두근, 두근두근, 지나칠 정도로 빠른 심박만이 쿵, 쿵, 쿵 몸을 타고 울려 퍼졌다.

"진심이야."

이전보다 조금 더 확신 있는 목소리로 재영이 속삭였다. 상우는 그제야 참았던 숨을 몰아쉬었다. 그의 말을 100% 신뢰할 수 있었다. 오차 범위는 0%였다.

"많이 용기 낸 거죠?"

"응."

"안아 줄게요."

재영이 말없이 안겼다. 상우는 팔로 재영의 등을 강하게 감싸며 그의 목에 얼굴을 묻었다. 그러고선 조용히 속삭였다.

"오늘 집에서 나올 때만 해도 이렇게 될 줄 몰랐어요."

"기분 어때?"

"떨려서 죽을 것 같아요. 근데 지금 죽는 건 죽기보다 싫어요……."

아, 나 방금 뭐라고 했어요? 제정신이 아니네."

재영의 웃음소리가 귓가를 간질였다. 상우는 기꺼이 따라 웃었다. 예측 가능한 범위에서 벗어난 사건이었지만 재영을 만나고서 그런 일은 드물지 않았다.

"재영이 형……."

"어."

"나, 두 번째로 하는 연애예요."

"그래서?"

"첫 번째에 실패하고서 별로 재능이 없다고 생각했어요. 하지만 공부하면 뭐든 잘할 수 있어요. 초보자니까 가르쳐 줘요."

"뭘 배우고 싶은데?"

"형을 어떻게 사랑해야 하는지."

"여기서 공부까지 하면 큰일 나."

상우는 가슴속에서 넘실거리는 뜨거운 환희를 낯선 시선으로 바라보았다. 성취감을 닮은 달콤한 기운은 특별한 사람과 관련되어 있다는 점에서 다른 정서와 뚜렷하게 구별되었다. 앞으로는 이 녀석을 자주 만날 것 같은 예감이 들었다.

포옹을 풀고 본 재영의 얼굴은 이전과 다름없이 보기 좋았으나 상우는 모든 것이 달라졌다고 느꼈다. 아무 표정도 짓지 않았지만 입가가 꿈틀거리며 큼지막한 웃음이 떠올랐다. 재영이 그 표정을 똑같이 따라했다.

"나랑 연애하려면 세 가지 유의해 줘요."

"역시 이게 나와 줘야지."

"이제 다른 사람한테 웃어 주지 마요. 어깨동무도 하지 말고 머리도 쓰다듬으면 안 돼요. 열람권, 사용권 다 나한테만 있어요."

"당연한 말씀을."

재영이 콧등을 구기며 소년처럼 웃었다.

"아무리 화나도 지난번처럼 잠수 타면 안 돼요."

"응. 약속."

그가 새끼손가락을 내밀었다. 상우는 손가락을 걸며 말을 이었다.

"화내는 거 싫어요. 내가 답답하게 굴어도 소리 지르지 말고 차근 차근 설명해 줘요."

"목줄 채웠어. 이제 네 거야."

재영이 제 목에 보이지 않는 끈을 두르고 상우에게 주었다. 상우는 그 손을 맞잡아 깍지 끼며 재영의 눈을 똑바로 들여다보았다.

"그리고…… 예정대로 유학 가요. 이제 구속력이 있으니 견딜 수 있어요."

그전까지 고개를 끄덕이며 열심히 듣던 재영이 얼굴을 찌푸렸다. 상우는 재영을 곁에 두고 연애하고 싶은 마음이 굴뚝같았지만 그 이상으로 그가 꿈을 포기하지 않기를 바랐다. 상우는 딜러 장재영을 서포트하고 지켜 주는 유틸형 탱커, 디자이너 장재영의 세계를 구현해 주는 개발자이고 싶지 그의 앞길을 막는 방해물이고 싶은 생각이 조금도 없었다.

그러나 재영은 고집스러운 표정으로 가까이 오더니 귓가에 속삭였다.

"싫어."

상우는 그를 밀어내고 눈을 똑바로 바라보았다.

"아기처럼 굴지 마요."

"누가 누구더러 아기래."

"감정 때문에 인생 계획을 바꾸려고 하고 있잖아요. 정신 차려야 돼요."

재영이 웃음을 터뜨렸다. 그가 한동안 조용히 웃다가 입을 열었다.

"너 내 포트폴리오 기억나?"

"네."

"내 입으로 말하긴 민망한데, 나 어디 가서 안 꿀려."

"알아요. 하지만……."

"이제 여기에 〈베벤〉까지 있잖아. 일하고 싶은 회사, 외주받고 싶은 클라이언트 맘대로 고를 수 있어. 사실 국내에 관심 있는 스튜디오도 있고……."

"그래서요?"

"네 애인, 유학 좀 안 간다고 어떻게 될 정도로 능력 없지 않다는 말이야."

애인. 상우는 집중해서 듣다가 그 지점에서 입을 멍하니 벌리고 말았다. 재영은 팔을 뒤로 뻗더니 중얼거렸다.

"대학생 애인 먹여 살리려면 열심히 일해야지."

상우가 무슨 말을 해도 그에겐 통하지 않을 것 같았다. 상우의 머릿속에 그들이 각각 x와 y로 치환된 채 여러 가지 해법이 떠올랐다가 사라졌다. 고민은 길지 않았다.

"재영이 형, 세 가지 부탁이 있어요."

"지니가 된 기분인데."

재영이 상우의 손을 끌어당겨 손가락에 제 것을 얽으며 장난을 쳤다.

"첫째, 이렇게 된 거 〈베벤〉 출시 미뤄요. 시간 생겼으니 무한 모드, 래더 랭킹, 신탁 퀘스트 추가해야겠어요. 다음 주부터 그래픽 작업 시작할 수 있겠죠?"

"……내 남자친구가 워커홀릭이라니."

상우는 그 말을 수락으로 받아들이고 둘째 부탁으로 넘어갔다.

"그리고 이번 연극부 정기공연 DVD 있으면 줘요."

"그러게, 누구 때문에 출연했는데……. 너 왜 안 왔어?"

"아픈 기억이니까 묻지 말고요."

"녹화본 주면 돼?"

"가능하면 블루레이로."

두 번째까지 격파한 상우는 마지막 질문으로 넘어갔다.

"마지막, 영어 과외 해 줘요."

"어렵지 않지. 근데 왜?"

"그런 게 있어요. 나중에 말해 줄게요."

"수상한데……."

재영이 실실 웃으며 볼을 툭 쳤다. 상우는 그를 마주 보고 웃을 뿐 말을 아꼈다. 아직은 이야기할 때가 아니라고 생각했다. 인생 계획을 재확인하고 강력한 동기를 부여한 뒤, 상우는 더 이상 내일을 두려워하지 않아도 되는 자리로 돌아왔다. 그는 새로 생긴 애인과 단둘이 해수욕장에 앉아 있었고, 그 남자는 손금을 전부 만져 볼 기세로 상우의 손을 주무르고 있었다.

"그게 다야? 부탁 더 없어?"

"없어요."

"시시하네. 난 뭐든지 줄 준비가 되어 있는데……."

"뭐든지?"

"뭐든지."

"그럼 형도 나한테 줄 수 있어요?"

"아, 그건 불가능해."

"……왜요?"

"이미 네 거라서."

상우는 뻔뻔한 표정을 하고 있는 재영을 바라보며 감탄했다. 어떻게 저런 말을 자연스럽게 할까. 아무래도 따라잡으려면 공부를 많이 해야겠다는 생각이 들었다. 상우는 내일은 연애 참고 서적을 몇 권 구매해야겠다고 다짐했다.

"할 말 끝났어?"

"네."

"그럼 뽀뽀나 하러 가자."

재영이 두 발로 일어나며 기지개를 시원하게 켰다. 그런 다음에 허리를 굽히며 상우에게 손을 내밀었다. 큼직한 손을 잡자 몸이 쑥 끌어당겨져 재영의 품으로 쏙 들어갔다. 재영은 상우의 허리를 꽉 끌어안으며 중얼거렸다.

"왜 대답이 없어, 자기야."

"……."

"나랑 뽀뽀하기 싫어?"

"뽀뽀만 할 거 아니잖아요."

"그걸 말이라고."

"준비물 넉넉히 사야 돼요. 많이 쌓였어요."

"오늘 잠 안 재우겠다는 경고야?"

"원래 첫날밤은 다 그런 거 아니에요?"

낮은 웃음소리가 달콤하게만 들렸다. 상우는 고개 들어 재영의 눈을 마주했다. 그는 따뜻한 색감의 눈동자 안에서 바다보다 격정적으로 파도치는 열정을 보았다. 입가가 제멋대로 움직여 멍청한 웃음을 지은 순간, 재영이 소리 없이 입술을 잡아먹었다.

커다랗고 따뜻한 손바닥이 목을 뒤에서 감쌌다. 그리고 새까만 밤도, 부드러운 모래사장의 감촉도, 살랑거리는 여름 바람도, 철썩거리는 파도 소리도, 먼 곳에서 울리던 뱃고동 소리도, 모두 멀어졌다.

그렇게 한 사람밖에 남지 않았다. 상우의 인생에서 가장 멋진 순간이었다.

return 1;

〜스테이지 클리어 보상〜

[추상우]은/는 [남자친구] 칭호를 얻었다!

▷ 습득한 스킬: [역지사지 Lv.1]

[장재영]은/는 [남자친구] 칭호를 얻었다!

▷ 습득한 스킬: [백절불굴 Lv.5]

다음 스테이지에서 계속. . .

〈끝〉

외전〈1〉 Exception

외전〈1〉 Exception

"안드로이드에게 성욕과 감정이 생긴다는 주제는 흥미롭지만 그뿐이에요."

화면이 검어지고 엔딩 크레딧이 올라가자 상우가 말했다. 그의 허벅지에 머리를 베고 길게 누운 재영은 탁자에서 감자튀김을 하나 집어 먹었다.

"그래? 별로란 소리네."

"자율성과 창의성이 생기는 과정이 너무 황당했어요. 게다가 박사가 아무 동기도 없이 수리해 줘, 업데이트해 줘, 피부 입혀 줘, 생식기 달아 줘, 완전히 데우스 엑스 마키나잖아요."

재영은 말없이 웃었다. 그의 까다로운 평론가는 비평 능력이 일취월장하고 있었다. 상우는 캔 맥주를 한 모금 마시고서 재영의 머리카락을 만지작거렸다.

"생활 보조형 안드로이드면서 은어를 조금도 못 알아들을 정도로 언어 응용 능력이 떨어지는 것도 우습고, 손으로 오르골을 만들어

부자가 된다는 설정도 조악해요. 안드로이드끼리 삐빅거리며 대화하는 장면은 정말…….”

“상상력이 결여됐지.”

“현실성에 관해 고민한 흔적이 전혀 보이지 않아서 화나요.”

“널 화나게 하다니, 대단한 영화네.”

영화 감상하는 취미가 없다던 상우는 요즘엔 어느 장르든 보여 주면 열심히 감상했다. 보통 현실과 동떨어진 판타지 장르에 흥미를 보였고 멜로드라마류는 끝까지 보기 힘들어했다. 대개 운동 경기나 내기, 대결 등 승부욕을 자극하는 내용이 나오면 평점이 올라갔으며 설정 오류가 나기 쉬운 역사물과 SF 장르에 평가가 박했다.

“형은 어땠어요?”

재영은 자세를 틀어 위를 보고 바로 누웠다. 남자친구의 잘생긴 얼굴을 감상하기 아주 좋은 자세였다. 재영은 제 머리카락을 부드럽게 만지는 손가락을 포획해 입가로 가져온 뒤 손등에 쪽 입 맞추었다. 그러자 화면을 보고 있던 상우가 시선을 마주쳐 왔다.

“그냥 보통. 나도 문제가 너무 쉽게 해결되는 점은 별로였는데, SF 요소보다 드라마 흐름에 초점을 맞추고 그러려니 하며 봤어.”

“아.”

“감각, 사랑, 창조, 필멸의 삶을 동경하는 감정 변화 자체만 두고 보면 나쁘지 않았고…… 극적 긴장감이 부족하고 과학적 디테일을 고민 없이 쓴 느낌은 분명히 있지. 네 취향엔 너무 감상적이었겠다 싶어.”

상우가 고개를 끄덕였다. 그는 뚱한 표정으로 다시 화면을 보며 중얼거렸다.

“게다가 자막에 오탈자와 띄어쓰기 오류가 많아서 몰입에 방해됐어요.”

"그러게, 오역도 있더라. 신경 좀 써 주지."

거기까지만 했어야 했다. 재영은 잠자는 사자의 코털을 건드리는 줄도 모르고 아무 생각 없이 입을 놀렸다.

"근데 띄어쓰기 같은 실수는 넘어가야지, 신경 쓰다가 너만 피곤해져."

5초간 침묵이 감돌았다. 하품을 크게 했다가 다시 눈을 뜬 재영은 약간 차가운 눈빛을 하고 있는 상우와 시선이 마주쳤다. 상우가 재영을 내려다보며 말했다.

"띄어쓰기는 맞춤법 아닌가?"

"국어학자 아닌 이상 누가 지키냐."

그때까지만 해도 재영은 상황의 심각성을 알지 못하고 못했다. 상우가 코웃음을 쳤다.

"아무도 안 지킬 거면 규칙이 왜 있죠? 늘 궁금했는데 이제 알겠네."

그가 퉁명스러운 태도로 말을 이었다.

"형이 왜 띄어쓰기를 안 하는지."

뒤늦게 싸한 기분이 들었다. 재영은 상우의 허벅지에 볼을 비비며 애교스럽게 답했다.

"그런 거 할 시간에 네 생각 하려고 그러지."

"나랑 사귀기 전부터 그랬잖아요."

"……."

그냥 넘어갈 분위기가 아니었다. 상우는 탁자에서 핸드폰을 집더니 한참 동안 화면을 보았다. 그러고선 재영에게 기기를 내밀었다. 받아서 보니 제가 보냈던 메시지가 떠 있었다.

[♥장재영♥ : 오늘들어가자마자무조건💢💢💢💢💢추병장ㅋㄷ15

뭐가 어쨌다는 건지, 평범한 메시지일 뿐이었다. 재영은 의아하단 눈으로 상우를 바라보았다. 상우가 기기를 다시 가져가며 인상을 썼다.

"지금 보니 띄어쓰기만이 문제가 아니네요."

"중요한 것도 아닌데 왜 그래?"

"형 메시지는 늘 문법을 지키지 않아서 해독하는 데 시간이 오래 걸려요. 본인 편하자고 남의 시간 빼앗는 거잖아요."

그렇게 생각해 본 적은 한 번도 없었다. 게다가 해독이라니, 암호를 쓴 것도 아니고. 재영은 살짝 짜증이 났지만 분위기가 더 나빠지기 전에 몸을 일으키고 상우를 끌어안았다. 그러나 그는 미간을 찌푸린 채 핸드폰만 보고 있었다.

"입력 속도를 높이려는 전략이라면, 바람직하다고 생각하지는 않지만 이해는 할 수 있어요."

"맞아. 바로 그거야."

"아니에요. 이런 거 보면 불필요하게 같은 표현을 반복하고 있어요."

[♥장재영♥: (사진) ㅆㅂ상우야이거완전니옷이다널위해만들ㄹ어진옷이야당장주문레드vs인디핑크] 9일 전

[♥장재영♥: 빨리빨리빨리빨리빨리뻘리빨리빨ㄹ리빨리리ㅣ빨리빨리ㅣㅣ] 9일 전

"그러게, 내가 왜 그랬을까."

메시지를 쭉쭉 올려 보던 상우의 표정이 점점 안 좋아졌다. 그가

핸드폰을 재영에게 넘기고서 팔짱을 꼈다.

[♥장재영♥: ㅏ나오늘함잠만덯ㅎ가교갈ㄱ사랑해] 17일 전

"가독성이 심각하게 나쁘잖아요."

"……이때는 취해 있었던 것 같은데."

"그래서 아무 말도 안 하고 넘어갔던 거예요."

"근데 왜 지금 와서 난리야?"

재영의 말투는 저도 모르게 날카로워져 있었다. 추상우와 사귀기
시작하면서 그는 완벽한 애인이 되기 위해 노력을 아끼지 않았다.
이번 주말만 해도 그랬다. 토요일 아침, 늦잠 자고 싶은 마음도 억누
르고 아침부터 충주의 아름다운 호숫가로 이동해 모노레일과 유람
선을 탔고, 밤에는 그림 같은 펜션에서 바비큐 구이를 한 뒤 뜨거운
밤을 보냈다. 일요일에는 도시 전경이 한눈에 보이는 활공장에서 패
러글라이딩을 즐기고 서울로 돌아왔다. 분위기 끝내줬는데, 좆같은
영화 자막 때문에 이게 웬 날벼락이란 말인가.

"내가 난리를 쳤어요? 조금만 신경 써 주면 되는데, 못 하겠어요?"

재영은 피곤함을 느끼며 소파에 등을 기댔다. 손바닥으로 눈을 가
리며 무겁게 말했다.

"어. 이런 것까지 참견하는 건 좀 아닌 것 같아."

손바닥을 내리고 슬쩍 보니, 상우가 심란하단 표정으로 바닥을 보
고 있었다. 대체 이게 속상할 일인가? 재영은 기가 막힌 나머지 평
소처럼 상우에게 져 줄 생각조차 들지 않았다. 그는 빈 맥주 캔을 멀
리 던졌다. 캔은 재영의 손끝에서부터 포물선을 그리며 휴지통으로
깔끔하게 들어갔다.

상우가 그를 노려보더니 자리에서 벌떡 일어났다. 쿵쿵거리며 휴지통까지 걸어가 맥주 캔을 꺼내, 물로 헹군 뒤 재활용 박스에 넣고 돌아왔다. 상우는 소파에 앉지 않고 그 앞에 섰다. 재영도 팔짱을 끼고 그를 올려다보았다.

"어려운 일 아니잖아요. 할 수 있는데 안 하는 거잖아요."

"너한테야 그렇겠지. 나한테는 어려워."

"이게 뭐가 어려워요? 나한테 그 정도 노력도 못 해 주는 것뿐이잖아요."

"……결론이 어떻게 그렇게 돼?"

"말로만 사랑한다고 하지 말고 행동으로 보여 달란 말이에요."

재영은 너무 황당해서 말문이 막혀 버렸다. 행동으로 보여 주지 않았다고? 그러면 요즘 그가 하는 노력은 다 뭐란 말인가. 아침마다 상우에게 밥 차려 주느라 1시간씩 일찍 일어났고, 퇴근하고서 꼭 가야 하는 회식 자리가 아니면 곧바로 집으로 돌아왔다. 머리로는 늘 상우와 뭘 할지 생각했고, 그와 함께 있는 동안 자상한 모습만 보이려 노력했다. 상우가 만들어 놓은 수많은 규칙을 기를 쓰고 지켰으며 담배도 끊었다.

"지난 일은 어쩔 수 없다고 생각해요. 앞으로 잘하면 돼요."

상우는 선심 쓰듯이 말하고선 탁자를 치우기 시작했다. 감자튀김 접시와 맥주 캔을 들고 주방으로 향하는 뒷모습을 보며 재영은 한 발짝 물러서기로 했다. 구태여 갈등을 빚고 싶지 않았기 때문이다.

상우가 주방에서 돌아오자, 재영은 그가 또 잔소리하기 전에 허리를 끌어당겨 무릎에 앉혔다. 시계를 슬쩍 확인하니 11시가 조금 넘었다. 자정이 지나면 월요일이 되어 버린다.

규칙32: 주중에 섹스하지 않는다.

같이 살기 시작하면서 한 달쯤, 눈만 마주치면 아무 곳에서나 짐 승처럼 해 대다 여러 문제가 생기고서 만들어진 조항이었다. 재영이 옷 속에 손을 넣고 등을 쓰다듬자 상우가 팔로 목을 감으며 이마끼 리 맞댔다.

"54분 안에 끝내야 돼요."

"알았어."

눈을 감자 그가 입술을 부드럽게 부딪쳐 왔다. 키스가 시작되자 서운했던 감정도, 복잡했던 생각도 날아가 버렸다. 재영은 상우의 허리를 감싼 채 그를 번쩍 안았다. 처음 이런 행동을 했을 때 상우는 몹시 황당해했지만 몇 번 하고 나니 익숙해진 듯했다. 이번에는 허 리에 다리를 감으며 웃는 것이, 재미있어하는 것 같았다.

규칙33: 침실 외 장소에서 섹스하지 않는다.

잡동사니를 너무 많이 올려놔서 침대에 누울 수조차 없는 제 방 대신 상우의 방문을 등으로 열었다.

전에 살던 곳보다 짐이 많아졌는데도 모든 물건이 깔끔하게 정리되 어 있었다. 스탠드가 놓인 책상 옆에는 서랍장이 있었고, 그 위에는 얼마 전에 장만한 전문가용 DSLR 카메라와 액션 캠이 놓여 있었다. 행거에는 상우가 원래 갖고 있던 칙칙한 옷들이 걸려 있었다.(재영은 그 옆의 옷장을 꽉 채워 놓았지만 데이트할 때만 열 수 있다는 규칙 을 만들어 놓았다.) 벽에는 〈베지 벤처러〉 제제 버전 포스터와 재영 이 마지막 학기에 카메오로 출연했던 연극 홍보물이 붙어 있었다.

재영은 상우를 침대에 눕히며 그 위에 올라탔다. 눈을 감고 길게 입 맞추며 사이드 테이블 서랍을 열어 '준비물'을 꺼냈다. 상우의 손에 재영의 티셔츠가 훌러덩 벗겨졌다. 서로 마음을 확인하고 본격적으로 연애하기 시작한 지 세 달이 되었는데도 펄펄 끓는 열정은 여전히 식을 줄을 몰랐다. 재영은 여느 때와 동일한 조급함을 느끼며 상우의 바지를 벗겼다.

"형."

"어, 왜?"

"띄어쓰기, 고칠 거예요?"

아무튼 집요함이라면 알아줘야 한다. 재영이 옆구리를 간질이며 가슴을 핥자 상우가 눈을 접으며 몸을 비틀었다. 재영은 덩달아 웃으며 상우의 볼과 이마, 콧등에 무차별적으로 키스했다.

"넌 지금 그런 생각이 들어? 엎드려."

"그냥 궁금해서 물어본 건데……."

상우는 꿍얼거리면서도 순순히 몸을 뒤집었다.

눈을 뜬 재영은 핸드폰을 집어 알람을 재빨리 껐다. 남자가 식탁에서 파스타를 먹고 있는 사진 위로 07:30이란 시각이 찍혀 있었다.

핸드폰을 이불 위에 던지고 돌아눕자 눈앞에 배경 화면 속 남자가 보였다. 재영은 천장을 향해 누워 잠든 그의 허리를 끌어안았다. 몸을 바싹 붙이며 목에 입 맞추었지만 상우는 얼굴을 조금 찌푸릴 뿐 깨어나지 않았다. 재영의 애인은 늘 12시 반에 잠들고 8시 반에 일어나며, 8시간 동안은 업어 가도 모를 정도로 깊이 잠들었다.

재영은 상우를 안고서 10분 정도 뒹굴거리다 일어났다. 속옷 바람으로 방에서 빠져나온 뒤 문을 조심스럽게 닫고 몸을 씻었다. 옷을 입고 주방으로 향했다. 냉장고를 활짝 열고 닭가슴살, 여러 채소, 올리브 오일, 달걀 등을 식탁에 꺼내 놓았다. 둘이 함께 살기 시작한 이후 재영에게는 요리란 취미가 생겼고, 상우에게는 사진이란 취미가 생겼다. 재영이 달걀을 프라이팬에 깨 넣기 시작했을 때 상우가 눈을 비비며 방에서 나왔다.

"꿈에 형 나왔어요."

"무슨 내용이었는데?"

"야한 거라 말해 줄 줄거리가 없어요."

그러고선 욕실로 들어가 버렸다. 재영이 닭가슴살 샐러드와 오믈렛을 모두 조리하고 플레이팅까지 완벽하게 했을 때 상우가 다시 나왔다. 청바지에 검은 긴팔 티셔츠 차림이었고 머리카락이 젖어 있었다.

"잘 잤어요?"

그가 식탁에 앉으며 물었다. 재영은 고개를 끄덕이며 식탁에 접시 세 개를 놓았다. 유리잔에 우유를 가득 따라 주고선 상우의 건너편에 앉아 턱을 괴었다.

상우가 우유를 한 모금 마시곤 오믈렛을 숟가락 가득 떠 입에 넣었다. 그가 식사하는 모습을 왜 죽치고 구경하는 걸까. 재영은 스스로의 행동이 늘 의아했지만 뚜렷하게 알지 못했다. 추상우는 식사를 단지 열량 채우기라고 생각하는데. 맛있게 와구와구 먹는 것도 아니고, 단정하게 앉아서 같은 자세로 먹을 뿐인데. 숟가락을 쥔 손이나 오물거리는 입술, 꿈틀거리는 목울대, 식탁에 올려놓은 팔꿈치 따위를 멍하니 보게 되었다.

'동물 기르는 기분이라 그런가……'

재영은 희귀하고 아름다운 그의 블랙 맘바에게 세상의 좋은 건 다 갖다 먹이고 싶었다. 부성애가 있다면 비슷한 기분일지도 모른다. 재영은 상우의 모습을 사진으로 남기려다가, 갤러리에 같은 구도인 사진이 서른 장도 넘는다는 사실을 떠올리며 관두었다. 그때 상우가 시선을 들었다.

"안 먹어요?"

"먹어야지."

"빨리 먹어요. 그러다 늦겠어요."

"그러게, 너한테서 눈이 안 떨어져서 큰일이네."

재영은 상우의 입가에 옅게 머물렀다 사라진 미소를 놓치지 않았다. 연애 3개월 차, 무던해질 때도 되었건만 재영은 반대로 점점 민감해져서 이제는 상우의 숨소리만 들어도 그가 어떤 상태인지 알아챌 지경이 되었다.

재영은 뒤늦게 포크를 들고 식사하기 시작했다. 접시를 반쯤 비웠을 때 상우가 물어보았다.

"어제 당근 주스 마셨어요?"

"음……."

"말 안 듣네. 분명히 마시고 자라고 했는데……."

지난달에 눈이 뻑뻑한 것 같다고 한마디 한 이후로 상우는 당근 주스를 매일 500ml씩 만들어 주었다. 호사라면 호사인데, 문제는 맛이 너무 없다는 점이었다. 처음 두세 번은 감동에 취해서 주는 대로 마셨지만 그다음부터는 괴로워서 이 핑계 저 핑계 대며 안 마셨고 몰래 버린 적도 많았다.

"버렸어요?"

"……."

"또 만들면 되니까 괜찮아요."

상우는 무덤덤하게 답하고서 샐러드 그릇에서 마지막 토마토 조각을 집어 먹었다.

"잘 먹었어요."

그러더니 자리에서 일어났다. 사용한 식기를 싱크대를 놓고 재영에게 다가오더니, 몸을 숙여 그의 볼에 입 맞추었다. 식사의 대가. 자연스러운 애정 표현이 아닌 학습 시킨 행동인데도 재영은 미소 때문에 입이 다물어지지 않았다.

팔로 그의 허리를 감았으나 상우는 손쉽게 빠져나가 욕실에서 양치하기 시작했다. 재영은 남은 음식을 해치우고 식탁을 치우며 아쉬움을 느꼈다.

'헤어지기 싫어.'

상우는 늘 같은 시간에 기상하고 식사하고 양치하고 집을 떠난다. 8분 뒤면 현관을 나갈 것이다. 재영은 그와 함께 나가기 위해 설거지를 미뤄 놓고 급하게 외출할 준비를 했다. 욕실이 두 남자가 들락거리느라 붐볐다.

양치를 마친 상우는 어깨에 배낭을 멨다. 재영은 품이 넓은 카디건을 걸쳤다. 상우가 현관에서 몸을 수그리고 운동화 끈을 매는 동안, 재영은 그의 머리에 고등학생 때부터 썼다는 낡은 볼캡을 씌워 주었다. 그러고는 상우가 일어나기를 기다렸다가 그를 등 뒤에서 껴안았다.

"회사 때려치울까?"

"……."

"그럼 너랑 학교 같이 갈 수 있는데……."

농담 반, 진담 반, 유혹의 말에 상우의 목이 불그스름하게 달아올랐다.

"자전거 타야 되는데 왜 불편하게 만들어요."

재영은 그를 더 깊이 품에 끌어안으며 낮게 속삭였다.

"어디 불편해요, 환자분? 주사 맞으면 나을 거 같은데. 바지 벗고 진찰해 볼래요?"

"개수작!"

상우는 재영의 팔을 벗어나 도어록을 해제했다. 문이 열리며 쌀쌀해진 가을 공기가 볼에 부딪혔다. 재영은 신발을 아무렇게나 구겨 신고 상우의 뒤를 따라나섰다.

그들은 엘리베이터 앞에서 서로 마주 보았다. 재영은 상우의 점퍼를 여미고 지퍼를 가슴까지 올려 주었다. 그리고 고개 숙여 그의 입술에 살짝 입 맞추었다. 그러고 말려고 했는데, 상우가 목을 끌어당기며 진하게 키스해 왔다. 재영이 열정적인 애정 표현에 정신 못 차리는 사이 엘리베이터 문이 열렸다. 상우는 아무 일도 없었다는 듯 입술을 떼고 앞으로 걸어갔다.

너무한다. 눈 돌아가서 계단에서 한 판 한다든지, 지각을 무릅쓰고 침실로 들어간다든지, 그도 아니라면 최소한 키스를 진득하게 하느라 엘리베이터를 한두 번 보낼 수도 있는 거 아닌가? 재영의 연인은 맺고 끊음이 너무 확실했다.

"안 타요?"

저대로 두면 먼저 가 버릴 게 뻔해서 재영은 얼른 엘리베이터에 탔다. 상우가 1층 버튼을 누르며 불평했다.

"자전거 타야 되는데, 이게 뭐람……."

"좋은 해결 방법이 있는데."

"들으나 마나 별로예요. 형은 탄력적 근무제라 상관없겠지만, 난 수업 시간을 바꿀 수 없잖아요. 내가 학생이란 것 좀 잊지 말아요."

"뭘 어쩌라고. 내가 네 남자친구란 거나 잊지 마."

"……뭐래."

몇 마디 주고받는 사이 문이 열렸다. 상우는 시계를 확인하고서 빠르게 걸었다. 그가 보관대에서 자전거를 꺼내는 동안 재영은 아쉬운 마음으로 지켜보기만 했다. 상우는 출발하기 전, 고개를 살짝 돌려 재영의 눈을 마주쳤다.

"다녀올게요. 이따 봐요."

"어…… 조심해서 가."

수업 잘 듣고, 밥 맛있게 먹고, 공부 열심히 하고, 아무한테도 눈길 주지 말고, 내 생각 많이 하고. 재영은 속으로 중얼거리며 멀어지는 뒷모습을 바라보았다. 그러고선 주차장으로 향했다.

운전해서 회사 사옥에 도착하고 나서 곧바로 회의에 들어갔다. 마치고 나와 메일 몇 통 보내고 작업하다 보니 점심시간이 가까워졌다. 재영은 몇 시간 동안 보지 않은 핸드폰을 확인했다.

[류지혜: 오늘도 이상없음. 아맞다 오늘 상추오빠랑 밥 못먹어요~] 11:51

인연은 인연이란 건지, 이번 학기에도 류지혜는 상우와 시간표가 겹쳤다. 서로 상의해서 짠 것도 아닌데 월, 목에 같은 교양 수업을 들었다. 예전 같았으면 고통스러웠겠지만 재영은 이 문제를 간단하게 해결했다. 그가 지혜에게 남자친구를 만들어 준 날을 계기로 그들은 악어와 악어새 같은 관계가 되었다. 요즘 지혜는 재영의 충실한 스파이로 암약하고 있었다.

[나: 왜] 12:01
[류지혜: 형진이랑 약속 있어서요^-^] 12:02

일주일에 두 번만 같이 점심 먹어 주라니까, 그게 그렇게 어렵나.
재영은 혼자 식사할 상우가 눈에 밟혀 전화를 걸었지만 받으리라
곤 기대하지 않았다. 그를 설득해 제 번호 한정으로 소리 알림을 설
정하는 데 성공했지만, 어차피 학교에 있는 동안은 핸드폰을 무음
모드로 해 두었기 때문이다. 그래서 메시지를 보내 두었는데, 답장
은 뜻밖에도 빨리 왔다.

[추상우♡♡: 자기야/ /수업/ /잘/ /들었어?/ /밥/ /맛있게/ /먹
어./] 12:05
[추상우♡♡: 잘 들었어요. 형도 맛있게 먹어요.] 12:06

재영은 한동안 화면을 노려보았다.
"재영 씨! 뭐 해요? 식사하러 갑시다."
"아, 네."
그는 황당함에 답장도 못 하고 핸드폰을 주머니에 넣었다.
'어제 그러고서 넘어가는 줄 알았는데 아니었군.'
찝찝한 기분은 식사를 마칠 때까지, 커피를 마시며 다른 직원들과
노가리 깔 때까지, 그리고 회사로 돌아와 마우스를 다시 잡았을 때
까지도 사라지지 않았다. 재영은 퇴근을 10분 앞두고서 불길한 예감
을 확인해 보기로 했다.

[나: 머해] 18:20

[추상우♡♡: /뭐// //해//?/] 18:21

[추상우♡♡: 공부.] 18:21

[나: 오딘대] 18:22

[추상우♡♡: /어딘데//?/] 18:23

[추상우♡♡: 집.] 18:23

[추상우♡♡: 언제 와요?] 18:24

[나: 샴십븐돼군] 18:24

[추상우♡♡: 교정 불가능.] 18:27

불안한 기분이 맞았다. 추상우는 맞춤법에 꽂혀 버린 것이다. 그는 한번 집착하기 시작하면 무슨 짓을 해도 포기하지 않는다. 전쟁을 피해 가려면 맞춰 주는 수밖에……. 그러나 재영은 마음 한구석에 오기가 들었다.

'왜 나만 지고 들어가야 돼?'

짝사랑도 아니고 동등한 연인 관계에서 이렇게 저자세일 필요가 있을까? 재영과 달리 상우는 아무것도 포기하지 않고 아무런 노력도 하지 않았다. 늘 같은 시간에 학교에 가고 예전과 다를 바 없이 공부했다. 단지 남는 시간을 재영과 보내는 것뿐이었다. 그간에 조금씩 쌓아 온 섭섭함이 순식간에 마음을 가득 채웠다.

"다들 퇴근 안 하십니까?"

"가야죠, 가야죠. 오늘 팀장님도 안 계신데, 우리끼리 한 잔?"

"어, 콜! 현진 주임도 괜찮아요? 재영 씨는?"

핸드폰을 붙들고 있던 재영은 고개를 들었다. 옆자리 직원이 기대감 어린 표정으로 그를 바라보고 있었다.

"아, 저는 집에 들어가 봐야 해서요."

"맨날 집, 집. 누가 보면 애 아빠인 줄 알겠어."

"애는 아닌데, 집에 비슷한 거 있어요."

"안 그렇게 생겨서 애인한테 꽉 잡혀 사는 것 같아요."

대답 없이 웃고 말자 건너편 자리 직원이 소리쳤다.

"나 재영 씨한테 할 말 있는데! 오늘은 같이 좀 가요."

"뭔데요?"

"단도직입적으로 말하죠. 〈베벤〉 신캐 원합니다. 술 사 줄 테니까 어떻게 안 돼요?"

그 말에 여러 명이 웃음을 터뜨렸다. 회사에는 〈베지 벤처〉 플레이어가 꽤 많았다. 한 달째 마켓 1위를 하고 있으니 당연한 일일지도. 저 박 대리는 현질을 12만 원 했다고 한다.

"금요일 업데이트 때 새 맵이랑 아이템 나왔잖아요, 대리님."

"업데이트 하자마자 싹 다 결제하셨답니다."

"……덕분에 제가 안 굶고 다닙니다."

"얼마여도 상관없으니 신캐를 달라고요, 신캐를. 진행하고 있는 거죠?"

"저희 개발자랑 얘기 좀 해 봐야겠는데요."

"이러지 말고 일단 다 같이 나갑시다."

재영은 회식하는 사람들을 떠나보내고 주차장으로 향했다. 출발하기 전에 상우에게 전화를 걸었다. 통화음이 세 번 울리기 전에 그의 목소리가 들렸다.

―여보세요.

"퇴근했어. 저녁 사 가려고 하는데, 먹고 싶은 거 있어?"

―형 먹고 싶은 거 사 와요.

"회사 근처에 새로 생긴 레바논 식당 있는데, 그거 먹어 볼래?"

—네.

전화를 끊고 식당으로 향했다. 인기 많은 음식점 앞에 줄을 서서 콩 소스에 찍어 먹는 빵과 아랍식 만두, 케밥, 올리브 절임, 볶음밥을 포장해 집으로 향했다.

문을 열고 들어서니 상우가 주방에서 당근을 깎고 있었다. 뒤에서 팔로 허리를 감싸며 턱을 어깨에 대자 상우가 손놀림을 멈추었다.

"이거 하고 있잖아요. 다쳐요."

"보고 싶었어."

"나도요."

저 건조한 음성이 때려죽여도 빈말 따위 안 하리란 걸 알면서도 재영은 조금 섭섭해졌다. 상우는 아주 중요한 일을 하는 사람처럼 믹서에 당근을 갈고서 커다란 유리잔에 옮겨 담은 뒤에야 재영을 보았다.

"마셔요."

"……."

재영은 차마 거절할 수 없어서 커다란 잔을 들어 입술을 축이고 식탁에 놓았다. 음식을 꺼내 늘어놓자 상우가 의자에 앉았다.

"형, 오늘……."

그가 재영의 얼굴을 올려다보며 말했다.

"아기 같은 상태네요."

살짝 삐친 상태를 아기 같다고 이해하는가. 상우의 언어가 많이 바뀌었음을 재영은 눈치챘다. 손을 씻고서 상우의 건너편에 앉았다. 그들은 평소보다 조용한 상태에서 식사하기 시작했다.

"오늘은 무슨 일 있었는지 안 물어봐요?"

"무슨 일 있었는데?"

"'컴파일러' 수업에서 좋은 개발자의 자질을 모두 갖추었다고 칭찬받았어요. 과제 만점자가 5년 만에 내가 처음이래요."

"교수가 뭘 좀 아네."

재영은 빵을 뜯어 먹으며 마음속 냉기가 밀려나는 것을 느꼈다. 그는 상우가 일상을 자세히 이야기해 주는 시간을 좋아했다. 그다지 새로울 것 없는 얘기를 들으며 상우의 눈을 바라보고 목소리 들으며 음식을 나눠 먹는 이 순간을.

"'고급 영어 회화'는 이름값을 못 하는 것 같아요. 짝지어서 자기소개만 몇 시간째인지 모르겠어요. '아이 엠 메이저링 인 컴퓨터 엔지니어링' 이런 거 있잖아요."

상우는 요즘 과외 받는다고 잘난 척하고 있었다. 아직 그럴 실력은 아닌 것 같은데. 그러나 재영은 기꺼이 맞장구를 쳐 주었다.

"에이, 그게 무슨 고급이야. 네가 요즘 실력이 얼마나 많이 늘었는데, 써먹지도 못하네."

"그러니까요. 이런 생각 하면 안 되는 거 알지만, 린지 교수보다 형이 훨씬 잘 가르치는 것 같아요. 교양 필수라서 듣지, 아니었으면 진작 철회했을 거예요. 류지혜는 자기도 못 하면서 나한테 자꾸 뭐라고 그러고……."

"지혜가 구박해?"

"구박까진 아니고, 표현을 자주 지적해요."

"지나 잘하지, 아주 웃기는 애네."

실컷 자신감 북돋워 놨더니 왜 엉뚱한 데서 깎아내리려고 그러지. 재영은 지혜에게 할 말을 머릿속에 새기며 케밥을 베어 물었다. 상우는 볶음밥을 우물우물 먹으며 말을 이었다.

"밥 먹고서 커피 마시면서 산책하고……."

"혼자?"

"네. 그리고 '모바일 컴퓨팅' 수업 들었어요."

"그거 다 아는 내용이라 너무 쉽다고 그랬잖아."

"4학년 전공과목인데 새로 배우는 게 거의 없어서 좀 아쉬워요."

"날로 먹으면 좋지, 뭘 그래."

"그건 형이나 그런 거고."

"그리고?"

"집에 오려다가…… 형의 나쁜 습관에 관해 곰곰이 생각해 보느라 한 시간을 썼어요."

음식을 열심히 씹던 재영의 입이 움직임을 멈추었다.

"개인의 자유가 우선일까 고민해 보았는데, 교제하는 사이에 이 정도는 요구할 수 있다고 생각해요."

상우는 젓가락을 놓고서 휴지로 입가를 닦았다. 그러고선 재영의 눈을 바라보았다.

"앞으로 메시지 보낼 때 문법 지켜 줘요."

상우는 자리에서 일어나 방으로 향하더니 품에 두툼한 서류를 안고 돌아왔다. 재영에게 내민 스프링 제본 문서는 200페이지도 더 되어 보였다. 표제는 〈국립 국어원 띄어쓰기 매뉴얼〉.

재영은 기가 차서 그를 올려다보았다. 그러나 상우는 〈한국인이 자주 틀리는 띄어쓰기와 맞춤법〉 목록을 냉장고와 선반, 대문 등 눈에 잘 띄는 여러 곳에 붙이느라 바빴다.

규칙, 규칙, 규칙. 재영은 추상우가 규칙을 만들고 지켜야 편안해 하는 사람인 걸 잘 알았으며 그런 점까지도 좋아했다. 그래서 세 달 동안 부단히 노력하며 그의 서른세 가지 수칙에 자신을 맞추었다. 상우가 그런 노력을 당연하게 받아들이는 거야 조금 섭섭해도 참을 수 있었다. 하지만 마음에 안 든다고 사소한 부분까지 뜯어고치려는 태도는 견디기 어려웠다.

"야, 추상우."

재영의 목소리는 싸늘했다. 벽에 종이를 붙이던 상우가 살짝 놀란 표정으로 뒤돌아보았다.

"나 이런 사람인지 모르고 만나?"

그는 한동안 재영을 멀뚱멀뚱 바라보다가, 다시 등을 돌려 벽에 종이를 반듯하게 붙였다. 그리고선 굳은 얼굴로 식탁 건너편에 앉았다.

"알죠. 불만이 있으니까 고쳐 달라는 거잖아요."

"왜 내가 고쳐야 돼? 네가 고치면 안 돼?"

"문제의 원인이 형이 문법을 안 지키는 건데, 어떻게 내가 고쳐요?"

"그렇게 중요한 거 아니니까 네가 읽고 넘어가면 되잖아."

서로 말이 점점 빨라졌다. 무덤덤하던 상우의 표정에도 어느덧 짜증이 깃들었다. 그가 잠시 동안 천장만 바라보다, 팔짱을 끼며 시선을 맞추었다.

"하나 짚고 넘어가요. 효율적으로 소통하기 위해선 문법을 지켜야 해요. 그 점은 동의하죠?"

"동의 못 해. 메시지가 논문도 아니고, 의미만 통하면 된다고 생각하는데. 어차피 다시 볼 것도 아니잖아."

"난 영구적으로 저장하려고 주기적으로 백업해요."

"……네 하드 부숴 버리면 문제 해결?"

"클라우드에 복사본 떠 놔서 소용없어요."

재영은 시계를 쏘아보았다. 아까운 저녁 시간이 낭비되고 있었다. 상우의 눈을 맞추고 대화하며 그와 교감하는 데 써야 할 시간이. 그를 물고 빨고, 부둥켜안고, 예뻐하기에도 부족한 아까운 시간이. 그러나 여기서 물러설 수는 없다고 재영은 생각했다. 이제까지 해 달라는 거라면 다 해 줬지만, 상우도 배울 때가 되었다. 그들이 자주 합체한다고 해서 한 몸이 아니란 걸. 서로 다른 사람인 그들은 아무리 노력해도 같아질 수 없으며, 사랑한다고 모든 것을 맞춰 줄 순 없단 걸.

"나, 너한테 좋은 남자가 되려고 온 힘을 다해 노력하고 있어. 그걸로 부족해?"

"노력?"

상우가 이해할 수 없다는 표정을 지었다. 그 순간, 재영은 기분이 완전히 상해 버렸다.

"형이 무슨 노력을…… 아니, 그보다 이게 뭐라고 그렇게 고집을 부려요? 조금만 신경 쓰면 되잖아요."

"하기 싫어."

"5초만 더 투자하면 될 걸, 나한테 그 정도 시간도 쓰기 싫어요?"

"내가 왜 모든 걸 네 구미에 맞춰야 돼?"

"아……. 진짜 화난다."

시초는 고작 띄어쓰기 안 한다는 가벼운 불평이었다. 하지만 이렇게 크게 번진 건 그 이면에 도사리고 있던 다른 문제 때문이었다.

"다 마음대로 하고! 사랑한다는 거 말뿐이잖아요. 내 말이 틀려요?"

"그게 무슨 소리야? 난 이미 많은 걸 포기하고 너한테 맞춰서 살고 있어. 마음에 안 드는 거 죄다 개조할 생각이면 너랑 똑같은 로봇이나 만나지 왜 나 같은 놈한테 왔어?"

"어떻게 그렇게 말할 수가 있어요?"

"아침에는 이래서 안 되고, 주중에는 이래서 안 되고, 샤워실에선 이래서 안 되고."

상우가 반박하려고 입을 열었지만 재영은 재빨리 말을 이었다.

"나는 안 그래! 가끔은 엉망이 된 채로 씻지도 않고 잠들고 싶어. 끌리면 연차 쓰고 주중에도 훌쩍 여행 가고 싶고, 언제 어디서든 너랑 뜨겁게 사랑하고 싶어. 책상이 아닌 곳에서도 책 읽고 싶고, 침실이 아닌 곳에서도 잠자고 싶어. 밥 먹고 설거지 그릇 내버려 두고, 방도 안 치운 채로 며칠씩 두고 싶어. 넌 아무것도 못 하게 하잖아. 요즘은 내가 네 완벽한 프로그램의 한 요소인 것 같은 기분이 들어."

"그게 무슨 소리지? 맨날 설거지 남겨 놓으면서……. 방은 치우는 꼴을 못 봤는데."

"거봐. 넌 내 단점만 보잖아. 너야말로 나를 사랑하기는 해?"

재영은 주먹을 꽉 쥐고 바닥을 쏘아보았다. 그간 먼지처럼 조금씩, 그러면서도 켜켜이 쌓여 온 서운함이 괴물처럼 불어나 있었다. 그제야 재영은 자신이 상우와 함께한 석 달 동안 행복해하면서도 불안했음을 깨달았다.

"내가 형을 사랑하지 않는다고? 그런 인상을 줄 만한 행동을 했어요?"

재영은 할 말을 잃었다. 추상우는 성실하고 다정한 연인이었다. 학업을 제외한 시간을 재영과 함께 보냈고 재영의 취미를 함께 즐기기 위해 적극적으로 공부했다. 취향에 벗어나는 영화도 기꺼이 함께 봐줄 정도로 관용적이었고 침대에서는 불꽃처럼 뜨거웠다.

그러나 추상우는 사랑에 빠진 남자라기엔 지나치게 이성적이고 합리적이며 빈틈없었다. 눕기 전에 자리를 체크했으며 늘 시간을 확인했고 어지른 다음에는 청소부터 했다. 가장 뜨거운 정사를 나눈 뒤에도 꼼꼼하게 씻고 젖은 시트와 옷을 빨래 통에 넣었다.

애인이 깔끔하고 야무진 게 뭐가 흠이냐고 묻는다면 할 말 없었다. 재영은 그가 너무 완벽하단 사실에 섭섭함을 느끼면서도, 그 구실로 불평하기 민망하다고 생각했다.

'정말 바보 같군.'

사소한 불만, 반복되는 갈등, 이별. 재영은 대체로 한두 달 만에 끝났던 과거 연애 기록을 돌이켜 보았다. 그전까지 연애에서 재영은 노력하지 않았다. 상대가 원하는 것이 있어도 무시했고 잘 맞지 않으면 헤어져 버렸다. 이번 연애는 무슨 일이 있어도 그따위로 망치지 않겠다는 일념으로 온 힘을 다해 노력하고 있는데도 갈등이 생겨 버린 것이다. 이번에는 아쉬운 소리 하는 쪽이 상대가 아닌 자신이었다. 재영은 이럴 때 어떻게 해야 하는지 알지 못해서 한없이 불안해졌다.

'안 돼. 절대로 헤어질 수 없어.'

이 관계는 재영에게 너무 절실하고 중했다. 곧 있으면 사귄 지 100일이라, 그는 난생처음으로 로맨틱한 이벤트를 준비하고 있었다. 다음 달에는 상우의 생일이 있어서 생일 선물을 미리 회사로 주문해 놓았다. 같이 스키장 한 번 못 가 봤는데 벌써 이별을 두려워하는 자신이 너무나 초라했다. (물론 그와 별개로 상우의 고글과 스키복, 보드는 이미 골라놓았다.)

"왜 대답이 없어요? 내가 뭘 잘못했어요?"

"넌 잘못 안 하잖아. 다 내 잘못이지."

노력해서 갈등을 봉합해야 할 시점에 말투는 비꼬듯 나왔다. 상우에게 모든 걸 맞춰 줄 수 있다면, 바라는 걸 모두 들어줄 수 있다면, 자신이 더 완벽한 사람이었다면, 이렇게 쉽게 빈정 상하는 성격이 아니라면, 그들 사이에 갈등이 없었을까. 재영은 돌연 자신이 없어졌다.

"화내고 싶지 않아. 잠깐 나가 있을게."

"가지 마요."

"감정 좀 가라앉히고 올게."

"가지 말라고 했어요."

재영은 아랑곳하지 않고 자리에서 일어났다. 이 상태로 상우와 이야기하다가는 싸우기만 할 것 같았다. 옷걸이에서 손에 잡힌 트레이닝 저지를 걸치고 현관으로 걸어갔다. 상우는 식탁 앞에 앉은 채 가만히 있었다. 재영은 아무 신발이나 꺾어 신고 문손잡이를 쥐었다.

"내가 네 눈에 안 찰지도 모르지."

"……."

"하지만 노력이 부족했다고는 하지 마. 난 너 때문에 담배도 끊었어."

그리 말하고서 밖으로 나갔다.

'내가 뭘 잘못한 거지?'

상우는 곰곰이 생각해 봤지만 답은 떠오르지 않았다. 일반적으로 메시지 한 통을 작성하는 시간은 5~30초. 단어 사이마다 스페이스를 터치한다고 작성 시간이 극적으로 늘어나지 않는다. 그런데 재영은 상우의 요구가 굉장히 무례하고 주제넘는다고 받아들이는 듯했다.

'이해가 안 되네…….'

상우는 창밖을 살피며 재영에게 전화를 걸었다. 전화는 중간에 끊겼고, 대신 메시지가 왔다.

[♥장재영♥: 이따가들어갈게] 20:06
[나: 이따가/ /들어갈게/./] 20:07

'아차······.'

정신 차려 보니 상우는 교정본을 보낸 뒤였다. 큰 실수이자 명백히 싸움을 부추기는 행위였다. 삭제하려고 보니 재영이 벌써 메시지를 읽었다고 표시되어 있었다. 상우는 잔뜩 긴장한 채 답장을 기다렸다. 디스플레이 너머로 바싹 약이 오른 재영의 표정이 보이는 것 같았다.

[♥장재영♥: 제밋내] 20:11

"······."

아니나 다를까, 일부러 틀리게 쓰고 있었다. 완전히 삐쳐서 저를 괴롭히려고 그러는 것이 분명했다. 상우는 질 수 없다는 생각에 교정본을 보냈다. 그러자 더 가관인 메시지가 도착했다.

[♥장재영♥: ㅇ ㅑ] 20:13
[♥장재영♥: ㄴㄱrㅅH종데玉ㅇㅇㄴFㅚ] 20:14

상우는 메시지를 보자마자 어지럼증을 느꼈다. 텍스트를 읽고서 이렇게 심한 분노를 느껴 본 적은 처음이었다. 불쾌함을 넘어서 흉측하게 느껴지는 글귀를 보지 않으려고 애쓰며, 상우는 교정할 생각조차 버린 채 답장을 거칠게 꾹꾹 터치했다.
[나: 그만해요이제] 20:14

[♥장재영♥: 그만해요/.// /이제/./] 20:15
[♥장재영♥: 웳뙶없쏬깂릆않핝닚] 20:16

'대체 저게 뭐지?'

[나: 차단한다] 20:16
[♥장재영♥: 차단한다/./] 20:17
[♥장재영♥: ㅁ@ri음데g#로ㅎ*wrㅅHr요qqqq^ㅡ&] 20:18

"진짜 미친 거 아냐?"
손가락에 병이 나지 않았다면 저렇게 흉악한 글은 쓸 수 없을 것
이다. 상우는 차분하게 답장을 쓰려고 했지만 연속해서 도착한 메시
지 때문에 도무지 집중할 수가 없었다.

[♥장재영♥: 뿗쫒뚰뚰ㄹ굶ㄹㄹㄹㄹ] 20:20
[♥장재영♥: my ne)m ei s장제 .영] 20:20
[♥장재영♥: abcdefghiJJJJJJJJJJJJJJwJJJㅈJJJJJ] 20:20
[♥장재영♥: 외교정않헤] 20:21
[♥장재영♥: 진짜차단함ㅁ???] 20:23

답장을 뭐라고 보낼지 모르겠어서 망설이는데 주차장에서 흰 해
치백이 빠져나가는 것이 보였다. 상우는 창문에 코를 대고 자취를
좇았지만 차량은 이내 보이지 않게 되었다. 그는 절망적인 심정으로
식탁으로 돌아와 앉았다.
상우도 바람처럼 자유로운 재영을 구속하고 싶지 않았다. 혹시라

도 그가 답답해할까 봐 신경 썼고 일상생활에 충돌이 생기지 않게 하려고 노력했다. 규칙을 최대한 적게 만들었으며, 설거지를 안 하고 나간다든지 양말을 아무 곳에나 벗어 둔다든지 하는 사소한 문제는 언급조차 하지 않고 알아서 처리했다. 각자 방을 두고서도 재영은 매일같이 상우의 침대에서 함께 잤지만 단 한 번도 문제 삼지 않았다. 그런데도 그를 뛰쳐나가게 만든 것이다.

'내 잘못일까…….'

상우는 골똘히 생각해 보았다. 재영이 늘 웃고 있어서 행복해하는 줄 알았는데 속으로는 섭섭한 것이 한두 가지가 아닌 모양이었다.

'언제 어디서든 너랑 뜨겁게 사랑하고 싶어.'

재영과 교제하기 시작하고 첫 달은 엔트로피가 극단적으로 높은 무질서 상태였다. 상우는 그나마 방학이어서 크게 타격받지 않았지만 재영은 한두 시간씩밖에 못 자고, 혹은 밤새우고 출근하는 일이 부지기수였다. 그는 늘 밥을 많이 먹었는데도 그달에 체중이 3kg이나 빠졌다. 카마수트라에 나오는 체위를 시도해 보겠다고 나대다가 다치기도 했고, 샤워실 벽에 금이 가서 공사하기도 했다. 식탁 다리가 부러졌으며 소파가 엉망이 되어 새로 사는 등 혼돈의 시절이었다. 그나마 시간과 장소를 제한한 덕에 사람 꼴이라도 하며 살고 있는 거였다.

'거 봐. 넌 내 단점만 보잖아.'

그건 정말로 오해였다. 상우는 객관성을 아예 잃은 나머지 이제 재영의 단점이 무엇인지, 그런 게 있었는지조차 기억나지 않았다. 보기만 해도 좋은데 단점을 떠올릴 겨를이 어디 있단 말인가. 그런 적 없는데, 진짜 아닌데, 그런 말을 듣게 되어 마음이 아팠다.

"……스트레스 받아."

상우는 자리에서 일어나 남은 음식을 정리했다. 재영이 입술만 대고 남긴 당근 주스를 보자 속이 더욱 상했다. 늘 모른 척해 왔지만 그가 마시기 싫어한다는 걸, 감시하지 않으면 마시지 않는다는 걸 알고 있었다. 그래서 그만두고 싶어도 재영의 안구 건조증을 개선해 주고 싶은 마음이 너무 컸다.

상우는 유리잔에 랩을 씌워 냉장고에 넣어 두고 싱크대로 가서 밀린 설거지를 전부 처리했다. 거실을 청소하고 나자 마음이 조금 평온해졌다. 재영의 방을 청소해 줄까 싶어 문을 살짝 열어 보았다가 포기했다. 아무리 상우가 정리를 효율적으로 잘한다곤 해도, 그 방은 최소 3시간은 잡아야 할 것 같았다.

간단히 샤워하고서 제 방으로 돌아와 여행 사진을 컴퓨터로 옮겨 정리했다. 가장 마음에 드는 건 호숫가에서 재영이 풍선껌을 크게 불었다고 자랑하다가 터진 순간을 포착한 사진이었다. 상우는 그걸 새로운 배경 화면으로 지정하고 나머지 사진을 돌려 보았다. 케이블카에서 호기심 가득한 시선으로 아래를 내려다보는 그, 소시지 꼬치를 베어 물며 웃는 그, 펜션 침대에 누워 핸드폰을 확인하는 그, 그리고 아침 햇살을 받은 채로 잠든 모습이 화면에 차례대로 지나갔다.

상우는 덜컥 두려워졌다. 언젠가 재영이 헤어지자고 한다면 어떻게 될까. 아무리 노력해도 그의 마음을 돌릴 수 없다면 어떻게 해야 할까. 요즘 느끼는 행복의 크기만 한 불행을 상상하자 몸서리가 쳐졌다.

'그런 일이 일어나지 않게 미연에 방지해야 해.'

나중에 이별로 번질 수 있는 싹이라면 아무리 작더라도 놔두지 않겠다고 상우는 다짐했다. 그러곤 핸드폰을 열어 막 피어난 파릇파릇한 싹을 다시 체크했다. 비록 가장 최근 메시지 열 개 정도는 정말로 참기 어려웠지만, 나머지는 이제 예전만큼 거슬리지 않았다.

[♥장재영♥: 자기나지금들어가치킨사죠] 4일 전
[♥장재영♥: 지금뭐입고있쩌?] 4일 전

정확도를 버리고 애교를 취하는 전략이라고 생각하면 이해할 만
했다.

[♥장재영♥: 왜전화안받아??????????] 1개월 전
[♥장재영♥: 누구랑통화해???1분안에답장안하면이혼] 1개월 전

문장 부호를 여러 개 쓰는 건 효율성 면에서 최악이었지만 감정을
강조하는 한 방법으로 보였다.

[♥장재영♥: ㅛㅏ랑해ㅛㅏㅇ우야] 2개월 전

대체로 형식은 마음에 들지 않아도 내용은 마음에 들었다.
'늘 그랬잖아.'
장재영은 처음부터 좋지 않았다. 새빨간 옷도, 껄렁거리는 자세
도, 상스러운 말투도 다 싫었다. 그 안에 든 사람을 세상에서 가장
좋아하게 된 이후로 마음에 들지 않던 형식마저도 거슬리지 않게 되
었을 뿐이다.
'결국 별거 아니었군.'
별것도 아닌 일로 아껴 주기만 해도 모자랄 애인을 괴롭혔다는 후
회가 들었다. 상우는 핸드폰을 들어 그에게 하고 싶은 말을 보낸 뒤,

도서관에서 출력한 243쪽짜리 띄어쓰기 매뉴얼의 스프링을 뜯어 재활용함에 폐기했다. 이곳저곳 붙여 놓은 맞춤법 정보지를 전부 떼고서 핸드폰을 확인해 보니 답장이 와 있었다.

[♥장재영♥: 사랑해요/♡/. 보고 싶어요/♡ ♡ ♡/.] 22:02

아무래도 그의 남자친구는 화가 풀린 것 같았다. 상우는 외출할 준비를 하고서 창문을 주시했다. 32분 동안 기다리자 익숙한 차가 시야에 들어왔다. 그는 곧바로 대문을 열고 뛰쳐나갔다.

엘리베이터를 타고 내려가 정신없이 달렸다. 마침 재영의 차가 주차장에 들어서고 있었다. 얼른 만나고 싶은데 선팅된 창문 때문에 안이 보이지 않았다. 곧 차가 빈자리에 선 뒤 운전석 문이 열렸다.

상우는 처음 보는 남자가 내리길래 의아하게 생각했다. 그러나 운전석에 타고 보니 곧바로 상황을 이해할 수 있었다. 재영은 볼이 조금 빨갰고 차에서는 알코올 냄새가 났다.

"술 마셨어요?"

"어."

"누구랑."

"대현이랑 진주 누나."

상우는 고개를 끄덕였다. 김대현, 27세, 장재영의 고등학교 동창, 주꾸미 식당 운영 중. 이진주, 29세, 회사원. 서로 연인 관계이므로 재영에게 무해했다.

대화가 끊기자 둘 사이에 머쓱한 분위기가 감돌았다. 예전에야 서로 소리 지르며 자주 다퉜지만, 정식으로 교제하기 시작한 뒤로 감정 상해 가며 싸운 건 이번이 처음이었다. 상우는 완벽하던 관계를 망쳤다는 불안감이 들었지만, 이게 정상이라는 걸 책에서 배워서 알고 있었다.

"갈등도 건강함의 증거래요."

재영은 창밖만 볼 뿐 대답하지 않았다. 상우는 말을 이었다.

"안 싸우는 게 더 이상한 거래요."

재영이 살짝 웃었다. 그래서 상우는 용기를 얻었다.

"내가 사귀기 시작하면서 지켜 달라고 한 거, 세 가지밖에 없었잖아요. 다 잘하고 있으니까 괜찮아요."

재영은 연락이 너무 잦아서 문제였으며 큰 소리 한 번 낸 적 없었고, 일주일에 세 번씩 영어 과외를 성실하게 해 주었다.

"나머지 서른세 개는?"

"그건 부수적인 생활 수칙이니까 조절 가능해요. 형이 스트레스받는 거 싫어요. 내가 제약으로 느껴져서 나 싫어하게 되느니, 다 폐기하는 게 나아요."

"……."

"난 형이랑 1~2년 만나고 말 생각 없는데. 오래 가려면 힘 빼고 연애해야죠. 형이 늘 연애를 짧게 해서 모르나 본데, 초반부터 너무 열심이어도 얼마 못 간대요."

"누가 그래?"

"〈첫사랑과 결혼하는 100가지 방법〉 2권 148페이지."

상우는 입을 잠깐 다물고서 해야 할 말을 머릿속에 정리했다. 심호흡을 하고 차분히 내뱉었다.

"그러니까 쓸데없는 짓 하지 말고 나만 사랑해 주면 돼요. 형 흡연자인 거 알고 같이 사는 거예요. 담배 피우고 싶으면 피워도 돼요. 힘들면 아침 안 차려 줘도 돼요. 매일 시리얼 먹고 나가는 데 익숙하니까. 메시지 띄어쓰기, 전혀 중요하지 않아요. 내 욕심이었어요. 그런 건 예외 처리하면 돼요."

그렇게 하찮은 문제 때문에 매일 에러 메시지를 띄울 수는 없다. 상우는 우선순위를 잘 아는 개발자였다.

"예외 처리?"

"규칙을 어겨도 프로그램에 오류 나지 않게 돌려주는 방법이 있어요."

"어떻게?"

"예를 들어 자바에선 메서드 내에서 exception이 발생하면 try-catch라는 구문으로…… 읍."

한창 말하고 있는데 입이 막혔다. 어느새 바싹 다가온 재영이 입술을 부딪치며 밀고 들어왔다. 그의 숨에서 술 냄새와 담배 냄새가 섞여 났다. 대체 말을 들은 건지 만 건지, 재영은 눈을 감고 정신없이 키스할 뿐이었다. 상우는 그를 가까스로 밀어냈다.

"얘기하고…… 있잖아. 아, 으읍."

그러나 재영은 막무가내로 굴었다. 입을 살짝 벌리자 틈새로 성급한 혀가 비집고 들어왔다. 많이 취한 것 같지는 않은데 목에 닿은 손이 뜨거웠다. 상우는 몸을 바싹 붙여 오는 재영을 몽롱한 기분으로 끌어안았다.

재영은 금세 운전석으로 건너왔다. 좁은 공간에 몸을 욱여넣고 상우의 허벅지 위에 앉아 버렸다. 상우는 입술을 떼고서 바지 버클을 풀려는 손을 붙잡았다.

"감정적 갈등을 몸으로 풀려는 시도가 문제 있다고 생각하지 않아요?"

"아니, 전혀."

재영은 짧게 답하곤 상우의 목덜미에 입술을 박았다. 살갗을 입 안으로 부드럽게 빨아들이며 혀끝으로 훑었다. 상우는 이성이 날아 가기 전에 가까스로 입을 열었다.

"규칙 32, 33⋯⋯."

"집어치워."

"뭐라고?"

재영이 고개를 들어 상우의 눈을 마주쳤다. 초점 풀린 시선은 고 집스럽고 위험해 보였다.

"사랑해 달라며. 내가 널 사랑하는데 요일과 장소가 어디 있어?"

상우는 오늘 그에게 져 주게 될 것임을 직감하면서도 조용히 대답 했다.

"내일 출근해야 하잖아요. 그리고 자동차 시트 갈고서 합의한 규 칙이잖아요."

"뭘 어쩌라고. 싫어."

"알았어요. 일단 저쪽으로 가 봐요."

상우는 그리 말하며 재영의 가슴을 밀어냈지만 그는 더 엉겨 붙을 뿐 떨어지려 하지 않았다.

"저쪽으로 가요, 입으로 해 줄 테니까."

짜증스럽게 말하자 재영이 눈을 동그랗게 떴다.

겁도 없이 덤볐다가 입이 찢어진 석 달 전 이후로 다시 시도하는 건 처음이었다. 상우는 바나나로 연습을 여러 번 했지만 실제로 해 보니 크기도 경도도 너무 달라서 소용없었던 것이다. 하지만 재영이 이 자리에서 당장 성관계를 하겠다고 고집부리니 깔끔하게 끝낼 방 법은 그뿐이었다.

재영은 어느덧 조수석에 얌전히 앉아 있었다. 상우는 그쪽으로 건너가 연회색 청바지를 허벅지까지 끌어 내렸다. 속옷 앞부분이 어둠 속에서 티 날 정도로 흠뻑 젖어 있었다. 심호흡하고 얇은 옷을 아래로 내리자 최대화된 성기가 배 쪽으로 튕겨 올라갔다.

'왜 오늘따라 더 커 보이는 거지.'

상우는 긴장하며 재영의 다리 사이에 자리 잡고 무릎 꿇었다. 팔 꿈치를 그의 양 무릎 위에 올려놓고 심호흡을 했다. 살짝 올려다보자 재영이 미친 사람처럼 반쯤 풀린 눈을 한 채 상우의 머리를 쓰다듬었다. 그 손길이 부드럽지 않았다.

"딱 한 번만 하고 올라갈…… 읍!"

재영이 뒤통수를 미는 바람에 열려 있던 입술 사이로 그의 중심이 들어왔다.

'오늘은 폭주 기관차 모드군.'

재영이 유독 성욕에 눈 뒤집힐 때가 있었다. 그럴 땐 행동이 조금씩 거칠어지고 말이 없어졌다. 그 외에도 다정한 남자친구 모드, 섹스에 집중하는 운동선수 모드, 야한 말을 쏟아 내는 포르노 배우 모드, 장난기로 가득한 장난꾸러기 모드, 칭얼거리는 아기 모드, 손 하나 까딱 안 하고 상우한테 다 시키는 게으름뱅이 모드가 있었다. 상우는 이따금 한 명이 아닌 여러 명과 교제한다는 느낌이 들었다.

페니스를 입에 가득 넣고 혀를 굴렸다. 짭짤한 체액이 계속해서 솟아나는 입구에서부터 힘줄 불거진 기둥까지 혀를 세워 살뜰하게 핥았다. 이를 세워 귀두를 물 때마다 재영의 허벅지가 팔딱거렸다. 턱으로 침이 줄줄 흘러내렸지만 삼킬 여력이 없었다. 느낌 탓인지 계속 커지는 듯한 기둥을 입에 물고 있는 것만 해도 힘이 들었기 때문이다.

그런 와중에 자꾸 재영이 뒤통수를 밀어서 끝부분이 목구멍에 닿았다. 한계가 있다고 말해 주고 싶었으나, 재영이 머리카락을 쥐고 당겨서 그럴 수가 없었다. 상우는 어쩔 수 없이 머리를 천천히 움직이기 시작했다. 석 달 전에 연습했던 대로, 입술을 동그랗게 다물고 혀끝으로 긴 표면을 자극하며 수직으로 운동했다.

"아, 아…… 상우야."

입이 가득 차 있어서 대답할 수 없었다. 재영이 머리카락을 더욱 거칠게 쥐며 뒤로 당겼다. 턱이 저절로 들리며 둘의 시선이 마주쳤다. 상우는 행위에 집중하기 위해 다시 눈을 내리깔았지만 재영이 또 머리칼을 당겼다. 저를 봐 달라는 것 같았다.

상우는 재영의 눈을 똑바로 보며 기둥을 빨았다. 귀두가 목구멍에 닿을 때까지 깊이 머금었다가 입술에 힘을 주며 쭉 올려 핥고 끝부분을 살짝 물었다. 그러고 침을 삼킨 뒤 다시 입 안 가득 혀로 감쌌다.

상우가 내려갈 땐 재영의 손바닥이 머리를 눌렀고 올라갈 땐 그의 손이 머리카락을 잡아당겼다. 처음에는 속도가 엇비슷했으나 갈수록 재영의 손길이 더욱 성급해졌다. 상우는 더 빨리 움직이라는 지시를 충실히 따랐다. 예전에 같은 행위를 하다 이 지점에서 입에 상처가 났던 것을 떠올리며 입술을 더욱 좁게 오므렸다.

"아윽……. 하아, 하아. 아……."

사실 상우는 남의 성기나 빨아 주고 있을 처지가 아니었다. 재영의 신음을 듣고 있느라 제 것이 바지 속에서 터질 듯이 부풀어 있었다. 만져서 해결하고 싶은 마음이 굴뚝같았으나, 한 손으론 기둥 아래를 받치고 한 손으론 재영의 허벅지를 잡고 있어서 불가능했다.

돌연 재영이 양손으로 상우의 머리를 붙잡아 고정했다. 영문을 몰라 올려다본 순간, 반쯤 머금고 있던 기둥이 입천장을 찌르며 밀려들어왔다. 단단한 살덩이는 빠르게 빠져나가더니 그만한 속도로 다시 쑤셔 넣어졌다. 머리가 흔들릴 정도로 충격이 거셌지만 재영이 꽉 잡고 있었다. 최대로 발기한 남근이 거칠게 들어왔다 나가기를 반복했다. 속도가 점점 빨라지는 걸 보면 이번에도 입을 찢어 놓을 작정인 듯했다. 상우는 재영의 허벅지를 꽉 움켜쥐고 어떻게든 버티었다.

그러다 어느 순간, 재영이 움직임을 멈추고 성기를 빼냈다. 사정할 타이밍이 다가왔다고 생각했는데, 의아했다. 상우가 다시 귀두에 입술을 갖다 대려던 순간, 재영이 양팔을 상우의 겨드랑이에 넣고 그의 몸을 위로 끌어당겼다. 순식간에 눈높이가 맞았다. 격정으로 소용돌이치는 눈동자가 눈꺼풀 아래 잠기며 재영이 상우의 입술을 집어삼켰다.

뜨거운 타액이 입안으로 흘러들어 오며 혀끼리 얽혔다. 재영의 팔이 상우가 어디 가기라도 한다는 듯 그를 꽉 끌어안았다. 손이 뒤통수와 허리를 성급하게 눌러 문질렀다. 상우는 그의 행동에서 백 가지 말보다 뚜렷한 감정을 읽을 수 있었다.

재영이 돌연 입술을 떼며 고개를 옆으로 돌렸다. 손을 길게 뻗어 콘솔을 열었다. 선글라스 케이스와 물티슈 등 잡동사니를 꺼내 옆자리에 던지자 아래 숨겨 놓은 콘돔과 윤활제가 드러났다.

"……차에서 안 하기로 한 지가 언젠데, 아직도 안 치웠어요?"

"이런 날이 올 줄 알았지."

재영이 상우의 목에 쪽쪽 입 맞추며 그의 엉덩이를 꽉 쥐었다. 그러고선 낮게 귓속말했다.

"왜, 멈출까? 그대로 들어가서 규칙대로 각자 방에서 잘까?"

"그런 건 발기하기 전에 말했어야죠."

"예외 처리야?"

"네."

재영이 준비를 마치고서 상우의 바지와 속옷을 끌어 내렸다. 상우
는 손가락이 몸속으로 침투하는 것을 느끼며 그를 꼭 끌어안았다.

"화 풀렸어요?"

"화 안 났는데."

"거짓말."

재영이 대답 없이 몸을 일으키더니 상우를 시트에 눕혔다. 등받이
를 뒤로 기울이고 등을 안으며 목에 키스했다. 그러면서 상우의 왼
쪽 다리를 들어 제 팔에 걸었다. 손가락이 늘어나고 질척이는 소리
가 거세질수록 상우는 몸이 달았다. 당장 박을 것처럼 거칠게 굴어
놓고서, 재영은 안을 꾹꾹 만지기만 했다.

'왜 저래…….'

분명히 급할 텐데, 아무리 기다려도 느긋하게 행동하는 것이었다.
게다가 일부러 엉뚱한 곳만 누르고 있었다. 상우는 꼭 감고 있던 눈
을 떴다가 재영과 시선이 마주쳤다. 약간 처진 눈이 짓궂은 장난기
로 반짝였다.

"상우야, 띄어쓰기가 그렇게 거슬렸어?"

"……약간?"

"그치? 좀 안 할 수도 있지?"

"응. 아, 이제 그만……."

"뭐라고?"

"놀리지 마요. 슬슬 그만하고……."

"문법을 정확히 구사해야지."

"다 알면서 왜 그래요, 진짜."

"문법, 상우야. 주어, 목적어, 술어."

"아 씨……."

한번 장난치기 시작하면 끝도 없었다. 이럴 땐 원하는 바를 빨리 들어주는 게 상책이다. 상우는 눈 딱 감고 입을 열었다.

"형의 거대한 자지를……."

제발—제—구멍에—넣어—주세요. 그가 지난달에 가르쳐 준 저속한 문장을 완성하자 재영이 웃음을 터뜨렸다.

"그게 뭐야, 로봇이냐?"

"……."

해도 지랄, 안 해도 지랄. 상우가 눈을 짜증스럽게 치켜뜬 순간, 재영의 손가락이 빠져나가며 엉덩이를 벌렸다. 허리가 들리며 입구에 뭉툭하고 단단한 것이 닿았다. 상우는 긴장감과 기대감을 동시에 느꼈다. 재영이 웃으며 속삭였다.

"분부대로."

그리고 그가 밀려 들어왔다. 시작부터 안쪽을 자극하는 바람에 입에서 신음이 튀어나왔다.

"아, 학!"

재영은 상우의 눈을 똑바로 들여다보며 아주 천천히 삽입했다. 그러나 배려가 아니었다. 살살 넣었다 뺐다, 장난치며 감질나게 하고 있었다. 상우는 그의 목을 잡아당겨 이마끼리 맞댔다.

"똑바로 안 해요?"

"싸우는 중이잖아. 잊었어?"

"화 안 났다면서…… 아, 아!"

재영이 상우의 왼쪽 다리를 더 높이 들며 페니스를 쑥 넣었다. 상우는 말을 멈추고 기다렸다는 듯 그의 목에 매달렸지만 상대는 다시 움직임을 멈추었다. 아래를 확인해 보니 반도 들어오지 않았다.

"뒤끝 진짜……."

"뒤끝?"

"내가 맞춤법으로 뭐라 했다고 이러는 거잖…… 으윽!"

"너 말 한번 잘했다. 뒤끝이 뭔지 보여 줘?"

"진짜 너무하…… 아, 으웃, 학!"

재영이 예고도 없이 기둥을 뿌리까지 처넣었다. 이젠 그의 물건을 받아들이는 것도 처음과 비교도 안 될 정도로 익숙해졌지만, 저렇게 막무가내로 구니 힘들었다. 상우는 고통과 쾌감 중 어느 것이 강한지 비교해 보다 머릿속이 하얘져 눈을 감아 버렸다.

"야, 눈 떠 봐."

상우는 고개를 저었다.

"말 안 듣네."

재영이 그리 중얼거리고서 움직이기 시작했다. 성기를 슬쩍 뺐다가 거칠게 박아 넣으니 몸이 흔들리며 찌르르한 느낌이 배 속에서부터 퍼져 나갔다. 재영은 한 손으로 상우의 손을 쥐어 깍지 끼고, 다른 한 손으론 뒤통수를 받쳤다.

"상우야."

"하, 아으……."

"무슨 대답이…… 그래?"

상우는 대답하고 싶었으나, 입만 열려고 하면 재영이 기다렸다는 듯이 내벽을 찔러서 불가능했다. 눈을 슬쩍 뜨자 얄미운 얼굴이 코앞에 있었다. 상우는 그에게 키스하려고 했으나 재영은 그마저 허락하지 않고 고개를 뒤로 피했다.

'진짜 못됐다.'

"똑바로 안 할 거면 누워요. 내가 할 테니까."

상우가 일어나려 하자, 그가 몸으로 어깨를 눌렀다. 곧이어 눈이 질끈 감기는 왕복 운동이 시작되었다. 상우는 짜증 나던 기분도 잊고 상대의 목에 팔을 걸고 바싹 안겼다. 그러나 신음을 내기엔 자존심이 상해서 억누르려 애썼다.

"이쁜 입술 깨물지 말고."

재영은 그 꼴마저 못 보겠다는 듯, 이 사이에 굳이 손가락을 들이밀었다. 상우는 반항하기를 포기해 버리고 말았다. 신음을 나오는 대로 내지르며 재영에게 몸을 맡겨 버렸다. 거센 움직임에 몸이 위아래로 흔들리며 어깨가 차 시트와 마찰했다. 재영이 상체를 바싹 붙이며 볼을 손바닥으로 쓸었다. 반대쪽 다리도 팔에 걸며 허벅지를 양옆으로 쫙 벌리자 삽입이 한층 깊어졌다. 상우는 수치스러운 자세가 조금도 신경 쓰이지 않을 정도로 쾌락에 흠뻑 젖어 들었다.

"상……우야."

"하, 아……. 흐윽, 아."

"대답."

"어…… 으. 학, 응."

"대답, 윽…… 똑바로 안 할래?"

상우는 고개를 거칠게 저으며 허리를 움직였다. 재영이 들어오는 순간에 맞추어 골반을 찍어 내리자 눈앞에서 빛이 번쩍거렸다. 흥분 때문에 저도 모르게 아래를 조일 때마다 재영의 신음이 터졌다.

'끝내주네, 씨발.'

상우는 욕을 입 밖으로 내지 않고 속으로만 생각했다. 술 마시거나 섹스하면서 욕하는 습관을 발견한 이후 끊으려고 부단히 노력하고 있었다.

"씨발, 돌아 버리겠네……."

비록 상대는 자제하려고 노력하는 것 같지도 않았지만. 상우는 아

까부터 노리고 있던 재영의 입술을 먹어 치웠다. 혀끼리 서로 잡아
먹을 듯 엉키고 부딪치며, 아래에서 일어나는 주기적인 충돌도 더욱
거세졌다. 상우의 등은 어느새 땀으로 흥건했다. 등뿐 아니라, 재영
과 살갗이 맞닿은 모든 부위가 뜨겁게 젖어 있었다.

"상우야, 내가……."

재영이 거친 숨과 숨 사이에 말했다. 그가 고개를 들자 턱에서 땀
이 뚝뚝 떨어져 상우의 입술에 닿았다.

"왜, 으윽…… 너랑 섹스에 이렇게…… 환장하는지, 헉, 알아?"

'중독이야. 병원 가 봐야 돼요.'

하고자 했던 말은 신음을 흘리느라 뱉을 수 없었다. 재영이 상우
의 뺨을 때리듯 세게 쥐고 저를 보게 했다.

"네가 흐트러진 모습…… 이때 아니면 언제 봐."

"바…… 보."

웃음이 피식 나온 순간, 재영이 피치를 올렸다. 그때부턴 얼굴과
하체가 아예 따로 놀았다. 상우를 사랑스럽다는 듯이 바라보면서도
어느 때보다도 난폭하게 박아 대는 것이었다. 상우는 마주 웃어 주
고 싶었으나 우는 소릴 낼 수밖에 없었다.

"형, 제발 천천히…… 아, 흐윽……."

"문법, 상우야."

"씨발…… 말 한번, 잘못했다가……."

"어, 자기…… 욕했네."

규칙17 위반이라는 중얼거림이 들렸지만 신음을 내지르느라 대답
할 수 없었다.

그날 상우는 장재영을 한번 잘못 건드린 죄로 집요하게 시달렸다.
그 덕에 머릿속에 확실히 새겨졌다. 사소한 문제는 따로 요청하지

않아도 예외 처리할 것.

"아, 존나 힘들다. 농구 세 게임 뛰고 온 기분이야."

차에서 나왔을 때는 새벽 1시 반이었다. 시트는 예상대로 눈 뜨고 못 봐 줄 정도로 엉망이 되었지만 재영이 알아서 하겠다고 해서 휴지로 대강 닦고 일단 나왔다. 다리가 후들거려서 걷기도 쉽지 않았다. 재영은 업어 달라고 상우를 졸라 댔으면서, 막상 업어 주려고 등을 들이미니 됐다고 말하며 그를 혼란스럽게 했다.

"걱정된다……."

"야, 걱정하지 마. 체력 때문이라도 매일은 못 이러지."

"……아니에요. 방학 때 생각해 봐요."

엘리베이터 안에서 재영은 대수롭지 않게 말했지만 상우는 생활이 파멸할까 봐 걱정이 이만저만이 아니었다. 자신은 24학점을 수강하는 학생이고 재영은 'De:ex'란 회사의 신입 사원이었다. 그런데 이미 재영이 규칙 32, 33이 폐기되었다고 이해하고 있어서 매일 밤 이런 일이 벌어질 것 같았다.

"매일이 오늘만 같으면 좋겠다."

재영이 몽롱한 목소리로 중얼거리며 상우를 뒤에서 안았다. 그대로 무게를 실어 버려서 상우는 곰 한 마리를 업은 기분으로 집 앞까지 갔다. 도어록을 열고 들어서서 우선순위를 파악했다.

"우선 당근 주스 마셔요. 그다음에 샤워. 그 전에 절대로 내 침실 입장 안 돼요."

상우는 '자기야 오늘만 어쩌고저쩌고' 하는 애교를 깡그리 무시하고 냉장고에서 유리잔을 꺼내 재영에게 주었다. 재영이 우울하단 시선으로 잔을 바라보았다. 그는 한동안 그러고 있다, 상우의 손에서 컵을 빼앗았다.

비닐 랩을 뜯어 바닥에 버리더니 눈을 질끈 감고 주스를 마시기 시작했다. 꿀꺽, 꿀꺽, 꿀꺽, 액체가 넘어갈 때마다 목울대가 움직였다. 재영은 500ml를 한 번에 마셔 버린 뒤 유리잔을 식탁에 놓았다.

"하아, 하아."

"잘했어요."

"이거, 네가 고생해서 만들어 준 거라 마지막으로 마신 거야."

"뭐요?"

"이제 만들지 마. 나 마시기 싫어."

"하지만 안구 건조……."

"예외 처리."

상우는 할 말을 잃었다. 재영은 쥐여 준 무기를 놓치지 않고 마음껏 휘두르고 있었다. 대안으로 비타민A 영양제와 구기자차를 떠올리며, 상우는 알겠다고 답했다.

재영은 펜꽂이에서 빨간 매직을 꺼내더니 벽에 붙여 놓은 서른세 가지 수칙에 다가갔다. 32와 33이 원수라도 되는 것처럼 찍찍 긋고서, 글자를 커다랗게 갈겨 적었다.

재협상 타결

재영은 팔짱을 끼고서 갓 훼손한 벽보를 아주 자랑스럽게 바라보았다.

'잘났다, 잘났어.'

상우는 속으로 빈정거리며 그에게 새 속옷을 건네주었다.(그는 늘 잠옷을 입지 않고 속옷 차림으로 잤다.)

"이제 씻어요."

"나 먼저 씻어?"

"네."

재영은 양팔을 천장으로 뻗으며 기지개를 시원하게 켜더니, 하품하며 옷을 벗어 욕실 문 앞에 던졌다. 그의 나신을 가만히 보고 있던 상우는 생각이 바뀌었다. 성큼성큼 다가가 그의 허리를 뒤에서 안자, 재영이 떨떠름한 표정으로 상우를 돌아보았다.

"샤워는 한 번에 한 명씩이라며?"

"예외 처리."

재영이 웃음을 터뜨리며 상우를 욕실 안으로 끌어당겼다. 문이 쾅 닫혔다.

외전〈2〉 Propose 5.0

외전〈2〉 Propose 5.0

출국하기 두 달 남은 시점이었다. 이사 준비, 여행 계획 수립, 차량 매각 등 여러 할 일로 부산했으나 상우에게는 무엇보다도 중요한 할 일이 있었다.

[나: 퇴근했어요?] 18:55
[♥장재영♥: 7분뒤도착] 18:57
[♥장재영♥: 먹을거사갈까아님나가서먹을래?] 18:57
[나: 아무것도 사 오지 마요.] 18:58

상우는 핸드폰을 차량 거치대에 올려놓고 가만히 심호흡했다. 이 날을 위해 리허설을 여러 번 거쳤고 머릿속으로도 수백 번 시뮬레이션 했지만 그래도 떨리는 건 어쩔 수 없었다.

'내 인생에서 가장 중요한 날이야. 절대로 실패해선 안 돼.'

상우는 속으로 그리 중얼거리며 순서를 꼼꼼히 점검했다. 계획은 완벽했다. 로맨틱한 이벤트로만 가득했으며 상대의 감정을 단계별로 고조시킬 수 있도록 설계되어 있었다. 끝까지 실행하고 나면 재영은 '제안'을 거절하지 못할 것이다. 거절할 수 있을 리 없었다. 상우는 그가 눈물을 그렁거리며 고개 끄덕이는 모습을 상상하다 그만 발기하고 말았다.

'성욕 때문에 이 중요한 날을 망칠 수 없어.'

상우는 급하게 불교 방송을 틀었다. 느릿하게 불경 읊는 소리를 들으며 마음을 가다듬는 사이, 눈에 익은 해치백이 상우가 탄 차를 스쳐 지났다. 차량이 지정된 자리에 선 뒤 시동이 꺼졌다.

그리고 상우가 기다리는 남자가 내렸다. 5개월 동안 기른 머리를 하나로 묶은 데다 귀걸이를 세 개나 한 그는 전혀 그래 보이지 않아도 엄연히 회사의 근로자였다. 그곳은 디자이너들이 다니는 직장이라 그런지 사내 분위기가 자유로운 편이었다. 상우는 사옥에 방문해 본 다음에서야 본인이 얌전하게 하고 다니는 편이라는 재영의 말을 믿게 되었다.

재영이 차 문을 닫고 안경을 벗어 외투 주머니에 넣었다. 허리까지 오는 빨간 점퍼 아래, 검은 바지를 걸친 긴 다리가 빠르게 움직였다. 그가 핸드폰을 꺼내 어디론가 전화를 걸자 따르르릉, 상우의 핸드폰이 울렸다. 재영은 전화하면서 집에 들어오는 습관이 있었다.

"여보세요."

—오늘 대표한테 12월에 관둔다고 말했어.

"뭐래요?"

—뭐래긴, 쌍욕 들었지.

"노동부에 신고할 정도예요?"

—그 정도는 아니고……. 담배 피우면서 1시간 정도 얘기했어. 내

년도에 키링이랑 콜라보 하는 거, 나한테 주려고 했대.

"그거 못 하고 가는 건 좀 아쉽네."

―그러게, 재미있었을 텐데.

"유능한 직원이 떠나서 아쉬운 마음은 알겠지만 형한테 욕하고 싶으면 다음부터 나한테 전화하라고 해요."

재영이 어느새 가까워져, 웃음 짓는 얼굴이 차창 너머로 보였다.

―얘기 잘 끝났어. 오늘 뭐 먹을까? 혜정 씨네 동네에 40년 된 중국집 있다는데, 되게 맛있대. 짜장면 어때?

재영이 차를 지나쳐 가려는 순간에 상우가 문을 열고 내렸다.

"장재영 씨, 여기예요."

그리 말하며 전화를 끊자 재영이 뒤돌아보았다. 얼굴에 미소가 번진 것도 잠시, 그는 상우의 차림새와 그가 타고 있던 검은 세단을 확인하고서 입을 쩍 벌렸다. 귀에 대고 있던 핸드폰은 어느새 허벅지 근처에서 덜렁거리고 있었다.

"너 어디 가? 그 벤츠는 뭐야?"

"타요. 같이 갈 데가 있어요."

상우는 멋있게 말했다고 생각했는데 재영의 입가에는 장난스러운 미소가 떠올랐다.

"아, 오늘이야? 미리 말했어야지."

"……뭔 줄 알고 그래요?"

"차에서 기다려. 얼른 씻고 옷 갈아입고 올게."

상우는 집 쪽으로 걸어가려는 재영의 팔을 붙잡았다.

"안 돼요. 아직 들어가면 안 돼요."

"왜?"

"말할 수 없어요. 얼른 타요."

재영은 인상을 찌푸리더니 제 운동화를 물끄러미 보았다.

"그럼 네가 들어가서 트렌치코트랑 워커만 갖고 나와."

그는 그리 말하고서 조수석으로 사라졌다.

'이런 계획은 없었는데.'

상우는 불안함을 느끼며 집 쪽으로 달렸다. 아무것도 밟지 않으려고 노력하며 재영의 외투와 신발을 갖고 차로 돌아왔다. 시동을 걸면서 용기가 조금 생겼다. 조금 불안하기는 했지만 아직 시간도 넉넉하고 아무것도 망치지 않았다.

재영은 신발을 갈아 신으며 상우의 옆얼굴을 빤히 바라보았다.

"뭘 그렇게 봐요?"

"……어."

"무슨 문제라도 있어요?"

옆을 돌아본 순간 재영이 달려들었다. 입술에 키스를 퍼부으며 손을 재킷 안으로 넣어 허리를 더듬었다. 저리 가라고 말하려고 입을 벌린 틈에 그의 혀가 쑥 들어왔다.

"형, 잠깐만……."

"자기야, 너 지금 너무 섹시해."

낮은 속삭임에 몸이 확 달아올랐다. 상우는 거부할 의욕을 잃고 입술을 활짝 열었다. 정신없이 키스하는 사이 재영의 손은 바지 안으로 파고든 것도 모자라 엉덩이까지 내려가 살갗을 꽉 쥐었다.

"아, 왜 이래, 짐승같이……."

재영은 상우의 말을 못 들은 척 몸을 더 바싹 붙이며 뜨겁게 키스했다. 상우는 어질어질한 수준의 정욕에 휘둘리다, 재영이 주머니에서 콘돔 빼는 걸 보고서 정신이 들었다.

"……잠깐만."

섹스야 매일 할 수 있지만 오늘은 한순간의 충동으로 망쳐선 안 되는 날이었다. 상우는 초인적인 인내심을 발휘하여 재영의 손을 빼내고 무릎으로 그의 가슴을 밀어냈다. 재영은 쉽게 떨어지려고 하지 않았다. 상우는 애인의 볼을 잡고 낮은 목소리로 그를 달랬다.

"이건 아닌 거 같아. 조금만 참아요."

"얼마나?"

"2시간 52분."

"3시간을 어떻게 참아?"

"좀 참아요. 피차 같은 상황이잖아요."

재영은 뚱한 표정으로 투덜거리며 자리로 돌아갔다. 상우는 안도의 한숨을 내쉬며 그가 꺼내 놓은 셔츠를 다시 바지에 넣고 구겨진 곳을 폈다.

'자, 아직 괜찮아. 새로운 마음으로 시작하자.'

상우는 운전대를 잡고 속으로 중얼거렸다. 정체를 알 수 없는 불안감이 치밀었지만 애써 무시하며, 기어를 후진에 두고 액셀을 밟았다. 후면을 확인하느라 고개를 돌렸다가 재영과 눈이 마주쳤다. 그는 여전히 변태 같은 눈빛을 하고 있었다.

"그래서, 어디 가는데?"

"하이스테이트 호텔."

"이야, 작정했네……. 거기서 하룻밤 자는 거야?"

"식사하고 돌아올 건데."

"밥 먹기 전에 투숙부터 하자."

"개소리 좀 작작 해라, 다 계획이 있는데."

상우는 저도 모르게 싸늘하게 중얼거려 놓고 정신이 번뜩 들었다. 사과하려고 옆을 보았는데 재영은 재미있다는 듯이 웃고 있을 뿐이었다. 상우는 입술을 깨물었다.

'중요한 날이야. 성질내면 안 돼.'

"부적절한 소리 좀 하지 맙시다. 형. 내가 준비한 일정이 다 있잖아요."

애써 웃으며 부드럽게 이야기했지만 이가 악물려 발음이 이상하게 들렸다. 재영이 입을 주먹으로 가리고 웃으며 대꾸했다.

"그래, 알았어."

"협조해 줘서 대—단—히 고맙습니다."

비꼬려던 건 아닌데 말투가 이상하게 나왔다.

다행히 재영은 호텔에 도착하기까지 아무 말도 하지 않고 장난도 치지 않았다. 그쯤 상우는 몹시 긴장해서 손이 달달 떨리고 누가 툭 치면 토할 것 같은 기분이었다. 지하 주차장으로 들어가면서 가만히 있던 재영이 갑자기 말했다.

"상우야."

"왜요?"

"왜 주차증을 입에 물고 그래. 또 섰잖아."

'이 새끼가 진짜…….'

상우의 표정을 본 재영이 덧붙였다.

"이렇게 중요한 날 나한테 화내려고?"

"……중요한 날인지 어떻게 알았어요?"

"아냐, 아무것도 몰라. 그냥 찍어 본 거야."

"진짜예요?"

"네가 안 말해 줬는데 어떻게 알겠어."

상우는 심호흡하며 고개를 끄덕였다. 서프라이즈인 데다 준비 과정을 철저히 숨겨 왔으니 그는 아무것도 알 길이 없었다. 상우는 남는 자리에 완벽하게 주차한 뒤 시동을 껐다. 재영은 기대된다면서 먼저 내렸지만 상우는 자리에 앉아 숨을 잠시 골랐다.

그들은 꼭대기 층으로 올라가기 위해 엘리베이터를 탔다. 전면이 유리로 된 신기한 엘리베이터인데도 재영은 바깥을 구경하지 않고 상우를 뚫어지도록 바라보기만 했다.

트렌치코트에 손을 찔러 넣고 선 남자의 등 뒤로 반짝이는 야경이 펼쳐졌다. 저 꽁지머리 날라리를 제도적으로 소유하고 싶다는 욕망으로 상우는 이런 짓을 벌이고 있었다. 그림이 그럴듯해서 사진기를 가져올 걸 싶은 후회가 들었다.

"예약하셨나요?"

"네. 추상우입니다."

그들은 산의 경치와 서울의 야경이 한눈에 보이는 5성급 이탈리아 레스토랑에 들어섰다. 검은 옷을 입은 직원이 상우가 두 달 전에 예약한 창가 자리를 안내해 주었다.

상우는 자리에 뻣뻣하게 앉아 냅킨을 무릎에 폈다. 직원이 와인 리스트를 주길래 미리 공부해 온 지식을 활용해 고기와 궁합이 좋다는 이탈리아산 카베르네 소비뇽을 한 병 주문했다. 직원이 가고 나자 재영이 의자에 등을 기대며 팔짱을 꼈다.

"대체 무슨 바람이 불어서 짠돌이가 돈을 이렇게 펑펑 쓰시나."

슈트 맞추는 비용, 차량 렌트비, 식사비, 와인 값 모두 만만치 않았다. 하지만 다 필요한 비용이었다. 상우는 전혀 아깝다고 생각하지 않았다.

"평소에 합리적으로 소비하는 건 다 이럴 때를 위해서예요."

"대체 무슨 말을 하려고 이러는지 궁금해서 못 견디겠네."

상우는 슬며시 미소 지었다. 사람들은 깜짝 이벤트를 이런 맛으로 하나 보다. 그는 재영이 놀라는 모습을 빨리 보고 싶었다.

"형, 여기 마음에 들어요?"

"응."

"진짜예요?"

상우는 되물었다. 언제나 여유 넘치는 모습 그대로인 재영은 만족스러워 보이지도, 불만족스러워 보이지도 않았다. 상우는 내심 아쉬웠다. 그가 도시의 야경을 보고서 눈을 반짝이고 식당의 고급스러운 분위기에 감탄하기를 내심 기대했나 보다.

"나는……."

재영이 의자를 끌어당겨 테이블에 바싹 붙어 앉았다. 촛불 빛이 그의 눈동자에 비쳐 일렁거리고, 커다란 손바닥이 상우의 손등을 덮었다.

"너만 있으면 어디든 좋아. 이제 알 때도 됐잖아."

그가 상우의 손을 끌어당기더니 손등에 입 맞추고 내려놓았다. 상우는 여유 만만한 그가 약간 얄밉게 느껴졌다.

"알아요. 하지만 오늘은 특별한 날이니까 더 좋았으면 했어요."

"오늘은 네가 너무 근사해서 다른 게 눈에 안 들어와. 나 점잖게 굴려고 많이 참고 있는 거야."

상우는 전면 창에 비친 제 옆모습을 슬쩍 보았다. 재영은 새로 맞춘 푸른 정장이 마음에 드는 눈치였다. 유나에게 '이거 입어 봐라, 저거 입어 봐라' 들들 볶이며 2시간 동안 고통 받았던 보람이 있었던 거다.

그러는 동안 수프와 빵이 나왔다. 상우는 숟가락으로 수프를 떠먹었지만 너무 긴장한 나머지 뜨겁다는 것만 어렴풋이 알고 아무 맛도 느낄 수 없었다. 손이 떨려서 숟가락이 그릇에 부딪히며 달그락거렸다.

"표정이 왜 그래. 맛없어?"

일상적인 말일 뿐인데 목소리가 왜 저렇게 그윽하게 들릴까. 상우는 고개를 들었다가 재영과 눈이 마주쳤다. 그가 씩 웃으며 빵을 수프에 찍어 입에 넣었다. 천천히 씹으며, 혀를 굳이 꺼내서 입술을 핥는 속셈이 너무나 뻔했다. 상우는 그 수작에 수도 없이 넘어가 보았으면서 이번에도 눈을 떼지 못했다.

"유혹하는 거예요?"

"빵 먹고 있는데 왜, 섹시해?"

"지금 나를 유혹해서 서로 좋을 게 없잖아요."

"여기 호텔이야. 남아도는 게 방인데."

재영이 미소를 지으며 검지 끝을 살짝 핥았다. 상우는 저도 모르게 입맛을 다셨지만 속이 뻔히 보이는 속셈에 넘어갈 생각은 없었다.

'대체 왜 저러는 거야?'

재영은 적이 아니며 기분 좋게 만들어 설득해야 할 상대인데, 이상하게도 그가 계획을 망치려는 악당처럼 느껴졌다. 상우는 그에게서 눈을 억지로 떼고서 수프를 거칠게 퍼먹었다. '프러포즈하기 전에 애인에게 물어보면 좋은 말 100선'을 외워 왔지만 어느새 머릿속에서 따로 놀고 있었다.

"중요한 말 해야 되는데 내가 자꾸 치근덕거려서 짜증 났어, 자기야?"

"잘 아네. 그럼 하지 말지."

"안 할게. 내 눈을 봐."

상우는 고개를 들어 재영과 눈을 마주쳤다. 의심스러운 눈초리로 그를 바라보자, 재영이 아무 잘못 없다는 듯 순진무구한 표정을 지었다. 상우는 경계심이 눈 녹듯 사르르 풀리는 것을 느꼈다.

'이런 날 형한테 화내서 어쩌겠다는 거야.'

그가 잘못한 게 뭐가 있을까. 외모가 대단히 매력적이라는 점? 식사하는 모습마저 야하다는 점? 상우는 속으로 애인을 변호해 주고선, 심호흡을 하고 미리 외워 온 문장을 머릿속에 떠올렸다.

"재영이 형. 내가 오늘 중요한 제안을 할 건데, 그 전에 잘 들어요."

"어, 알았어."

"험난한 인생에 버팀목이 있다면 어떨 거 같아요?"

상우는 재영을 그윽하게 바라보며 말했다. 눈빛에 진심을 담아 보내자 그가 와인을 마시다 기침을 몇 번 했다. 이윽고 재영이 잔을 내려놓고 상우와 시선을 맞추었다. 깊은 애정이 담긴 눈빛으로 그가 답했다.

"응. 굉장히 든든할 거 같고 특히 나처럼 불안정한 사람의 경우엔 반드시 좋은 동반자가 곁에 있어야만 한다고 생각해."

대답 자체는 흠잡을 구석이 없었지만 의욕적으로 눈을 반짝이는 본새가 어쩐지 수상해 보였다. 상우는 고개를 갸우뚱거리며 다음 질문으로 넘어갔다.

"두 사람이 인생을 함께 보내려면 무슨 조건이 필요할까요?"

"사랑이지. 사랑만큼 중요한 건 없어."

재영이 연극 대사처럼 격정적으로 말하고선 상우의 눈을 똑바로 바라보았다.

"이해심도 필요하겠지. 비록 서로 맞지 않는 부분이 있어도……."

침착하게 모범 답안을 말하던 그의 눈빛이 서서히 변했다. 분명히 총명해 보였는데 몇 초 사이에 멍청이처럼 웃고 있었다. 시선에 초점은 풀리고 입은 약간 벌어졌다.

"배려…… 하면서 맞추도록 노력…… 해야 할……."

상우는 영 좋지 않은 예감이 들었다.

"형?"

"……."

"야, 장재영."

"……어?"

"정신 차려요. 다음 질문, 나를 왜 사랑하는지 말해 줘요."

"어, 씨발 존나 섹시해서."

"……."

화낼 새도 없이 메인 요리가 나왔다. 이 레스토랑에서 가장 유명한 음식이었지만 상우는 코로 들어가는지 입으로 들어가는지 모르고 먹었다. 이쯤이면 매우 낭만적인 분위기가 형성되어, 재영이 제안을 듣고 눈물 흘릴 정도로 감정이 고양되어 있어야만 했다. 그러나 그의 꼴을 보아하니 다른 걸 흘리고 있는 듯했다.

'이벤트까지 얼마 남지 않았어. 반드시 분위기를 전환해야 해.'

상우는 남은 고기 조각을 먹어 치우고서 자리에서 일어났다.

"화장실 다녀올게요."

최대한 부드럽게 말한 뒤 식당에서 나왔다.

욕실에 서서 찬물로 손을 씻으니 냉정이 돌아왔다. 상우는 거울 속 자신의 모습이 괜찮은지 살피며 지금까지의 과정을 점검해 보았다. 비록 영화처럼 흘러가지는 않았어도 잘못된 것도 없었다. 그리고 아직 단계가 많이 남았다.

'기대가 커서 과민 반응하는 거야. 재영이 형은 아무 잘못 없어. 괜히 화내서 다 망치지 말고 정신 차리자.'

상우는 거울을 보며 고개를 끄덕인 뒤 몸을 틀었다. 뒤를 보자 소리 없이 뒤따라온 재영이 거기 있었다. 상우는 조금 놀랐지만 그도 화장실에 용무가 있나 보다 하고 지나치려 했다. 그러나 재영이 걸음을 옮겨 앞길을 막았다.

"나 따라온 거예요?"

"어."

재영의 손이 볼에 닿았다. 턱으로 부드럽게 내려오더니 얼굴을 들어 올렸다. 그가 몸을 조금 숙이며 상우의 어깨에 양팔을 올리고 목 뒤에서 깍지를 꼈다.

"뭐가 문제야, 추상우."

따뜻한 시선을 마주하자 웃음이 나왔다. 상우는 별것도 아닌 일로 불안해했던 자신이 우습게 느껴졌다.

"문제없어요. 그냥…… 이것저것 준비했는데 분위기 안 좋아져서 망할까 봐."

"분위기 평상시랑 같은데, 왜."

"오늘은 특별한 날이잖아요. 그래서 좀 다를 줄 알았어요."

"너랑 내가 그대로잖아. 뭐가 달라지길 기대한 거야."

재영이 웃으며 상우의 광대뼈를 엄지로 쓰다듬었다. 어쩔 수 없이 따라 웃으며, 상우는 그 또한 맞는 말이라고 생각했다.

"우리가 사귄 지 500일이 다 돼 가. 그동안 내가 널 꾸준히, 아니 처음보다 훨씬 더 사랑하게 된 거 알잖아. 다른 게 필요해?"

그럴 리 없었다. 지난 1년 4개월은 상우의 인생에서 가장 행복한 시간이었다. 상우는 고개를 저으며 재영의 품에 파고들었다. 재영이 머리를 쓰다듬으며 물었다.

"혹시 내가 네 '제안'을 거절할까 봐 불안한 거야?"

그 질문이 말만으로도 너무 끔찍해서 상우는 몸서리를 쳤다. 그는 고개를 들고 재영의 눈을 마주했다. 재영의 팔을 꼭 잡으며 당부했다.

"그건 안 돼요. 무슨 일이 있어도 거절하면 안 돼요. 알겠어요?"

"뭔지 알아야 거절하든 말든 할 거 아냐."

아무것도 모르면서, 말에 웃음기가 가득했다. 부드러운 웃음소리가 난 뒤 이마에 입술이 와 닿았다. 작은 접촉으로 인해 상우는 불안감을 잊었다. 재영이 낮게 속삭였다.

"키스해도 돼?"

"언제부터 물어보고 했다고."

"오늘은 좀 무서워서."

상우는 팔을 들어 재영의 목을 끌어 내렸다. 고개 들어 그의 입술을 찾아 꾹 누르자 재영이 각도를 틀며 밀려 들어왔다.

둘 다 흥분한 상태다 보니, 키스하며 몸을 좀 만졌을 뿐인데 행동이 거칠어졌다. 상우는 문으로 누가 들어올까 봐 몹시 신경 쓰였지만 그렇다고 멈출 수도 없었다. 그들이 서로 몸을 미는 탓에 화장실 칸에 달린 문이 심하게 덜그럭거렸다. 상우의 등이 문에 부딪쳤다가, 재영의 뒤통수가 벽에 닿았다가, 한곳에 서 있지 못하고 발이 자꾸 움직였다. 그러다 재영이 어깨로 문을 밀며 상우를 칸 안으로 끌어당겼다.

"하아, 하아……. 투숙부터 했으면 좋았잖아."

"안 된다니까."

재영이 상우의 입술을 빨아 당기며 공들여 매만져 놓은 머리카락을 쥐어 망가뜨렸다. 동시에 '탁'하고 문 잠기는 소리가 났다. 그때부턴 모든 것이 대담해졌다.

재영의 입술이 턱으로 내려간 듯하더니, 어느새 목에 닿으며 쪽쪽 소리를 냈다. 부드러운 살갗을 혀끝으로 자극하다 넓게 핥아 올리며 살짝 깨물었다. 그는 어떻게 하면 상우가 흥분하는지 가장 잘 아는 전문가였다. 상우는 신음을 애써 눌러 참고 있었지만 허벅지를 쓰다듬던 그의 손이 사타구니로 향했을 때는 제어하기가 불가능했다.

"아직…… 안 늦었어. 이래도 방 안 잡을래?"

"안…… 돼. 안 돼."

"그 제안, 침대에서 하면 안 돼?"

"안 돼. 다 계획이…… 있단 말이야."

재영이 상우의 중심을 옷 위로 문질렀다. 그러면서 그에게 상체를 바싹 붙이며 입술로 귀를 애무했다. 상우는 눈앞이 아찔해지는 쾌감을 느끼며 재영의 머리카락을 쥐었다.

"그럼 여기서 해결하는 수밖에."

재영이 상우의 벨트에 손을 갖다 댔다.

"……미친놈아."

상우는 그 손을 붙들었지만 눈이 마주친 순간에 다시 입술이 붙었다. 도무지 정신을 차릴 수가 없었다. 재영이 만진 탓에 원래도 흥분해 있던 기둥이 고개를 빳빳이 치켜들었다. 어느새 벨트가 풀어지고 바지 버클이 열리며 지퍼가 내려갔다. 재영이 이미 젖어 있는 속옷 위를 더 노골적으로 더듬었다. 상우는 다리가 후들거렸지만 재영의 어깨를 붙잡고 겨우 서 있었다.

"아, 으읏……. 할 거면 빨리."

겨우 내뱉자 재영이 제 바지에 손을 가져가며 상우에게 몸을 더 바싹 붙였다. 빨리, 빨리. 상우가 재영의 귀에 속삭였다. 그러다 그의 귓불을 입 안으로 빨아들이며 살짝 깨물었다. 재영이 몸을 비틀며 부드럽게 웃었다.

"방 잡자. 아무리 생각해도……."

"안 된다니까!"

상우는 그리 일축하고 재영의 바지 지퍼를 열었다. 바지를 쭉 내리고서 조금 전부터 그의 사타구니를 찔러 대던 성기를 속옷 위로 붙잡았다. 그러자 재영이 잇새로 신음을 흘리며 상우의 머리에 이마를 기댔다.

"기절하겠네."

재영이 중얼거리며 속옷을 내렸다. 그러고선 상우에게 거칠게 키스했다. 그가 두 성기를 한 번에 잡아 쥐었다. 격정적으로 움직이던 상우의 혀가 멈추었다. 강한 자극에 머릿속이 새하얘지며 생각이 사라졌다.

"자기야…… 좋아?"

상우는 자신이 비위생적인 화장실에 있다는 사실조차 잊고 고개를 마구 끄덕였다. 이를 꽉 물고서 재영이 점점 올려 가는 쾌락의 정점을 즐겼다. 이 장재영이란 변태는 몸으로 하는 건 뭐든 잘하며 특히 섹스와 관련되면 더더욱 탁월한데, 그중에서도 손장난하는 실력은 발군이라 상우는 아무리 연습해도 따라잡을 수 없는 간극을 느끼는 바였다.

'미술을 잘해서 그래.'

상우는 정신이 아득해지는 쾌감을 느끼며 재영의 목을 끌어안았다. 두 성기가 서로 부딪치며 누구에게서 나왔는지 모를 물기로 절어 갔다. 속도가 점점 빨라지며 신음도 커졌다. 눈을 꽉 감고 있었는데도 검어야 할 시야에 여러 가지 색깔이 어른거렸다. 재영은 조금의 느슨함도 허락하지 않았다. 그들은 빠르게 절정으로 치달아 갔다.

"아, 학…… 형, 진짜, 나랑 꼭…….."

"너랑, 뭐?"

"아냐······. 이따, 이따 말할게."

'평생 같이 살자.'

상우는 그 말을 묻어 두고 이를 악물었다. 그래도 신음은 새어 나왔지만 공공장소랍시고 지킬 수 있는 최소한의 양심이었다.

두 페니스를 쥐락펴락, 능수능란하게 자극하던 재영의 손이 이제 위아래로 빠르게 움직였다. 상우는 눈을 꼭 감고 재영의 어깨에 매달렸다. 그가 몸을 바싹 붙여 오는 바람에 등과 뒤통수가 문에 짓눌렸다. 덜컹덜컹, 상우의 몸이 문이 흔들리는 속도와 동일한 템포로 떨렸다. 재영이 귓가에다 쉰 목소리로 자꾸 이름을 불렀다. 상우는 절정이 다가왔음을 직감했다.

"옷에 튀면······ 죽여 버린다."

한 조각 남은 이성의 발악이었다. 재영은 상우의 요청 사항에 키스로 화답했다. 속도가 계속 올라가다, 도저히 사람이 할 짓이 아니란 생각이 들었을 때쯤 상우는 사정했다. 주변의 어떤 상황도 끼어들 수 없는 순도 100%의 쾌락. 시간이 멈춘 듯한 순간이 지나자 공중에 붕 떠 있던 듯한 느낌이 서서히 사라지며 발이 현실로 내려왔다.

"팔 떨어지는 줄 알았네."

재영 또한 비슷한 타이밍에 절정을 맞이했는지 축 늘어진 채 상우에게 몸을 기대고 있었다. 마라톤이라도 뛴 듯 가쁜 숨을 고르자 쫓겨나 있던 이성이 돌아왔다.

'미쳤어, 화장실에서!'

그제야 그들이 무슨 짓을 했는지가 초자아 시점에서 낱낱이 보였다. 새 정장 바지는 바닥에 떨어져 있었고 허벅지는 땀과 다른 물기로 끈적끈적했으며 셔츠 안은 땀범벅이었다. 미용실에서 돈 주고 한 머리 스타일은(프러포즈하러 간다고 하니까 미용사가 세 명이나 붙었다) 엉망이 되었을 것이 뻔했다.

상우는 재영의 어깨를 밀어내고 휴지로 몸 여기저기를 닦았다. 속옷을 끌어 올리고 바닥까지 흘러내린 바지를 다시 입었다. 벨트를 매고 손목시계를 확인하며 상우의 눈이 가늘어졌다.

"놓쳤어요."

"뭘?"

"8시에 바이올린 연주 있었는데, 놓쳤다고."

"아, 그래?"

어느새 바지를 입은 재영은 대수롭지 않게 대답해 상우를 열 받게 하더니 문을 열고 세면대로 향했다. 그가 정액 범벅이 된 손바닥을 씻으며 거울을 살폈다.

"이야, 멋진데……."

그들은 둘 다 까치집 신세가 되었지만 재영 쪽이 조금 더 심했다. 상우는 손을 깨끗하게 씻고 머리를 대충 매만지며 재영이 준비될 때까지 서서 기다려 주었다. 재영은 느긋하게 손을 털고선 머리끈을 풀어서 입에 물었다. 그러고는 양팔을 들어 다시 머리를 묶었다. 요즘 상우가 가장 좋아하는 자세였다. 그를 보고 있자니 열 받을락 말락 하던 마음이 또 사르르 풀어졌다. 재영이 상우의 마음이라도 읽은 듯 눈웃음치며 말했다.

"바이올린, 뭐였는데."

"엘가, 사랑의 인사."

"아, 나 그거 알아!"

"그래요?"

"어. 결혼식에서 아주머니들이 화촉 점화할 때 나오는 거잖아."

"……."

아니, 상우는 열이 받았다. 그래서 부자연스러운 미소를 띠고 가슴에 손을 얹은 채 촛불에 불붙이는 연기를 하는 재영을 놔두고 화장실에서 걸어 나갔다.

식당에 도착하고 보니 연주자들이 분주하게 악기를 정리하고 있었다. 상우가 자리에 앉자 직원이 다가오더니, 미리 신청한 이벤트를 그대로 해 주면 되냐고 조용히 물었다. 원래는 음악을 들으며 재영에게 디저트를 먹일 계획이었으나, 상우는 울며 겨자 먹기로 일행이 돌아오면 진행해 달라고 부탁했다.

'최악이다.'

애틋한 감정이 가장 고조되어 있어야 할 이 순간, 상우는 유사 성행위를 하느라 땀에 흠뻑 젖은 채 머리가 헝클어져 있었다. 그나마 옷에 아무것도 안 튀어서 다행이지, 하마터면 화장실에서 빨래할 뻔했다.

상우가 사랑해 마지않는 남자친구가 얼마 지나지 않아 등장했다. 주머니에 손을 넣고 아무 일 없었다는 듯 여유롭고 완벽한 모습으로 걸어 들어왔다. 상우는 부아가 치밀었지만 내색하지 않으려고 물을 벌컥벌컥 들이켰다. 연인의 손을 꼭 잡고 도란도란 미래 이야기를 나눠 보고 싶었는데, 과거의 설렜던 일들을 돌이켜 보며 배시시 웃는 모습을 보고 싶었는데, 그가 짓궂은 농담이라도 하면 볼을 꼬집으며 귀엽다고 말해 주고 싶었는데.

"네가 화낼 때 왜 이렇게 꼴리는지 모르겠어."

턱을 손바닥에 괴고 멍한 표정으로 저를 바라보는 저 뻔뻔한 남자는 누구인가. 상우가 한 달 넘게 공들여 준비한 이벤트를 서서히 망치고 있는 그 악당은 왼손을 수상하게 오므린 채 위아래로 천천히 움직이고 있었다. 벌써 준비한 아이템을 반 정도 썼는데도 아무 효과가 없다 보니 상우는 자신감을 잃었다.

그때 호텔 직원이 다가왔다. 상우에게 붉은 장미로 이루어진 꽃다발을 건네고 재영의 앞에는 조각 케이크를 놓았다. 하얀 생크림 케이크 위에는 시럽으로 'I love you'라고 적혀 있었다.

"직접 말해야지, 어디 이런 걸로 때우려고."

역시나 재영은 감동받은 기색이 없었다. 상우는 자포자기 심정으로 그에게 꽃다발을 내밀었다. 계획상으론 무릎 꿇고 양손으로 건네주는 걸로 되어 있었으나, 그랬다가는 바보가 될 분위기였다.

"어, 고마워."

재영은 꽃다발을 받아 냄새를 맡더니, 싱글벙글 웃으며 옆자리에 내려놓았다. 오늘 그가 최초로 보인 평범한 반응이었다. 상우는 조금 용기를 얻어 얼른 케이크를 먹어 보라고 재촉했다. 재영은 상우에게서 눈을 떼지 않으며 포크로 케이크를 푹 떴다. 입에 넣고 오물거리더니 말했다.

"달지도 않고 맛있네."

"빨리 더 먹어 봐요."

"그렇게 빤히 봐 주니까 좋다. 또 흥분되려고 해."

상우는 눈을 가늘게 떴다. 16개월째 같이 살면서 주말마다 데이트에 매달 여행, 섹스는 규칙적으로 하고 있는데 대체 뭐가 문제라서 나와서까지 저 난리인지 모르겠다고 상우는 생각했다.

재영의 포크에 무언가 걸리기를 기다리는데 그가 돌연 얼굴을 찌푸리며 물을 마셨다.

"뭐 이상한 거 삼켰어. 과일인가 봐."

"어?"

상우는 벌떡 일어나 재영의 앞까지 다가갔다. 그의 어깨를 쥐고 얼굴을 살폈다.

"입 벌려 봐요."

억지로 턱을 쥐고 입을 벌리려고 하자 재영이 상우를 밀어냈다. 목에 무언가 걸린 듯 몇 번 기침하고서 또 물을 마시려고 했다. 상우는 그의 손에서 물컵을 빼앗아 멀리 두었다.

"왜 그래?"

재영은 단지 의아하다는 표정이었지만 상우는 머릿속이 새하얘졌다.

"일어나요. 빨리. 병원 가야 돼요."

"왜?"

"내가 괜히 이상한 짓 해서……. 얼른 일어나요."

상우는 급한 마음에 재영의 팔을 마구 끌어당겼지만 그는 꼼짝도 하지 않고 버텼다.

이 시간이면 응급실에 가야 하나, 이미 식도를 통과했다면 위 내시경을 해야 하나. 상우의 머릿속은 복잡하기 짝이 없었다. 이벤트고 뭐고. 다 집어치우고 재영을 병원으로 데려가는 것이 급선무였다.

"잠깐. 기다려 봐."

재영이 상우의 손을 점잖게 치우더니, 그의 얼굴과 케이크를 번갈아 가며 보았다. 포크로 남은 케이크를 짓이기자 끄트머리에서 금색 금속이 모습을 드러냈다.

재영이 황당하다는 표정으로 반지를 집어 들었다. 상우는 동상이 된 기분으로 한참 동안 그 자리에 서 있었다.

'씨발.'

재수 없는 놈은 뒤로 넘어져도 코가 깨진다고 했던가. '마'가 낀다고 했던가. 징크스, 머피의 법칙. 평소에 전혀 믿지 않는 미신이 머릿속을 침투해 그를 괴롭힐 만큼 상우는 약해져 있었다.

SNS 후기에서는 청혼 상대가 케이크 속에서 반지를 발견하고서 감동의 눈물을 흘렸다고 했는데, 그의 상대는 주먹으로 입가를 가리고 웃으며 반지를 휴지에 쓱쓱 닦고 있었다.

'그래도 안 삼킨 게 어디야…….'

상우는 한숨을 푹푹 내쉬며 자리로 돌아와 식탁에 힘없이 엎드렸다.

"아직 끼지 마요."

말을 마치자마자 그의 사랑스러운 청개구리가 반지를 왼손 약지에 끼웠다.

"왜?"

"아직—끼지—말라고—했잖아."

"아냐. 끼고 있을래."

"……그러세요. 네 마음대로 하세요."

종합적으로 엉망진창이었다. 이렇게 심하게 망하기도 어려울 텐데, 상우가 심혈을 기울여 디자인한 이벤트는 예상한 효과를 조금도 내지 못한 채 파멸하고 있었다.

그 뒤에 무슨 일이 일어났는지 상우는 기억하지 못한다. 음식이 더 나왔던가, 커피가 나왔던가. 그는 거듭된 실패에 얻어맞고 빈사 상태가 되어, 주는 대로 섭취하고 멍하니 앉아 있었다. 재영이 팔을 끌어당겼을 때 자리에서 일어나서 계산했던 것 같다. 정신 차려 보니 집으로 가는 길을 운전하고 있었다.

"에취!"

재채기를 하자 재영이 히터 온도를 올리며 뒷좌석에 있던 점퍼를 어깨에 둘러 주었다. 이렇게 다정한 연인인데, 나쁜 사람도 아니고 사랑하는 마음도 확실한데, 왜 이렇게 망해 버린 걸까. 상우는 울고 싶은 마음으로 액셀을 밟았다.

집까지 오는 동안 재영이 가만히 있어서 감정이 상당히 누그러졌다. 꽃다발을 들고 얌전히 앉아 있는 그를 보니 괜히 화냈다 싶은 후회도 들었다. 주차장에 차를 세우자 재영이 벨트를 풀며 몸을 옆으로 틀어 상우를 보았다.

"자기야."

"왜요?"

"오랜만에 차에서 한 판, 어때?"

"내려!"

프러포즈고 뭐고, 그를 죽이고 싶다는 생각에 사로잡히는 상우였다.

"……지킬 박사가 따로 없네."

재영이 꽃다발을 들고 쫓겨나듯 내린 뒤, 상우는 별 의욕 없이 트렁크를 열었다. 바깥에서 펑 소리가 났다. 상우는 재영의 웃음소리를 들으며 침울하게 내렸다.

재영은 이렇게 준비 많이 했을 줄 몰랐다고 중얼거리며 어깨에 팔을 둘렀지만 상우는 그의 표정을 보고서 한숨을 쉬었다. 헬륨 가스를 불어 넣고 트렁크 안에 묶어 둔 색색 풍선과 '추상우♥장재영' 현수막은 공중에 완벽하게 떠 있었지만, 재영은 재미있어할 뿐 감동한 기색이 없었다.

"왜 돋움체야? 너 굴림체 좋아하잖아."

"그건 안 쓰기로 약속했잖아요."

"아, 그랬지. 참."

서체를 잘못 선택한 걸까. 이럴 줄 알았으면 유나에게 자문을 구할 걸 그랬다. 상우가 시무룩하게 서 있는 사이 재영이 팔을 뻗어 현수막을 끌어왔다. 풍선을 분리해서 현수막만 떼 내더니 조심스럽게 접어서 품에 안았다.

"평생 간직해야지."

감동을 받은 건지 만 건지, 도무지 반응을 종잡을 수 없었다. 상우
는 힘없이 말했다.

"먼저 들어가요."

"같이 가."

"먼저, 들어가라고."

재영은 상우의 표정을 보더니 알았다고 말하며 집 쪽으로 향했다.
상우는 그가 충분히 멀어진 것을 보고서 풍선을 모두 끌어 내린 뒤
입구를 풀어 바람을 뺐다.

'기쁘게 해 주고 싶었는데, 다 망해 버렸어.'

상우는 울적한 기분으로 풍선을 모조리 정리하고 트렁크를 닫았다.

'하지만 진심이 중요한 거니까.'

비록 영화와 SNS에서 본 모든 이벤트가 처참하게 실패했지만 상
우는 아직 희망을 버리지 않았다. 풍선을 버리고 오피스텔에 도착했
을 땐 재영이 문 앞에서 기다리고 있었다. 상우는 당연히 그가 들어
갔을 줄 알았기에 조금 놀랐다.

"왜 거기 서 있어요?"

"같이 들어가야지. 안에 뭐 해 놨을 거 아냐? 장미나 촛불 같은
거."

"……."

상우의 속도 모르고, 재영은 그를 뒤에서 끌어안고 볼에 입을 맞
추었다. 그리고 그 자세 그대로 도어록을 작동했다. 그는 기대하는
듯한 멜로디를 흥얼거리며 문을 열었다. 그 노래는 재영이 눈앞의
광경을 확인한 순간에 잠시 끊겼다가 다시 이어졌다. 상우의 입술
사이에서 한숨이 나왔다.

"아냐. 나 감동 받았어."

"웃기지 마요."

상우는 장미 꽃잎을 마구 걷어차며 거실로 걸어 들어갔다. 재킷을 거칠게 벗어서 옷걸이에 걸어 놓고, 냉수를 컵에 따라 벌컥 마셨다.

"화났어?"

"입 다물고 거기 앉아."

재영은 상우의 눈치를 보며 소파로 다가가더니, 꽃잎을 손등으로 치우고서 천천히 앉았다. 상우는 재영이 가장 좋아하는 샴페인을 따서 그에게 의례적으로 한 잔 주었다.(코르크가 천장에 날아갔다가 재영 쪽으로 떨어졌다. 상우는 내심 그의 머리에 맞기를 기대했으나 아쉽게도 재영이 공중에서 잡아 버렸다.)

상우는 LED 촛불로 만들어 놓은 하트 모양 정중앙에 선 뒤 몇 시간 전에 설치해 둔 빔 프로젝터를 작동했다. 그는 준비한 카드를 모두 날려 버렸고 이제 남은 건 하나뿐이었다 — 진심.

상우는 주머니에서 레이저 포인터를 꺼내 발표 자료를 틀었다. 스크린에 하트 여러 개가 떠오르며 작년 겨울에 스키장에서 함께 찍은 사진이 나타났다. 원래 표지 화면에서 아버지가 쓴 시를 낭송할 생각이었으나 지금은 그럴 분위기가 아니었다. 상우는 슬라이드를 목차로 넘겼다.

〈목차〉

1. 기존 인생 계획

2. 변동된 인생 계획 제안

3. 결혼의 당위성

4. 기능 보장

5. 제안

"PPT에서 최유나 냄새가 풀풀 나는데……."

"최유최가 만들어 줬으니까요."

"오랜만에 보노보노 보고 싶었는데, 아쉽다."

재영이 쿠션을 끌어안은 채 눈을 반짝였다. 다리 한쪽을 떠는 모습이 사랑스러워 보였다.

'제발, 제발 거절하면 안 돼요…….'

상우는 속으로 간절히 빌며 심호흡했다. 그는 살면서 발표를 두려워해 본 적이 한 번도 없었지만 이때만큼은 몹시 긴장이 되어 손이 떨렸다.

"발표 시작할게요. 질문 있으면 끼어들지 말고 손 들어요."

"기대하겠네, 추 과장."

"닥쳐요, 좀!"

페이지가 넘어가고 상우가 기존에 세웠던 인생 계획이 도표로 펼쳐졌다. 상우는 자신이 본래 어떻게 살아갈 계획이었는지 자세히 설명하고 재영을 만나고 나서 계획을 어떻게 수정했는지 발표하며 그의 동의를 구했다. 통보가 아닌 제안이었다. 이제는 혼자만의 미래가 아닌 둘의 미래를 그려야 했으니까.

그는 열띠게 설명했다. 재영과 몇 살에 결혼할 계획인지, 왜 그와 평생 함께하고 싶은지, 제도적 맹점을 어떻게 극복할 것인지, 이상적인 결혼식 계절과 장소, 하객 수도 언급했다. 재영이 헷갈리는 부분이 없도록, 모든 사실을 명쾌하게 받아들일 수 있도록 최선을 다해 이야기했다.

한 명뿐인 청중은 거만한 자세로 앉아 때론 고개를 끄덕였고 때론

웃음을 터뜨렸으며 때론 사진이나 영상을 찍기도 했다. 다행히도 설명이 괜찮았는지 재영은 3장까지 질문하지 않고 듣기만 했다.

그리고 어느덧 발표는 4장에 접어들었다. 상우가 파트너에게 무엇을 해 줄 수 있는지, 얼마나 유익한 존재인지 어필할 순서였다. 레이저 포인터를 조작하자 작은 글씨가 화면에 빽빽하게 나타났다. 수상 내역이었다.

"넘기지 말아 봐. 다 읽어 보자."

재영은 안경까지 끼며 자세를 고쳐 앉았다. 그러고는 여러 가지 질문을 던졌다. 바른생활상은 전교에서 몇 명에게 주었나, 과학탐구상은 무슨 주제로 받았나, 성적우수상을 놓쳐 본 해가 있는가, 수학 경시대회 나가기 전에 선행 학습을 했는가, 수학 올림피아드는 아이큐 테스트 같은 건가, 사격 만발은 어느 총으로 했는가, 특급 병사 포상을 받은 비결은 무엇인가 따위를 꼼꼼하게 물어보았다. 상우는 쓸데없이 느껴지는 물음까지 성실히 대답해 주고서 다음 장으로 슬라이드를 넘겼다.

〈기능 보장〉

프로그래밍 – PC/웹/모바일 애플리케이션 (자바, 파이썬, C, C++, C# 등)

컴퓨터 수리/조립

암산, 암기

게임 – 전 장르 함께 플레이 가능

한국어 – 교정 교열 가능

영어 – TOEIC 990점, 작문 가능, 간단한 대화 가능

중국어 – 6학점 취득, 간단한 대화 가능

운전 – 1종 보통 운전면허

무술 - 태권도 공인 4단

운동 - 축구, 농구, 탁구, 배드민턴, 사격, 볼링, 당구 (초급), 스케이트보드 (초급), 스노보드 (초급)

수영 - 자유형, 배영, 평영

응급 처치 - 심폐 소생술 교육 수료

청소 - 곡문초등학교 올해의 청소상 2회 수상

간단한 식품 조리 (조리법 필수)

재영은 자세히 읽어 보고선 한마디 했다.

"섹스는 왜 없어?"

"……."

일리 있는 지적이었다. 상우는 노트북으로 다가가 이걸 '운동' 항목에 포함해야 하는지 고민하다, 마지막 줄에 따로 입력했다. 재영이 만족스럽다는 듯 고개를 끄덕였다.

"4장의 마지막 슬라이드예요. 질문 있으면 해요."

"이게 마지막이라고? 제일 중요한 게 하나도 없잖아. 여행 계획은? 휴가 계획은? 취미 생활은?"

상우는 재영의 성화를 못 이기고 슬라이드를 하나 추가했다. 〈기타〉라고 제목을 입력하자 재영이 기다렸다는 듯 말했다.

"연중 20일 이상 함께 여행 필수."

받아 적느라 상우의 손이 바빠졌다.

"주당 함께 영화 관람 1회 이상, 월별 공연 관람 1회 이상, 계절당 함께 여행 1회 이상, 연중 함께 스키장 방문 2회 이상."

상우는 타자를 치며 내용을 검토했다. 지금도 실천하고 있는 것들이라 무리한 요구로 보이지는 않았다.

"내년에 함께 할 활동…… 받아 적어. 스카이다이빙, 번지 점프, 스쿠버 다이빙, 카마수트라 '문제의' 체위 재도전, 커플 타투."

"타투?"

"표정이 왜 그래? 싫어?"

"……할게요."

그와 결혼할 수만 있다면 피부에 그림 좀 그리는 게 대수랴. 상우는 얌전히 손가락을 움직였다.

"제재 사항……. 애인을 제외한 타인에게 악수를 제외한 모든 신체 접촉 금지. 악수도 공적인 자리에서만 가능하고 사적인 친밀감을 표현하기 위한 용도로는 사용 불가능."

"이거, 형한테도 적용되는 거예요?"

"당연하지."

상우는 원래 재영을 제외한 누구와도 신체 접촉을 하지 않는다. 그러니 그에게 훨씬 유리한 제재 사항이었다. 다 적고 나자 재영이 더 할 말이 없다는 듯 팔짱을 꼈다.

'드디어 때가 온 거야.'

상우는 심호흡을 하고 마지막 슬라이드를 띄웠다. 분홍색 배경에는 하트만 그려져 있을 뿐 아무 글자도 없었다. 조금 기다리자 청혼을 주제로 한 팝송이 흘러나왔다. 상우는 촛불 하트 안으로 들어가 재영을 바라보았다.

"장재영 씨."

가만히 말하자 그가 팔짱을 풀고 몸을 조금 일으켰다. 상우는 침을 꿀꺽 삼켰다. 그는 입을 크게 벌리며 혼자서 몇 번이나 연습한 말을 힘 있게 내뱉었다.

"이기적인 유전자의 요구인 재생산까지 포기할 만큼 당신을 사랑합니다.”

“잠깐, 잠깐만…….”

재영이 핸드폰을 재빨리 집어 상우를 향해 들었다.

“그 말 다시 해 봐.”

“이미 지나갔어요.”

“…….”

“지금으로부터 6년 뒤에 당신과 결혼해서 평생을 함께하고 싶습니다. 늘 지금처럼 행복하게 해 줄게요. 약속해요.”

상우는 자신 있게 말했다. 그는 장재영을 어떻게 웃게 할 수 있는지 잘 아는 전문가였다.

“이 제안이 마음에 들면 수락하는 의미로 손가락에 반지를 껴요.”

재영은 반지를 이미 끼고 있었지만 상우는 못 본 척했다. 이제 할 수 있는 건 다 했고 상대방의 결정만 남았다. 상우는 눈을 꼭 감았다.

“수락하겠습니다.”

대답은 1초가 채 지나기도 전에 나왔다. 눈을 떠 보니 재영이 웃으며 핸드폰을 내리고 있었다. 상우는 기쁨 이전에 의구심을 느꼈다.

“뭐가 그렇게 쉬워요?”

“그럼 거절할까?”

“그건 절대 아니지만…… 일생일대의 결정인데 심사숙고해야죠.”

“뭘 어쩌란 거야, 거절하면 죽일 거면서.”

재영이 나른하게 웃으며 양팔을 벌렸다. 그럴 때는 어쩔 도리가 없다. 그에게 다가가 안기는 수밖에는.

가까이 다가가자 재영이 상우의 허리를 으스러뜨릴 듯이 세게 안았다.

“내가 자유연애주의자인 형한테 곤란한 걸 물어본 거예요? 그래서 억지로 대답했어요?"

상우는 조용히 물었다. 재영이 포옹을 풀고 그를 올려다보았다.

"다섯 번째 듣는 질문인데 대답하기 어려울 리 없잖아."

"그전까진 제대로 대답한 적 없었잖아요."

"난 다 진심으로 대답했는데……."

재영이 상우의 허리를 끌어당기며 제 무릎에 앉혔다. 상우는 목을 간질이는 손길을 느끼며 재영이 그간 내놓은 대답을 검토해 보았다.

"처음 얘기 나왔을 때 내가 뭐라고 했더라……."

"대답 없이 껴안았어요. 훌쩍훌쩍 우는 거 귀여웠는데, 또 볼 수 있을까."

그날 밤에 성교를 너무 많이 해서 다음 날 상우는 수업에 결석했고, 재영은 몸이 안 좋다고 핑계 대며 휴가를 썼다.

"두 번째는?"

"100번이라도 좋다고 했어요. 근데 너무 과장된 표현이라 장난인 줄 알았어요."

"세 번째는……."

"너라는 수갑이라면 얼마든지 구속되겠다고 했잖아요."

"……그날 취해 있었지?"

"맞아요. 심신 미약인 사람 말을 어떻게 믿어요."

"네 번째는……."

"사랑한다고 소곤거렸죠."

상우는 거 보란 표정으로 재영의 볼을 잡아당겼다. 그가 결혼해 달라는 이야기에 한 번도 제대로 대답하지 않은 건 명백한 사실이었다. 그러나 재영은 여전히 뻔뻔한 표정이었다.

"알았어. 이제 그만하고, 프러포즈 성공한 기념으로 '여보야'라고 불러 봐."

"……싫어요. 아직 남편 아니잖아요."

"지금도 남편이나 마찬가지지, 반지도 끼고 있는데."

그가 한 팔로 상우의 허리를 안으며 왼손을 쭉 펴서 반지를 보았다. 그의 시선이 상우의 왼손으로 향했다.

"네 건 어디 있어?"

"난 반지 안 끼는데."

재영이 얼굴을 찌푸렸다. 그가 불만스러운 눈빛으로 상우를 살피다, 금색 반지를 손가락에서 빼서 내밀었다.

"이거 순 웃기는 놈이네. 약혼은 나 혼자 하냐? 이거 잘 씻어서 내일 환불해."

"뭐라고요?"

"어차피 디자인도 마음에 안 들었어. 무슨 돌 반지도 아니고……."

상우는 큰 충격을 받았다. 아무리 변덕이 심해도 정도가 있지, 청혼을 수락해 놓고 반지 때문에 번복하는 게 말이 되나.

상우는 반지를 끼지 않는다. 그래서 사 놓고 안 낄 바에는 아예 안 사는 것이 합리적이라고 생각했을 뿐이다. 상우는 저를 내버려 둔 채 소파에 기대 핸드폰이나 보는 재영이 너무 실망스러워서 그의 무릎에서 일어났다.

"가긴 어딜 가세요."

재영이 곧바로 그의 허리를 잡아당겨 다시 앉혔다. 입을 열고 그와 한바탕 붙으려던 순간, 재영이 핸드폰을 눈앞에 내밀었다. 웹 사이트에 희게 빛나는 반지 사진이 있었다. 상우는 영문을 모른 채 재영의 얼굴과 기기를 번갈아 가며 보았다. 재영이 아무렇지 않은 표정으로 탭을 바꾸자 다른 디자인이 나타났다.

"안 그래도 나도 요즘 커플링 보고 있었거든. 둘 다 예뻐서 고르질 못 하겠더라고. 어느 게 나은지 봐 봐."

"어? 어……."

상우는 얻어맞은 기분을 느끼며 화면을 자세히 보았다. 이미지 속 반지는 둘 다 백금 재질이었다. 첫 번째 건 작은 보석이 여러 개 박혀 있었고 두 번째 것에는 나선무늬가 들어가 있었다. 상우의 시선이 이미지 아래 작게 표기된 정보 창에서 가격을 찾아냈다.

'무슨 반지가 하나에 만 얼마밖에 안 해? 도금인가 봐…….'

반지를 싸구려로 맞출 거면 뭐 하러 이벤트를 죄다 최고급으로 했단 말인가. 반지란 단지 예쁘라고 끼는 용도가 아니라 변치 않는 사랑을 상징한다고 상우는 알고 있었다. 그래서 싫다고 말하고 싶었지만 재영이 마음에 드는 눈치라 거절하기 곤란했다. 상우는 애인이 원하는 거라면 뭐든 들어주고 싶었다. 그는 한참 동안 고민하다가 내뱉었다.

"그래도 약혼반지인데 너무 싼 건 좀 그래요."

"이거 달라야."

"……말도 안 되는 과소비잖아요."

"카메라에는 몇 백씩 우습게 쓰면서, 넌 약혼이 장난이야?"

상우는 할 말이 없어졌다. 일반적인 결혼반지 시가보다 열 배는 비쌌지만 재영이 당연히 둘 중에 골라야 한다는 태도를 보여서 자신감이 꺾였다. 괜히 다른 후보를 가져왔다가 마음에 안 들면 저 변덕스러운 성격에 결혼하기 싫다고 나올 수도 있으니까……. 상우는 어쩔 수 없이 첫 번째 반지를 가리켰다.

"이게 괜찮은 것 같은데……."

"그래. 지금 예약한다? 다음 주에 매장 가서 껴 보면 되겠다."

"……네."

"너 몇 호 끼면 되려나."

재영은 상우의 손을 제 것에 대 보더니 본인하고 같은 사이즈면 되겠다면서 중얼거리곤, 일사천리로 반지를 예약해 버렸다. 그는 의기양양하게 웃으며 상우의 손을 꼭 잡았다.

"너 반지 끼고 다녀야 돼. 안 그러면 결혼 안 해 줄 거야."

"좀 봐줘요. 반지 같은 거 안 끼는데."

"안 돼. 길 지나다니다, 직장에서, 햄버거 사다가 누가 들러붙으면 반지 보여 줘야지. '애인 있습니다' 영어로 말해 봐."

아이 엠 인 어 릴레이션십, 아이 엠 낫 싱글, 아이 해브 어 보이 프렌드. 과외 시간에 너무 자주 연습해서 툭 치면 나올 법한 문장들을 재영은 차례대로 말하게 시켰다.

"약혼했습니다."

"아이 엠 인게이지드."

"파트너가 집에서 기다립니다."

애인이 화내서 안 됩니다, 곧 결혼할 예정입니다, 나를 포기하는 편이 안전합니다, 파트너가 성질이 아주 더럽습니다, 내 남자 말고는 아무도 사람으로 안 보입니다, 애인이 너보다 잘생겼습니다 등등 여러 문장을 차례대로 영작하게 한 뒤 재영이 웃으며 말했다.

"합격."

상우는 한고비 넘긴 기분으로 작게 한숨을 내쉬었다. 재영은 기분이 좋아 보였다. 그는 상우의 양 볼을 손바닥으로 쥐고 입술, 턱, 이마, 콧등, 양 눈두덩, 볼 등에 무차별적으로 키스를 퍼부었다. 재영의 입꼬리는 내려갈 줄을 몰랐다.

"형."

"응."

"깜짝 프러포즈 받아서 기쁜가 보네요."

"깜짝?"

"응. 서프라이즈."

"맨날 결혼하자고 노래를 불러 놓고서 서프라이즈는 무슨……."

"그래도…… 빨리 오늘이 세상에서 제일 행복한 날이라고 말해요."

언제 이렇게 되었을까. 상우는 분명히 재영의 무릎에 앉아 있었는데, 어느새 소파에 뒤통수를 댄 채 누운 자세였다. 재영이 손등으로 상우의 볼을 천천히 쓸었다. 조명을 등진 얼굴이 그림 같은 미소를 짓고 있었다. 카메라가 방에 있는 것이 애석하게 느껴졌다.

"두려울 정도로 행복해. 오늘뿐만이 아니라 매일이 그래. 널 만난 뒤로 계속 이랬어."

상우는 그 말에 함박웃음을 지어 버렸다. 운전 때문에 와인을 전혀 마시지 않았는데, 왜 취한 기분일까. 기분이 몽롱한 것이 평소와는 달랐다. 상우는 재영의 손등에 제 손을 겹치며 말했다.

"영화 같은 날을 선물해 주고 싶었어요. 과정은 엉망이었지만 결과가 해피 엔딩이니까 나쁘지 않죠?"

재영이 짓궂게 웃더니, 한 팔로 상우의 어깨를 감싸고 한 팔은 종아리와 허벅지 사이에 쑥 넣었다. 몸이 그대로 들려서 상우는 하마터면 비명을 지를 뻔했다. 그는 상우를 번쩍 안아 들고 한 바퀴 돈 뒤 방문을 발로 차며 침대로 돌진했다. 시야가 휙휙 바뀌어서 어지러웠다.

재영은 상우를 침대에 던지더니 몸 위로 휙 올라탔다. 옷을 찢어 버릴 듯 무서운 기세로 팔목을 쥐고 누르며 얼굴을 바싹 들이댔다. 그래 놓고선 언제 그랬냐는 듯 입술을 달싹이며 눈을 지그시 떴다.

상우가 애인의 낯선 행동에 적응하지 못하고 눈만 깜빡이고 있는데, 양 손목을 쥐고 있던 재영의 손이 미끄러지며 부드럽게 깍지를 꼈다. 진지한 표정은 코미디 장르나 액션 장르의 것이 아니었다. 상우는 심장이 두근거리는 것을 느끼며 눈을 천천히 감았다.

재영의 입술이 슬로 모션처럼 천천히 닿았다. 상우의 입술을 머금어 버리고선 혀로 부드럽게 핥았다. 의심할 여지없는 로맨스 장르였다. LED 촛불과 꽃다발 없이도 이렇게 낭만적일 수 있었던 거다. 16개월 동안 전문 서적과 영화를 통해 연애를 이론적으로 정복했다고 생각했는데 아무래도 아직 갈 길이 먼 듯했다.

키스가 깊어질수록 생각은 점점 희미해지고 감정이 살아 날뛰었다. 목표를 이루었다는 성취감, 넘치는 사랑으로 인한 고양감, 그리고 이 남자를 곁에 평생 묶어 두고 싶다는 소유욕.

"어때, 이제 좀 영화 같아?"

재영이 입술을 천천히 떼며 말했다. 상우는 그 질문이 웃기다고 생각했다.

"영화 봐도 이렇게 근사한 남자는 안 나오던데……."

"너 그런 말 어디서 배웠어. 누굴 꼬시려고 자꾸 입 터는 기술만 느냐."

재영이 옆구리에 손을 넣어 간질였다. 생리적인 웃음이 터져 나오며 상우가 몸을 비틀었다.

"아, 하지 마!"

말을 들으면 장재영이 아니다. 그가 더 심하게 장난치는 바람에 상우는 몸을 뒤집으며 재영과 몸싸움하기 시작했다. 웃느라 눈물이 찔끔 나왔다. 이 싸움은 상우가 무조건 불리했다. 재영은 옆구리도, 겨드랑이도, 목도 간지러움을 안 타기 때문이다.

"더는 못 참겠다."

문득 그가 말했다. 목소리에 웃음기가 없어서 상우는 덩달아 긴장했다. 격렬하게 흔들리던 침대가 잠잠해졌다. 재영이 숨을 가쁘게 쉬며 말을 이었다.

"프러포즈 성공한 다음에 뭐 하는지, 영화 봐서 알지?"

재영의 무게가 떨어져 나가고 곧 불이 꺼졌다. 장르가 바뀌었다. 이번에는 상우가 썩 자신 있는 장르였다.

외전〈3〉 Hello, world!

외전〈3〉 Hello, world!

"나 어때?"

재영이 떨리는 목소리로 물었다. 상우가 그를 힐끔 보며 대답했다.

"잘생겼어요."

"농담하지 말고, 진짜 어떠냐고."

"진짠데……."

팔을 붙잡아 세우자 상우가 걸음을 멈추고 재영을 위아래로 훑어 보았다. 그의 입가에 흡족하다는 듯한 웃음이 머물렀다.

"평소보다 착하고 순진해 보여요."

상우가 어깨에 걸고 있던 거대한 카메라를 꺼내 사진을 몇 장 찍었다. 아침에도 백 장은 찍은 것 같은데, 셔터를 마구잡이로 눌러 대고 있었다. 재영은 객관성을 잃은 연인을 내버려 두고 마지막으로 제 모습을 체크했다.

반년 동안 기른 머리는 짧게 잘랐다. 얌전한 검은 코트, 꽈배기 니트 안에 흰 셔츠를 받쳐 입었으며 베이지색 면바지에 단화를 신었다. 손에는 상우 아버지가 즐긴다는 육포 안주 세트와 어머니가 좋아한다는 배 박스가 들려 있었다.

"멋있어."

"……."

추상우의 눈이 하트로 변한 걸 보면 모습이 제법 단정하기는 한 모양이었다.

"너 들어가서도 그럴 거야? 카메라 차에 놓고 와."

"싫어요. 집 사진 찍을 거란 말이에요."

"그래라……. 누가 널 말려."

재영은 한쪽 눈을 감으며 사진기를 얼굴에 갖다 대는 상우의 머리를 쓰다듬었다. 상우의 피사체, 2층짜리 단독 주택은 재영에게 666층짜리 던전처럼 보였다. 재영은 세련된 구석이라곤 없는 갈색 건물을 보며 마른침을 삼켰다. 상우는 카메라를 내리고서 케이스에 조심스럽게 넣었다.

"형하고 집에 오게 될 줄 몰랐는데……. 기분 이상하다."

"내가 더 이상해, 인마."

"왜요?"

"지금 토할 것 같으니까 조용히 해. 너 내가 차에서 한 말 다 기억하지?"

"당연하죠."

"내가 알아서 할 테니까 쓸데없는 소리 한마디도 하지 마. 알았어?"

"네."

상우는 어딘가 흥분해 있었다. 대답도 건성건성 하는 것 같았고 어쩐지 평소와 달리 신뢰가 들지 않았다. 그렇게 문 앞까지 왔다. 재영은 긴장하며 '추종한, 황금례' 두 이름이 나란히 세로로 적힌 명패를 바라보았다.

'어쩌다 이렇게 됐지.'

너무 때늦은 물음이었다. 상우가 초인종을 눌러 버렸으니 이미 도망칠 기회는 사라진 거나 마찬가지였다. 재영은 얼굴에 잔잔한 미소를 띠려고 노력하며 허리를 곧게 폈다. 그러면서 어쩌다 자신이 이런 상황에 내몰렸는지 떠올렸다.

"다음 주 토요일에 대전 갔다 올게요. 하루 자고 와요."

지난주에 상우가 말했다. 그가 반년마다 한 번씩 하는 본가 방문이 달가웠던 적은 없었다. 그러나 이번에 신경 쓰이는 이유는 단지 남자친구를 이틀 동안 못 봐서는 아니었다.

"부모님한테 말할 거야?"

"뭘요?"

"프러포즈 말이야."

밥을 부지런히 씹던 입이 멈추었다. 상우의 까만 눈이 재영에게 향했다.

"집에 가면 아버지가 요즘 좋은 일 있냐고 꼭 물어보는데……. 그럼 안 말할 수가 없잖아요."

꾸밈없는 시선이 재영을 찬찬히 살피다 다시 볶음밥으로 돌아갔다.

"말하지 말라면 안 할게요."

재영은 이제까지 상우가 집에 그들의 관계를 못 밝히게 막았다.

상우는 순진하게도 연애는 사생활이라 부모가 참견할 수 없다고 생각했지만, 아들이 남자와 동거한다는데 좋아할 부모가 세상에 어디 있겠는가. 재영은 화목한 가족에 갈등이 생기기를 원치 않았다.

"아버지한테 뭐라고 둘러대야 하지……. 최근 들어 가장 기쁜 일이 뭐였냐고 분명히 물어볼 텐데. 안 그런 적이 없는데……."

이번에는 말하고 싶다는 거다. 상우는 가끔가다 그답지 않게 에둘러 말할 때가 있었다. 그런데 방식이 능숙하지 않아서 속이 뻔히 보였다. 재영은 볶음밥을 크게 떠서 입에 넣고 가만히 씹었다. 단순히 연애할 때라면 몰라도 이제 결혼까지 약속한 데다 곧 함께 외국으로 떠날 참이었다. 부모에게 알리고 싶은 상우의 마음도 이해는 했다. 그는 자신과 달리 화목한 가정환경에서 자랐으니까.

"그럼 말할래?"

"네."

그래도 그렇지, 이렇게 기다렸다는 듯이 대답할 줄이야.

"뭐라고 말할 건데?"

"같이 사는 남자하고 결혼하기로 약속했다고. 6년 뒤에 결혼식 오시라고."

"야, 미쳤냐? 안 돼. 전후 사정을 잘 설명해야지."

"……어떻게요? 육하원칙?"

상우는 혼란스럽다는 표정이었다. 재영은 그의 손을 붙잡고 차근차근 설명했다. 왜 무턱대고 남자를 만난다고 하면 안 되는지, 먼저 분위기를 부드럽게 만들기 위해 어떤 이야기를 해야 하는지, 어떤 단계를 거쳐서 그 말을 꺼내야 하는지. 어차피 상우 부모님이 충격받을 건 똑같겠지만 그래도 완충재가 있는 편이 나으니까.

"어차피 결론은 같잖아요."

"이제껏 뭐 들었냐……. 받아들이는 사람 기분이 다르다니까."

"모르겠어요."

1년 반 동안 사람 만들어 놨다고 생각했는데 이럴 때 보면 여전히 비인간적이기 그지없다. 재영은 상우가 그런 태도로 집에 갔다간 쫓 겨날 게 뻔하다고 생각하면서도, 시무룩해할 모습을 상상하면 가슴 이 찢어지는 것 같았다.

"해결책이 하나 있는데……."

그때 상우가 말했다. 재영은 아무런 기대 없이 그의 다음 말을 기 다렸다.

"형이 가서 말해 주면 되겠네."

"뭐?"

재영은 황당하다는 듯 웃음을 터뜨렸지만 상우의 얼굴은 진지했 다. 농담하는 기색이 전혀 없었다.

"그렇잖아요. 형이 가서 잘 설명해 주면 되잖아요."

"내가? 네 어머니 아버지한테?"

끄덕끄덕. 완벽한 해결책을 찾았다는 표정으로 상우가 씩 웃었다. 재영이 추 씨 집안의 예비 며느리라도 된다는 듯 떳떳한 태도였다. 재영은 어안이 벙벙한 채로 한동안 앉아 있다가 상우에게 손짓했다. 그러자 그가 숟가락을 놓고 다가왔다. 재영은 애인의 허리를 감싸 안으며 눈을 들여다보았다. 그런데 그가 입을 열기도 전에 상우가 선수를 쳤다.

"강요하는 건 아니에요."

아뿔싸, 눈빛 공격이었다. 말로는 담담한 척하며 엄청나게 기대하 는 표정을 짓고 있었다. 평소엔 필요한 게 있으면 잘만 요구하면서, 대체 왜 저러는 걸까. 재영은 마음이 약해지는 것을 느끼며 상우의 등을 쓰다듬었다.

"내가 같이 가서 너희 부모님한테 인사 드렸으면 좋겠어?"

상우는 1초도 주저하지 않고 고개를 끄덕였다.

"보여 주고 싶어요. 자랑하고 싶고."

재영은 이 미친 짓을 거절할 수 없으리란 걸 직감했다. 이걸 어떻게 혼자 보낸단 말인가. 쫓겨나도 같이 쫓겨나고 맞아도 같이 맞는 게 낫지. 재영은 한숨을 쉬며 중얼거렸다.

"머리부터 잘라야겠네."

"아깝네. 많이 길렀는데."

"전혀 아깝게 들리지 않는데?"

"티 났어요? 짧은 게 더 예뻐요."

비인간적이란 말 취소. 순진하단 말도 취소.

여우 같은 추상우에게 넘어간 나머지 재영은 이 끔찍한 자리에 서 있었다.

"상우 왔나?"

문 안에서 남자의 굵은 음성이 들리자 몸이 뻣뻣하게 굳었다. 아마도 재영은 저분에게 오늘 뺨을 맞을 예정이었다. 그래서 안경도 쓰지 않았다. 걸쇠 덜그럭거리는 소리가 난 뒤 문이 활짝 열렸다.

"어?"

아들을 보고 밝게 폈던 장년의 얼굴에 의아하단 기색이 번졌다. 재영은 고개를 정중히 숙이고서 다시 꼿꼿하게 섰다. 부드럽게 웃고 싶었지만 잘 안 됐다.

'씨발, 추상우가 무슨 소릴 해도 오는 게 아니었는데……'

남자는 갈색 남방에 쥐색 바지 차림이었다. 눈이 서글서글하고 편안한 인상이었으며 나이에 비해 주름이 적어 보였다. 상우와는 같이 있어도 핏줄인지 모를 정도로 닮지 않았다.

상우의 아버지는 올해 57세인 시인이었다. 출판한 시집은 세 권, 그중 히트작은 한 권. 사서 읽어 보았는데 너무 낭만적이라 재영의 취향과는 맞지 않았다. 그가 재영을 찬찬히 살펴보다 상우에게 눈을 돌렸다.

"어서 와라. 어떻게 왔냐?"

"운전했어요."

"막히지는 않았고?"

"별로요."

반년 만에 보는 아버지를 마치 어제 본 것처럼 대하는 상우나 옆에 멀뚱멀뚱 서 있는 남자가 누구냐고 묻지도 않는 아버지나 이상하기는 마찬가지였다. 재영이 시선으로 눈치를 주자 상우가 그제야 생각났다는 듯 그를 가리켰다.

"장재영이에요, 아버지."

"아……. 난 누구길래 거기 서 있나 했네! 반가워요, 재영 씨. 우리 상우하고 한집에 사는 그…… 선배인가, 맞나?"

재영은 사내가 내민 두툼한 손을 잡으며 "예, 맞습니다. 처음 뵙겠습니다." 하고 인사했다. 이렇게 긴장되는 통성명은 난생처음이었다.

"뭐 이런 걸 다 사 왔어요?"

상우 아버지가 재영의 손에서 선물을 빼앗아 들며 싱글벙글 웃었다. 매도 먼저 맞는 게 낫다고, 밝게 웃는 그를 보며 재영은 속이 안 좋아졌다.

"들어와요, 들어와. 이 녀석이 집에 친구를 데려오다니……. 내일은 해가 서쪽에서 뜨겠네."

"친구 아니에요."

재영은 상우의 발을 콱 밟았다. 그러자 그가 조용해졌다.

"여보, 여보. 상우가 글쎄 친구를 데려왔어!"

상우 아버지가 헐레벌떡 집으로 들어가 버린 뒤, 재영은 떨떠름하게 신발을 벗었다.

현관은 위화감이 들 정도로 깨끗했다. 신발 하나 나와 있지 않았고 신발장에도 먼지 하나 없었다. 상우가 신발장을 열어 앞코에 '추상우'라고 적힌 슬리퍼를 신더니 '손님1'이라고 된 것을 꺼내 재영에게 주었다. 거실에는 누가 봐도 상우의 어머니임이 분명한 여자가 있었다.

"……안녕하세요."

정자세로 앉아 책을 보던 그녀가 안경을 조금 내린 채, 말없이 재영을 살폈다. 그다지 날카롭지도 무섭지도 않은 무덤덤한 시선에 재영은 찔린 듯이 두려움을 느꼈다. 여자는 갸름한 얼굴에 마른 체형으로 젊었을 때 상당한 미인이었을 분위기를 풍겼는데 그러면서도 카리스마가 강했다.

55세, 화학 연구원, 20년 넘게 한 회사에서 근속 중. 상우의 어머니가 설명하라는 듯 아들을 바라본 순간, 그녀 남편이 탁자에 선물 꾸러미를 내려놓으며 말했다.

"왜, 재영 씨 있잖아. 상우와 한집에 산다는……."

"그 친구 말이군요."

"그래, 그래. 그 친구."

"이상하네요. 저 애가 친구를 집에 데려온 적은 이제까지 한 번도 없었는데."

"그러니까…… 초등학교 때도 그런 적이 없었는데 말이지."

상우 어머니는 재영에게서 관심이 아예 사라진 듯 상우를 보았다.

"상우 왔니."

"네. 잘 지내셨어요?"

"잘 지냈다. 건강 상태는 어떠니?"

"건강해요."

"그래 보이는구나."

재영은 멀뚱멀뚱 서서 모자간의 건조한 대화를 듣고만 있었다. 통화하는 걸 자주 들어서 그다지 놀랍지는 않았다. 대화가 끊기고 그 뒤로 이어지지 않았지만 누구도 불편해 보이지 않았다. 상우가 말도 없이 2층으로 올라가 버리는 바람에 재영은 당황스러운 기분으로 소파 끄트머리에 앉았다.

"집을 멋있게 꾸며 놓으셨네요."

재영은 살갑게 말 붙여 놓고서도 '어머님'이란 말은 차마 내뱉지 못했다.

낡은 집은 감각적인 맛은 없어도 고풍스러운 구석이 있었다. 벽에는 이름 없는 화가가 그렸을 바다 풍경화 몇 점과 시인의 취향일 한글 족자가 걸려 있었다. 식탁과 책장, 탁자 등 원목으로 된 모든 가구는 집만큼 낡아 보였으나 세월이 더해지면 가치가 올라가는 명품처럼 중후한 느낌을 풍겼다.

"남편의 취향이에요."

상우 어머니는 책을 덮고 주방으로 들어가 버렸다. 재영은 머쓱한 기분으로 가만히 앉아 있었다. 친구 집에 가서 부모님께 애교 부리는 거, 많이 해 보았다. 문제는 상우가 단순한 친구가 아니라는 것이다. 점수 따 봤자 허사로 돌아갈 거란 생각에 쉽지가 않았다.

"그래, 상우랑 살기는 좀 괜찮아요?"

상우 아버지가 곁에 앉으며 다정하게 말했다.

"아, 예. 재미있게 살고 있습니다."

"1년 넘게 버틴 게 대단한데……. 재영 씨는 상우와 취향이 잘 맞나 봐요. 성격도 분명히 깔끔할 테고."

둘 다 사실이 아니었지만 재영은 웃으며 고개를 끄덕였다.

"쟤가 보통내기가 아니잖아요. 누군가와 집을 같이 쓰겠다고 했을 때 얼마나 신기했는지 몰라요. 해 볼 만하지. 나도 젊었을 땐 생활비 아끼려고 아는 형들하고 부대끼며 살았는데, 그때 놀러 다닌 추억이 지금은 다 자산이 되었거든."

남자가 웃자 눈이 가늘어지며 초승달처럼 휘어졌다. 재영은 상우가 웃는 법을 어디서 배웠는지 알게 되었다.

"상우보다 형이라고 했죠? 졸업은 하셨나?"

"예. 2년째 직장 생활하고 있습니다. 그리고 말씀 편하게 해 주십시오."

"아, 그럼 뭐라고 불러야 하지?"

"재영이라고 불러 주시면……."

"그럼 재영 군은 상우와 같은…… 그, 전자 프로그래밍 하는 건가?"

"아니요, 저는 시각디자인 일 합니다. 미대 졸업했습니다."

"예술 계열이라고? 둘이 어떻게 말이 통하지?"

시인이 의아하다는 듯 물었을 때 주방에서 그의 아내가 "여보." 하고 불렀다. 남자가 총알처럼 튀어 나간 뒤 재영은 혼자 남겨졌다.

그는 덩그러니 앉아 있다가 선반 위에 놓인 액자를 발견했다. 재영은 일어서서 가족사진 몇 장과 남매가 함께 놀고 있는 사진을 차례대로 자세히 보았다.

'뭐야, 누나 예쁘네.'

그는 속으로 중얼거리며 핸드폰을 들었다. 장난감을 쥔 꼬마 남자애를 화면 가득 클로즈업해 찍었을 때 상우가 2층에서 내려왔다.

"혼자 두고 가면 어떡해?"

재영은 입 모양으로 그를 힐난했지만 상우는 아무것도 모르겠다는 표정으로 내려와 소파에 앉았다.

그들은 한참 동안 말없이 앉아 있었다. 상우는 제집인 만큼 편안해 보였지만 재영은 좌불안석이었다. 결국 주방을 기웃거리다 음식 준비를 돕겠다고 나섰지만, 왜 월권하냐는 듯한 여자의 시선과 손님은 그런 거 하는 거 아니란 남자의 핀잔을 듣고 내쫓겼다.

식사는 정확히 6시 정각에 시작했다. 각자 상 앞에 식탁 매트가 올라갔고 그 위에 국그릇과 밥그릇, 개인 접시가 놓였다. 물컵은 컵받침에, 수저는 작은 사기 받침대에 올려졌다. 짝이 맞지 않거나 용도에 어긋난 것은 아무것도 없었다. 모든 것이 있어야 할 자리에 각도를 맞추어 정렬되어 있었다.

"오랜만에 집 왔는데 많이 먹어라, 상우야."

"네."

"재영 군도, 차린 건 없지만 많이 들어."

"예, 잘 먹겠습니다."

미역국, 생선전, 불고기, 나물 몇 개. 상다리 휘어질 정도로 가짓수가 많은 건 아니었지만 아들이 왔다고 신경 쓴 기색이 역력했다. 그러나 말 한마디 오가지 않는 식사 분위기는 숨 막혔다. 재영 외에는 아무도 불편해하는 것 같지 않으니, 이 집은 원래 이런 모양이었다.

재영은 음식이 입으로 들어가는지 코로 들어가는지도 모른 채 먹었다. 식사하던 중에 상우 아버지가 불쑥 말했다.

"학교는 잘 마무리했냐?"

"네. 성적이 궁금하시다면 지난 학기 성적도 전부 A+예요. 취업 준비한다고 공부를 덜 했는데도 그렇게 됐어요."

아버지는 그런 걸 물어본 게 아닐 텐데, 굳이 학점 자랑이라니⋯⋯. 비록 핀트는 어긋났지만 상우는 부모 앞이라고 평소보다 수다스러웠다. 아마 다른 사람이 물었으면 '네'에서 끝났을 것이다.

"뭐 좋은 일은 없었고? 취업은 이미 아니까 제외하고 말이야."

"⋯⋯말할 수 없어요."

그의 아버지는 더 캐묻는 대신 질문을 바꾸었다.

"친구는 좀 사귀었냐?"

"아니요."

상우는 미역국을 떠먹고서 말을 이었다.

"늘 말씀드리잖아요. 전 친구가 필요하지 않아요."

"블랙 맘바 이야기 꺼내지 마라."

재영은 방심하고 있다가 웃음을 터뜨렸다. 하마터면 밥풀을 뱉을 뻔했다. 목에 뭐가 걸린 척 기침을 위장하며 물을 마시는데 상우 어머니가 끼어들었다.

"아이가 무슨 얘기를 하든 제 자유잖아요. 발언권을 존중해 줘요."

"우리가 뱀을 낳지 않았는데 백날 뱀 얘기를 하니까 그렇지. 들어 주는 것도 한두 번이고."

"맞는 말은 아무리 자주 해도 부족하지 않아요. 자연에서 지혜를 얻는 건 칭찬할 만한 태도예요."

'깨갱'하는 소리가 들리는 듯했다. 상우의 불가사의한 자신감은 이런 식으로 길러진 것이다. 그러나 상우 아버지는 포기하지 않았다.

"인간은 누구나 사회적 관계가 필요하고 너도 예외는 아니야. 너도 봐라, 네 옆에 있는 친구랑 〈뱃지 벤추리〉도 잘 만들었지 않냐."

"〈베지 벤처러〉예요. 그리고 이 사람은 형이에요. 친구가 아니에요."

"나이는 달라도 친구일 수 있어. 나이를 잊은 교우 관계도 있는 법이야."

"그런 말이 아니에요. 이 사람은 친구가 아니라……."

재영은 상우가 쓸데없는 소리 하기 전에 식탁 아래서 무릎을 꽉 잡았다.

"상우와는 선후배 사이였으니까요. 일을 같이 한 동료이기도 해서 친구란 말이 익숙하지 않은 모양이에요."

"아, 그런가……. 하긴, 상우가 단어의 정의에 민감한 편이지."

'생각했던 전개와는 다르지만 나쁘지 않아.'

재영은 속으로 중얼거렸다. 아들이 같이 사는 남자를 데려오면 수상하게 보일 법도 할 텐데, 저 부모는 재영에게 놀랍도록 관심을 주지 않았다. 그렇다고 이대로 그림자처럼 있다가 갈 수는 없으니, 재영은 분위기를 민감하게 살폈다.

"저 사람은 왜 데려온 거니?"

그는 음식을 씹다가 입을 움직이는 법을 잊었다. 이제까지 아무 일 없다는 듯 평온하게 앉아 있던 상우 어머니의 공격은 순식간에 들어왔다.

"이 사람은……."

재영은 상우의 무릎을 더 꽉 잡았다.

"친한 형이니까요. 어머니에게도 보여 드리고 싶었어요."

상우는 재영의 당부를 잊지 않았다. 잘 대처했다고 생각했는데 그의 어머니는 언짢다는 표정을 지었다.

"형이라니? 넌 누나밖에 없잖아."

조용한 목소리에는 무시할 수 없는 힘이 있었다. 재영은 저도 모르게 숨을 죽였지만 상우는 아무렇지 않은 태도로 답했다.

"한국 사회에는 혈연관계가 아니어도 친근감을 느끼는 손윗사람에게 형이나 누나라고 부르는 관습이 있어요."

"안다만, 호칭에 혼선을 빚을 가능성을 감수하면서까지 그렇게 해야 하니?"

"친근감이 불편함을 넘어설 때는 그렇게 부를 수밖에 없어져요."

"알겠다."

재영은 참고 있던 숨을 급하게 내뱉었다. 안심했다가도 위기 상황이 발생하고, 그러다 갑자기 마무리되어 버리니 대화의 흐름을 종잡을 수 없었다. 속이 답답했다. 아무래도 체한 것 같았다.

어찌저찌 식사를 다 하고 나자 상우 아버지가 재영이 사 온 배 두 개를 가져와 깎았다. 빠르고 매끄럽게 깎는 모양새가 한두 번 해 본 솜씨는 아닌 것 같았다. 상우 어머니는 과일을 몇 조각 먹고 말없이 방에 들어가 버렸다.

재영은 상우 아버지를 도와 빈 그릇을 주방으로 나른 뒤에 설거지를 하겠다고 자처했으나 또 한 번 쫓겨났다. 주방 문이 닫히고서야 상우와 단둘이 이야기할 기회가 생겼다.

"표정이 왜 그래요?"

"왜, 내 표정이 어떤데."

"야근한 얼굴."

재영은 웃음을 터뜨리며 소파에 앉았다. 그 부모를 의식해서 상우와 거리를 약간 벌리고 앉았으나, 얼마 지나지 않아 슬금슬금 다가

가 그의 어깨에 머리를 기대게 되었다. 상우의 목에 코를 묻고 숨을 깊이 들이마시자 비웃음 소리가 들렸다.

"대담한데, 식사할 땐 눈치 보느라 바빴으면서."

"……."

"누가 때려요? 왜 그렇게 무서워해요."

"네 부모님이야. 어려운 게 당연하잖아."

재영은 눈을 감고 상우에게 몸을 푹 기댔다. 그러자 상우가 어깨에 팔을 둘렀다.

"나도 형네 할아버지 만나면 긴장하게 될까요?"

"만날 생각하지 마."

"왜요?"

"너 다쳐."

"일흔이 넘은 분인데, 완력으로 밀리리라곤 생각하지 않아요."

재영은 상우의 농담에 웃음을 터뜨렸지만, 곧 그게 농담이 아니었을 거란 확신이 들며 난처해졌다. 그러고 보면 상우가 노인 공경한단 소리는 들어 본 적이 없었다. 재영은 그들을 서로 만나게 하지 않겠노라고 굳게 마음먹었다.

"네 말을 들으니 용기가 난다."

재영은 다시 눈을 번쩍 떴다. 주변에 아무도 없는 것을 확인하고 상우의 볼에 진하게 뽀뽀한 뒤, 다시 그와 거리를 벌리고 앉았다.

"작전을 짜자."

"무슨 작전이요?"

"나 솔직히 너희 어머니와 이야기할 자신 없어. 어머니 쪽은 네가 맡아. 난 네 아버지와 이야기할게."

"게임이에요?"

"어. 목표는 얻어맞지 않고, 의절하지도 않고, 우리 사이를 전하는 거야. 할 수 있겠어?"

"지금이라도 가능해요."

재영은 일어나려는 상우를 붙잡아 다시 앉혔다.

"26년 동안 반듯하게 키운 자랑스러운 아들이야. 집에 여자친구가 아닌 남자친구를 데려온 게 어떤 의미인지 모르겠어? 충격 받으실 거야. 나랑 그만 만나라고 하실지도 몰라. 최악의 경우엔 가족 관계가 끊길 수도 있어. 너 그런 거 각오하고 있어?"

"아뇨."

상우는 혼란스럽다는 얼굴로 한동안 입을 다물고 있었다.

"잘 모르겠어요. 누굴 만나든 내 선택이잖아요."

"원론적으로 맞는 얘기야. 하지만……."

"부모님은 선택에 늘 책임이 따른다고 가르쳤어요. 성인이 된 뒤로는 내 선택에 내가 책임을 져야 하고, 잘못되어도 다른 사람이 해결해 줄 수 없다고 했어요."

그의 눈빛에 어느새 확신이 생겨났다.

"26년 동안 본 부모님은 말과 행동이 다르지 않았어요. 만일 형 말대로 내 연애에 참견한다면 그건 모순이에요."

맞는 말만 나오는 자판기, 논리란 창으로 모든 문제를 해결하려고 드는 장수. 상우의 태도는 이제껏 봐 온 것과 다르지 않았지만, 재영은 단어와 단어 사이에서 부모를 향한 신뢰를 감지했다. 제아무리 블랙 맘바 어쩌고저쩌고해도 가족이 상우의 세계를 지탱하는 단단한 기둥 중 하나란 걸 알고 있었다. 재영은 그를 향해 애정과 미안함이 샘솟는 것을 느꼈다.

'부디 네 말이 맞았으면 좋겠다.'

이 일로 부모와 척지게 된다면 상우는 얼마나 큰 충격을 받게 될까. 얼마만 한 상처를 받게 될까. 자신은 얼마나 오랫동안 죄책감에 시달릴까. 재영은 복잡한 마음으로 저를 향한 직선적인 시선을 마주했다. 그때 주방 문이 열렸다.

"추상우 선생."

"네."

"오랜만에 단둘이 오붓하게 얘기 좀 할까?"

"그래요."

상우 아버지가 옷걸이에서 외투를 걸치며 대문으로 향했다. 손에 재떨이와 투명한 병이 들려 있었다. 상우가 그 모습을 보더니 주방으로 들어가 작은 술잔 두 개를 들고 나왔다. 재영은 일어나 그의 손에 든 것을 빼앗았다.

"내가 대신 갈게."

상우가 고민하는 기색으로 바닥을 보다, 고개 들어 재영의 눈을 마주쳤다.

"형한테 부담 주고 싶지 않아요. 내가 알아서 할게요."

그 말을 하는 상우는 이상하리만치 반짝반짝 빛났다. 그래서 재영은 자신이 그에게 단단히 빠졌음을 새삼 실감하고 말았다. 팔을 벌리자 상우가 당연하다는 듯 안겨 왔다. 재영은 두려움도 잊고 그를 끌어안았고 그 포옹은 큰 용기를 주었다. 재영은 상우의 이마에 입술을 가볍게 갖다 댄 뒤 현관을 향해 걸었다.

"잠깐만."

신발을 신고 있는데 상우가 그를 불렀다. 돌아보았더니 목에 무언가가 휙 둘렸다. 상우의 목도리였다.

"밖에 추워요."

상우는 목도리를 엉성하게 묶어 놓고서 씩 웃었다. 마주 웃는 것 외엔 도리가 없었다.

"다녀올게."

재영은 손을 흔들며 밖으로 나갔다.

상우의 아버지는 뜰에서 담배를 피우고 있었다. 낮은 산이 보이는 풍경은 고즈넉했다. 잡초가 우거진 뜰은 전혀 관리를 안 하는 것 같았으나 우뚝 선 과일나무만은 늠름했다. 재영은 이 무질서함이 시인과 잘 어울린다고 생각하며 동그란 나무 식탁에 다가갔다. 그루터기를 닮은 원기둥 모양 의자에 앉자 남자가 놀란 표정을 지으며 담배에서 입술을 뗐다.

"왜 재영 군이 왔지? 상우는?"

"아버님과 이야기 나누고 싶어서 제가 대신 오겠다고 했습니다."

사실은 속이 울렁거렸지만 재영은 아무렇지 않은 척 식탁에 술잔 두 개를 내려놓았다. 증류식 소주병으로 손을 가져가 뚜껑을 열자 시인이 떨떠름한 태도로 잔을 들었다. 잔이 차자 재영의 차례가 되었다. 재영은 잔을 공손하게 받아 제 앞에 내려놓았다.

"안동 사는 지인이 보내 준 건데, 아마 맛이 괜찮을 거야."

그가 웃으며 고개를 돌리고 담배를 마저 피웠다. 옆얼굴이 쓸쓸해 보였다.

"섭섭하시죠?"

"그럼."

그는 부인하지 않고 술잔을 비웠다. 재영은 몸을 옆으로 틀며 그를 따라했다. 도수 높은 술이 목구멍을 화르르 태우는 것 같았지만 내색하지 않았다.

"바다 건너간다니 걱정도 되고 섭섭하지만 어쩔 수 없지. 어릴 때부터 취직하고 싶다던 곳에 떡하니 입사한 게 장해. 내 새끼가 그래. 말뿐이 아니라 한다면 죄다 해 버린다니까. 그것도 아주 큰 게임 회사라던데, 사원이 한 200명쯤 되나?"

상우는 회사에 관해 아버지에게 제대로 설명하지 않은 듯했다. 재영이 알기로 사원 수가 그 열 배는 되었다.

"상우뿐 아니라 많은 사람들에게 꿈의 직장입니다. 자랑스러워하실 만해요."

"그렇지? 게다가 친구도 데려오고 말이야……. 놀랄 노자야. 처음에 남하고 같이 살겠단 소리 들었을 땐 애가 워낙 알뜰하니 생활비 아끼려고 그러는 줄 알았어. 그래서 돈을 보내 줬더니 잔고가 넉넉하다며 다시 돌려보내더라고. 그래서 마음 잘 맞는 친구가 드디어 생겼나 보다 했지."

"예……."

"나는 재영 군이 상우랑 똑같은 사람일 줄 알았어. 수학이 어쩌니 과학이 어쩌니, 장 보면 10원까지 쪼개 가며 나누는 친구 말이야. 그런데 이렇게 멀쩡한 사람일 줄은……. 아, 실례. 재영 군을 판단하려던 게 아니라, 난 상우가 평범한 인간관계를 맺지 못할 줄 알았거든."

"이해합니다."

두 번째 잔이 채워지고 곧바로 비워졌다.

"재영 군은 어쩌다 상우와 친해졌을까? 걘 내가 알기로 친구가 세 명밖에 없거든. 근데 그놈들도 게임인가 뭔가에 필요해서 만났을 뿐이지 인격적인 관계를 맺지는 않았다고 생각해."

임세원, 김충호, 김원종. 한 명은 직장인, 두 명은 대학생. 연락 횟수는 각각 1년에 두세 번 정도. 평범하고 착한 애들 같았다.

"처음에는 수업 과제 때문에 만났고……."

많은 정보가 생략되었지만 거짓말은 아니었다.

"함께 일하느라 같은 공간에서 지내며 많이 친해졌습니다."

"생각할수록 신기하단 말이지. 좀 민망한 얘기지만, 얼마 전까지도 애 엄마랑 오해했다니까. 왜 요즘은 그…… 남자끼리, 여자끼리 연애하는 사람도 있으니까 말이야."

올 것이 왔다고 재영은 생각했다. 그의 표정을 본 상우 아버지가 민망한 기색으로 너스레를 떨었다.

"내가 괜한 말을……. 나이 들면 이렇게 주책이야."

남자는 술잔을 빠르게 비우더니 손등으로 입술을 닦았다. 그러곤 주머니에서 담배를 꺼내 불을 붙였다.

"저도 한 대 주십시오."

남자는 조금 놀란 듯 눈을 크게 떴지만, 이내 담배와 라이터를 넘겼다. 재영이 평소에 피우는 것보다 맛이 독한 제품이었다. 그는 남자에게서 몸을 돌리고 라이터를 켰다. 한동안 무거운 침묵이 감돌았다. 재영의 담배가 절반 길이로 짧아졌을 때 상우 아버지가 툭 내뱉었다.

"재영 군도 상우 가고 나면 섭섭하겠어. 1년 넘게 같이 살았으니까 말이야."

재영은 드디어 때가 되었다고 느꼈다. 연기를 깊이 빨아들이고선 심호흡하며 연초를 재떨이에 껐다.

"아버님."

그는 남자가 잘못 들을 수 없도록 힘주어 말하며 서글서글한 두 눈을 바라보았다.

"저, 일 관두고 유학 갑니다. 상우 직장과 멀지 않은 대학원이라, 그곳에서도 같이 살 집을 구해 놨습니다."

같은 대학원에 원서를 세 번이나 넣게 될 줄 알았으랴. 재영은 브랜딩 회사로 이직하는 옵션과 석사 공부 중 고민한 끝에 후자를 선택했다. 실험적인 개인 작업을 해 가며 자신의 디자인 스타일을 더 개발하고 싶었다. 일하기 싫어서 그런 것도 있었지만.

상우 아버지의 입이 쩍 벌어졌다. 담배가 땅에 뚝 떨어졌지만, 불씨가 풀에 옮겨붙기 전에 재영이 재빨리 집어서 재떨이에 버렸다. 다시 마주친 남자의 시선은 복잡하기 짝이 없어서 어떤 함의를 담고 있는지 알기 어려웠다. 그가 화났는지, 실망했는지, 절망했는지 재영은 판단할 수 없었다.

'무릎이라도 꿇어야 하나…….'

그는 난감한 기분을 느끼며 속으로 중얼거렸다. 상대가 묵묵부답으로 응수하는 사이 시간만 갔다. 재영은 계속 사내의 눈을 들여다보며 입을 열었다.

"아버님께 맞을 각오하고 왔으니 이야기만 끝까지 들어 주세요."

그는 눈을 크게 뜨고 있을 뿐 방해하려는 기색이 없었다. 재영은 집 안에서 모친과 비슷한 종류의 대화를 하고 있을 상우를 떠올리며 용기를 냈다.

"아드님과 단순한 친구 사이 아닙니다. 작년 6월부터 한집에 살면서 진지하게 교제하고 있어요. 저희가 가려는 주는 동성혼이 합법이라, 미래에 영주권 취득해서 결혼까지 할 생각입니다. 차마 허락을 구할 자신은 없지만, 이렇게 사이가 깊어진 마당에 비밀로 하는 건 도리가 아닌 것 같아서 말씀드리기로 마음먹었습니다."

재영은 정말로 아침 드라마 주인공처럼 굴 생각이 조금도 없었다. 하지만 그의 몸이 저절로 움직여 바닥에 무릎을 댔다. 재영은 자신의 행동에 당황하는 한편, 상대에게 때리기 최적의 자세를 제공했단 사실을 깨닫고 몹시 긴장했다.

"어이구, 이게 뭐 하는 짓이야?"

상우의 아버지가 재빨리 의자에서 내려와 재영의 팔을 당겼다. 그의 손아귀는 나이답지 않게 억셌다. 재영이 몸을 일으키고 의자에 다시 앉자, 아주 긴 침묵이 그들 사이에 맴돌았다.

시간이 얼마나 지났을까. 상우 아버지가 담배를 꺼내 입에 물었다. 라이터로 불을 붙이고서 담뱃갑을 재영에게 내밀었다. 얼굴을 보지 않은 채였다. 두 손을 내밀어 한 개비 꺼내자, 이번에는 직접 불을 붙여 주려 했다. 재영은 기묘한 기분으로 담배를 문 채 그에게 다가갔다. 불꽃이 켜지자 재영은 숨을 깊이 들이마셨다.

시인은 연초가 필터만 남을 때까지 침묵을 지켰다. 그 시간 동안 재영은 긴장을 잊었다. 말하고 나니 속이 편해졌으며, 이제 어쩔 수 없다고 생각했다. 어차피 재영은 그 부모가 반대한다고 해서 추상우를 포기할 생각이 없었다. 그렇다면 어떤 반응이 돌아오든 이겨 내야 했다.

"자네…… 괜찮겠어?"

그러나 상우 아버지의 반응은 예상을 벗어났다. 그는 태도가 차분했으며 화난 기색이 없었다. 말이 불완전해서 의미를 파악하기 어려웠다. 재영은 바보 같은 기분으로 반문하는 수밖에 없었다.

"무슨 말씀이신지……."

"상우가 안 그래 보여도 집착이 심해."

남자가 재영의 눈을 들여다보았다. 재영은 주름진 눈가에서 우려를 읽었다.

"세 살 때 사 준 장난감을 부러져도 고치고, 고치고, 고쳐서 아직까지 갖고 있어. 다섯 살 때 사 준 레고는 조각 하나 안 잃어버리고 아직도 그대로 있을 정도야. 그놈의 포크레인은 말할 것도 없고."

"……그런 면이 좀 있죠."

"무언가를 한번 갖겠다고 마음먹었으면 무슨 일이 있어도 손에 넣고서 절대로 놔주지 않는 아이야. 잘 생각해야 해. 도망칠 기회는 지금뿐일지도 몰라."

재영은 얻어맞은 기분으로 입을 벌렸다.

"제가 남자인 건 상관없으십니까?"

남자가 헛웃음을 지었다.

"자네 말은 둘이 애인 사이라는 거잖아."

"예."

"상우도 그렇게 생각하고 있나?"

"예? 예. 그럼요."

"확실한가? 그 애 입에서 직접 들은 적이 있냐는 말이야."

그는 난처하단 기색으로 잠시 말을 멈추었다.

"난 상우가 무슨 생각으로 재영 군을 만나는지 모르겠어. 자네가 충격 받을 수 있는 이야기지만 터놓고 말하지……."

그는 한숨을 쉬더니 눈을 들어 재영을 보았다.

"상우는 성욕까지는 인식하지만 사랑을 이해하지 못해."

아버지는 아들을 상당히 잘 알고 있었다. 재영은 상우와 본격적으로 연애에 들어가기 전의 눈물겨운 나날을 떠올리며 감상적인 기분에 잠겼다. 남자는 재영의 표정을 보고 덧붙였다.

"농담으로 하는 소리가 아니야."

"예."

"좀 이상한 얘기지. 아이가 어릴 때부터 머리는 좋았는데 감정적인 발달이 더뎠어. 관계의 기쁨, 행복감, 애정……. 아버지로서 가르처 주려고 부단히도 노력했지만 늘 실패만 했지. 스물한 살 때 같은 학교 여학생과 진지하게 교제한다길래 드디어 사람 구실을 하고 사려나 기뻤는데…….”

그가 고개를 절레절레 저었다.

“상대가 결혼하기 적합한지 판별하는 실험이라고 하더군. 따끔하게 혼내도 뭘 잘못했는지 모르겠다는데, 할 말이 없었어. 그 학생이 안됐을 뿐이지…….”

행정실에서 알바하다 만났다는, 가까이 가면 괜찮은 향기가 나더라는 두 살 연상의 여학생, 누군지 알아내려고 별짓을 다 했지만 상우가 개인 정보라며 끝내 이름을 발설하지 않아서 재영에게는 영원한 미스터리로 남았다.

“부모 간의 사랑도 종족 번식을 위한 유전적 행위라고 인식하는 애야. 서로 사랑하는 모습을 보여 주고 애정을 듬뿍 줬는데도 그렇게밖에 이해하지 못하니…….”

어쩌다 상우 아버지를 위로해 줘야 하는 처지가 되었는지 의문이 들었지만, 재영은 어느새 비어 버린 잔을 채우며 말했다.

“그래도 상우가 효심이 참 깊더라고요.”

“이제까지 투자한 자본을 갚겠다는 게 어디가 효심이야? 우리가 은행도 아니고.”

“…….”

“내 아들이지만 인간성이 아주 결여됐어. 다 내 탓이야……. 내가 잘못 키운 거야.”

양손으로 머리를 쥐어 싸매는 남자를 보며 재영은 진심에서 우러난 미소를 지었다. 그 또한 비슷한 생각을 한 적이 있었다. 그러나 이제는 많은 것이 달라졌다.

"그런 말씀 하지 마세요. 상우가 집을 얼마나 좋아하는지, 부모님을 얼마나 존경하는지 제 눈에는 잘 보이는데요."

"재영 군은 상우와 달리 빈말을 잘하는군."

"아니요, 진심입니다. 상우는 사랑 받고 자란 티가 많이 나는 친구예요. 원래 기질이 자상하고 반듯하기도 하겠지만, 부모님의 영향이 컸으리라고 생각합니다."

"자상…… 하다고? 상우가?"

"상우 많이 변했습니다, 아버님. 애정 표현도 곧잘 하고, 질투도 심하고, 사람이 하는 건 다 해요. 청혼도 제가 받았습니다. 꽃다발 내밀면서 행복하게 해 주겠다는데 거절할 수가 없더군요."

상우 아버지는 믿을 수 없다는 표정을 지었다. 재영은 핸드폰을 꺼내, 두고두고 보려고 캡처한 메시지를 그에게 보여 주었다.

[추상우♡♡: 사랑해♥] 11개월 전

"억지로 시킨 거지?"

남자가 충격적이란 얼굴로 입을 쩍 벌렸다. 사실 억지로 시킨 거였지만 재영은 굳이 밝히지 않았다.

"어버이날마다 그렇게 시켜도 개념이 모호한 단어는 사용할 수 없다고 거부하던 아이였는데……."

상우 아버지가 상처 받은 얼굴로 중얼거렸다. 우월감을 느끼기 적절한 시점은 아니었지만 재영은 자꾸 올라가려는 입꼬리를 잡아 내려야 했다.

"상우가 표현이 서툴러서 그렇지 감정에 솔직하더군요. 기쁘면 기쁘다고, 슬프면 슬프다고 말하는 스타일입니다."

으스대는 말이 입에서 줄줄 나왔다. 재영은 부디 제 발언이 자랑처럼 들리지 않기만을 바랐다. 그러면서도 올해야말로 본인이 노벨 평화상을 수상할 자격이 있다고 생각했다.

"그리고 사고가 논리 정연하다 보니 이해만 잘 시켜 주면 싸울 일이 없습니다. 섭섭할 일은 종종 있지만 제가 더 잘해야죠."

상우 아버지가 힘없이 고개를 끄덕였다. 메시지를 본 이후로 넋이 나간 것 같았다.

"1년 반 남짓한 연애 기간이 짧아 보이실지도 모르겠습니다. 그래서 이런 말씀 드리기 조심스럽지만……."

겸손한 말과 달리 재영은 확신에 가득 차 있었다. 그에게 1년 반이란 연애 기간은 결코 짧지 않아서 인생을 걸 만한 결정을 내리기 충분했다.

"제 평생에 상우 같은 사람은 없었습니다. 아드님을 진심으로 사랑합니다."

이토록 상투적인 말을 할 계획은 없었으나 어차피 재영의 인생에 계획대로 되는 일은 드물었다. 이제는 추상우와 쭉 함께일 테니 달라지겠지만.

"제가 남자라 민망하고 송구하지만, 아버님 허락을 받는다면 더 자신 있게 연애할 수 있을 것 같습니다."

재영은 당당하게 말했다. 불안하고 두려웠던 기분은 어느덧 사라지고 없었다.

얼마 동안의 침묵이 흐른 뒤, 바닥을 바라보던 상우 아버지가 한숨을 쉬고서 대답했다.

"상우가 좋다는데 내가 허락하고 말고가 어디 있어."

모호한 대답이었지만 이 정도만 해도 쾌거였다. 재영은 이 자리에 맞을 것을 각오하고 왔다.

"아이 엄마하고 얘기해 봐…… 난 이 집에서 아무 권한이 없어."

고개 숙인 가장의 모습이 애잔해 보였다.

"어머님께서는 많이 반대하실까요?"

"반대라기보다는…… 아마 이해를 못 할 거야. 중성자에 왜 전자만 두 개가 있냐는 식으로 말할지도 몰라."

"네……."

재영은 모친 쪽을 상우에게 맡기기를 잘했다고 생각했다. 한동안 떨떠름한 침묵이 감돌았다.

"재영 군."

"예."

"솔직하게 말해 줘서 고마워. 다만, 지금은 머릿속이 복잡해서……. 나한테 더 할 말이 없다면 혼자 있고 싶은데."

시인이 담배에 불을 붙이며 말했다. 재영은 고개를 끄덕이고 자리에서 일어났다. 들어가 보겠다고 말하려던 찰나, 궁금증이 생겼다.

"그럼 가기 전에 질문 하나 드려도 되겠습니까?"

"물론."

"어머님과는 어떻게 만나셨어요?"

남자가 너털웃음을 터뜨렸다. 그가 재영을 올려다보며 답했다.

"서울에서 직장 다닐 때 이야긴데……. 내가 타던 버스에 매일 같은 시간, 같은 자리에 앉는 처녀가 있었어. 눈 돌아가는 미인이었지."

"아……."

"시를 써서 한 달에 한 번씩 건네줬는데 1년이 넘도록 아무 반응도 없다가…… 어느 날 따라 내리며 한다는 말이, 문법이 틀렸다고."

"……."

"사랑 시 쓰는 시인치고 낭만적인 사연은 아니지?"

빈말로라도 맞다고 말하기 어려웠다. 재영은 주먹으로 웃음이 새어 나오려는 입을 틀어막으며 꾸벅 고개를 숙였다.

낮은 웃음소리를 배경 삼아 집으로 돌아오는 길, 밝은 달이 예쁘게 반짝였다. 재영은 그새 떨어졌다고 상우가 많이 보고 싶었다.

손잡이를 돌리니 대문이 부드럽게 열렸다. 재영은 깔끔한 현관에 들어서서 신발장에서 '손님1'이라고 적힌 슬리퍼를 꺼내 신고 그 자리에 제 단화를 놓았다.

실내는 깜깜했고 계단 옆에 난 방에서 불빛이 새어 나오고 있었다. 2층으로 올라가려던 재영은 문이 조금 열린 방을 지나다 모자의 대화를 들었다.

"그래서, 어떻게 붙잡았니?"

"기습적으로 청혼한 뒤 반지로 구속했어요."

"현명하구나. 동서고금 배우자를 포획하는 최고의 방법이야."

"순진한 구석이 있는 사람이라, 반짝거리는 걸 손가락에 끼워서 마냥 좋은 모양이에요. 그래서 조금 미안해져요."

"네 아버지도 그랬단다. 평생 붙잡힐 건 생각도 안 하고 희희낙락하더구나."

재영은 황당한 기분으로 헛웃음을 지었다. 주머니에 손을 넣자 몇 시간 동안 빼 두었던 가느다란 반지가 만져졌다. 재영은 그걸 꺼내서 넷째 손가락에 꼈다.

"잘생겼죠?"

"난 잘 모르겠다. 네 아버지 젊었을 때에 비하면……."

"그건 아니죠. 객관성을 완전히 잃으셨네요. 사랑의 부작용을 다시 한번 느껴요."

재영은 웃음을 참으며 문에 더 바싹 다가가 귀를 기울였다.

"그런데, 건강 검사는 받고 성관계하고 있니?"

"아뇨……. 하지만 피임 기구를 잘 쓰고 있어요."

"그건 다행이구나."

"사실 고백하자면, 늘 욕망이 앞서서 과도한 성생활을 즐기고 있어요. 그래서 이따금 인간성을 잃은 기분이 들 때가 있어요. 눈만 마주쳐도 성적으로 자극되니까요. 해로운 균이 있었다면 진작 옮아서 문제가 생겼을 거예요."

"너도 이제 보니 네 아버지와 닮은 구석이 있구나."

"피가 어디 안 가네요."

"난 네 아버지와 처음 관계하기 전에 병원에서 임질 등 14종류의 검사를 받았어. 너도 그렇게 하렴."

"알겠어요. 생각해 보니 제가 경솔했던 것 같아요. 내일 바로 병원 예약할게요."

듣자 듣자 하니 별 얘기를 다 하고 있었다. 엿듣다가 걸리면 민망해질 것을 알았으나 재영은 또 무슨 말이 오갈지 신경 쓰여서 발길이 떨어지지 않았다.

"즐거워 보이는구나."

"즐거우니까요."

"뭐가 그렇게 즐겁니?"

"연애를 시작하고서 생활에 활기가 돌고 있어요. 빨리 결혼하고 싶어요. 그게 더 안정성이 강화된 버전이니까요. 아무리 반지를 끼고 있어도 불안하고, 배우자라고 법적으로 못 박아야 안심할 수 있을 것 같아요."

"당연한 심리란다. 인간은 누구나 안정성을 선호하지."

"그냥 선배일 땐 하루라도 어떻게 견뎠는지, 지금은 이해가 안 돼요."

재영은 벽에 등을 기대고 오늘따라 수다스러운 상우의 목소리를 가만히 들었다. 입가에서 웃음이 떠날 줄을 몰랐다.

"가사 분담은 어떻게 하고 있니?"

"빨래와 거실 청소는 제가 하고 형은 주방 전담이에요. 단, 음식물 쓰레기 버리는 걸 너무 싫어해서 제가 대신 해 주고 있어요."

"섭식장애라도 있다니?"

"아뇨. 그냥 그런 걸 좀 귀찮아하는 경향이 있어요."

"하긴, 상희도 그렇지."

"어디다 비교하시는 거예요. 그 괴물은 다리가 퇴화된 첫 인간으로 남을 게 분명하고요. 형은 그냥…… 조금, 아주 약간 게으름을 부릴 때도 있을 뿐이에요. 일하고 돌아오면 피곤해서 그럴 수도 있잖아요."

조곤조곤 말하는 목소리가 달콤하게 들렸다. 저 콩깍지가 영원히 벗겨지지 않으면 좋겠다고 재영은 생각했다.

"상희도 지난달에 애인 데려왔는데, 내년에 결혼할 계획이라고 하더구나."

"알아요. 그분이 누나의 정체를 알고 있는지 궁금해요."

"놀랍게도 남자친구가 같은 공간에 있으니 생활 습관의 흠결이 한결 드러나지 않았어."

"사기예요. 결혼하면 다 들통날 텐데……."

"너는 그런 문제에서 자유롭니?"

"모르겠어요. 저는 가끔 재영이 형이 동질감을 느끼게 하려고 양말을 일부러 뒤집어서 벗어 놓고 6시간 정도 치우지 않아요. 그러다 보면 자괴감이 들 때가 있어요."

'그런 거였어?'

"나도 가끔 네 아버지를 감동시키려고 문학 서적을 구매해. 읽지는 않지만."

"무슨 뜻인지 알아요. 저도 요즘 주말마다 스케이트보드 배우거든요."

"그게 뭐니?"

"기다려 보세요. 보여 드릴게요."

잠시 동안 방 안이 조용해졌다. 그러더니 어디서 들어 본 목소리가 났다.

―잘 봐, 상우야. 뒷발로 테일 누르지? 그러면서도 바닥에 닿으면 안 돼. 이거 잘못하면 바로 뒤집혀서 머리 깨지는 거야.

―어디로 눌러요?

―발꿈치. 말로 설명하기는 어려운데 균형은 어깨로 잡아야 돼. 다시 보여 줄게. 이렇게 쭉…… 해 볼래? 해 보는 게 빨라.

―잠깐만요……. 지금 영상 찍고 있어요.

스케이트보드가 땅과 마찰하는 소리가 나며 영상이 끊어졌다. 추상우, 저를 부모에게 자랑하고 싶다더니 아주 원 없이 하고 있었다. 대단한 팔불출이었다.

"왜 이런 짓을 하는 거니?"

한동안 침묵을 지키던 그의 어머니가 말했다.

"달리기보다 격렬한 느낌이 들어서 선호하는 것 같아요."

"이동하기 위한 수단은 아닌 거지?"

"네. 동력기가 없어서 이동 수단이라기엔 비효율적이에요. 재미는 꽤 있어요. 지난주에 무리해서 타다가 넘어져서 여기 멍들었어요. 지금은 없어졌네요."

"조심해야지."

"그리고 계절당 1회 여행 가고 주 1회 영화를 봐야 해요."

"성가시겠구나."

"데이트니까 성가시다고 생각하지 않아요."

"너보다 체격이 크던데, 물리적으로 피해 입을 일은 없는 거겠지?"

"별걱정을 다하세요."

"그거면 됐다."

"더 궁금한 건 없으세요?"

"없다."

"그럼 올라갈까요?"

"오랜만에 봤는데 쓸데없는 얘기라도 좀 더 하자. 너랑 대화하니까 기분이 좋아지는구나."

"알겠어요. 그럼 요즘 어머니 연구하시는 얘기 좀 해 보세요."

'저걸 효자라고 해야 해, 말아야 해.'

재영은 웃으며 뒤로 물러났다. 낡아 보이는 층계에서 삐걱거리는 소리가 나지 않도록 각별히 조심했다.

상우 말이 맞았다. 그의 부모는 아들의 결정을 존중하고, 이해하려고 노력하는 사람들이었다. 그들은 재영에게 관심이 없었다. 아버지는 아들의 감정에만 관심이 쏠려 있었고 어머니는 아들의 안녕에만 신경을 곤두세웠다. 아마 남자가 아니라 외계인을 집에 데려왔어도 비슷한 반응을 보였을 것이다.

'어쩐지 서운한데…….'

재영은 복에 겨운 생각을 하며 미소 지었다. 2층에는 화장실과 방 두 개가 있었다. 첫 번째 방문에는 스티커를 붙였다 뗀 자국이 덕지덕지 있었다. 적어도 상우의 방은 아닐 거라는 확신이 들었다. 자세히 보니 보라색 펜으로 글자가 적혀 있었다.

상희쓰's RooM~☆★ 아무도 출!입!금!지!
(특히 추상우)

상우의 이름 옆에 구름처럼 생긴 무언가를 그려 놓았는데 아마 상추인 것 같았다. 재영은 앞으로 걸어가 깨끗한 방문 앞에 섰다. 어쩐지 가슴이 두근거려서 호흡을 한 차례 고르고서 문을 열었다. 벽을 더듬어 불을 켜자마자 웃음이 나왔다.

"이건 뭐, 추상우 박물관이네."

재영은 고개를 들고 작은 방을 구석구석 살폈다.

벽 한쪽을 꽉 채운 책장에 어린이 과학 총서가 빼곡하게 꽂혀 있었다. 한 권 빼서 보니 촌스러운 디자인의 표지에 〈은하는 왜?〉라고 적혀 있었다. 전부 다 오래돼 보였지만 특히 〈바퀴는 왜?〉와 〈숫자는 왜?〉가 걸레짝처럼 낡아 빠졌다. 벽에는 별 지도와 수백 가지 공룡 이름이 적힌 브로마이드가 붙어 있었는데 코팅 처리했는데도 가장자리가 너덜너덜했다.

상우가 중고등학교 시절에 앉아서 공부했을 갈색 책상은 유리로 덮여 있었고 그 위에 연필깎이와 움직일 수 있는 태양계 모형이 놓여 있었다. 책꽂이에는 수학 문제집과 노트 여러 권이 꽂혀 있었고, 가장 윗줄에는 헬리콥터와 구축함, 인공위성 모형, 그리고 게임 CD가 스무 장 정도 있었다.

"이거 오랜만이네."

재영은 게임 CD 몇 개를 열어 보고 향수에 잠겼다. 그런 다음에 무언가를 발견하고 빙긋 웃었다.

추상우 박물관이 실제로 있다면 가장 가치 있을 소장품을 조심스럽게 들어 보았다. 재영의 짐작이 맞다면 여섯 살 때 아버지를 졸라서 샀다던 포크레인 모형이었다. 추상우의 첫사랑. 노란색 바탕이 거의 다 벗겨져서 흰색으로 보이는 장난감은 '크롤러' 형이었다. 재영은 손바닥보다 작은 굴착기를 자세히 살펴보고서 조심스럽게 내려놓았다.

그의 시선이 약간 작아 보이는 침대로 향했다. 상우의 부모가 준비해 두었을 깨끗한 차렵이불을 거쳐, 침대 아래 검은 공간으로 떨어졌다. 소년의 침대 밑은 비밀스러운 법. 재영은 상우가 야한 사진 같은 걸 갖고 있으리라 생각진 않았지만 (청소년기에 야한 사진을 봤더라도 실물을 소장하기보다 디지털화해서 백업했을 것이다) 호기심에 몸을 접어 침대 밑을 보았다.

안에 플라스틱 컨테이너가 있길래 꺼내서 보니 온통 장난감투성이었다. 팽이, 미니카, 페트병 로켓, 로봇, 구급차 모형, 척척이, 블록 퍼즐, 구슬, 딱지, 기념주화⋯⋯. 또 다른 상자 안에는 색색의 레고가 있었고 그 옆엔 과학 잡지 과월호가 노끈에 묶인 채 산더미처럼 쌓여 있었다.

그 공간에서만은 시간이 멈춘 것 같았다. 상우는 자신에게 중요한 거라면 아무것도 버리지 않고 고이 간직한 듯했다. 모든 것이 낡아빠졌고 때 탔으며, 그러면서도 소중하게 보존되어 있었다.

'넌 이곳에 올 때마다 집이란 기분을 느꼈겠구나.'

재영은 이사를 자주 다녀서 어릴 적에 쓰던 물건을 모두 잃어버렸다. 그에게 집은 현재 상우와 함께 살고 있는 오피스텔뿐이었다. 떠돌이 유목민이 정착 생활에 갖는 동경일까. 재영은 상우의 현재를 만들어 주었을, 별처럼 반짝이는 과거에 둘러싸인 채 벅찬 감정을 느꼈다.

'너의 세계. 너의 기원. 너를 내 곁에 있게 해 준 모든 것.'

재영은 상우가 아기 때부터 자랐을 장소에 서서, 탐구심 많고 성실한 소년이 빠져 있었을 세계를 하나하나 만져 보고 눈에 담아 보았다. 10년 전에도 존재했고 10년이 지나도 그대로 있을 것들에게 질투가 났다. 재영은 상우의 애정이 변하지 않아서 자신을 아주 오랫동안 아껴 준다면 어떨까 상상해 보았다. 그리고 자신도 언제까지나 상우가 좋아하는 것들 중 하나였으면 좋겠다고 생각했다. 또한, 오랜 시간이 지나 자신에게도 언젠가 저 손때 묻은 과학책들처럼 상우의 흔적이 남기를 바랐다.

재영은 침대 밑을 다시 정리하고서 책꽂이에서 상우의 졸업 앨범을 찾아냈다. 침대에 누워 앨범을 휙휙 넘기며 상우가 나오기를 기다렸다.

추상우의 초등학생 시절 모습은 예상한 그대로여서 그다지 재미가 없었다. 소년은 머리가 짧고 무표정했다. 피부가 하얗고 말랐는데도 어디 가서 맞고 다니진 않았을 듯한 인상이었다. 중고등학생 시절도 마찬가지였다. 세월의 흐름만 느껴질 뿐 얼굴이 놀랍도록 똑같았다.

"고등학교 때 만났으면 절대로 못 친해졌겠다."

재영은 상우의 고등학교 단체 사진을 보며 중얼거렸다. 그는 전교 1등을 놓치면 이상한 공부벌레, 자신은 학교에 갇혀 있는 걸 괴로워하는 반항아. 이런 그들이 이어진 것이 새삼 기적처럼 느껴졌다.

만일 재영이 미술 특기생으로 대학에 진학하지 않았다면 성적으론 죽었다 깨나도 한국대에 입학할 수 없었을 것이다. 만일 그 빌어먹을 교양 수업을 마지막 학기까지 미뤄 놓지 않았다면 상우와 시작조차 하지 못했을 것이다. 만일 문제의 학기, PPT 만들어 주며 조별 과제에 적당히 참여했다면 상우는 장재영이란 이름을 영영 기억하지 못했을 것이다. 만일 한수영이 '야채맨'을 재영에게 넘기지 않았다면 재영은 미친 조장 추상우가 '또라이'란 사실을 모른 채 졸업했을지도 모른다.

사진 앨범을 쥔 손에 힘이 들어갔다. 너무 많은 우연이 겹치고 겹쳐 상우는 재영의 곁으로 왔다. 그를 만나지 못했다면 어떻게 되었을까.

재영이 오싹한 상상 속에서 허우적거리고 있었을 때 문이 휙 열렸다. 그는 문 사이로 들어오는 남자를 보자마자 침대에서 몸을 일으켰다. 정신 차리고 보니 상우를 품에 꽉 안고 있었다.

"······울어요?"

"아냐. 눈에 뭐 들어갔어."

"안 쓰던 방이라 먼지가 많죠?"

재영은 나직하게 웃으며 상우의 등과 뒤통수를 끌어안았다. 이 남자를 향한 애정이 마음속에 가득 찼다고 생각했다. 이미 끝을 찍어서 더 올라갈 곳이 없다고 생각했다. 하지만 그건 착각이었다. 추상우는 날이 갈수록 더 좋아졌다. 재영은 늘 오늘의 상우를 어제의 상우보다 사랑했다.

"상우야."

"왜요."

"나 얼마나 좋아해?"

"······."

재영은 포옹을 살짝 풀고 손으로 상우의 턱을 들어 올렸다. 잠시 눈을 마주치고 있었을 뿐인데, 꾸밈없는 시선에 온기가 감돌았다. 누가 로봇 청소기라고 했나. 이렇게 다정한 청소기가 세상에 어디 있나. 재영은 웃으며 그를 재촉했다.

"빨리."

"양적으로 계량할 수 없잖아요."

"포크레인보다는 좋아하는 거, 맞지?"

"넘어선 지 오래됐어요."

'듣고 있냐, 이 고철 새꺄!'

재영은 칠이 다 벗겨진 장난감을 향해 승리를 선포했다.

"형."

"왜?"

"키스할래요."

"그러다 부모님 들어오시면 어떡해."

"들어오지 말라면 아무도 안 들어와요."

재영은 상우를 가만히 내려다보며 그를 애태웠다. 가까이 갈 듯 말 듯 고개를 흔들거리자 상우가 짜증스러운 표정을 지었다.

"상우야, 포크레인이랑 헬리콥터가 보고 있어."

"쟤들도 내가 어른이 되었다는 걸 알아야 해요."

상우는 태연하게 덧붙였다.

"언제까지 장난감만 갖고 놀겠어요?"

재영의 입에서 웃음이 터져 나왔다. 그러나 다음 순간, 상우가 까치발을 들며 입술을 막아 버려서 더 웃을 수가 없었다.

외전⟨4⟩
Crash to Desktop

외전⟨4⟩ Crash to Desktop

작성자: Mike R. Cornerman

[02-26 MON 19:34:28]

드디어 팀에 신입 사원이 배정되었다. 한 달 동안 비어 있던 내 오른쪽 자리는 이제 K-pop 보이 밴드 멤버처럼 생긴 한국인이 차지했다. 고등학생쯤 되었나 싶어서 헤더에게 슬쩍 물어보니 스물일곱 살이래서 깜짝 놀랐다.

[03-07 WED 16:22:19]

새 이웃은 단정한 스타일인데 옷이 은근히 패셔너블하다. 성격은 과묵 그 자체. 헤더가 간단한 버그 리포트 분석을 시켰는데 11페이지를 써 왔다. 그 깐깐한 여자 반응이 괜찮았던 거 보면 일은 그럭저럭 하는 모양이다.

[03-15 THU 11:05:34]

헤더의 요청으로 CHOO에게 유관 업무 설명을 해 주었다. 다 듣고서 질문 있으면 하라니까, 말이 길어질 것 같다며 노트패드를 열어 타자를 쳤다. 줄임말, 오타 없이 완벽한 문법을 구사하는 사람을 몇 달 만에 봤는지 모르겠다.

[04-03 TUE 16:21:55]

쓸 만한 신입이 들어와서 다행이다. 솔직히 말하면 퇴사한 루이스보다 낫다.

[04-11 WED 14:42:15]

CHOO는 사고방식이 논리적이다. 상관없는 얘긴데 가끔 볼을 꼬집어 보고 싶어진다.

[04-20 FRI 18:25:08]

그가 예전에 유행했던 〈베지 벤처러〉 제작자라는 걸 알게 되었다. 재미있게 플레이했다고 말하자 처음으로 내게 웃어 주었다.

[04-24 TUE 11:12:45]

CHOO의 사내 메일 아이디로 구글링을 해 봤는데 소득이 없었다. SNS를 찾긴 했지만 활동하지 않는 듯하다. 팔로우하는 계정이 웹 그래피티 아티스트 한 명뿐이다.

[05-04 FRI 10:52:29]

왼손 약지에 낀 반지를 이제야 발견했다. 설마 애인이 있는 건 아니겠지.

[05-06 SUN 14:41:30]
곰곰이 생각해 보았는데 CHOO의 반지는 아무래도 묵주 반지 같다. 돌아가신 할머니도 저런 디자인을 끼고 계셨다. 천주교도라니, 안 어울려.

[05-10 THU 13:57:06]
제스 미들턴이 CHOO의 책상에 와서 셔츠가 잘 어울린다고 잡담하고 갔다. 설마 관심 있는 건가.

[05-15 TUE 11:09:49]
맙소사, CHOO가 이제까지 내 이름이 '마이클'인 줄 알고 있었다. 옆자리에 두 달 동안 앉아 있었는데!

[05-21 MON 13:56:11]
처음으로 점심을 같이 먹었다. 사실 그가 혼자 먹고 있는데 옆에 앉은 것에 불과하지만.

[05-24 THU 15:01:02]
HR에서 CHOO에게 명함을 주고 갔다. 입사한 지가 언젠데, 일찍도 나오는군. 한 장 달라고 했더니 그가 무슨 용도로 쓸 거냐고 물어보았다. 명함 수집벽이 있다고 둘러댔다.

[05-26 SAT 15:26:09]

메시지를 보냈다. 혹시 영화 좋아하냐고 물었는데 5시간 뒤에 꺼
지라는 대답이 돌아왔다. 내용도 내용이지만, 오타 내는 건 아무래
도 CHOO답지 않다. 명함에 적힌 번호가 잘못된 건 아니겠지?

[06-08 FRI 14:22:06]
그가 2주 내내 청바지에 검정 티셔츠를 입고 왔다. 혹시 안 좋은
일이 있나…….

[06-11 MON 09:45:21]
제발, CHOO! 내 이름은 '마이클'이 아니야! '마이크'라고!

[06-13 WED 17:41:10]
CHOO가 휴게실에서 모국어로 영상 통화하는 것을 엿보았다. 영
어로 말할 때보다 스무 배는 다정한 느낌이었다.
한국어를 한번 배워 볼까?

[06-21 THU 12:57:26]
SANG-WOO……. 발음하기도 어려운 그의 이름은 무슨 뜻일까.

[06-26 TUE 13:31:55]
CHOO가 내 포매팅 방식이 비효율적이라고 지적했다. 그가 본 코
드가 마감이 급해서 엉망으로 처리해 넘긴 부분이라 반박하지 못했
다. 제길, 하필 옆을 지나가던 헤더가 대화를 들은 것 같다.
남을 깔아뭉개고 본인이 돋보이려 드는 녀석인 줄은 몰랐는데 완
전히 실망했다. 그간 귀엽게 봐 주려고 했는데, 오늘부터는 적이다.

[06-27 WED 22:19:21]
CHOO의 실수를 발견하려고 모처럼 야근했는데 못 찾았다.

[07-03 TUE 18:33:47]
기계 같은 녀석, 실수 한 번만 해 봐라.

[07-12 THU 16:08:22]
어떻게 복수할까 고민하다가, 악성 별명을 만들어 크리스 워커에게 은근슬쩍 흘렸다. 워커는 우리 팀에서 입이 제일 싸니까 머지않아 온 회사에 소문이 날 것이다.

[07-13 FRI 18:32:11]
대성공이다. CHOO는 이제 이름 대신 'R-CHOO-D-2'로 불린다. 스타워즈 속편에나 출연해라, 이 깡통 로봇아!

[07-16 MON 10:04:21]
옆자리 안드로이드가 휴가 갔다. 조용하고 좋네.

[07-26 THU 17:29:56]
회사가 원래 이렇게 재미없는 곳이었나?

[07-30 MON 09:47:38]
R-CHOO-D-2가 돌아왔다. 휴가를 어디로 다녀왔는지 모르겠지만 살짝 탄 것 같다. 나도 태닝이나 해 볼까.

[08-01 WED 13:47:32]
미아 베어런이 그를 칭찬하면서 어깨에 손을 얹었다. 속이 부글부글 끓는다. 나도 칭찬 잘할 수 있는데.

[08-02 THU 16:44:12]
그가 내 이름을 세 번째로 '마이클'이라고 불러서 화내고 말았다. 헤더에게 반년 동안 옆자리 직원 이름도 못 외우는 얼간이와 같이 일할 수 없다고, 그와 나 둘 중 하나는 해고하라고 항의했다가 미친 놈 취급당했다.

[08-03 FRI 19:17:03]
퇴근하려는데 CHOO가 어제 미안했다고 사과하면서 다음 주에 점심을 사 주겠단다. 맙소사, 이번에는 내 이름을 정확히 불렀다.
집에 돌아왔는데 아직도 가슴이 쿵쾅거린다. 하느님 감사합니다.

[08-06 MON 13:39:41]
제기랄! 젠장! 빌어먹을! 식사 자리에 미들턴, 그릭슨, 그리고 앤더스가 따라왔다. 왜 내가 그와 가장 먼 자리에 앉아서 식사했어야 하지?
CHOO는 묵묵하게 식사하다가 〈스타 크래프트〉 얘기가 나오니까 말이 많아졌다. 나만 쏙 빼고 수다 떨길래 '너 같은 애송이는 발로 조작해도 이길 수 있다'라고 내뱉고 말았다. 그때 분위기란……. 바보가 된 기분이다.

[08-10 FRI 09:51:36]
CHOO가 화난 것 같다. 며칠간 한마디도 안 하다가 어쩌다 눈이

마주쳤는데 나더러 프로 게이머 경력이라도 있냐고 따져 물었다. 대충 얼버무렸는데 끈질기게 물어본다.

[08-13 MON 16:14:28]
옆자리 남자가 성가시게 군다. 내가 게임을 얼마나 잘하는지가 대체 왜 궁금한 거지? 좋아해야 할지 싫어해야 할지 모르겠다.

[08-16 THU 18:49:55]
과장이 아니라 정말로 빌어먹을 안드로이드 때문에 일을 못 하겠다.

[08-22 WED 23:36:12]
결국 헤더가 중재에 나섰다. 그런데 팀장으로서 CHOO를 따끔하게 혼내기는커녕, 깔끔하게 게임으로 대결하라고 부추겼다. 상황이 우스꽝스럽게 되어, 일주일 뒤에 〈스타 크래프트1〉을 포함한 다섯 가지 게임으로 승부하기로 했다. 팀원들이 돈을 걸고 난리가 났다.
퇴근하고서 연습 중인데 너무 긴장된다.

[08-27 MON 22:19:34]
하드 트레이닝 중.

[08-28 TUE 23:57:03]
제길, 잠이 안 온다. 이기겠지? 설마…….

[08-29 WED 22:59:01]
제기랄, 상대가 한국인이란 걸 잊고 있었다. 스코어는 4:1. 〈스타

크래프트1〉, 〈하스스톤〉, 〈위닝 일레븐〉 그리고 빌어먹을, 어릴 때 눈 감고도 하던 〈배틀시티〉까지 깨끗하게 졌다. 우리 팀원은 물론이고 다른 부서 사람들까지 구경하는 앞에서 화려하게 망신당했다.

마지막에는 〈지뢰 찾기〉를 했는데 CHOO가 처음 클릭한 곳에서 지뢰가 나오는 바람에 내가 이겼다.

작년에 샬럿이 스코틀랜드에서 사다 준 위스키를 마시는 중이다. 땡큐, 샬럿.

[08-30 THU 11:01:23]
병가를 썼다.

[08-31 FRI 10:33:28]
병가를 썼다.

[09-03 MON 09:44:39]
헤더가 내 자리를 사무실에서 CHOO와 가장 먼 곳으로 옮겨 주었다.

[09-04 TUE 14:23:56]
새 자리는 조용하고 좋다. 제스 미들턴이 가시거리에 있어서 약간 짜증 나긴 하지만.

[09-06 THU 14:41:30]
빌어먹을 사무실이 이렇게 넓었던가. 우연히도 안 마주치네.

[09-19 WED 13:44:01]
그가 늘 자리 비우는 시간대를 노려 책상에 커피를 올려놓았다. 제길, 몰래 하려고 그랬는데 미들턴한테 걸렸다.
CHOO는 내가 자기를 암살하려 했다고 오해하는 것 같다.

[10-03 WED 15:01:22]
워커와 담배 피우다가 티파니 클라크가 CHOO에게 관심 있다는 소문을 들었다. 그 여자는 작년까지만 해도 나를 좋아한다더니?

[10-04 THU 17:31:25]
샐리 웨이밍과 어쩌다 커피를 같이 마시게 되어 소문 얘기를 꺼냈다. 그녀는 'CHOO가 귀엽기는 하지만 남의 남자한테 추파 보내는 건 쌍년이나 할 짓'이라고 말했다. 나참, 여자들은 눈이 어떻게 된 거지. 귀엽다니, 대체 누가? 게다가 남의 남자라니? 어이가 없어서.

[10-16 TUE 14:05:51]
웨이밍이 자꾸 CHOO를 '임자 있는 남자'라고 불러서 그의 소유권에 관해 한바탕 논쟁했다. 이봐, 그건 천주교 묵주 반지라고.

[10-17 WED 11:04:55]
웨이밍을 CHOO에게 보내서 진위 여부를 확인해 봤는데 애인이 있단다. 제길, 제길, 제길, 제길! 세상이 싫다.
게다가 내기로 100달러를 날렸다.

[10-20 SAT 16:44:23]

4일 연속으로 술을 마셔 대니 알코올 중독에 걸린 기분이다.

[10-21 SUN 20:21:16]
사이보그 놈에게 애인이 있다는 건 거짓말이 분명하다. 그렇게 쌀쌀맞은 녀석에게 애인이 있을 리 없다. 딱 봐도 없을 것 같은데?

[10-22 MON 09:31:41]
출근길에 CHOO를 기다렸다가 정말 사귀는 사람이 있냐고 물어보았다. 그는 말없이 핸드폰을 내밀었는데 웬 남자 모델 사진이 떠 있었다. 파일을 잘못 연 듯해서 자리까지 따라가며 계속 추궁했다. 확실한 증거를 제시할 테니 내일까지 기다리란다.
내일이 오지 말았으면 좋겠다.

[10-23 TUE 09:59:12]
제기랄, 그가 어제 그 모델과 키스하는 사진을 가져왔다. 가슴이 철렁 내려앉았지만 합성 실력이 대단하다고 침착하게 칭찬해 주었다.

[10-24 WED 10:16:48]
본인이 CHOO의 애인이라고 주장하는 사람이 문으로 통과할 수조차 없을 정도로 거대한 꽃바구니를 사무실로 보냈다. 다들 나가서 구경하고 그 앞에서 사진을 찍었다. 신성한 일터에서 뭐 하는 짓이냐고 호통쳐야 할 헤더가 가장 먼저 셀피를 찍었다.
애인은 무슨 보나 마나 자작극이다.

[10-25 THU 09:01:05]
일에 전념하고 있다.

[10-26 FRI 11:17:37]
CHOO 따위 생각하지 않을 것이다.

[10-30 TUE 17:24:01]
신입 여자 프로그래머가 CHOO를 졸졸 따라다닌다는 소문을 들었다. 제길! 워커, 내게 쓸모없는 정보를 그만 물어다 줘!

[11-05 MON 13:45:52]
난 지난 1년 동안 뭘 했지?

[11-09 FRI 23:17:08]
문득 보고 싶다.

[11-11 SUN 02:14:46]
곧 연말 파티인데 그에게 선물을 주고 싶어졌다. 올해 열심히 일했으니까, 팀원으로서 고마움을 표시하고 싶을 뿐 다른 의도는 없다.

[11-22 THU 19:41:29]
우정의 선물로 뭐가 좋지? 꽃다발? 목걸이? 반지?

[12-06 THU 22:45:18]
주문한 향수가 도착했다. 병에 코를 대 보니 그와 어울릴 것 같은

청량하고 시원한 향이 났다. 건네주면서 할 말을 매일 거울 앞에서
연습 중인데 떨려 뒈질 것 같다.

[12-11 TUE 20:38:12]
연말 파티 D-5. 퇴근하고서 새 정장과 타이를 샀다.

[12-12 WED 21:47:15]
연말 파티 D-4. 불면증과 소화불량에 걸렸다.

[12-13 THU 23:48:51]
연말 파티 D-1. 누가 날 죽여 줬으면 좋겠다.

[12-14 FRI 23:15:24]
파티에 본인이 CHOO의 애인이라고 주장하는 녀석이 왔다.
CHOO는 그를 보자마자 달려가서 껴안더니 가슴에 얼굴을 파묻었
다. 빌어먹을 안드로이드가 수줍어하는 모습은 처음 보았다.
그래픽 디자이너라는데, 말도 안 되는 소리고 CHOO가 돈 주고 섭
외한 배우인 것 같다. 어쩌다 보니 악수하며 통성명을 했는데 CHOO
를 옆구리에 끼고 실제 애인인 것처럼 연기를 잘해서 감탄했다. 그런
데 왜인지 모르게 내 손을 너무 세게 쥐어서 멍이 조금 들었다.
잘생긴 데다 번드르르 말 잘하는 건 인정하지만, 그렇게까지 난리
날 정도였는지는 모르겠다. 여자 직원들이 호들갑 떠는 게 솔직히
꼴 보기 싫었다. 미남이고, 슈트 차림이 근사하고, 목소리가 좋고,
재미있고, 웃기고, 어쩌고저쩌고…….
구석에서 술을 물처럼 마시며 파티를 정신없이 보냈다. 선물은 꺼

내지도 못했다. 도저히 직접 줄 용기가 안 들어서 주차장으로 내려
갔다. 향수를 CHOO의 차 위에 놓아두고 집으로 돌아가려고 했는
데…… 그가 차에 기대 파트너와 키스하는 장면을 보았다.

잔뜩 흥분해서 상대의 셔츠 단추를 뜯어 버리는 CHOO는 내가 모
르는 사람 같았다. 처음 듣는 낮고 거친 목소리로 뭐라고 말했다. 둘
의 몸이 엉켜서 구겨지듯이 차로 들어간 뒤에 차체가 흔들리는 걸
멍하니 보다가 주차장에서 나왔다.

택시가 나를 어디다 받아 버렸으면 좋겠다.

[12-22 SAT 17:42:39]
휴가 중. 이제 정말 그에 대해 생각하지 않을 것이다.

[12-23 SUN 10:10:08]
휴가 중. 이제 술은 그만 마셔야지.

[12-25 TUE 19:35:10]
휴가 중. 문득 한국 문화에서도 크리스마스를 기념하는지 궁금해졌
다. 그래서 내가 유일하게 아는 한국인에게 텍스트 메시지를 보냈다.

건전하게 질문한 것뿐인데 답장으로 욕이 날아왔다. 전부 대문자
에 띄어쓰기도 안 되어 있었다.

[12-27 THU 02:41:26]
CHOO가 고용한 배우에게서 끊임없이 영상 통화가 걸려 온다. 휴
가 끝나자마자 전화번호를 바꿔야겠다.

외전〈5〉 Syntax Error

외전⟨5⟩ Syntax Error

[이 여객기는 런던 히스로 공항에서 샌디에이고 국제공항까지 운항합니다. 도착 예정 시간은 오전 11시 46분, 예상 기온은 24°C입니다……]

여자는 기장의 안내 멘트를 들으며 항공기에 헐레벌떡 들어섰다. 좁은 통로를 걸어 다니는 사람은 그녀 외엔 승무원뿐이고, 승객들은 이미 벨트를 매고 앉아 있었다.

'비즈니스 클래스로 끊길 잘했어. 자칫하면 비행기 끝까지 행진하며 구경거리가 됐을 테니.'

여자는 땀 때문에 목에 달라붙은 금발을 아무렇게나 묶고서 짐 가방을 선반에 올렸다. 착석하려던 차에 옆자리 남자와 눈이 마주쳤다.

그레이 실크 슈트 차림의 동양인은 다리를 꼰 채 수첩을 들고 있었다. 격식 있는 분위기와 앞머리를 넘겨 이마를 드러낸 머리 스타일 때문에 중견 비즈니스맨처럼 보였지만, 평범한 회사원이라기엔 보기 드문 미남이었다. 그는 고개를 살짝 까딱거리고는 다시 수첩으로 눈을 돌렸다. 여자는 천천히 자리에 앉았다.

남자가 만년필로 수첩에 무언가 메모하는 동안 여자는 그를 곁눈질로 엿보았다. 젊은 나이에 성공한 사업가나 거대 기업의 후계일까. 혹시 유럽에 알려지지 않은 한국이나 홍콩 배우는 아닐까.

그때 검은 만년필이 그의 손가락 사이에서 빠져나가, 바닥을 도르르 굴러 여자의 구두에 부딪혔다.

[주워 주시겠습니까?]

남자의 목소리는 낮고 진중했다. 외모만 보고 외국인이라고 짐작했는데, 발음을 들어 보니 RP 억양을 구사하는 영국인이었다.

[당연하죠.]

여자가 답하며 펜을 내밀자, 검정보다 갈색에 가까운 눈이 그녀에게 향했다 금세 떨어졌다. 남자는 정중하게 감사를 표하면서도 그녀에게 관심을 보이지 않았다. 아쉽게도 말이다.

'상류층 이민자 2세로 4개 국어를 구사하며 크리켓, 승마, 요트 클럽 회원이고, 학창 시절엔 보딩 스쿨에 다녔고 케임브리지 경제학과를 졸업해서 시티로 출근하는 금융가일 듯.'

여자가 머리를 매만지는 동안 남자는 서류 가방에 수첩과 만년필을 넣고 책을 한 권 꺼냈다. 최근 베스트셀러에 오른 일본 소설이었다. 마침 그녀 핸드백에도 같은 책이 들어 있었다.

[저도 그거 읽고 있어요.]

그녀가 책을 꺼내 읽던 부분을 펴자 옆에서 차분한 음성이 들렸다.

[혹시 그 지점까지도 어처구니없을 정도로 자세한 심리 묘사가 이어집니까? 만일 그렇다면 그만 보려고 합니다.]

[이 작가는 표현이 세밀하기로 유명하지요. 마침 제가 읽는 부분에서 개의 심리가 묘사되고 있군요.]

[덕분에 시간 아꼈습니다.]

남자가 책을 덮고 가방에 다시 집어넣었다. 이제 그의 손에는 태블릿 PC가 들려 있었다. 주식 차트를 응시하는 남자를 보며, 여자는 심심풀이 짐작이 어쩌면 맞아떨어질지도 모른다고 생각했다.

[캘리포니아에는 무슨 일로 가시나요?]

그녀가 지나가듯이 묻자 남자가 화면에서 눈을 떼지 않으며 답했다.

[그곳에 사는 형제가 결혼한다는 소식을 들었어요.]

[좋은 소식이네요.]

무표정하던 남자가 냉소적인 미소를 지었다. 미간에 살짝 잡힌 주름이 섹시하다고 여자는 생각했다.

[아니요, 비보입니다. 결혼이란 제도와 맞을 리 없는 친구라서요.]

[그럼 그 끔찍한 제도로부터 형제를 구하러 출동하시는 건가요?]

[일단은요. 생각대로 될지 모르겠지만…….]

남자는 계속 태블릿 PC를 보면서 여자에게 어디 가느냐고 물었다. 궁금해서 묻는다기보다는 몸에 밴 매너 같아 보였다. 어쨌거나 자신을 어필할 기회였다. 여자는 웃으며 말했다.

[홀로 떠나는 여름휴가예요. 최근에 너무 바빠서 햇빛도 못 보고 살았답니다. 뭐, 보려 해도 지긋지긋한 런던 하늘이 도와주지 않았을 테지만요. 일주일 내내 혼자 해변에서 태닝할 생각이에요.]

[환상적인 계획이군요.]

솔로라는 걸 두 번씩이나 강조했는데도 의례적인 대답이 돌아왔다. 혹시 기혼자일까 싶어 왼손을 보았지만 반지는 없었다. 그녀는 마지막으로 한 번 더 도전해 보기로 했다.

[칙칙한 도시에 있다가 같은 날 화창한 곳으로 떠나는 것도 인연 아닐지요. 전 수잔이라고 해요.]

[에릭입니다.]

클래식한 외모에 잘 어울리는 이름이라고 생각하며 여자는 명함을 꺼내 내밀었다. 신경외과 전문의. 호감을 더했으면 더했지 잃을 타이틀은 아니었다.

남자는 명함을 받고서 별 표정 없이 안주머니에서 가죽 지갑을 꺼냈다. 반으로 접힌 고가의 지갑을 열자 그가 여자아이를 품에 안고서 찍은 사진이 나타났다. 남자는 지갑을 뒤지더니 아쉽다는 듯 어깨를 으쓱거렸다.

[명함 채워 놓는다는 걸 깜빡 잊었군요. 미안합니다.]

'애 아빠였다니!'

여자는 아쉬움이 들었지만 금세 포기해 버렸다. 저렇게 근사한 남자가 솔로일 거란 기대부터 지나치게 낙관적인 생각이었다.

[아, 괜찮습니다. 얘기 나눠서 즐거웠어요. 전 졸려서 눈 좀 붙여야겠네요.]

그녀는 아무렇지 않은 척 웃으며 앞좌석 등받이에서 안대를 꺼냈다.

남자는 지갑을 반으로 접어 다시 품에 넣었다. 일부러 가지고 다니는 사진은 늘 효과가 좋았다. 게다가 가짜 결혼반지와는 달리, 보이고 싶을 때만 꺼낼 수 있다는 강점이 있었다.

사진 속 아이는 예전 중국인 직장 동료의 네 살짜리 딸이었다. 아마 지금은 열 살쯤 되었을 것이다. 안대를 차고 고개를 옆으로 돌려버린 여자는 지적인 스타일의 미인이었지만 남자에게는 따돌릴 대상일 뿐이었다.

남자, 장재홍은 이성에 눈곱만큼도 관심이 없었다. 쌍둥이 형이 같은 반 금발 머리 여자애와 친해지고 싶어서 그 애를 괴롭히고 다니던 열 살 시절, 재홍은 옆집의 아랍계 소년을 남몰래 좋아했다.

전통 깊은 영국 사립 기숙 학교 출신에 시니어 스쿨 수석 졸업, 세계적인 명문대 경제학과 차석 졸업, 런던의 금융가 시티에서도 가장 중요한 은행의 헤지펀드 매니저. 재홍은 노력하는 완벽주의자였으며 보수적인 성향이었다. 빈틈없는 성격이며 정도만 걸었다.

그는 이성이 아닌 동성에게 끌리는 제 성향을 약점으로 인식했다. 바꿀 수 없으니 어쩔 수 없이 받아들이며 살았지만 공개적인 방식은 아니었다.

연애: 0회

원나잇 스탠드: 700회 이상

그는 번화가나 관광지를 찾아가 주기적으로 낯선 남자를 만났고, 두 번은 보지 않았다. 그리고 제 성향을 주변에 밝히지 않았다. 만일 그 사실을 안다면 집에서 쫓아낼 아버지에게뿐 아니라 친구들에게도, 직장 동료들에게도 철저하게 숨겼다. 그의 비밀을 아는 건 세상에 단 한 사람뿐이었다.

'뭐, 네가?'

이름도 모르는 학생과 기숙사 화장실에서 첫 경험을 한 열일곱, 재홍은 자괴감으로 괴로워하다가 한국에 있던 쌍둥이 형에게 전화를 걸었다. 장재영은 그가 남학생과 섹스했다는 고백을 듣고서 재미있어했다.

'그런데 나더러 뭘 어쩌라고. 바쁘니까 끊어.'

그러고는 관심이 사라졌는지 전화를 끊어 버렸다. 기대하던 반응은 아니었지만, 재홍은 그의 대수롭지 않은 태도에 오히려 위로를 받았다. 그리고 후일에 재영이 가족들에게 아무 이야기도 안 했음을 알고서 그를 신뢰하게 되었다.

장재영은 스트레이트였다. 늘 연애 중이었으며 물어볼 때마다 상대가 바뀌었다. 한 명과 반년 넘게 간 적이 없다고 했다. 명백히 문제가 있는 그를 보며 재홍은 은밀히 안도감을 느껴 왔다.

베이비에게 전화 왔어요!

그러다 7년 전, 재홍은 외삼촌의 장례식에서 재영이 남자와 연애하는 현장을 적발했다.

그는 아무것도 설명해 주지 않았지만 전화를 통해 울린 목소리는 분명히 남성의 것이었다. 통화 직후 눈 뒤집혀 짐 싸는 재영은 미친 사람 같았다. 그는 사고를 여러 번 쳤어도 할아버지와 관계가 좋았다. 그리고 할아버지는 아끼는 손자가 집안 행사에 빠지는 걸 허락할 위인이 아니었다.

재홍은 사고를 수습하며 대체 그 남자가 누구길래, 뭐라고 했길래 장재영이 다 내팽개치고 그에게 달려갔는지 너무나 궁금했다.

정신없이 일하는 사이 세월이 갔다. 재홍은 일에 몰두했고, 두 번 승진했고, 정치인과 배우들의 주식을 관리하며 재산을 불렸고, 경제지에 칼럼을 썼고, '포트폴리오 매니저'와 '재무 분석가' 같은 타이틀을 명함에 새겼다.

재홍이 모르는 남자들과 밤을 보내는 동안 재영은 그를 '선배'라고 부르던 '베이비'와 꾸준히 만나는 것 같았다.

두 살 연하, 프로그래머, 귀여운 외모에 상냥한 성격. 알려 준 정보는 그게 다였다. 그는 비밀스러운 연인에 관해 심할 정도로 말을 아꼈으며 사진조차 보여 주지 않았다. 소개해 달라고 졸라도 첫 2년 동안은 단호한 거절만 돌아왔다.

'절대 안 돼. 눈깔에 자갈이 들어가도 안 돼.'

연애 3년 차로 넘어가면서는 저도 민망한지 말도 안 되는 핑계를 댔다.

'누구? 아, 그분? 저기 어디 출장 가셨어.'

'키보드 청소하느라 못 나와.'

'고양이 간호하고 있어.'

'나무에 물 주느라 바빠.'

급기야 남자가 실존하지 않는다는 의심을 품게 됐던 재홍은 여덟 번째 여름휴가를 앞두고 놀라운 소식을 접하게 됐다.

George Mystler

@gmystler

제 좋은 친구 제이가 12월에 결혼한답니다. 내년부터는 지긋지긋한 애인 자랑 대신 배우자 자랑을 듣게 되겠군

할리우드 배우의 SNS에서 발견한 쌍둥이 형의 결혼 소식은 도저히 믿기 어려웠다. 재홍은 재영에게 곧바로 전화를 걸었다.

—뭐? 웬일이야?

"장재영, 너 결혼해?"

—거기까지 소문났냐?

"……."

─넌 오지 마.

"뭐?"

─농담이고. 올 거면, 음……. 가면을 한번 써 봐. 얼굴 안 보이게.

"장난하지 말고…… 진짜 결혼해?"

─어.

"설마 '그 남자'하고?"

─내가 다른 남자가 어디 있냐? 바쁘니까 끊어.

재홍은 큰 충격을 받았다.

그들은 하나부터 열까지 달랐지만, 부모가 추한 모습으로 이혼하는 모습을 보아서인지 결혼에 관해 부정적인 인식을 공유했다. 재홍이야 애초에 일회성 관계로 만족하는 스타일이니 그렇다고 쳐도, 재영은 과거에 연애를 끊이지 않고 하면서도 '결혼은 쓰레기 같은 제도'라고 주저 없이 말하고 다녔다.

재홍은 둘 중 하나가 언젠가 결혼한다면 사회적 관습을 기꺼이 따르는 자신이리라 짐작했다. 학교에서 똑같이 공부하기 싫어도 동생은 인내하는 반면 형은 창문을 열고 밖으로 빠져나갔으니까.

'네가 결혼을 해?'

같은 사람을 두 번 만나지 않는 재홍보다야 양반이어도, 장재영은 순정적인 스타일과 거리가 멀었다. 뭐든 금세 질리고 새로운 자극을 찾아다니는 그가 7년 동안 한 남자만 만났다는 것부터가 믿기 어려웠다. 게다가 결혼이라니, 목줄 걸린 개처럼 평생 한 사람한테 매여 살겠다는 말이었다.

─맞아, 한 남자랑 7년째. 말하고 보니 징글징글하다.

"솔직히 말해도 돼. 무슨 약점 잡혔어?"

다시 전화해서 진지하게 묻는 재홍에게 재영은 한참 동안 웃음소리를 들려주었다.

—약점…… 제대로 잡혔지.

그러고는 고백하듯이 말했다. 재홍은 그 말을 들은 순간, 미심쩍던 퍼즐을 맞추었다고 생각했다.

"만나서 얘기해. 내가 갈게."

—왜 이래?

"이사 안 갔지?"

—진짜 오려고? 나 오늘까지 출장이고 모레부터 휴가라 정신없는데.

"내일 오후에 시간 비워 놔."

—참나, 마음대로 해라.

재홍은 전화를 끊자마자 항공권을 결제했다. 그리고 이제 코를 골며 잠든 옆자리 여자의 말대로 쌍둥이 형을 구출하러 날아가는 중이었다. 장재영은 머리가 어떻게 됐는지 어리석기 짝이 없는, 최악의 결정을 내렸으니까.

우선 만나서 진상을 파악해야 한다. 어떤 약점을 잡혔는지, 질이 얼마나 나쁜지, 상대의 의지가 얼마나 강력한지, 뭘 제시해야 먹고 떨어질지. 영상 같은 게 걸려 있다면 골치 아파지겠지만 재홍은 지저분한 문제를 손쉽게 해결해 줄 만큼 유능한 법조인을 여러 명 알고 지냈다.

'내가 도와줄게, 장재영.'

재홍은 주먹을 쥐고 속으로 중얼거렸다. 유일하게 호감 가는 핏줄이자 죽을 때까지 연결되어 있을 분신, 그리고 제 비밀을 지켜 주는 친구. 재홍은 그를 구할 수 있다면 뭐든지 할 생각이었다.

그들은 공항과 재영의 집 중간 지점에서 만나기로 했다. 말이 중간이지 지도상으로 재영의 집과 훨씬 가까웠다. 그런데도 그가 제시간에 오지 않아서 재홍은 1시간 가까이 기다려야 했다.

재홍은 노천카페에서 머리 위로 쏟아지는 햇살을 받으며 에스프레소 두 잔을 마셨다. 그러는 동안 고객에게 메일 세 통을 보내고 보험 회사 간부와 길게 통화했다.

—[그런데 미스터 장, 휴가라고 들었는데…… 제가 잘못 알았나 보군요.]

[휴가 맞습니다. 잠시 시간이 남아서요.]

—[하하하. 역시 성실하시군요. 어디로 가시나요?]

[미국 서부 쪽에 왔습니다.]

—[화창한 곳으로 가셨군요.]

대답하려고 입을 벌린 찰나에 장재영이 도착했다. 비록 창문에 선팅 처리가 되어 운전자가 보이지 않았지만, 도로변 작은 카페 앞에 새빨간 페라리 슈퍼패스트를 주차할 만한 사람이 더 있겠는가.

[이만 끊어야겠습니다. 용건이 더 있다면 메일 보내 주십시오.]

—[네! 즐거운 휴가 보내시길.]

재홍은 통화를 종료하며 보닛이 긴 고성능 스포츠카에서 내리는 쌍둥이 형을 바라보았다.

1년 만에 보는 그는 여전한 모습이었다. 밝은 아이보리색 반바지에 소매를 팔꿈치까지 걷어 올린 흰 셔츠 차림이었으며 얼굴의 반을 선글라스로 가리고 있었다. 웬일로 옷차림이 이렇게 얌전한가 싶었는데, 아니나 다를까 밝은 터키색 로퍼를 신고 있었다.

재영은 손목을 어깨 너머로 보내 차 키를 작동했다. 그러곤 무표정으로 재홍을 향해 걸어왔다.

'할리우드 스타 납셨네.'

옆 테이블에서 재홍을 힐끔힐끔 훔쳐보던 사람들의 시선이 통째로 그쪽으로 뜯겨 갔다. 재홍은 그 감각이 익숙했다. 둘이 외모가 비슷해도 어릴 적부터 사람들의 주목을 받은 건 늘 재영이었으니까.

다소 내성적인 재홍과 달리 쌍둥이 형은 사람들의 관심을 즐기며, 자연스럽게 모으고 이용할 줄 아는 타입이었다. 아버지의 직업 특성상 이사가 잦던 유년 시절, 어느 나라에 가도 금세 언어를 배우고 다른 꼬마들을 부하로 만들던 소년은 화제를 몰고 다니는 어른으로 자라났다.

유학 간단 소리를 들었을 땐 얼마간 조용히 지내려나 보다 싶었는데, 그렇지도 않았다. 장재영은 한 힙합 앨범 재킷을 작업하며 스타 디자이너가 되었다. 여러 의미로 읽힐 수 있는 상징을 사용한 파격적인 표지는 뜨거운 감자가 되어 수많은 비평과 패러디 아트를 낳았다. 그해의 가장 문제적 미술로 꼽혔으며 뉴욕 타임즈와 타임지까지 진흙탕으로 끌어들이며 '예술이냐 외설이냐' 하는 해묵은 떡밥을 물게 했다. 급기야 유명한 미국 정치인이 SNS에서 경솔하게 비난하는 바람에 화제성은 산불처럼 세계로 번졌다. 무명 생활이 길었던 천재 래퍼가 빌보드 차트에 오르고 제이 장이 '올해 가장 주목해야 할 그래픽 디자이너'에 제 이름을 박은 건 당연한 결과였다.

재영은 개인 작업으로 몸값을 올리며 몇 가지 전시에 참여한 뒤, 석사 학위 취득 후 브랜딩 회사에 입사했다. 현재 아트 디렉터로 일하며 유명 스포츠 의류 브랜드 아이덴티티 디자인, NBA 농구 팀 로고 리뉴얼 등 아이코닉한 작업을 포트폴리오로 두며 주목 받고 있었다.

"넌 할 일도 없냐."

잘나가는 만큼 건방진 그래픽 디자이너가 선글라스를 벗으며 말했다. 호기심 가득한 시선들이 옆얼굴에 박혔으나 재영은 신경 쓰는 기색 없이 재홍의 맞은편에 앉으며 하품을 쩍 내뱉었다.

"잠 못 잤어?"

"죽겠다. 코펜하겐에서 3시간 전에 돌아왔어."

"비행기에서 자지."

"영화 보느라."

"이럴 줄 알았으면 공항에서 만날 걸 그랬네."

"집에 보고 싶은 게 있어서 무리해서 들렀어. 못 봤지만."

재영은 눈꼬리에 맺힌 눈물을 닦더니 핸드폰과 차 키 그리고 어떤 봉투를 테이블에 내려놓았다. 점원을 불러 얼음 잔뜩 넣은 카페 아메리카노를 주문하고서, 검지와 중지 사이에 흰 봉투를 끼워 성의 없이 내밀었다. 우측 끄트머리에 눈 뜨고 봐 주기 어려울 정도로 못 쓴 글씨가 적혀 있었다.

장 ㅈㅐ 홍

재홍은 봉투를 열어 보고 눈살을 찌푸렸다. 바탕이 흰 카드를 펼치자 신랑 둘의 이름과 결혼 날짜, 식장 약도가 나타났다.

"청첩장이 어떻게 벌써 나왔어?"

"재작년에 만들어 놨어."

"……."

"파트너가 준비성이 철저해서."

"디자인이 너답지 않게 정석적이네."

"처음엔 그게 아니었지. 총 열두 번 수정했다."

되돌리기엔 너무 늦은 걸까. 재홍은 재영의 눈을 들여다보았지만 그는 싫은 기색도 기쁜 기색도 없고 그저 끔찍하게 피곤해 보였다.

"너, 기대감이 없어 보여."

"프러포즈 받은 건 5년 전이라. 그리고 2년째 준비 중이라 이제 별 감흥 없어."

재영은 제 손톱을 보며 심드렁하게 답했다. 그의 네 번째 손가락에서 작은 다이아몬드가 여러 개 박힌 백금 반지가 반짝거렸다.

'아직 늦지 않았다.'

6개월. 재홍은 속으로 남은 기간을 가늠했다.

그의 직장 동료는 결혼 이틀 남은 시점에 파혼했다. 아니, 멀리 갈 것도 없었다. 재홍이 로테르담에서 꼬신 남자의 집에서 한창 일을 치르고 있을 적에 그 피앙세가 들이닥친 적이 있었다. 알고 보니 그 아파트는 커플이 한 달 뒤에 결혼하고서 함께 살 신혼집이었고, 그들은 재홍의 눈앞에서 예쁘지 않은 방법으로 파혼했다.

본격적으로 재영을 취조하려던 찰나 벨소리가 났다. 재영은 신속하게 전화를 수신하고 기기를 두 손으로 잡아 귀에 바싹 댔다.

"어, 자기야. 지금 들어왔어?"

재홍은 눈을 가늘게 뜨고 쌍둥이 형을 낯선 사람처럼 바라보았다.

"그랬어? 제대로 엇갈렸네. 어. 지금 피곤해 뒤질 거 같아. 빨리 나 살려 줘. 아, 누가 잠깐 만나자고 해서. 메시지 못 봤구나. 봤어? 여보는 모르는 친구야. 음……. 진짠데."

그는 고개를 들어 재홍을 힐끔 눈짓하더니 다시 테이블로 눈을 돌렸다.

"으응, 진짜라니까. 에릭이라는 친구…… 어어, 작년에 베를린 출장 갔을 때 만난 재무 관리사. 그 영국인 맞아."

장재영은 생각보다 상태가 훨씬 심각했다. 언젠가 잡혀 산다고 제입으로 말하기는 했지만 농담인 줄 알았다. 대체 무슨 약점을 잡혔길래 저토록 살살거리는 걸까. 게다가 '영국인 재무 관리사'라니. 거짓말은 아니었지만 그렇다고 가장 좋은 설명도 아니었다.

"그래. 금방 들어갈게. 얼른 보고 싶다."

재영은 바보 같은 표정으로 지껄였다. 그러곤 통화를 끊자마자 핸드폰을 흘겨보며 중얼거렸다.

"하여간 의심은 많아 가지고……."

그가 기기를 테이블에 내려놓자 배경화면이 눈에 들어왔다. 해변에서 재영이 '그 남자'를 뒤에서 끌어안고 어깨에 턱을 대고 있는 사진이었다. 남자는 선글라스를 쓰고 있어서 얼굴이 잘 보이지 않았고 재영이 상체를 비치 타월로 완전히 감싸고 있어서 몸매가 어떤지도 알 수 없었다. 다리로 보아 마른 체형이라고 짐작만 될 뿐.

"뭘 봐, 새꺄."

재영이 손을 뻗어 화면을 꺼 버렸다. 재홍은 황당한 기분으로 까만 화면을 노려보았다.

"우리…… 바다 안 가잖아?"

여덟 살 때 해변가에서 놀다가 사이좋게 죽을 뻔한 뒤로 함께 물공포증이 생겼다. 재홍은 바닷가에서 물놀이하는 건 꿈도 꾸지 않았고 욕조에서 하는 목욕조차 꺼렸다. 재영은 심드렁하게 대답했다.

"난 6년 전 이맘때 극복했어."

"치료 받았어?"

"아니. 수영복 입은 거 보려면 어쩔 수 없었어."

"……."

"나 서핑도 해."

"서…… 핑? 물 위에서?"

"그래, 인마. 스쿠버 다이빙은 들어나 봤냐."

재영은 또다시 하품을 크게 하더니 바지 주머니에서 무언가 꺼내입에 물었다. 전자 담배였다. 재홍은 눈앞의 남자가 점점 더 모르는사람처럼 여겨졌다.

"담배 끊으래?"

"그런 건 터치 안 해."

"그럼…… 왜?"

"금연이 버릇이야. 1년에 다섯 번은 할걸."

재영이 눈을 느릿하게 깜빡거리며 전자 담배만 뻑뻑 피워 대는 사이 음료가 나왔다. 남자 점원이 쟁반에 받친 플라스틱 컵을 내려놓았다. 20대 초반처럼 보이는 히스패닉은 상당히 섹시했지만 재영은눈길도 주지 않았다. 재홍은 점원에게서 시선을 가까스로 떼고 재영을 바라보았다.

"너 진짜 7년 동안…… 그 사람하고만?"

"어."

"한 번도 안 헤어지고?"

"논스톱 폭주 기관차."

"한눈판 적도 없어?"

"뭐, 추상우가 감히?"

"아니, 너 말이야."

"으, 무슨 소리냐. 그랬다간 죽어. 영원히 감금당하거나."

재영은 끔찍하단 표정을 짓더니 몸서리를 쳤다. 재홍은 목소리를 억누르며 그의 이름을 낮게 불렀다.

"장재영."

"왜?"

"무슨 약점 잡혔는지 말해. 도와주려고 온 거야."

재영이 입에 막 머금은 커피를 뱉었다. 재홍은 냅킨으로 핸드폰이며 팔을 닦는 쌍둥이를 한심하다는 시선으로 바라보았다. 가벼운 소동이 지나가고서 재영의 입가에 어이없다는 식의 웃음이 번졌다.

"너 헛걸음했네. 그거 농담이었는데."

"뭐?"

"아주 터무니없는 소리는 아니고."

"그러면?"

"마음이라는 약점을 잡혔으니까."

재홍은 볼을 붉히며 커피를 쭉 빨아 마시는 눈앞의 남자가 제 형제가 맞는지 의심스러웠다. 재영이 말없이 시계를 보는 동안 재홍은 머리를 쓸어 넘기며 깊은 한숨을 쉬었다.

불합리한 분노와 배신감이 그를 사로잡았다. 협박당해서 결혼하는 게 아니라면 스스로 그 남자를 선택했다는 뜻이 된다. 다른 사람들이야 오래 연애하면 타성에 젖어 어쩔 수 없이 결혼하는 경우가 다반사라지만, 재홍이 아는 장재영은 하기 싫은 건 무슨 수를 써서라도 하지 않을 사람이었다.

"그 남자, 왜 만나?"

"낯간지럽게 뭐 그런 걸."

"이유가 있을 거 아냐. 이해가 안 돼서 그래."

그가 한 명하고 이렇게 오래 연애했다는 것도, 별 거부감 없이 결혼하겠다는 것도 재홍은 믿을 수 없었다. 재영은 눈알을 굴리더니 답했다.

"별거 없어. 그냥…… 예뻐."

"얼굴?"

재홍이 한심하다는 듯 비웃자 그가 성의 없이 덧붙였다.

"성격도 잘 맞는 편이고. 그 외에 또 뭐 있냐……. 하는 짓, 사고방식, 목소리, 말투, 분위기, 눈빛, 청소 잘하는 것까지, 대체로 예뻐."

"……."

"가끔 옆에 봤다가 막 놀라. 어 씨, 애 뭐야. 존나 귀엽네."

재홍은 큰 충격을 받았지만 아무렇지 않은 척, 지나가듯이 물었다.

"너, 남자는 걔가 처음 아니야? 다른 사람 만나 보면 마음 달라질 텐데."

"그닥. 그리고 이미 늦었어."

"늦긴 뭐가 늦어?"

"말했잖아. 헤어지려면 목숨 걸어야 된다니까."

재영은 심각한 말을 하는 사람답지 않게 실실 웃으며 커피를 마셨다. 장난스러운 미소에 눈꼬리가 휘어졌다.

"농담 같냐? 진짜야."

한때 하고 싶은 대로 사는 장재영이 멋있다고 여긴 적이 있었다. 그러나 지금은 공격 투자형에서 안전 지향형으로. 재홍은 제 잘난 맛에 살던 재영이 미지근하게 변해 버린 것을 참을 수 없었다.

"그 사람도 네가 처음이야?"

재영은 물음을 아예 무시했지만 재홍은 긍정하는 것으로 받아들였다.

"너야 그렇다 쳐도, 그쪽한텐 다른 남자하고 놀아 볼 기회 줘야지."

그 말에 재영이 졸린 듯 반쯤 감고 있던 눈을 치켜떴다. 그는 재홍의 눈빛을 가만히 마주하더니 싸늘하게 중얼거렸다.

"이 새끼가 기내식을 잘못 처먹었나."

재홍은 날카로운 표정에서 경계심을 손쉽게 발견했다. 장재영이 그간 애인을 왜 그렇게 숨겼는지 이해되는 순간이었다. 쓴웃음이 저절로 지어졌다.

"그렇게 자신이 없어?"

"뭐?"

"나한테 관심 보일까 봐 소개 안 해 준 거 아냐."

재영은 대답하는 대신 냉랭하게 가라앉은 눈빛으로 재홍을 쏘아보았다. 재홍은 그 시선을 맞받아치며 재영을 도발했다.

"왜 그렇게 숨겼어? 나한테도 관심 가지면 어때서."

"……."

"난 셋이 하는 것도 괜찮은데."

일자로 다물려 있던 입술이 조소로 비틀렸지만 차가운 눈은 움직이지 않았다. 재영은 어이없다는 듯 한숨을 쉬고서, 느릿하고도 위협적으로 말했다.

"방금은 가족이라 참은 거야, 재홍아. 두 번째는 없어."

"가족 아니었으면?"

"모 유명 펀드 매니저, 형제의 약혼자 성희롱했다가 뒈지기 직전까지 처맞고 응급실에 실려 가."

"……."

"방송 출연해 볼까?"

재영은 제정신이 아닌 사람처럼 보였다. 재홍이 의자를 살짝 뒤로 빼서 앉자, 사나운 시선이 그를 쫓아왔다.

"안 그래도 피곤한데 빡돌게 하고 있어. 너 여기 왜 왔어?"

여차하면 한 대 맞을 분위기라, 재홍은 진실을 말하는 게 낫겠다고 판단했다.

"파혼시키러."

재영이 얼굴을 찌푸렸다. 재홍은 쌍둥이 형제의 눈을 똑바로 들여다보며 말했다.

"더 늦기 전에 발 빼, 장재영."

"뭐?"

"결혼하지 말라고."

"왜?"

재영은 놀라울 정도로 얼빠진 표정을 지었고 재홍은 시니컬하게 내뱉었다.

"너, 예전엔 결혼이 '족쇄'라고 했지. 왜 생각이 바뀌었는지 모르겠는데. 보통 연애, 남들 다 하는 결혼, 좋아 보여?"

"……."

"이 멍청아, 늑대는 목줄 맨다고 개로 안 변해. 자유롭게 놀던 놈이 싱글 라이프 포기할 수 있을 거 같아? 부탁이니까 안 어울리는 짓 그만하고 예전의 너로 돌아가."

심각한 얼굴로 듣고 있던 재영은 재홍의 말이 끝나갈 때쯤 웃음을 터뜨렸다. 이번에는 비웃음이 아닌, 재미있어서 내는 폭소 같았다.

"내가 넌 줄 아냐?"

"무슨 소리야?"

"난 결혼을 하든 말든 싱글 라이프 같은 거 없어."

"……."

"이해 안 돼? 나 7년째 '추상우'라고 적힌 '목줄' 여기 달고 있다고."

"그러니까 지금이라도 관두라는 거 아냐."

"타투 있는데, 볼래?"

"아니, 됐어."

"봐, 겁나 예쁘니까."

"됐다니까."

재영이 파트너의 이니셜을 새긴 타투를 보여 주겠답시고 설쳐서 뜯어말려야 했다. 그는 의자에 등을 기대며 다시 전자 담배를 입에 물었다.

"그래, 뭐……. 비록 삽질이기는 해도 내 행복을 위해서 여기까지 날아와 준 거, 감동적이네. 결혼 축하 받은 걸로 칠게."

"난 헛걸음한 거고?"

"내 파트너, 5분 뒤에 핵폭탄이 떨어진대도 아무나 주례 세우고 즉석으로 결혼식 올릴 사람이야. 네가 꺾을 만한 상대가 아니야."

그는 태연한 표정으로 고개를 뒤로 꺾으며 연기를 내뱉었고, 재홍은 잠시 동안 할 말을 잊었다.

장재영은 한 번도 결혼하고 싶다고 말하지 않았다. 그다지 내키지 않는데 파트너의 요구가 거세서, 그와 갈등 빚고 싶지 않아서 억지로 하려는 듯했다. 재홍은 그 그림이 마음에 들지 않았다.

"왜 그렇게 결혼에 집착하는지는 생각해 봤어?"

"성격이 원래 그래."

"이용당한단 생각은 안 들고?"

"나를 이용해?"

"이를테면 돈이라든지."

재영은 그런 생각은 처음 해 봤다는 듯이 코웃음을 쳤다. 그가 새끼손가락으로 귀를 후비면서 귀찮다는 듯이 답했다.

"걔 돈 많아. 결혼 자금이랍시고 모은 저축액을 네가 봐야 되는데.

진짜 지독해서……."

그러고선 입을 크게 벌리며 하품했다.

결혼도 일종의 사업이며 문제의식 없이 상대를 신뢰하는 건 금물이다. 재홍이 기억하는 장재영은 사리 분별을 잘하고 이해관계에 밝은 타입이었다. 진작 변해 버렸는데 자주 만나지 않아서 알아채지 못했는지도 모른다.

재홍은 아무 생각도 없는 형제가 한심해 보이기만 했다. 마음 같아선 런던으로 돌아가 버리고 싶었지만, 책임감이 그를 막아섰다.

"너, 내가 파혼시킬 자신 있다면 어떻게 할래?"

"네가?"

그의 역량을 대놓고 무시하는 재영의 눈빛에 재홍은 자존심이 상했다.

같은 대학에 다니던 두 사람이 어쩌다 사귀는 건 흔해 빠진 일이다. 다른 사람을 먼저 만났다면 지금쯤 옆에 다른 사람이 있을 것이다. 사랑? 연애? 외부에서 조금만 흔들어도 쉽게 부서지는 얄팍한 환상일 뿐이다.

"자리 만들어. 내가 알아서 할 테니."

그 귀엽다는 남자. 장재영의 뾰족하던 면을 다 깎아 버리고 꼬리나 살랑살랑 흔드는 얼간이로 개조한 남자. 재영은 그를 아무 근거도 없이 맹신하고 있었다. 재홍은 그 착각을 깨 줄 자신이 있었다.

"그리고 얘기할 동안 넌 빠져 있어."

"둘이 쎄쎄쎄라도 하게?"

그렇게 여유 만만할 때가 아닐 텐데, 재영은 태평해 보였다.

재홍은 신랑의 적나라한 외도 장면을 신부에게 들키며 결혼을 파탄 낸 전적이 있었고, 또 못 할 것도 없었다. 사실 그는 이 일에 최적화된 사내였다. 연애 경험이 없을 뿐이지 원나잇 스탠드 회수는 셀 수 없이 많았다. 하룻밤 상대의 일시적 호감을 사는 스킬에 도가 텄으며 나이, 인종, 직업 불문, 노는 놈, 얌전한 놈, 똑똑한 놈, 멍청한 놈 할 것 없이 두루 깔아 보았다.

7년간의 연애라……. 그쯤 되면 권태와 관성만 남는다는 것을 주변에서 보아 알았다. 남자라면 장재영 한 명밖에 모르는 한국 명문대 졸업생, 반반한 얼굴 하나 믿고 설치는 이공계 화이트칼라. 견적은 금세 나왔다. 결혼 상대가 바람피우는 걸 보고도 장재영은 태연할 수 있을까?

한동안 가만히 있던 재영이 재홍의 눈을 바라보았다.

"너 한참 착각하고 있어, 장재홍."

"뭘?"

"내가 이제까지 상우를 보여 주지 않은 건, 너한테 반할까 봐서가 아니야."

재홍은 생각을 읽힌 기분이었다. 재영은 그를 빤히 바라보며 말을 이었다.

"난 걔가 다른 사람을 쳐다보는 자체가 싫어. 네가 나타나면 신기해서 계속 볼 테고, 그러면 기분 더러워질 게 뻔하니까 피한 것뿐인데……."

"……."

"생각해 보니 식장에서 그 꼴 보느니 미리 해치우는 게 낫겠어."

재영이 여전히 여유로운 태도로 물었다.

"시간 얼마나 줘?"

"뭐라고?"

"단둘이 만나게 해 줄 테니까 돈 봉투를 건네든 꼬리를 치든 마음껏 해 보라고."

맞게 들었는지 의심할 만한 말이었다.

"진심이야?"

재영은 무덤덤한 표정으로 고개를 끄덕였다. 농담하는 것 같지는 않았다. 그의 오랜 연인 관계를 난장판으로 만들어도 책임을 묻지 않겠다는 허락이나 다름없었다. 재홍은 주저하지 않고 기회를 잡았다.

"오늘 자정까지."

"이 새낀 양심이 없어."

"……."

"나도 일주일 동안 못 본 걸, 네가 왜 밤까지 끼고 있어?"

재영은 입이 찢어지도록 하품하고서 덧붙였다.

"두 시간 줄 테니까 실컷 해 봐."

"두…… 시간? 실컷?"

"싫으면 말고."

재홍은 일어서려고 하는 그의 팔을 잡아 의자에 도로 앉혔다.

장기간 사귄 약혼자가 있는 남자를 2시간 만에 유혹하기. 쉽지 않겠지만 애인에 대한 재영의 불가사의한 신뢰를 깨뜨릴 수 있는 유일한 방법이었다.

"……알았어."

그러자 재영이 툭 내뱉었다.

"조건."

"뭐?"

"신체 접촉 금지. 아니다, 50cm 미만 접근 금지."

치졸한 조건이었지만 받아 주면 그만이었다. 접근하지 말라면 상대가 다가오게 만들면 되는 것 아닌가. 재홍은 말 안 통하는 외국인을 눈빛으로 유혹한 적도 부지기수였다.

"컴퓨터 사용 금지, 기계 장치 조립 및 수리 요청 금지."

목적을 이해할 수 없기는 해도 어려울 것 없는 조건. 재홍은 재영의 다음 말을 기다렸다.

"주류 권유 금지, 추상우가 거절하는 어떤 것도 강요 금지."

마음껏 해 보라던 재영은 제약을 덕지덕지 붙여 놓고서 눈을 부라렸다.

"대답 안 하냐?"

"어?"

"이 중 하나라도 어기면 너 내 손에 죽어. 알겠어?"

"알았어."

"그리고 이건 널 위해서 하는 말인데……."

"뭐."

"귀엽게 생겼다고 만만하게 보지 마. 육군 예비역 병장에 무술 유단자니까. 달리기도 엄청 빨라."

"……."

재영이 핸드폰을 들었다. 이번 배경 화면은 해가 떠오르는 산속의 텐트 앞에서 남자가 텀블러를 들고 웃는 모습이었다. 그가 통화 목록을 열어 가장 최근 항목으로 전화를 걸었다. 음량이 꽤 커서 신호음이 곁으로 살짝 들렸다. 재홍은 남의 전화 엿듣는 취미 따위 없었지만 너무 궁금해서 의자를 슬쩍 당겨 앉으며 귀를 기울였다. 신호음이 세 번 울리고서 상대가 전화를 받았다.

―여보세요.

말투가 화난 사람처럼 딱딱했다. 그런데 이게 보통인지, 재영은 반응이 아무렇지도 않았다.

"상우야, 나 일 생겨서 잠깐 회사 가 봐야 해."

—무슨 일?

"글렌이 맡기로 한 프로젝트가 클라이언트 요청으로 나한테 넘어올 것 같아. 휴가 가기 전에 자료 넘기면서 설명해 준다고 잠깐 미팅 하재."

상대는 한동안 침묵을 지켰다. 재홍은 커피 잔을 들어 입술에 갖다 대면서도 신경을 옆에 쏟았다.

—자기가 짐 싸기 싫어서 나 몰래 놀러 나간다는 의심이 들면 내가 너무 예민한 거겠지?

"……다른 말로 상상력이 풍부한 거지, 뭐."

재영이 핸드폰을 고쳐 잡으며 조심스럽게 말했다.

"상우야. 내 동생 있잖아, 장재홍."

—어. '그 늙은이 같은 놈'이 또 뭐라고 해?

"그건 모르겠고 지금 옆에서 통화 엿듣고 있어."

—…….

"휴가 왔대."

—아까는 에릭 만난다더니.

"믿기 어려운 얘기겠지만 둘 다 여기 있어."

—그렇구나. 대단한 우연이네.

"으응……. 나 회사 가야 하니까, 네가 애 근처 구경 좀 시켜 줄래?"

—진짜? 나 소개해 주려고?

흥분 섞인 물음에 재영의 표정이 살짝 구겨졌다. 그쪽에서도 평소에 어지간히 재홍을 보여 달라고 보챈 모양이었다. 재영이 이를 악물고 말했다.

"그럼, 해 줘야지. 내 '동생'이니까 여보한테도 '가족'이나 마찬가지잖아."

―그럼 이제까진 왜 안 된다고 한 거야?

"내 마음이야."

―알겠어! 언제까지 가면 돼?

남자가 의욕적으로 묻자, 재영이 못마땅한 기색으로 답했다.

"지금 와."

―당장 어떻게 가? 준비할 시간은?

"뭘 준비해? 화장이라도 하려고 그러냐?"

―관광 경로를 미리 짤 필요가 있잖아.

짜증스럽던 재영의 표정이 조금 풀어졌다.

"여보는 너무 친절해서 탈이라니까……. 얘 적당한 데 보여 주면 돼."

―로컬의 생활 밀착형 루트가 여행자의 피상적인 기대를 충족시킬 수 있을지 의문이라서.

"부모님이랑 누나 오셨을 때 코스 있잖아요, 아저씨."

―그땐 유아가 포함된 5인 일행이었고, 형하고 나까지 합치면 7인…….

"자기야."

―응?

"장재홍이 알아서 한대. 일단 이리로 와."

―…….

"지금 모습 그대로. 옷도 갈아입지 말고 머리도 빗지 마."

―메시지로 위치 보내.

뚝. 전화가 끊어졌다.

짤막한 통화는 재홍에게 혼란을 남겼다. 왜인지 콕 집어서 말하기는 어려워도 어딘가 일반적인 대화 같지 않았기 때문이다. 무엇보다 상대가 너무 쌀쌀맞아서 재영이 자기니 여보니 징그러운 호칭을 쓰지 않았다면 연인 사이처럼 들리지 않았을 것이다. 그러나 재영은 뭐가 이상한지도 모르는 눈치였다.

"넌 어떻게 지내?"

그가 화제를 바꾸며 하품을 크게 했다. 만난 지 30분 만에 안부를 물었지만 재홍은 그다지 놀라지 않았다.

"늘 똑같지."

재홍이 서류 가방에서 태블릿 PC를 꺼내 들자 재영이 손바닥으로 눈가를 가렸다.

"진짜 희한하네……. 왜 내 주변엔 워커홀릭밖에 없지?"

재홍은 그의 말을 무시하고 숫자로 빼곡한 도표를 보기 좋게 키워 눈앞에 들이밀었다.

꾸벅꾸벅 조는 재영에게 그의 자산을 어떻게 관리하고 있는지 설명하는 사이, 글렌이란 회사 사람에게서 전화가 두 번 왔다. 재영은 애인에게는 회사에 반드시 들러야 하는 것처럼 말해 놓고서, 전화에 대고는 급한 일도 아니면서 휴일에 왜 자꾸 연락하느냐고 타박했다.

40분 정도가 지났을 때 도로에 독일제 세단이 나타났다. 실용적이고 전비가 좋은 모델로, 디자인이 투박해서 젊은 사람들이 선호하는 스타일은 아니었다. 검은 차량은 빨간 스포츠카 뒤, 주차 선을 완벽하게 지키며 정차했다. 그리고 '그'가 내렸다.

스트레이트였던 장재영이 남자를 만나기 시작했을 때, 분명히 여자보다 더 예쁜 놈한테 꽂혔으리라 짐작했다. 무엇보다 청순하고 귀엽다는 말을 귀에 딱지가 앉도록 들어서 궁금증이 쌓인 터였다. 그런데 눈앞에 나타난 이는 재홍의 상상과 거리가 멀었다.

재영이 한낮의 시가지에서 끄집어낸 사람 같다면 남자는 폐관하는 도서관에서 퇴장하는 사람처럼 보였다. 발목까지 오는 베이지색 면 팬츠에 검은 폴로셔츠 차림. 손목에는 전자시계를 차고 있었다. 반듯한 스타일의 미남이었지만 눈이 휘둥그레질 정도의 미모는 아니었다. 늘씬한 체형이 눈에 띄기는 해도 '존나 귀엽다'는 인상을 줄 만큼 체구가 아담하지도 않았다.

'저게…… 장재영 애인이라고?'

눈부시게 화려한 스타일의 모델을 기대했는데 옥스퍼드 법대생 같은 게 나타났으니 황당할 수밖에 없었다. 장본인에게 물어보기 위해 고개를 돌렸지만, 재영은 이미 그 자리에 없었다.

어느새 남자의 앞까지 다가간 재영은 그의 머리카락에서 뭘 떼고 볼을 양손으로 늘렸다. 둘은 한동안 서서 이야기하더니, 나란히 걸어서 재홍의 앞까지 왔다. 재영이 남자의 어깨에 팔을 두른 채였다.

"여긴 우리 집 애기……."

"똑바로 해."

"파트너 추상우. 연말에 결혼할 예정."

재영이 상체를 남자에게 바싹 기대며 검지를 구부려 그의 볼을 쓰다듬었다. 남자는 그 눈 뜨고 못 봐 줄 꼴을 말리지도 않고 가만히 있었다. 재영은 한동안 그러고 있다가 같은 손가락으로 재홍을 마지못해 가리켰다.

"장재홍."

재홍은 남자와 눈이 마주쳤다. 가까이서 다시 본 그는 첫인상만큼 평범하지 않았다. 마른 체형에 턱이 갸름한데도, 매섭게 치켜 올라간 눈과 진한 눈썹 때문인지 여려 보이지 않았다. 무엇보다 눈매에서 묘하게 무감정한 느낌이 났다. 재영이 떠벌리고 다니는 말과는 다르게 귀여운 인상이 아니며 오히려 냉철한 스타일이었다.

남자의 고개가 돌아가며 시선이 정면과 측면을 몇 번 오갔다. 그는 눈을 동그랗게 뜨고서 재홍을 빤히 바라보았다. 큰 충격을 받은 듯, 굳게 닫혀 있던 입술이 멍하니 벌어졌다.

"벌써 짜증 나려고 그러네……."

재영이 하늘을 보며 중얼거렸다. 그러곤 팔꿈치로 남자의 옆구리를 쿡 찔렀다.

"그렇게 궁금해하더니, 인사해."

"헬로. 재홍 장. 나이스 투 밋 유."

남자는 한국식 발음으로 말했다.

'내가 한국어를 잘 못하는 줄 아나 보군.'

아무래도 장재영이 재홍을 소개해 주기 싫어서 남자에게 이상한 소리를 해 놓은 듯했다. 그러고도 남을 놈이었다. 재홍은 보란 듯이 유창한 한국어로 답했다.

"이야기 많이 들었습니다. 추상우 씨. 장재홍입니다."

남자는 고개를 휙 돌리며 재영을 노려보았고, 재영은 웃음을 참으며 딴청 피웠다.

재홍은 품에서 명함 지갑을 꺼냈다. 명함을 정중하게 내밀자, 남자도 지갑에서 제 것을 꺼내 주었다.

Senior Software Engineer

Sang-Woo Choo

'정체성이 강한 타입이야.'

그 흔한 영어 이름 하나 없는 명함은 어딘가 고집스러워 보였다. 남자는 재홍의 예상보다 훨씬 탄탄한 직장에 다니고 있었으며 연차에 비해 직급이 높았다. 재홍은 작은 종이에서 얻을 수 있는 정보를 끌어모으며 그의 연봉과 재산을 가늠해 보았다. 그러는 동안 커플이 속닥거리는 소리가 들렸다.

"형, 장재홍 씨와 에릭이 동일 인물이었네."

"응? 무슨 소리야?"

"여기 봐, 명함에 적혀 있잖아. 에릭 장."

"어, 그러네."

"에릭을 다섯 번이나 만나러 가면서 그런 얘기 안 했잖아. 자기, 나한테 의도적으로 그 사실을 은폐했네."

"음, 어……."

"영국 국적 재무 관리사라며?"

"거짓말은 안 했는데."

"한국어보다 영어를 훨씬 잘한다며?"

"사실인데."

"그런데 왜 나는 속은 기분이 들지?"

"아닐걸. 단순히 착각한 걸걸? 어, 시간 없다!"

재영은 별안간 남자의 어깨를 쥐고 그를 억지로 돌려세웠다. 남자의 볼과 목 언저리에 몇 번 입 맞추더니, 그를 앞으로 떠밀었다. 남자는 불만스러운 표정으로 뒤를 돌아보았다.

"같이 가지……. 많이 바빠?"

"글렌이 빨리 오라고 극성이야."

"자료는 메일로 보내라고 하고 통화로 처리하면 되잖아."

"징징거리는데 한 번 져 주지, 뭐."

둘이 언쟁 벌이는 장면을 보나 했는데, 남자는 더 의심하지 않고 포기했다.

"알겠어. 다녀올게."

그는 발꿈치를 들고 재영의 입술에 가볍게 키스하더니 몸을 돌려 차로 성큼성큼 걸어갔다.

"조수석에 타시면 됩니다."

재홍에게 한마디 하고서, 말릴 새도 없이 테이블 옆에 놓인 캐리어를 번쩍 들어 트렁크에 실었다.

'이제 시작인가.'

재홍은 조수석 문을 열고 회색 가죽 시트에 앉았다. 차량 안은 잡동사니 하나 없이 깨끗했으며, 흔히 차에서 맡을 수 있는 퀴퀴한 냄새조차 나지 않았다. 내부를 둘러보던 재홍은 운전석 옆에 놓인 하트 모양 액자를 보고 흠칫 놀랐다.

FOREVER ☆ LOVE

ONLY ★ YOU

차량의 전반적인 분위기와 위화감이 드는 액자에는 설산을 배경으로 웃고 있는 쌍둥이 형의 고해상도 사진이 박혀 있었다.

남자가 운전석에 타며 물었다.

"구경하고 싶은 장소 있으세요?"

"아니요, 없습니다."

재홍이 무지개색 액자에서 눈을 뗀 순간, 차주가 무언가 묵직한 것을 내밀었다. 다음 순간, 재홍의 손에는 두꺼운 관광 책자가 들려 있었다.

"5분 드릴게요. 빠르게 검토하신 뒤 선호하는 장소 다섯 곳 말씀하세요. 최대한 편의를 봐 드리고 싶지만 동선을 고려해야 하므로 전부 못 갈 수도 있습니다."

일단 첫 페이지를 폈는데, 얼마 읽기도 전에 밖에서 창문을 두드리는 소리가 났다.

쾅쾅쾅쾅, 쾅쾅쾅!

남자는 10초 정도 무시하다가 안 되겠다 싶었는지 창문을 내렸다. 그러자 차체에 바싹 붙어 있던 재영이 기다렸다는 듯 고개를 들이밀었다. 그는 손으로 깔때기를 만들고 남자의 귀에 한참 동안 속닥거렸다.

"어. 나도 사랑해."

남자는 구질구질하게 구는 애인에게 건조하게 답하고서 다시 창문을 닫았다. 재영의 얼굴이 검은 창 뒤로 사라지고서야 적막이 찾아왔다.

곧이어 따가울 정도로 노골적인 시선이 볼에 콕콕 박혔다. 재홍은 책자를 넘기고 있었지만 집중할 수 없었다.

고개를 옆으로 돌리자 남자의 시선이 재홍의 눈을 찾았다. 그 눈빛이 너무 강렬해서, 재홍은 한순간 그가 자신에게 달려들어 키스할지도 모른다고 착각했다. 재홍은 이러한 시선이 낯설지 않았으나 상대가 장재영의 오랜 애인이란 점에서 질 나쁜 승리감을 느꼈다.

"추상우 씨."

"……네?"

"제 얼굴에 뭐 묻었습니까?"

"아니요, 아무것도 안 묻었습니다."

"그럼 왜 그렇게 빤히 보십니까."

살짝 웃으며 말하자 남자가 재빨리 앞을 보았다.

"너무 닮아서 저도 모르게……. 불쾌하셨다면 미안합니다."

"전혀 불쾌하지 않았습니다."

"진짜요?"

"네."

남자가 천천히 눈을 돌려 다시 재홍을 바라보았다. 그가 머뭇거리다가 입술을 열었다.

"그렇다면 1분간 관찰해도 됩니까?"

"뭐, 그러세요."

"그럼 시작할게요."

남자는 고개를 끄덕이더니 벨트를 풀었다. 그러고서 콘솔에 손을 짚으며 과감하게 다가왔다.

'신체 접촉 금지. 아니다, 50cm 미만 접근 금지.'

남자는 알아서 50cm의 벽을 깨 버리고서 신중한 태도로 재홍의 이마를 바라보았다. 고개를 돌려 옆얼굴을 한참 동안 보더니, 나직하게 감탄을 내뱉었다.

"우와……."

'2시간이면 충분하겠군.'

더 볼 것도 없이 끝난 게임이었다. 그는 애인을 대하는 태도와 재홍을 대하는 태도가 천지 차이였다. 이대로라면 호텔까지 갈 것도 없이 차 안에서 깔끔하게 붙어먹고 2년 동안 준비했다던 결혼을 박살 낸 뒤 유유히 공항까지 갈 수 있을 것 같았다.

이제 남자는 눈조차 깜빡이지 않으며 고개를 틀어 재홍의 코를 뚫어지게 보았다. 그다음은 시선을 내리깔며 입술을 관찰했다.

재홍은 침을 꿀꺽 삼켰다. 빽빽한 속눈썹 개수를 셀 수 있을 만큼 거리는 가까웠다. 남자는 피부가 깨끗했다. 머리카락도 눈동자도 유난히 새까매서 더욱 대비가 강해 보였다. 붉은 기가 도는 입술 아래로 허연 목이 쭉 뻗었고, 셔츠 목깃 사이로 드러난 검은 점이 도드라져 보였다.

'섹시하긴 하네.'

재홍은 얌전해 보이는 남자에게 은밀한 호기심이 생겼다. 장재영은 그가 '예뻐서' 만난다지만, 세상에는 그보다 훨씬 예쁜 사람이 많다. 마음만 먹으면 배우나 모델도 쉽게 사귈 수 있을 재영이 이 남자에게 꽂힌 이유가 있을 것이다. 가령 잠자리 스킬이라든지.

그러나 아슬아슬하고 섹슈얼한 분위기는 남자가 제자리로 돌아가면서 온데간데없이 사라졌다. 그는 아무 일 없었다는 듯 바로 앉고서 벨트를 맸다. 시계를 보니 정확히 1분이 지나 있었다.

"더 보셔도 되는데요."

"아니요. 확인하고 싶은 곳이 몇 군데 더 있긴 하지만……."

남자가 조금 머뭇거리다가 말했다.

"저는 상식적인 사람입니다. 파트너의 가족에게 부적절한 요구는 하지 않아요."

"……"

대화가 끊겼다. 잠시 동안 창밖을 보고 있던 재홍은 손등으로 턱을 쓸며 말했다.

"날씨 좋네요. 여긴 늘 이렇게 화창합니까?"

"오늘 최고 기온은 26℃로 이곳 여름 평균 기온보다 조금 높습니다. 관광하기 좋은 날씨고 강우 예보도 없었으니 걱정하지 마세요."

"그렇군요."

"7% 확률로 비가 내린다고 해도 실내 활동 위주라 크게 지장 없을 겁니다. 트렁크에 우산도 두 개 있고요."

대화 흐름이 어쩐지 이상했다. 남자는 말없이 에어컨을 틀었고,

윙윙거리는 소리를 듣고 있는 사이 시간만 갔다. 재홍은 분위기가 묘하게 삭막하다고 느끼며 적당한 화제를 꺼냈다.

"둘이 대학에서 만났다고 들었는데……."

"네."

"재영이가 반해서 쫓아다녔습니까?"

"귀찮게 굴기는 했지만 아마 반한 건 아니었을 거예요."

10분은 이어 갈 만한 주제라고 생각했는데, 대화는 3초 만에 끝나 버렸다.

"그럼 추상우 씨가 먼저 반하신 모양이군요."

"아뇨."

"아……."

순식간에 대화 종료. 재홍은 헛기침을 두어 번 하고서 말을 억지로 이었다.

"서로 첫인상이 좋지 않았군요."

"네. 항생 물질의 발견과 비슷한 사례라고 이해하시면 돼요."

"네?"

"페니실린이요. 더러운 곰팡이인 줄 알았는데, 알고 보니 유익한 존재였던 거예요."

재홍이 대답할 타이밍을 놓치는 바람에 차량 안이 고요해졌다. 남자는 손목시계를 바라보며 시동을 걸었다.

"6분 지났네요. 제가 방해한 시간 고려해서 1분 추가해 드렸어요. 고르신 장소 열거해 주세요."

"네? 아……. 잠시만요."

관광지에 관해 까맣게 잊고 있던 재홍은 뒤늦게 무릎 위에 펼쳐진 책자로 눈을 돌렸다.

"아무 생각도 안 하신 겁니까? 시간을 짧게 드리지 않았는데, 의아하네요."

남자의 목소리에는 비난하는 기색이 없었지만, 재홍은 숙제하지 않은 학생이 된 기분을 느꼈다. 학창 시절에도 겪어 본 적 없는 난생처음 겪는 상황이었다. 하필 펴 놓은 부분이 〈어린이 특집〉이라, 재홍은 당황하며 종이를 뭉텅이로 집고 넘겼다. 그를 지켜보던 남자가 작게 중얼거렸다.

"하긴, 아동기까지 성장 배경이 동일하니 성격에 닮은 점이 있지 않을까 짐작했어요."

"그게 무슨 뜻입니까?"

"재영이 형은 뭘 요청하면 게으름 피우느라 제때 완수하는 법이 드물어요. 재홍 씨는 그런 점에서 형제와 닮았네요."

"게…… 으름이요? 말도 안 되는 오해입니다. 저는 단지…….”

"하지만 대처하는 방식은 달라요."

남자가 말을 자르며 끼어들었다.

"재영이 형이라면 관광 코스 선정은 안내하는 사람의 의무라고 오히려 큰소리쳤을 거예요."

수치스러운 오해에서 벗어날 기회도 주지 않은 채, 남자는 관광 책자를 재홍의 손에서 빼앗았다. 두꺼운 책을 원래 있던 콘솔에 넣으며 그가 말했다.

"세인트메리 아쿠아리움, 2차 세계 대전 종전 기념관, 오페라 하우스, 도시 전망대. 이 코스 추천 드려요."

고교 수학여행 수준의 패키지 루트. 발에 불이 나도록 관광지만 돌다 2시간이 끝나 버릴 위기였다. 차라리 농담이면 좋겠는데, 남자의 표정은 사뭇 진지했다. 그다지 강압적인 타입도 카리스마 있는 타입도 아닌 그에게 재홍은 휘둘리고 있었다. 젠틀맨 행세는 여기까지. 주도권을 쥐어야 할 때였다.

"관광은 됐습니다. 대신 추상우 씨 집이나 구경하고 싶은데요."

재홍은 입꼬리를 살짝 올리며 나직하게 말했다. 남자는 5초 정도 꼼짝 않고 있다가 물었다.

"왜죠?"

"조금 피곤해서요."

"그런 이유라면 여기서 내리시는 편이 낫습니다. 이동하면 더욱 피곤해집니다."

'그래. 쉬우면 재미없지.'

재홍은 피식 웃으며 속으로 중얼거렸다. 그는 밀고 밀어내는 힘의 역학 관계가 늘 우습다고 생각했다. 경계하고 거부할수록 목표물의 가치는 올라간다. 함락하고 나면 그저 똑같은 몸뚱이일 걸 알면서도, 재홍은 늘 튕기는 상대에게 승부욕을 느꼈다.

"아니요. 저는 상우 씨 집에 가고 싶습니다."

"제 집은 여기서 30분 정도 걸립니다. 조용히 쉬고 싶다면 그보다 가까이 있는 카페, 레스토랑, 공원, 호텔에 가는 것이 합리적인 선택입니다."

"상우 씨 방을 구경하는 편이 훨씬 흥미로울 것 같은데요."

남자는 곧바로 대답하지 않고, 한동안 생각에 잠긴 듯 가만히 있었다.

"알겠습니다. 그런데 제 집에 방문자를 데려가려면 반드시 동거인의 허락을 받아야 해요. 재영이 형이 서명한 문서나 음성 파일을 제시해야 한다는 뜻입니다."

"아."

다 된 밥에 장재영 뿌리기인가. 만약 둘이 집에 가겠다고 재영에게 말했다가는, 거절당하는 건 당연하고 안 그래도 변덕스러운 놈이 마음 바뀌었다면서 남자를 다시 꽁꽁 숨길 게 뻔했다. 어떻게 얻은 기회인데, 허무하게 놓쳐 버릴 순 없었다.

재홍은 실망하지 않은 것처럼 자연스럽게 말했다.

"재영이, 일하고 있을 텐데 방해하고 싶지 않습니다. 그럼 가까운 호텔로 가죠."

"네. 벨트 매세요."

남자는 그리 말하며 시동을 다시 걸었다. 재홍은 벨트에 손을 가져가다가 멈칫했다. 남자의 아무렇지 않은 태도를 보며 석연찮은 기분이 들었다. 호텔에 함께 가는 건 일반적으로 방에서 섹스하겠다는 의미지만, 과연 그도 똑같이 생각하고 있을까?

"혹시 어느 호텔입니까?"

"이곳의 지리를 모르시니 제가 임의로 정해서 로비에 내려 드릴 생각이에요."

"로비요? 그럼 상우 씨는……."

"집에 돌아갈 겁니다."

불길한 예감이 맞았다. 쌀쌀맞은 옆얼굴에는 농담하는 기색이 없었다. 단순히 튕기는 것이 아니라, 재홍의 속셈을 전혀 모르는 사람의 얼굴이었다. 남자가 재홍의 표정을 보고서 덧붙였다.

"걱정하지 마세요. 5성급이라 쾌적하실 거예요."

"그게 문제가 아니라…… 곧바로 돌아가지 말고 방에서 저와 커피라도 한잔하시죠."

"아니요. 저는 따로 마시는 커피가 있습니다."

'뭐 이런 새끼가 다 있어?'

재홍은 어처구니가 없어서 할 말을 잃었다. 남자는 행간을 읽는 능력이 결여되었거나 재홍이 보내는 추파를 철저히 모른 척하고 있거나, 둘 중 하나였다. 둘 다 암담하지만 후자가 그나마 낫다. 그러나 남자의 표정과 이제까지의 대화 내용을 볼 때 전자일 가능성이 높았다.

그 순간에도 남자는 빨리 매라는 듯이, 재홍의 벨트를 쏘아보고 있었다. 이대로 호텔에 가면 끝이다. 그는 재홍을 로비에 내려 주고서 뒤도 안 돌아보고 떠나 버릴 것이 분명했다. 재홍은 한 발 물러나 그나마 가망 있는 방식으로 선회하기로 했다.

"차라리 아까 말씀하신 관광지로 가죠."

항복 선언이나 다름없었다. 남자는 놀라는 기색도 없이 운전대를 잡았다.

"시간 빠듯합니다. 벨트 매세요."

"……."

"전부 들르기는 어려울 것 같지만 최선을 다해 볼게요."

모든 것이 예상과는 다른 방향으로 흘러가는 가운데 차가 출발했다.

'제길, 상냥하고 귀엽다더니!'

장재영. 살살 눈웃음치며 사람 미치게 하는 여우에게 홀딱 넘어간 줄 알았더니, 웬 냉동고 같은 남자와 결혼하려 하고 있었다.

재홍은 아무렇지 않은 척 창밖을 보았지만 충격은 쉽게 가시지 않았다. 남자는 낯을 가리거나 무뚝뚝한 정도가 아니었다. 말하자면 지나치게 목적 지향적이고 사교에 대한 이해가 부족해 보이는 것이…….

그래. 마치 기계 장치 같았다.

재홍은 포기하고 싶은 기분이 들었지만 애써 목표를 재확인했다.

남자만큼은 아닐지라도 그 또한 목적 지향적인 사람이었다. 한번 세운 타깃을 쉽게 허물지 않았다.

한 명은 운전하고 한 명은 창밖만 보는 동안 차는 다리를 건넜다.

남자는 운전하면서 도개교를 완공하는 데 몇 년이 걸렸고 길이가 얼마나 되는지, 연간 통행량과 버틸 수 있는 하중 따위를 설명했다. 높낮이 없는 목소리는 마치 다큐멘터리의 내레이션 같았다. 가만히 내버려 두자, 강변의 주 의사당이 몇 년에 지어졌고 완공되기까지 몇 년이 걸렸고 몇 년 동안 사용되었는지 따위를 설명했다.

이러다 관광을 훌륭하게 하고서 돌아갈 판이었다. 남자가 잠시 설명을 멈췄을 때 재홍은 자연스럽게 말을 걸었다.

"결혼하신다고 들었습니다."

"네."

"미리 축하드립니다."

남자는 말없이 고개를 끄덕였다. 애인에게 별 관심 없다는 게 무성의한 태도에서 드러났다. 재홍은 차갑게 웃으며 그를 떠보았다.

"결혼은 연애의 무덤이라는 말이 있죠."

"네. 설득력 있는 비유라고 생각합니다."

"아, 어떤 점에서 말입니까?"

"한 단계를 끝내야 다음 단계가 시작되는 법이니까요. 곤충도 변태를 하잖아요."

남자는 재홍의 표정을 힐끔 보더니 한심하다는 듯 덧붙였다.

"그 변태가 아니고요……. 곤충이 탈피를 통해 형태가 변한다는 뜻입니다. 재영이 형하고 수준이 비슷하시네요."

이 대화가 가망 없다고 판단한 재홍은 과감하게 다음 화제로 건너뛰었다.

"식까지 얼마나 남았습니까?"

"175일이요."

"이런, 아주 많이 남았군요. 변동이 생겨도 이상하지 않은 시간 아닙니까?"

"네. 아직 혼인 신고서에 서명할 날까지 너무 많이 남아서 괴롭습니다. 발생 가능한 변수를 제어하는 데 총력을 기울이고 있어요."

눈치가 없는 건지, 일부러 모른 척하는 건지. 남자는 재홍이 악의를 담아 던진 비아냥을 덕담처럼 받아들이며 공감하고 있었다. 잠시간 침묵이 감돌았다. 그가 한숨을 작게 쉬더니 말을 이었다.

"81개월의 세월, 장재영의 애인으로 사는 것이 쉽지는 않았어요. 남편으로 만든 뒤에도 안심할 수는 없겠지만."

"하긴, 바람기가 많죠? 그간 마음고생 많이 하셨겠습니다. 그렇게 저질스러운 버릇이 결혼한다고 달라질지 개인적으로 의문입니다."

"바람기요?"

남자는 이해가 안 된다는 듯 고개를 갸우뚱거렸다. 그러고선 제 딴엔 배려한다는 듯 느릿하게 물었다.

"영국에—오래—사셔서 영어가—더—편하시다고—들었어요. 이제부터—영어로—말—할까요?"

"……그럴 필요 없습니다. 저, 한국어가 모국어입니다."

"그러시군요."

남자는 한동안 말없이 운전하더니, 정차 신호를 만나 차를 세우며 다시 말을 이었다.

"언어 문제가 아니라면, 단순히 제 말을 오해하신 모양입니다. 저는 혼인제를 파훼할 수 있는 외부적 제도가 존재하는 것만으로도 제게 미치는 악영향에 관해 불평하고 있었어요."

재홍은 또 외국인이라고 무시당할까 봐 기를 쓰고 머리를 굴렸지만 이번에는 정말로 무슨 말인지 알아들을 수 없었다.

"어떤 제도를 말씀하시는 겁니까?"

남자는 굳은 표정으로 입을 다물고 있다가, 목소리를 내리깔고 아주 조용히 부연했다.

"불길한 말을 입에 담는다고 실체화된다는 미신을 믿지는 않지만, 이런 시기에 굳이 제 입으로 그 단어를 말하고 싶지는 않습니다. '이응'으로 시작하는 거요. 영어로는 'd'입니다. 그 망할 제도만 없다면 완벽하게 소유할 수 있을 텐데, 유감이에요."

"아, 이혼……."

"입 밖으로 내지 마세요!"

"……."

"다시 말씀드리지만 저는 미신을 믿지 않습니다."

'장재영, 이상한 놈한테 잘못 걸린 거 아닌가.'

재홍은 광기가 엿보이는 검은 눈동자를 보며 속으로 중얼거렸다. 애인을 사랑스럽다기보다 '유익하다'고 표현하는 남자는 결혼에 환장한 것처럼 보였다. '무언가'를 '완벽하게 소유'하는 게 목표라는데, 그 문장에 걸맞은 목적어는 '장재영의 재산'뿐이다. 상대가 노골적으로 돈을 탐내는 모습을 보며 재홍은 이 결혼을 막아야겠다는 의지가 더욱 강해졌다.

그러나 2시간 중 22분이나 지난 것치고 눈에 띄는 성과가 없었다. 남자가 창밖을 가리키며 유명한 시인이 무명 시절에 즐겨 찾곤 했다는 카페를 소개하는 동안, 재홍은 듣는 둥 마는 둥하며 전략을 세웠다. 우선 관계의 약점을 찾은 뒤에 파고들어야 할 것 같았다.

"재영이하고 그럭저럭 잘 지내시는 것 같더군요."

"무슨 뜻이죠?"

"오래된 연인들은 자주 싸우거나, 싸움조차 하지 않을 정도로 서로 관심이 없어져서 결혼 얘기가 나와도 결국 파혼……."

적의를 담아 던진 말에 남자가 몸서리를 쳤다.

"아, 저기요. '피읖'으로 시작하는 단어는 사용을 삼가 주세요."

"……."

"그리고 연인 간의 갈등은 '피읖' 단어의 징후가 아니라, 의견을 조율하고 결속력을 다지는 긍정적인 과정입니다."

"왠지 자주 싸운다는 뜻으로 들리는군요."

"자주 의견을 조율하고 결속력을 다져요."

재홍은 말 속에 숨은 단서를 놓치지 않았다. 재영은 둘이 성격이 잘 맞는 것처럼 말했지만, 남자는 그렇게 생각하지 않는 듯했다.

"주로 무슨 주제로 의견을 조율하십니까?"

"최근에는 결혼식장 위치, 하객 수, 예식 순서, 케이터링 업체, 턱시도 디자인, 선곡으로 의견이 갈렸어요."

"취향이 전혀 맞지 않는군요."

"괜찮아요. 협상이 어려울 땐 확률에 맡기면 됩니다."

"추첨이라도 하신 겁니까?"

"가위바위보요."

"……."

"근래에는 형이 바빠져서 사소한 건 제가 슬쩍 결정해 버리기도 해요."

두 번째 단서, 둘은 함께 보낼 시간이 부족하다.

"저런, 안타까운 일이군요……. 작년에 연봉이 뛰더니 일이 많아진 모양입니다."

"네. 형이 날건달처럼 한가하던 석사 공부 시절이 그리울 때가 있어요. 아침마다 출근하지 말라고 찡얼거리고 저녁마다 놀러 가자고 조를 때는 성가시다고 생각했는데……."

"장재영이 애같이 유치한 면이 있죠."

"가족이라 잘 아시겠네요. 밤에 못 자게 한다든지, 식사하는데 웃겨서 음식물을 흘리게 한다든지, 속옷을 숨긴다든지, 꾀병을 부려서 밥을 먹여 달라고 한다든지, 출근하는데 방해한다든지……. 그 외에도 모르는 번호로 장난 전화를 걸고, 거추장스러운 꽃바구니를 보내고, 불쑥 직장에 찾아와서 놀라게 하고, 집에 보물찾기 쪽지를 잔뜩 숨겨 놓고, 벽에 스프레이로 사랑한다고 적고, 옷장에 숨어 있다가 튀어나오고…… 자기는 낭만적이라고 생각하지만 장난이 심해서 곤란할 때가 있어요."

불만을 늘어놓는 줄 알고 귀 기울여 듣고 있자니 내용은 죄다 자랑이었다. 재홍은 속으로 혀를 차며 상대를 살짝 비꼬았다.

"결점이 어마어마하군요. 남들은 배우자와의 성격 차이나 알코올 중독, 폭력 성향, 섹스리스 같은 구실로 다투죠."

마지막 말에 남자가 눈에 띄게 시무룩한 표정을 지었다. 그리고 재홍은 세 번째 단서를 얻었다. 잠자리 횟수가 점점 줄다가 아예 사라지는 건 오래된 연인 사이에서 흔한 일이다.

'섹스리스라……. 더더욱 몸으로 꼬시는 수밖에 없겠군.'

7년 차 연인이라면 부부나 마찬가지. 둘 사이에 애틋한 설렘이 일기는커녕 기본적인 성욕조차 들지 않는다고 해도 무방할 것이다. 재홍은 실험을 하나 해 보기로 했다.

"좀 덥군요."

그는 마음에도 없는 소리를 낮게 읊조리며 재킷을 벗었다. 몸에 완벽하게 밀착하도록 맞춤 제작한 흰색 셔츠가 드러나자 남자의 고개가 휙 돌아갔다. 남자는 곧 다시 앞을 보았지만, 크게 동요하는 듯했다.

재홍은 날카롭게 웃으며 소매 단추를 풀고 더블 커프스를 팔꿈치까지 밀어 올렸다. 통계적으로 다수의 파트너들이 섹시하다고 평가한 모습에 근접하기 위해 타이를 살짝 느슨하게 하고 셔츠 단추를 두 개 풀었다. 목의 힘줄이 드러나고 운동으로 다져진 흉근이 살짝 보이도록. 이렇게 천박한 짓까지는 여간해선 하지 않았지만, 이번 경우를 예외로 둘 생각이었다.

띵, 띵, 띵, 띵, 띵, 띵.

차내 희망 온도: 18도

남자는 에어컨 컨트롤러를 조절한 뒤, 재홍의 심기를 건드리지 않으려고 노력하는 듯이 조심스럽게 말했다.

"최저 온도로 맞췄으니 이제 진정하세요."

"……감사합니다."

단순한 바보인가, 고도의 방어인가.

재홍은 단추를 다시 잠그며 골똘히 고민했지만 어느 것도 확신할 수 없었다. 한 달에 서너 번씩 원나잇 스탠드를 하며 별의별 사람을 겪었지만 이렇게 이상한 행태를 보이는 남자는 처음 보았기 때문이다. 자존심 센 남자, 도도한 남자, 경계심 많은 남자, 유부남, 변덕쟁이. 수많은 고난이도 케이스 중 남자는 어느 경우와도 비슷하지 않았다. 차라리 게이 클럽에 잘못 들어온 스트레이트라면 모를까.

상황은 좋지 않았다. 남자는 재홍을 우유부단한 멍청이, 더위를 많이 타고 한국어를 잘 못하는 외국인이라고 여기는 듯했으니까. 그러나 그가 재홍의 외모에 호감을 느낀다는 것만은 분명했다. 장재영과 닮아서든 뭐든, 그것을 이용하는 것밖에는 가망이 없었다.

재홍이 입을 다물고 생각하는 사이에 차는 수족관에 도착했다.

남자는 순식간에 주차하고선, 뒷좌석에서 카메라 가방을 꺼내 어깨에 건 채 말도 없이 내렸다. 재홍이 따라 내렸을 때는 남자가 한참 앞선 곳을 성큼성큼 걸어가고 있었다. 그를 따라잡은 매표소 앞에서 말싸움이 짤막하게 벌어졌다.

"운전하느라 고생하셨으니 입장료는 제가 내겠습니다."

"됐어요. 지갑 넣으세요."

"아니요, 제가……."

"그렇게 돈을 쓰고 싶으면 175일 뒤에 축의금 많이 가져오시면 되잖아요."

재홍은 받아칠 말을 찾지 못해서 또 패배하고 말았다.

남자는 주민 할인과 모바일 쿠폰을 적용해서 입장권 두 장을 반값에 결제하고는 앞으로 걸어갔다. 건물에 들어서자 벽면과 천장이 수족관으로 이루어진 통로가 나타났다. 유명한 곳인 데다 주말이다 보니 아이들이 바글거렸다.

재홍은 재킷을 팔에 걸고 관심도 없는 수조를 살폈다. 몇 걸음 가기도 전에 목과 옆얼굴에 남자의 시선이 느껴졌다. 차에서는 기를 쓰고 관심 없는 척하더니, 결국 참지 못하고 재홍의 몸을 엿보고 있었다. 재홍은 그 눈빛을 모른 체하며 주머니에 손을 넣고 걸었다.

아내가 있어서, 남자친구가 있어서, 여러 이유로 안 된다고 하던 남자를 얼마나 많이 봤던가. 몸이 끌리고 나면 다 소용없었다. 오래 사귄 애인의 쌍둥이 동생과 바람피우는 것도 마찬가지다. 남자가 아무리 결혼을 앞두었으며 자제심이 강하다고 해도 흔들릴 만한 상황이었다.

그러나 당장은 그를 유혹하기 불가능했다. 아이들이 바글거리는 장소는 섹스의 S도 찾기 어려운 분위기였다. 재홍은 이곳에서 남자의 호감이나 사기로 마음먹었다. 마침 남자가 렌즈가 너무 길어서 둔기로 쓸 수 있을 거 같은 카메라를 꺼내 물고기를 찍기 시작했다.

"사진 좋아하십니까?"

"네."

"좋은 취미를 갖고 계시는군요."

"비가역적인 순간을 2차원에 가둘 수 있는 듯한 기분을 낼 수 있어서 좋아해요."

"이해합니다. 사진이란 결국 시간을 정복하고자 하는 인간 노력의 가장 효과적인 결실 중 하나가 아니겠습니까."

처음 들었을 때는 당황했지만, 재홍은 어느새 남자의 말투에 익숙해져서 제법 수월하게 흉내 낼 수 있었다. 남자는 재홍의 대답이 마음에 드는 눈치였다. 고개를 두 번 끄덕이더니 조곤조곤 대답했다.

"맞습니다. 한 개체의 모습은 1분 전, 10분 전, 1시간 전 모두 미세하게 다르니까요. 평면에 가두면 그 순간의 개체를 소유했다는 착각을 느낄 수 있어요. 유감스럽게도 물리학계에서는 타임머신의 발명이 불가능하다고 말하니까, 이렇게 불완전한 방법에 매달릴 수밖에 없는 겁니다."

그는 애착 어린 눈길로 카메라를 바라보더니 다시 수조 속 물고기를 찍기 시작했다. 재홍은 그의 옆모습을 향해 은밀하게 읊조렸다.

"과거로 돌아갈 수 없다……. 단순하지만 진리에 가까운 명제군요. 그렇기 때문에 카르페디엠, 순간에 끌리는 선택을 하는 편이 언제나 좋지 않습니까?"

재홍은 속셈이 뚜렷한 말을 흘리고서 남자를 진득하게 바라보았지만 그는 이해가 안 된다는 표정을 지었다.

"한국어가 어려운 편이죠? 영어로 말씀하셔도 돼요."

"……."

남자는 한동안 사진을 찍더니 대형 수조가 끝나는 지점에 가만히 서서 카메라를 확인했다. 화면을 슬쩍 보니 그리 대단한 사진가 같지는 않았다. 아무것도 모르는 재홍이 봐도 구도가 엉성했으며 핸드폰 카메라로 찍은 것과 크게 달라 보이지 않았다. 재홍은 속마음을 숨기고 감명 깊다는 투로 말했다.

"으음……. 실력이 훌륭하시네요."

"경력이 7년이니까요."

"평소에 배우고 싶었는데, 가르쳐 주시겠습니까?"

"사진 찍는 법이요?"

"네."

남자는 흔쾌히 알겠다고 대답했다.

재홍의 계획대로였다. 사진을 배우고 싶다고 하면 열이면 열, 한 번 찍어 보라며 카메라를 건넨다. 그리고 일단 카메라를 받아 든 순간부터는 기계를 매개로 타인의 호감을 얻는 방법이 무궁무진하다. 그런데 남자는 카메라를 꼭 쥐고 재홍에게 건네지 않았다.

"우선 이 모델은 단안식 반사식입니다. 렌즈를 투과한 상이 분광 과정을 통해 뷰 파인더로 보이는 원리고, 필름이 아닌 CMOS 촬상소자를 사용해서 광신호를 전기 신호로 변환해요."

재홍이 흥미롭다는 듯 고개를 끄덕이자 이론 수업이 계속되었다.

"보세요. 렌즈가 마주 보는 상을 잡죠?"

"네."

"내부 RGB 필터를 거쳐 촬상소자에 피사체가 맺혀요. 여기 튀어나온 부분이 펜타프리즘인데 사용자가 뷰 파인더에서 정립상을 볼 수 있게끔 굴절 과정을 통해 상하 역상을 보정해 줘요. 리플렉스 카메라라고 불리는 이유입니다."

'망했군……'

가르쳐 달라고 한 사람이 설명을 끊을 명분은 없었다. 만일 11분 동안 강의가 지속될 줄 알았다면 재홍은 애초에 카메라를 본 척도 하지 않았을 것이다.

"잘 이해하셨는지 확인할게요. 이 부분이 무슨 기능을 한다고 그랬죠?"

"매뉴얼 포커스 시 피사체의 초점을 맞추는 데 씁니다."

"명칭은요?"

"포커스 링."

"콘트라스트와 위상차 AF의 차이를 설명해 보세요."

"콘트라스트 AF는 포커스의 정확성, 위상차 AF는 속도가 강점입니다. 추상우 씨 카메라는 두 가지를 접목한 하이브리드 오토 포커스 방식이고요."

"잘하셨어요."

'……칭찬 받았군.'

그것은 오늘의 유일한 업적이었다. 재홍은 기뻐해야 하는 게 맞는지 혼동을 느꼈다. 남자와 다니면서 핀잔을 받거나 쌀쌀맞은 반응만 보다 보니 특별할 것 없는 인사말조차 희소가치가 높게 느껴졌던 것이다. 그는 여유롭게 미소 지으며 아무렇지 않게 답했다.

"다 설명을 잘해 주신 덕입니다."

"그렇죠? 뭘 좀 아시네요."

그때 남자가 살짝 웃었다. 무감정하던 눈이 둥글게 휘어지며 눈동자가 눈꺼풀 사이로 사라졌다. 그저 얼굴 근육이 조금 움직였을 뿐인데 딱딱하던 분위기가 180도 바뀌었다. 그 미소에는 어린아이 같은 구석이 있었다.

'내 애인? 존나 귀여워.'

장재영이 틀린 말을 한 것 같지 않았다. 그러나 특유의 무뚝뚝한 표정은 금세 돌아왔다.

"방금 설명해 드린 건 특정 카메라의 구조 개론에 불과합니다. 기종에 따라 작동 원리가 조금씩 다르다는 점, 명심하세요."

"네."

"꾸준히 공부해야 실력 있는 사진사가 될 수 있어요. 필요하시면 재영이 형을 통해서 유용한 카메라 강좌 링크를 보내 드리겠습니다."

"알겠습니다."

다 좋은데 결론이 마음에 안 들었다. 굳이 '재영이 형 통해서'라니, 2시간 중 금쪽같은 11분을 써 가며 밀도 높은 강의를 버틴 보람이 없었다. 뭐, 이 괴짜와 약간 친해진 것 같기는 했지만.

재홍은 손을 내밀며 낮은 목소리로 물었다.

"이론을 배웠으니 이제 실습할 차례 아닙니까?"

남자는 재홍이 부수기라도 할 것처럼 카메라를 팔로 감쌌다. 친해졌다는 느낌은 아무래도 착각이었나 보다.

"아직 실습할 실력은 아니시잖아요. 모범 예제를 보여 드릴게요."

그는 재홍의 요청을 무시한 채 카메라를 조심스럽게 가방에 집어넣었다. 주머니에서 휴대폰을 꺼내 사진첩에서 스크롤을 한참 내리다, 사진 한 장을 골라 재홍에게 보여 주었다.

어둑한 사막 배경, 한 남자가 머리에 두건을 두른 채 SUV 컨버터 블로 보이는 차량의 운전대를 잡고 있었다. 지평선은 기울어졌고 초점도 맞지 않았지만, 피사체의 미소가 사진을 환하게 밝히고 있었다. 장재영이 그렇게 행복하게 웃을 줄 아는 사람이란 걸 재홍은 처음 알았다.

"이거 찍은 직후에 카메라를 놓쳤어요. 하필 모래바람이 심하게 불어서 기기도 고장 나고 모래도 많이 먹었는데…… 이 사진 건져서 괜찮아요."

남자는 갑자기 수다스러워졌다.

'뭘 어쩌라는 거지?'

맞장구쳐야 할 때였으나 재홍은 비뚜름한 냉소를 지었다. 사막에는 왜 갔는지, 장재영은 뭐가 좋다고 함박웃음을 짓고 있는지, 남자는 왜 사진을 자랑하는 듯한 표정으로 보여 주는지. 재홍은 그들의 구구절절한 추억이 조금도 궁금하지 않았다. 그는 비아냥거리고 싶은 충동을 눌러 참고 화제를 돌렸다.

"여행 좋아하시나 봅니다."

"네. 같은 개체도 배경에 따라 달라 보이니까요."

"그렇죠. 이번 휴가는 어디로 가십니까?"

"캐나다 북극권이요."

"오로라 보러 가시는군요."

"네. 스노보드도 탈 겸……. 4년 전에도 갔는데 그땐 기상 문제로 오로라를 못 봐서, 재영이 형이 꼭 보고 싶다네요."

남자는 억지로 끌려가는 사람처럼 무관심한 태도로 말했다. 오래 사귄 연인의 권태와 의무감. 재홍은 틈을 발견했다고 생각했다.

"그깟 빛이 뭐라고 관광객들은 그렇게 유난인지 모르겠습니다. 거기에 투자할 시간과 비용으로 훨씬 가치 있는 일을 할 수 있을 텐데 말입니다."

"하긴, 저도 비슷하게 생각하던 때가 있었어요."

"네?"

"7년 전의 저라면 아마 태양풍 속 플라즈마가 대기권과 마찰해서 공기 분자가 연소하는 현상에 사람들이 왜 열광하는지 모르겠다고 말했을 겁니다."

7년 전이라면 둘이 연애하기 이전 시점이었다.

"그럼 지금은요?"

"지금은…… 태양풍 속 플라즈마가 대기권과 마찰할 때 질소나 네온 등 다른 기체보단 적은 양의 산소가 이온화했으면 좋겠어요. 재영이 형은 가시광선 중 빨간색이 가장 잘 어울리거든요."

또다시 불쾌한 기분이 고개를 내밀었다. 장재영을 소유하고 싶어서 사진 찍는 남자, 그의 배경을 달리 보려고 여행 다니는 남자, 그와 잘 어울린다는 이유로 오로라가 붉은빛이기를 기대하는 남자. 아무리 이상한 소리를 해도, 태도가 무관심해 보여도 결론은 한 가지일 수밖에 없었다.

'돈 때문에 결혼하려는 게 아니었나.'

몸으로만 부딪치는 관계에 익숙해서일까, 금전 문제로 분쟁 겪는 부부를 질리도록 봐서일까. 이들의 관계에 '사랑'이 존재한다는 가정만으로 재홍은 불쾌감을 느꼈다.

"추상우 씨."

"네."

"이다음에 갈 종전 기념 공원은 어떤 곳입니까?"

"인류의 전쟁사와 평화의 중요성에 관해 배울 수 있는 유익한 장소입니다."

"별로네요. 조용한 장소에서 단둘이 얘기하고 싶은데."

수족관 유리에 코를 대고 갑오징어를 구경하던 남자가 의아하다는 표정으로 뒤돌아봤다. 재홍은 그 시선을 가만히 마주쳤다.

"볼 만큼 본 것 같은데, 장소 옮기죠."

"여기부터가 진짜 볼만한데요."

남자는 〈카무플라주, 은신의 명수들〉이라고 적힌 팻말을 손짓했다. 그러나 재홍은 그 위에 붙은 포스터를 훑어보고 있었다.

로맨틱 스카이라인 디너 10% 할인!
연인과 함께 아름다운 15층 전경을 즐기세요.

아무 소득 없이 58분을 소모해서 더 낭비할 시간이 없었다. 마침 통로에 엘리베이터가 있었다. 재홍은 주머니에 한쪽 손을 넣고 버튼을 눌렀다.

"어디 가시게요?"

"15층이요."

"거긴 식당입니다. 배고프세요?"

"말씀드렸잖습니까, 상우 씨와 조용한 곳에서 대화하고 싶다고."

"고집부리신다면 의향을 따라드리기는 하겠지만, 제게도 다 계획이 있는데요."

남자는 언짢은 표정으로 시계를 보았으나 재홍은 그 말을 못 들은 척했다.

곧 엘리베이터가 도착했고, 그들은 밀폐된 공간에 단둘이 들어섰다. 재홍은 '15층 라운지' 버튼을 누르고 한쪽 벽면에 기댔으며, 남자는 문을 향해 똑바로 섰다.

'외모는 멀쩡한데…….'

남자는 입만 다물고 있으면 그림이 그럴듯했다. 머리 스타일이나 패션에 관심이 없어서 평범함을 고수해도, 기본적으로 잘생긴 얼굴을 타고난 듯했다. 이마에서 미간으로 이어지는 곡선이나 코끝이 만드는 섬세한 실루엣은 그를 나이보다 훨씬 어려 보이게 했다. 갸름한 턱에서 이어지는 목에는 섹시한 구석이 있었다. 가늘고 하얘서, 어쩐지 한 손으로 꽉 쥐어 보고 싶어지는…….

"저를 관찰하시는 건가요?"

남자가 앞을 보며 작게 말했다. 드디어 미묘한 분위기가 잡히려는 듯했다. 재홍은 기다렸다는 듯이 대답했다.

"네. 눈을 떼지 못하고 있습니다."

"왜 보시는 거예요?"

"그럼 안 됩니까? 미남은 공공재라고 생각하는데요."

"경제 전문가치고 시시껄렁한 농담을 하시는군요."

그가 입가에 비웃음을 띤 채 몸을 살짝 돌렸다. 둘의 눈이 마주쳤을 때, 재홍은 이것이 다시 오지 않을 기회임을 직감했다. 재홍은 남자에게 한 발짝 다가가, 그가 도망치지 못하도록 눈빛으로 옭아매며 낮게 속삭였다.

"저, 장재영하고 닮았습니까?"

"네. 일란성 쌍생아잖아요."

"그만큼 틀린 점도 많습니다."

남자의 미간이 좁아졌다. 그의 시선이 재홍의 머리카락에서 목으로, 가슴과 허리를 지나 발끝까지 천천히 떨어졌다.

"셔츠 어디 거예요?"

"맞춤 셔츠입니다."

"아쉽네요. 형한테 사 주고 싶은데."

다른 남자가 노골적으로 유혹하는데 셔츠가 애인에게 잘 어울리겠다는 생각을 하는 게 정상인가. 재홍의 사고방식으로는 도무지 이해할 수 없었다. 남자는 재홍의 어깨에서 눈을 떼고서 시선을 맞추었다.

"재영이 형은 정장을 자주 입지도 않지만, 스타일링을 좀 다르게 해요. 정석적인 스타일이 시시하다고 생각하거든요."

"그렇죠."

"만일 그렇게 입고 있었다면…… 이 자리에서 덮쳤을 거예요."

"……."

그는 아무렇지 않게 내뱉고서 마침 열린 문 사이로 내려 버렸다. 남자는 얌전해 보이는 겉모습과 달리 과격한 구석이 있었다. 재영이 그에게 정신 못 차리는 요인을 알 것 같은 기분이 들었다.

15층 레스토랑은 분위기가 그런대로 괜찮았다. 점심도 저녁도 아닌 모호한 시간대였지만 뭘 해 보기엔 전쟁 기념관보다 훨씬 쉬울 것이 분명했다.

흰 식탁보가 펼쳐진 창가 자리에 앉자 종업원이 하드커버로 된 메뉴판을 가져다주었다. 재홍은 와인을 눈으로 고르고서 메뉴판을 돌려 상대에게 내밀었다.

"뭐 드시겠습니까? 이번엔 제가 사죠."

"저는 됐어요."

"간단한 간식이라도……."

"이따 형하고 저녁 먹어야 해요."

말끝마다 형, 형. 재홍은 마음에 들지 않았지만 아무렇지 않은 척,

메뉴판을 접고 치즈 플래터와 프랑스산 화이트 와인을 주문했다.

한동안 둘 다 아무 말도 하지 않았다. 남자는 팔짱을 낀 채 창밖을 보았고, 재홍은 머릿속으로 화제를 고르며 그의 몸을 곁눈질했다. 검은 폴로셔츠가 감싼 어깨는 반듯했고 길게 뻗은 팔에 근육이 날렵하게 잡혀 있었다. 투박하고 마디가 툭 튀어나온 손가락에 재영이 한 것과 같은 모양의 반지를 꼈다. 오른손에는 길고 가느다란 상처 몇 개가 있었다.

"손에 상처가 있으시네요."

남자가 눈을 내리깔고 제 손을 보았다가 다시 밖을 응시했다.

"집에 짐승을 키워요."

상처 모양으로 보아 고양이를 기르는 듯했다. 분위기를 부드럽게 만들 기회였다.

"고양이죠? 무슨 품종입니까?"

"집고양이는 개와 달리 품종 개량 역사가 짧아서 분류하는 의미가 적어요. 그래도 굳이 물어보신다면 잡종입니다."

"인간이 편의에 따라 나눈 품종이 무슨 의미겠습니까. 건강하기만 하면 그만이죠."

"재영이 형이 주워 왔을 때는 기생충 감염과 범백 혈구 감소증 때문에 목숨이 위험했는데 지금은 건강해요."

"그렇군요. 이름이 뭡니까?"

"풀 네임은 '비주얼 베이직'입니다. 형은 '비비'라고 부르고요."

"특이하네요."

"제게 친밀감을 느끼게 하려고 제 직종에 관련된 명칭을 따왔는데, 그 계획은 실패했습니다."

"……."

아무래도 대화 방향을 잘못 잡은 듯했다. 재홍은 뒤늦게 화제를 틀었다.

"저도 고양이는 별롭니다. 개하고 틀려서 사람을 잘 안 따르잖아요."

그 말에 남자가 표정을 찌푸렸다.

"사료 제공하고 배설물 치워 주는 사람을 못 알아보고 사냥하려고 해요. 멍청한 건지 못된 건지 모르겠는데, 어느 쪽이든 심각한 문젭니다."

"저는 고양이는 키워 본 적 없고, 아버지가 개를 좋아하셔서 집에서 늘 한두 마리씩 키웠습니다."

"알아요. 루시와 탄, 각각 래브라도 리트리버와 저먼 셰퍼드 종. 프랑스에서 아홉 살 때까지 키우셨잖아요. 헤어질 때 많이 우셨다고 들었어요."

'장재영, 별 얘기를 다 하고 다녔잖아……'

재홍은 어릴 적에 키우던 커다란 개들을 떠올렸다. 보직이 변경되면서 아버지는 후임 영사에게 개들을 넘겼다. 재홍은 루시, 탄과 헤어지던 날에 재영의 잠꼬대를 들으며 밤새 울었다.

"미르, 사모예드 종은 홍콩에서 2년간 키우셨고요."

"정확하시네요. 그 친구는 제가 고집부려서 영국에 같이 데려갔습니다."

그맘때 부모가 이혼하는 바람에 재영은 어머니와 한국으로 돌아갔고 재홍은 영국에서 아버지 손에 자랐다.

웬일로 대화가 정상적으로 흘러가고 있었다. 재홍은 이 기세를 몰아 개에 관련된 흥미로운 일화를 몇 가지 떠올렸다.

"제 대학 동기 중에 술만 마시면 짖는 친구가 있었습니다."

"그렇군요."

"그 친구는 남성인데, 주로 암캐처럼 짖은 모양입니다. 그 녀석이 취한 날이면 발정 난 수캐들이 플랫 앞으로 모여드는 바람에 주민들이 고생했다는 후문이 있습니다."

남자는 웃지도 않고 얼굴을 찌푸리지도 않았다. 그저 무표정으로 재홍의 말이 끝나기를 기다렸다가 고개를 끄덕였다.

"잘 들었습니다. 괜찮으시다면 아동기에 관한 화제로 돌아가도 될까요?"

"······좋으실 대로."

"재영이 형, 어렸을 때 여학생들한테 인기 많았죠?"

아동기라고 돌려 말했지만 결국 장재영에 관해 수다 떨고 싶다는 거였다. 재홍은 퉁명스럽게 답했다.

"제가 더 많았습니다."

"농담도 잘하시네요. 그럴 리 없잖아요."

"······."

"열 살에 사귀었다는 첫 여자친구요, 아멜리란 애······. 옆에서 보셨겠네요?"

"네, 뭐······."

"어떤 아이였나요?"

"머리가 그리 좋은 친구는 아니었던 걸로 기억하는데요."

"형은 만나는 사람마다 제가 첫사랑이라고 떠벌리고 다녀요."

"······."

"저를 꼬시기 위해 17년 동안 연애를 반복적으로 연습했다는 건데······. 그렇게 터무니없는 주장을 누가 믿겠어요?"

'뭘 어쩌라는 거지?'

재홍은 싸늘한 표정을 짓지 않기 위해 노력해야 했다. 남자는 오늘 본 모습 중 가장 들떠 보였다.

"재영이 형, 어릴 때도 농구 스타일이 얍삽했어요?"

"학교에서 손 들고 발표하는 경우가 있었나요?"

"그림은 몇 살 때부터 그렸어요?"

"어른들에게 인사는 잘 했습니까?"

"초등학교 입학했을 당시 키와 몸무게가 어떻게 됩니까?"

그 외에도 수많은 질문이 쏟아졌지만 재홍은 한 가지도 제대로 대답할 수 없었다. 어린 시절이 잘 기억이 나지 않는 데다가 둘은 성향이 너무 달라서 같이 놀지도 않았기 때문이다.

"혹시 보관하고 계신 재영이 형 사진이나 그림 있으면 스캔해서 제게 판매하세요. 원본 주시면 더 좋고요."

"없어요."

"일기장이나, 숙제 노트나, 편지나, 다른 자료도 괜찮아요."

"아―무―것―도 없습니다."

둘의 통화를 들었을 때만 해도 바깥에서 손가락만 튕겨도 와르르 무너질, 매너리즘에 빠진 커플이라고 생각했다. 그러나 착각이었다. 남자는 사랑에 빠진 걸 넘어서서 스토커처럼 보일 지경이었으니까.

"생활 기록부에 뭐라고 적혀 있을지 궁금해요. 분명히 교사들의 귀여움을 독차지했겠죠?"

"아니요. 요주의 문제아에 가까웠습니다."

"진실만 말씀해 주세요."

"무언가 단단히 착각하고 계신 겁니다. 장재영, 어릴 때 하나도 안 귀엽고, 안 깜찍하고, 안 사랑스러웠습니다. 사고만 치고 다니는 악동이었어요."

"쌍생아라고 많이 질투하셨나 보네요."

마침 웨이터가 와인 병과 접시를 들고 와서 망정이지, 하마터면 대답할 말을 찾지 못해 곤란할 뻔했다. 웨이터는 재홍의 잔에 와인을 따라 주고 남자를 바라보았지만 그는 거절했다. 이 지긋지긋한 화제를 돌릴 절호의 기회였다.

"술은 잘 안 하시나 봅니다."

남자는 대답하는 대신 재홍의 어깨너머를 보았다. 한참 동안 시선을 빼앗긴 걸 보면 그곳에 무언가 특별한 게 있는 듯했다. 재홍은 뒤를 쓱 보았으나 레스토랑의 평범한 전경일 뿐이었다.

"왜요? 저기에 뭐 있습니까?"

"별거 아니에요."

"뭔데요?"

"재영이 형이 자꾸 왔다 갔다 해서요."

"……장재영이요?"

"바쁘다더니, 가발까지 쓰고 무슨 속셈인지 모르겠어요."

재홍은 아예 몸을 돌리고 한참 동안 뒤편을 자세히 보았지만, 재영을 찾지 못했다. 남자의 건조한 목소리가 뒤통수를 찔렀다.

"지금은 없어졌습니다."

"자꾸 왔다 갔다 했다면, 여러 번 보셨다는 말씀입니까?"

"1층에서 못 보셨어요? 리플릿으로 얼굴 가리고 1m쯤 떨어져서 같이 걸어 다녔는데요."

'이런, 미친 자식!'

기껏 2시간 주면서 단서를 덕지덕지 붙여 놓더니, 그조차 불안해서 따라다녔단 말인가. 남자는 주변을 다시 둘러보더니, 누가 듣기라도 할 것처럼 조용히 속삭였다.

"모르는 척해 주세요. 부탁드려요."

"네? 왜요?"

"변장을 간파당하면 시무룩해해요."

"……."

"5년 전 만우절에 그랬거든요. 문을 두들기며 편지 왔다는데, 그렇게 예쁘장한 우편집배원이 어디 있습니까? 저도 모르게 키스해 버렸어요."

"어쨌든 지금은 사라졌다는 거지요?"

"네. 1분 전에 나갔어요."

시계를 확인해 보니 남은 시간은 36분. 이제 정말 꾸물거릴 시간이 없었다. 감시하는 장재영이 사라졌다면 더더욱.

남자는 우회적인 화법을 못 알아들으니, 남은 방법은 섹스하자고 직접적으로 제안하는 것뿐이다. 재홍은 따라 놓은 와인을 한입에 마셔 버리고 남자의 눈을 빤히 바라보았다. 곧 유난히 새까만 눈동자 한 쌍이 시선을 맞추었다.

"추상우 씨."

"네."

재홍은 잠시 뜸을 들였다가 낮은 목소리로, 속삭이듯 물었다.

"제가 이 먼 데까지 물고기나 보러 왔다고 생각하십니까?"

"휴가차 관광하러 오셨다고 전해 들었습니다."

"그건 핑계고 목적은 따로 있습니다."

남자가 눈을 몇 번 깜빡거렸다. 그러더니 모든 것을 알고 있다는 눈빛으로 재홍을 가만히 보았다.

"역시, 그럴 줄 알았어요."

뜻밖의 대답에 재홍의 턱이 툭 떨어졌다.

"네?"

"사실 재홍 씨 목표, 진작 눈치챘습니다."

"어, 언제부터……."

"제 차에 타신 지 12분 지났을 때요. 제 집에 방문하려다 실패하신 시점입니다. 남의 집에 왜 들어가고 싶을까 추리해 보다가 문득 수상하다는 생각이 들었죠."

남자는 양손을 깍지 끼며 탐정처럼 진지한 태도와 표정으로 말했다. 재홍이 대답할 말을 못 찾고 눈만 깜빡거리자 그의 얼굴에 확신이 더욱 진해졌다.

"제가 재영이 형하고 결혼할 자격이 있는지 시험하러 오셨죠?"

"네?"

"제 생활 습관을 점검하고, 제 행실을 가늠하는 질문을 던지고, '이응' 단어, '피읖' 단어 등 침착성을 잃을 만한 주제로 유도 신문하고, 사진 찍는 법을 가르쳐 달라는 뜬금없는 과제로 순발력을 시험하셨어요. 신체가 건강한지 가늠하기 위해 외모를 자세히 관찰하고, 사생활을 언급하는 압박 면접으로 위기 대처 능력을 판단하셨고요."

"……."

"제 점수가 어떤가요?"

남자는 담담한 태도로 헛다리를 짚었다. 재홍은 이 오해를 어디부터 풀어야 하는지 생각만 해도 어지러웠다.

'하지만, 어떻게든 하지 않으면 장재영이 이 또라이 새끼와 결혼해야 돼!'

재홍은 임기응변을 발휘했다.

"저는 이 결혼 반대합니다."

"그러실 줄 알았어요. 저도 눈치라는 게 있는데……."

그러나 미리 생각해 놓은 대사인 '당신을 장재영한테 줄 생각 없습니다!'를 박력 넘치게 내뱉기도 전에 남자가 심드렁하게 대꾸했다.

재홍은 점점 의욕을 잃어 갔다. 이제까지 크고 작은 위기를 어떻게든 견뎌 냈지만, 이번에야말로 포기하고 싶어졌다. 엘리트 코스만 밟아 왔고 직장에서 승승장구하는 경제 전문가는 실패가 낯설었다. 손을 들어 세수하듯 얼굴을 문지르고 있는데 남자가 툭 내뱉었다.

"신종석 씨와 신미희 씨처럼 제가 남자라서 반대하시는 거라면 재고해 주십시오."

"네?"

"저나 재영이 형이나 성별을 골라서 태어난 건 아니잖아요."

"신…… 아니, 제 외조부를 만나셨습니까?"

외조부는 고집이 센 사내로, 늙으면서 고집이 점점 심해지고 있었다. 끔찍이 아끼는 손자의 동성 결혼을 허락할 리 없었다. 그러나 남자는 곤란해하는 기색 없이 답했다.

"세 달 전에 찾아뵙고 청첩장 드렸습니다."

재영이 당연히 결혼을 비밀로 하리라고 생각했다. 그 괴팍한 노인은 일흔이 넘은 나이에도 해외에 골프를 치러 다닐 만큼 건강했고 수틀리면 손자에게 골프채를 휘두를 양반이었기 때문이다.

"별 사고 없으셨나요? 뭘 던지셨다든지……."

"고강도 언어폭력에 노출되기는 했지만 물리적 피해는 입지 않았어요. 제가 동체 시력이 좋아서 피하는 건 자신 있거든요. 그리고 아무리 정정하셔도 노인이잖습니까."

"……."

"아쉽게도 축복 받지는 못했지만 결혼식 오신다는 확답은 받아 냈으니까요."

"뭐라고 하셨는데요?"

"반드시 오셔서 깽판 놓겠다고 하셨어요. 와 주시는 것만으로 감사하죠."

남자는 차분한 태도로 파이널 보스를 쓰러뜨렸노라고 공표했다.

'순 미친놈이네.'

재홍은 속으로 욕을 내뱉었다. 그리고 한동안 침묵이 흘렀다.

남자는 더 할 말이 있다는 표정으로 재홍을 바라보았다. 재홍은 그 예측 불가능한 입에서 무슨 말이 나올지 몰라서 긴장이 되었으나, 그는 제법 공손하게 양손을 마주 잡았다.

"저, 재영이 형에게 좋은 남편이 될 자신 있습니다."

"……그러시군요."

"다정한 연인은 다정한 배우자가 될 확률이 높거든요. 늘 재영이 형을 배려하고 목소리에 귀 기울이려고 노력해요. 문제점이 있다면 개선하기 위해 연애 만족도 설문을 매년 하고 있는데, 6회 평균 점수가 약 99.83점입니다."

"……."

"3회차에 99점 받고 평균이 많이 깎였어요. 하필 심하게 다툰 다음 날이어서."

남자는 마치 선거 유세 같은 내용을 높낮이 없는 음성으로 늘어놓았다. 재홍은 머리가 지끈지끈 아팠다. 가만히 내버려 두면 그가 연설을 이어 나갈 것 같아서, 입을 열고 아무 말이나 지껄였다.

"오해입니다. 추상우 씨가 마음에 안 드는 게 아니에요."

그리고 말을 멈추었다. 그러게, 왜일까. 이상한 사람이긴 해도, 남자가 마음에 차지 않아서 결혼을 반대하는 건 아니었다. 그 자리에 다른 사람이 있었어도 재홍은 결혼을 막으려고 들었을 것이다.

'정말 한심하군.'

결론에 이르기는 어렵지 않았다. 장재영이 불행해질까 봐 나섰다지만, 재홍은 사실 쌍둥이 형이 사랑에 빠졌다는 사실을 인정하기 싫었을 뿐이다.

남자는 여전히 대답을 얌전하게 기다리고 있었다. 그러나 재홍은 장재영이 자신처럼 방황하면서 살았으면 좋겠다고 그에게 솔직하게 말할 수는 없었다. 재홍은 직선적인 시선을 맞받아치며 말을 이었다.

"두 사람, 근본적으로 너무 틀려요. 장재영이 하늘 위의 새라면 추상우 씨는 땅에 핀 버섯이나 다름없습니다."

남자는 얼굴을 찌푸렸다. 한참 동안 고민스러운 표정을 짓고 있다가 침울하게 대답했다.

"차라리 신종석 씨처럼 욕을 하세요. 저는 그런 조롱을 들을 만큼 저능하지 않습니다."

"그건 또 무슨 소립니까?"

"시치미 떼지 마세요. 한쪽은 조류, 한쪽은 식물도 아닌 균류로 설정하신 이유가 있을 거 아닙니까."

"장재영이 갈매기라면 상우 씨는 펭귄이나 다름없습니다. 이러면 됐습니까?"

"네."

재홍은 한숨 쉬며 말을 이었다.

"보세요. 당신은 정돈된 삶을 추구하는, 논리적인 사람입니다. 장재영은 감정적이고 혼란을 즐기죠. 대체 왜 둘이 결혼하겠다는 겁니까? 그냥 각자 살아요."

"……."

"단적으로 장재영, 변덕이 심하지 않습니까. 성질도 더럽고요."

남자는 재홍의 말을 다 듣고서 무덤덤하게 대답했다.

"의사 결정이 자유롭고 새로운 도전을 즐기는 개방적 성향이라고 할 수도 있을 텐데, 단어 선택이 악의적이시군요. 또한, '성질이 더럽다'는 표현은 다분히 주관적이에요. 그렇다면 '깨끗한 성질'은 뭘 뜻하는지 의문입니다."

"자기 방도 안 치울 거 아닙니까. 늘 추상우 씨가 치우죠? 둘이 가사 분담 비율이 어떻게 됩니까?"

"생활 습관이 엉망인 건 사실이지만 제가 괜찮은 편이니까 커버할 수 있어요. 저는 집안일을 쉽게 처리하고 재영이 형은 고통스러워합니다. 난이도 계수를 적용하면 밸런스가 딱 맞아요. 그리고 열역학 제2 법칙에 따르면 세상이 질서에서 혼돈으로 흘러가는 것이 당연합니다. 방을 어지르는 건 인간의 자연스러운 습성이지, 비난받을 결점이 아니에요."

'이 자리에 있지도 않은 놈을 아득바득 변호하고 있잖아.'

재홍은 남자를 보며 공주의 성탑 앞을 지키는 드래곤을 떠올렸다.

"두 사람, 너무 틀⋯⋯."

"'성질이 같지 않다'와 '어울리지 않는다' 두 명제는 동치가 아닙니다. 가령 서로 다른 극인 양성자와 전자 사이에는 강한 인력이 발생해요. 체스 판은 흰색과 검은색 격자무늬가 대비되기 때문에 시선을 끌죠. 자연에서 카오스와 코스모스는 떼려야 뗄 수 없는 관계예요."

"⋯⋯."

"분명히 저희가 잘 어울린다고 생각하시게 될 거예요. 지켜봐 주세요."

남자는 의외로 달변가였다. 재홍은 멍하니 듣고 있다가 하마터면 설득 당할 뻔했지만 정신을 다잡았다. 이곳이 최후의 저지선이었다.

재홍이 포기한다면 재영은 꼼짝없이 남자에게 결혼 당하게 된다.

"더 잘 맞는 사람도 많을 것 같은데. 굳이 장재영이어야 합니까?"

"재홍 씨는 설득이 통하지 않는 사람이군요. 그렇다면 다음 단계로 넘어갈 테니 잘 들으세요."

무덤덤하던 남자의 눈빛이 의지로 반짝였다. 그는 진지한 표정으로, 연설하듯 또박또박 말했다.

"저는 경쟁에서 승리하고 목표를 쟁취하는 데 익숙한 사람입니다. 잘 알지도 못하는 사람들한테 몇 마디 듣고 제게 가장 큰 행복과 쾌락을 주는 존재를 포기할 정도로 비합리적이지도 않아요."

"……."

"175일 뒤에 무슨 일이 있어도 장재영하고 결혼할 겁니다. 방해해 봤자 실패할 테니, 축복할 말이나 준비하는 게 정신 건강에 좋을 거예요."

재홍은 무표정을 가까스로 유지했지만 속은 말이 아니었다. 어느새 재영을 사이에 놓고 싸우는 적대 구도가 된 것도, 남자에게 훈계를 듣는 상황도 황당했다.

'솔로몬이 장재영을 포기하라고 한다면 반으로 잘라 갈 놈. 정말 지겹군!'

예상대로 조금도 흘러가지 않는 전개에 질려 버리기는 했지만 그 또한 경쟁에서 승리하는 데 익숙한 남자였다. 어떤 경우에도 패배하고 싶지 않았다. 재홍은 마지막 기력을 짜내어, 이를 악물고 말했다.

"왜 장재영이어야만 하는지, 대답 안 하셨습니다."

"장재영을 좋아해요."

1초도 지나기 전에 돌아온 대답은 남자가 이제까지 내뱉은 말들과 결이 달랐다. 논리나 근거가 전무했으며 놀랍도록 단순했다.

"추상우 씨에게 더 큰 쾌락을 줄 수 있는 존재는 찾아보면 수두룩할 텐데요."

"그럴 리 없어요."

"어떻게 알죠? 다른 남자 안 만나 봤잖아요."

"필요 없어요."

"가령 저는! 추상우 씨가 좋아하는 외모에, 선호하는 스타일로 옷을 차려입고, 안정을 추구하는 성격도 비슷하죠. 안 그렇습니까?"

남자는 불편하단 기색을 숨기지 않았다. 팔짱을 끼고 미간을 찌푸린 채 심각하게 말했다.

"제가 바이섹슈얼 성향이라, 방금 하신 말씀이 제게 수작 거는 것처럼 들렸습니다. 오해의 소지가 있는 언행을 삼가 주세요."

'눈치가 없어도 정도가 있지.'

재홍은 남자를 한 대 때리고 싶은 충동을 억누르며 내뱉었다.

"맞습니다, 수작 거는 거."

"네?"

"재영이가 저 게이라고 말 안 하던가요?"

"그런 말은 전혀……."

"저 남자 좋아합니다. 그리고 추상우 씨에게 끌립니다."

남자의 눈이 동전만 해졌다. 그는 뒤통수를 얻어맞은 사람처럼 입을 쩍 벌렸다. 무슨 말을 해도 무표정하던 그 얼굴에 난처함이 깃드는 모습은 재홍에게 약간의 쾌감을 주었다.

재홍은 손목시계를 슬쩍 보았다. 남은 시간은 22분, 짧다면 짧고 길다면 긴 시간이었다. 아직 기회는 사라지지 않았다. 실낱같은 희망이 남아 있었다.

"아까부터 제게 눈을 못 떼시던데."

그는 가슴을 천천히 펴며 의자에 기대앉았다.

"쌍둥이라고 잠자리 스타일까지 비슷한지, 궁금하지 않습니까?"

남자의 눈빛이 순식간에 뾰족해졌다. 표정이 심각하길래 뺨이라도 맞으려나 싶었는데, 그는 옆으로 고개를 돌리고 바닥을 쏘아보았다.

"장재홍 씨, 겉모습만 완벽할 뿐이지 속은 파렴치한 위선자시군요."

"……."

"추잡스럽고, 난잡하고, 부도덕하고, 구제 불능이고, 재사용도 안 될, 음식물 쓰레기에 잘못 분류한 달걀 껍데기 같은……."

"……말이 심하잖습니까."

"뭐가 심해요? 형제의 남편 될 사람한테 음탕한 마음을 품어 놓고, 욕먹기는 싫다는 겁니까?"

한국어를 알아들을 만한 사람이 주변에 없어서 다행이었다. 재홍은 이렇게 심하게 혼난 적이 난생처음이라 어안이 벙벙했으나, 이제 와서 굽히고 들어갈 수는 없었다.

"몸이 끌리는데 형의 남편이고 말고가 무슨 상관입니까?"

"보노보 원숭이라면 몰라도, 인간 사회에는 지켜야 할 예절이 있어요."

"비밀로 하면 되잖습니까? 당신도 제게 끌리잖아요. 제 스타일이 장재영하고 틀려서 마음에 든다고 하셨잖습니까."

"착각도 심하시네요."

남자는 재홍이 진심으로 우습다는 표정을 지었다.

"당신, 장재홍이지 장재영이 아니잖아요. 아무리 유전자 염기 서열이 같아도 다른 개체잖아요."

그는 말이 통하지 않는 벽과도 같았다. 합리적으로 사고하는 것 같다가도 주제가 장재영이 되면 사이비 종교 광신도처럼 맹목적인 태도를 보였다. 남자는 양손으로 식탁을 짚고 거칠게 일어서서 차가운 눈으로 재홍을 내려다보았다.

"2시간 동안 관광 안내를 하기로 했는데 약속을 지키지 못해 유감입니다."

"……가시게요?"

"네. 안전하게 본국으로 돌아가고 싶다면 재영이 형에게 오늘 일함구하고 가장 이른 비행기 편 잡으세요."

"잠깐만요, 추상우 씨!"

재홍의 부름이 목적을 잃고 흩어졌다. 남자는 그의 말을 무시하고 뒤돌아 걸어가 버렸으니까.

재홍이 쫓아가야 하나 말아야 하나 고민하는 사이, 남자가 돌아왔다. 그는 테이블 앞에 서서 숨을 거칠게 내쉬며 재홍을 내려다보았다.

"외국인이시니 넘어가려고 했는데, 계속 신경 쓰여서……."

"네?"

"'틀리다'와 '다르다'는 구분해서 써야 합니다. 스타일이 다르다, 개와 고양이는 다르다, 두 사람이 다르다, 틀린 점이 아니라 차이점. 한국어 사용자라면 그 정도는 알아야죠."

"……."

"페어웰, 에릭 장."

남자는 처음 만났을 때처럼 한국식 발음으로 인사를 건넨 뒤 바람처럼 떠나 버렸다. 혼자 남은 재홍은 넋이 나간 듯 한동안 멍하니 앉아 있었다.

'제길.'

마른세수를 하고 의자에 등을 푹 기대니 피로가 쏟아졌다. 남자와 명함을 교환하던 순간부터 그가 퇴장하기까지 일어난 일들을 차근 차근 짚어 보자 더욱 피곤해졌다. 분석은 빠르게 끝났고 결론은 간단했다.

처음부터 실패였다. 남자와 로맨틱한 분위기를 낼 수 있는 방법은 한 가지도 떠오르지 않았다. 단 한 가지도. 재홍에게 그는 원래부터 손잡이가 없는 문이자 삼킬 수 없는 모형 요리와도 같았다.

'하긴, 애초에 불안했다면 보여 주지 않겠지…….'

깨달음은 뒤늦게 찾아왔다. 장재영의 한번 당해 보라는 듯 이죽거리는 얼굴에 해답이 있었다. 재홍은 정에 눈이 가려 쓸데없는 일에 시간과 기력만 낭비한 셈이다.

'이 먼 곳까지 뭐 하러 온 걸까……. 미친놈들끼리 결혼해서 잘 먹고 잘 살게 놔둘 것을.'

그때 멍하니 보고 있던 테이블 끝에 그림자가 졌다.

"상우 어디 갔어?"

장재영이 어디서 구했는지 의문스러운 곱슬머리 가발을 식탁에 던지며 빈 의자에 앉았다. 새 옷처럼 보이는 트레이닝복을 위아래 세트로 입고 있었다. 재홍은 한숨 쉬며 대답했다.

"좀 집적거렸다고 도망갔어."

뻔뻔스러운 입가에 만족스러운 미소가 번졌다. 재영은 남자의 와인 잔을 들어 술 따른 흔적이 없는 걸 확인하고서 머리카락을 손으로 정리했다. 불안해서 따라다닌 주제에, 그는 여유로운 웃음을 지었다.

"내 남자 만나 본 소감은?"

"정상은 아니야."

"귀엽지?"

"귀엽다고?"

음식물 쓰레기도 못 될 위선자라고 혼내던 남자의 음성이 아직도 귓가에 생생했다.

"예전에 비하면 많이 둥글둥글해진 거야."

"둥……글?"

"자기가 뱀인 줄 착각하는 고양이야. 가끔 너무 솔직해서 그렇지 나쁜 애는 아니니까 미워하지 마."

"……."

"결혼한 다음에 오해 풀고 다시 정식으로 소개해 줄게."

"그럼 6개월 동안 오해 받고 지내라고?"

"무슨 상관이야, 네 남편도 아닌데."

재홍은 연거푸 한숨을 쉬었다. 장재영의 손바닥 위에서 실컷 놀아난 기분이었다. 하루 동안 너무 충격적인 일을 많이 당해서 쉽게 회복될 것 같지 않았다.

재홍은 오늘 들은 것들 중 가장 믿기 어려웠던 이야기를 문득 떠올렸다.

"근데…… 진짜 할아버지 찾아가서 말했어?"

"어."

"미쳤군."

"그날 초상 치르는 줄 알았다."

재영이 넌더리 난다는 표정으로 고개를 절레절레 저었다.

"어땠는데? 안 맞았어?"

"나만, 따귀 한 대."

"그 정도로 끝났으면 훌륭하네."

"나도 그렇게 생각해. 근데 상우가 나 맞는 거 보고 충격을 많이 받았나 봐. 그 순한 애가 눈 돌아서 무슨 도베르만처럼 짖어 대는

데…… 할아버지 뒷목 잡고 엄마 울고, 그 와중에 도자기 날아와서 책장에 부딪혀 깨지고, 쌍욕에 고함에…….”

“…….”

“그래도 마무리는 어떻게 괜찮게 됐어. 체력이 예전 같진 않으시더라고. 걔가 비폭력주의자라 다행이지, 아니었으면…… 상상도 하기 싫다.”

상상만 해도 어질어질한 광경이었다. 재홍은 외조부 앞에서 주눅 들지 않을 만한 사람을 거의 알지 못했다. 외조부는 그만큼 타인 위에 군림하는 데 익숙하고, 누구에게나 성질을 마음껏 부리는 인간이었다. 그런데 남자가 그 앞에서 한마디도 안 지고 바락바락 대드는 모습은 어쩐지 쉽게 상상되었다.

“그걸 대체 어떻게 꼬셨어?”

내내 궁금했던 의문이 재홍의 입에서 툭 튀어나왔다. 그러자 심각한 얼굴로 이야기하던 재영이 피식 웃었다.

“말로 다 못 해. 책으로 쓰면 한 두 권 나올걸.”

그는 의자에 등을 기대곤 양 손바닥을 겹쳐 뒤통수를 받쳤다. 입가에 미소가 옅게 번졌다.

“좋은 나날이었지. 맨날 까만 모자나 쓰고 틱틱거리는데 그렇게 귀엽더라. 쫓아다니다 정신 차려 보니 남자친구 돼 있었어.”

“그러다 정신 차려 보니 남편 될 예정이고?”

“그런 거지.”

재영이 웃으며 덧붙였다.

“나 붙잡혔으니까 네가 포기해. 여든 살에도 옆에 붙어서 틀니 닦으라고 땍땍거리고 있을 테니까.”

“…….”

"내가 환생한다고 하면 다음 생까지 따라올 거다, 아마."

남자를 만나 보기 전이라면 그 말이 너무 과장되었다고 코웃음 쳤겠지만, 재홍은 곧바로 납득하며 고개를 끄덕였다.

"안됐네."

"글쎄⋯⋯. 세상엔 차면 기분 좋은 '족쇄'도 있더라고."

재홍은 제 표정이 굳는 것을 느낄 수 있었다. 마음속 어두운 곳에서 불쾌감이 조금씩 올라왔다. 재홍은 평소에 '가진 자'의 과시가 당연하다고 여기는 편이었다. 재영이 남들처럼 연봉이나 집 평수를 자랑하며 행복을 전시했다면 아무렇지도 않았을 것이다.

그런데 추억이 담긴 사진, 우스갯소리처럼 지껄이는 일화, 스치는 미소, 확신 가득한 말투 같은 것들은 몹시 거슬렸다. 재홍은 장재영이 기분 나빠 할 말을 찾아서 히죽거리는 얼굴에 꽂아 주고 싶어졌다.

"네 피앙세, 웃는 거 귀엽던데."

"⋯⋯."

"성격은 좀 그래도 외모가 내 취⋯⋯."

"취?"

조금 전까지만 해도 웃고 있던 재영이 무섭게 정색하며 말을 잘랐다. 재홍은 욕을 내뱉고 싶었지만 억지로 미소 지었다.

"내 취과 의사하고 닮았다고."

"아 그래? 난 또 상우가 네 취향이라는 줄 알고 깜짝 놀랐잖아."

"⋯⋯."

"남의 남자가 취향에 맞으면 뭐 어쩌게, 그치? 등신 새끼같이 집적댈 것도 아니고."

재홍은 비아냥대는 말을 못 들은 척하며 괜히 창밖을 보았다. 그러는 사이 재영은 와인 병을 집어 들고 빙글 돌리며 라벨을 읽었다.

"괜찮은 거 시켰네. 가져가도 되지?"

"좋을 대로."

"고기라도 사 가서 먹여야지, 안 본 사이에 야위었어."

그는 야위기는커녕 얄미울 정도로 건강해 보였다. 제 발로 남자의 마수 속으로 걸어 들어간 장재영은 그 대가로 합리적인 판단력과 멀쩡한 정신을 바친 모양이었다.

재영은 한동안 손끝으로 식탁을 툭툭 치며 가만히 앉아 있다가, 뜬금없이 물었다.

"바로 돌아가냐?"

"글쎄."

"멀리 왔는데 놀다 가. 여기 좋은 해변 많아."

"그래야겠다."

원래는 목표 달성 후 집으로 돌아갈 계획이었지만 처참한 실패를 겪고 나니 기력이 다 빠져서 쉬어 가야 할 것 같았다. 그 해변들 중 어딘가에는 재홍의 공허함을 일시적으로나마 채워 줄 예쁘장한 남자들이 태닝하고 있을 것이다.

재영은 치즈를 한 쪽 집어 먹더니 소지품과 와인을 챙겼다. 그러고서 웨이터를 불러 계산서를 받았다. 말릴 틈도 없이 제가 계산하더니 재홍에게 다시 눈을 돌렸다.

"슬슬 가자. 숙소 어디에 잡을래?"

"데려다주려고? 바쁘다더니."

"겸사겸사. 너한테 받을 게 있기도 하고."

"뭐?"

"지금 걸친 거, 다 내놔. 향수까지."

"……"

"내기했잖아. 아닌가?"

재홍은 그딴 내기, 한 기억이 없었다.

"빨리 일어나. 숙소 안 말하면 아무 데나 데려다준다."

"또라이 새끼들."

재영은 재홍의 입에서 무심코 튀어나온 욕이 칭찬이라도 된다는 듯이 씩 웃었다. 재홍이 의자에서 천천히 몸을 일으키는 사이 재영은 출구를 향해 성큼성큼 걸어갔다.

'단지 유전자 염기 서열이 같을 뿐⋯⋯ 이라고 했던가.'

남자의 말을 되새기며 재홍은 그의 형제가 그날따라 이질적으로 느껴졌다. 중요한 공통점을 상실한 기분이 들었고, 그래서인지 그의 뒷모습이 이상하리만치 낯설었다.

"장재영."

"왜?"

무심한 표정으로 뒤돌아선 재영을 보며, 재홍은 모르는 새 그들 사이에 어떤 차이가 벌어졌음을 직감했다. 홀로 서 있던 자리에 이제 두 명이 있어서일까. 여유로운 겉모습 속에 불안을 숨기고 있던 남자는 어쩐지 다른 세계로 가 버린 것만 같았다. 그가 이제 흔들리지도 않고 깨지지도 않을 것 같아서, 반발심과 부러움이 재홍의 마음속에서 공존했다.

"빨리 좀 와. 추상우 보러 가게."

게임에서 완벽히 패배한 재홍은 한숨을 쉬며 재영을 따라잡았다. 레스토랑을 퇴장하려는 참인데 천장에 달린 스피커에서 안내 방송이 크게 울렸다.

—15층에 계신 손님 여러분께 알립니다. 카운터에서 에릭 장, 에릭 장 손님의 여행 가방을 보관하고 있으니 꼭 가져가시길 바랍니

다. 다시 알려 드립니다. 카운터에서······.

쌍둥이 형과 눈이 마주친 재홍은 그를 따라 웃어 버리고 말았다.

한적한 주택가, 양옆에 사이프러스 나무가 줄 지어 늘어선 도로에
검은 세단이 나타났다.

빠르게 달리던 차량은 속도를 줄이다가 지붕이 파란 이층집 앞에
서 멈추었다. 곧 차고 셔터가 올라가며, 새까만 뱀과 복잡한 글자로
이루어진 벽면의 그래피티가 드러났다. 프라이빗 차고 안은 잡동사
니로 너저분했으며 세 칸 중 가운데 칸에 흰색 SUV 한 대가 이미 주
차되어 있었다.

검은 차량은 후진 한 번으로 오른쪽 자리에 주차했다. 그리고 차
문이 거칠게 열렸다.

차주, 추상우는 기분이 몹시 좋지 않았다. 차량을 잠그고 리모컨
으로 차고 셔터를 내린 후 빠른 걸음으로 현관으로 향했다. 파란색
대문을 부술 듯이 여느라 화초에 물 주던 이웃이 손 흔드는 것도 보
지 못했다. 그는 신발을 슬리퍼로 갈아 신은 뒤 곧바로 주방으로 들
어가 물을 컵에 따라 벌컥벌컥 마셨다.

마침 그의 적, 몸에 줄무늬가 난 주황색 고양이가 현관문 옆에 난
플랩도어를 통과해 도도하게 걸어 들어왔다. 평소 같았으면 눈싸움
을 했겠지만 상우는 그 녀석이 거슬리지 않을 정도로 다른 곳에 정
신이 팔려 있었다.

'추상우 씨에게 끌립니다.'

장재영 쌍둥이 동생의 불륜 제안. 장재홍은 순진한 재영을 이용해 상우와 단둘이 있을 기회를 만들고, 상우를 노골적으로 유혹하려 했다. 그렇게 불의한 생각을 품은 자와 단둘이 시간을 보내고 말을 섞었다는 사실이 역겹게 느껴졌다. 상우는 애인을 둘로 복제해서 셋이 성관계하는 상상을 해 본 적 있었지만, 둘은 아예 다른 범주의 가정이었다.

"어떡하지."

이미 일어난 일은 바꿀 수 없고, 문제는 이제부터다. 일터에서 돌아온 재영은 밝게 웃으며 관광이 재미있었느냐고 물어볼 것이다. 상우가 부정하면 이유를 물으리라. 이때 장재홍의 간음 시도를⋯⋯.

i) 비밀로 한다.

ii) 사실대로 말한다.

어느 쪽이 피해가 덜할지 데이터를 토대로 신중하게 예측해야 한다.

상우는 남자친구 몰래 만나자는 제의를 이전에 3회 받아 보았다. 두 번은 재영이 그날 무슨 일이 있었는지 꼬치꼬치 캐묻지 않아서 운 좋게 넘어갔지만 한 번은 그대로 들켜 버렸다. 재영은 야구 배트를 들고 뛰쳐나갔고, 상우는 남자친구에게 범죄 이력이 생기는 걸 방지하기 위해 경찰을 불러야 했다.

'비밀로 하는 게 낫겠어.'

하지만 그게 가능할까? 상우는 재영에게 사소한 일조차 거짓말하지 못했다. 원래도 거짓말은 하지 않았지만, 서글서글한 두 눈을 바라보고 있으면 진실을 줄줄 말할 수밖에 없게 되었다.

"내 잘못이 아니야."

혼잣말을 중얼거리고 나자 재영이 버릇처럼 하는 말이 떠올랐다.

'네가 내 입장이라고 생각해 봐.'

상우는 쌍생아 형제가 없었으므로 클론이 있다고 가정하고 비슷한 상황을 시뮬레이션해 보았다. 그리고 얼마 지나지 않아 격렬한 분노에 휩싸였다. 클론이 상우가 볼 수 없는 곳에서 재영에게 수작거리는 장면은 상상만으로도 견디기 어려웠다. 상우는 급하게 시뮬레이션을 종료했다.

'망할!'

천장에 박혀 있던 초점 풀린 시선이 벽면으로 떨어졌다.

추상우♥장재영

제작한 지 5년이 지나 이제 색이 바랜 현수막이 눈길을 끌었다. 그들은 이사를 여러 번 다녔지만 재영은 그걸 꼭 챙겨서 거실 한가운데 걸어 놓았다.

재영이 프러포즈를 받아 주었던 날. 상우는 재영이 트렁크에서 튀어나온 현수막을 보며 수줍게 미소 지었던 황홀한 순간을 어제처럼 자세히 기억했다. 그는 그날부터 지금까지 법률, 금전 문제, 파트너 가족의 반대, 파트너의 묘하게 수동적이며 비협조적인 태도 등 장애물을 적극적으로 제거하거나 꿋꿋이 인내해 왔고, 결국 목표 쟁취까지 175일 앞두고 있었다.

〈베지 벤처러2〉 포스터 옆, 커다란 액자에는 재영의 초상화가 걸려 있었다. 2년 전, 재영이 토론 패널로 참가한 국제 그래픽 디자인 박람회에서 그들은 재미 삼아 한 행사에 참가했다. 즉석에서 서로의 얼굴을 그려서 제출했는데 재영의 것만 뽑혀서 상품을 받았다. 재영은 패배한 상우를 열심히 위로했다.

'와, 우리 상우 대단해. 야수파 화가네. 아니, 추상표현주의인가……'

미술 실력에 관해 긍정적인 말을 들은 건 그때가 난생처음이었다. 그래도 상우가 시무룩해하자 재영은 그의 그림을 스캔해 실크 스크린으로 큼지막하게 찍어 벽면에 걸었다.

그림 액자 아래에는 4단 책장이 있었다. 첫째와 둘째 단에는 재영이 보는 문학과 코믹스가, 셋째와 넷째 단에는 상우가 읽는 실용서가 분류되어 있었다. 재영은 상우의 구역을 거의 손대지 않았지만 넷째 단에 첩자를 한 권 심어 놓았다. 상우는 〈첫사랑과 결혼하는 100가지 방법 3권〉과 〈완벽한 부모 되기: 영·유아 훈육법〉 사이에 꽂힌 책을 눈엣가시처럼 여겼다.

〈혈액형을 알면 인간관계가 보인다!〉

재영은 상우를 고문하고 싶을 때면 그걸 펴서 아무 곳이나 크게 읽었다. 상우는 그 흉물을 몇 번 몰래 폐기했지만 그럴 때마다 재영이 해외 배송을 해 가며 판매 부수를 올려 주어서 몇 년째 무시하고 있었다.

책장 옆 대형 코르크판에는 폴라로이드와 스냅 사진이 간격 맞춰 압정으로 고정되어 있었다.

가장 오래된 건 상우가 아직 대학생이었을 적, 놀이공원 롤러코스터 내리막에서 찍힌 사진이었다. 상우의 표정은 평소와 비슷한 반면 재영은 얼굴을 찡그린 채 상우의 어깨에 이마를 묻고 있었다.

가장 최근 건 상우의 승진이 결정된 작년 연말 파티에서 회사 동료가 찍어 준 사진이었다. 상우는 붉은 장미로 이루어진 꽃다발을 안은 채 웃고 있었고, 재영이 그를 끌어안고 볼에 입 맞추고 있었다.

그 외에도 재영의 대학원 졸업식, 지인들과 함께한 크리스마스 파티, 그래피티 모임, 재영이 포함된 상우네 가족사진, 각종 유원지와 운동 경기장, 공원, 여행지에서 찍은 사진이 있었다. 그 외 현상하지 않은 디지털 사진은 최고 화질로 클라우드와 외장 하드에 각각 백업해 관리했다.

'어떻게 유지한 관계고, 어떻게 쌓아 온 추억인데.'

재영은 분명히 이 일을 몹시 기분 나빠 할 것이다. 그러니 상우는 증명해야만 한다. 한순간도 장재홍에게 흔들리지 않았다는 것을. 그가 사랑하는 사람은 세상에 오직 한 명뿐이고 그 명제는 처음 정립된 이후로 수정되지 않았다는 것을.

그때 재영에게서 전화가 왔다. 상우는 잔뜩 긴장한 상태에서 통화를 수락했다.

―상우야, 어디야?

"……집."

―벌써? 장재홍이 너한테 할 말 있다는데.

그는 청천벽력 같은 소리를 했다. 상우는 입을 열었지만 숨소리밖에 나오지 않았다.

―내 말 들었어? 재홍이가 집으로 찾아가겠대.

"자기도 같이 와?"

―아니, 걔 혼자.

"왜? 나 그 사람 싫어."

―에헤이, 그러지 말고 친절하게 대해 줘. 내 동생이잖아.

"싫다니까! 못 오게 해. 제발……."

―금방 갈 테니까 조금만 이야기하고 있어. 끊을게.

"안 돼!"

상우는 절규했지만 전화는 이미 끊긴 뒤였다. 마음이 순수한 재영은 쓰레기 같은 동생을 철석같이 믿고 있었다.

그 뒤로 상우는 재영에게 전화를 스물다섯 번이나 걸었으나 그는 받지 않았다. 차선책은 메시지였지만 이 사태를 글자로 전달하는 건 위험 부담이 너무 컸다. 다른 사람도 아니고 형제가 관련되었다. 이번에는 야구 배트 폭행 미수 정도로 끝나지 않을 것 같다는 예감이 들었다.

'대화하는 수밖에 없어.'

수족관에서는 너무 당황한 나머지 다시 보지 않을 것처럼 소리를 버럭 지르고 나왔지만, 장재홍은 재영의 유일한 형제였다. 재영이 신뢰해서 재무 관리를 맡기는 사람이며 그가 결혼식에 초대한 가족의 수 중 약 33.33%를 차지했다. 장재홍을 설득해서 잘못을 뉘우치게 하고 재영이 무언가 눈치채기 전에 영국으로 돌려보내는 것이 피해를 최소화하는 선택지였다. 상우는 옷장을 열고 대화하기 적절한 복장을 물색했다.

"상우 씨, 계십니까?"

장재홍이 문을 두드렸을 때 상우는 무릎까지 오는 산악용 패딩 차림이었다. 긴 청바지 아래 축구용 양말을 신었으며 양손에 스키 장갑을 끼었다. 한여름이라 땀이 삘삘 났지만 괜히 상대의 성욕을 자극하지 않으려면 피부가 드러나는 부분을 최대한 줄여야 했다. 문을 열자 재홍이 흠칫 놀라며 뒤로 물러났다.

"어우, 깜짝이야."

남자는 재영처럼 문틀에 정수리가 아슬아슬하게 닿을 정도의 장신이었다. 말쑥한 정장 차림은 더할 나위 없이 근사했지만 그 안에는 상우를 타락시키려 드는 악마가 들어 있었다.

그들은 거리를 2m쯤 유지한 채 서로 탐색했다. 상우는 날카로운 눈으로 상대를 주시했고 재홍은 부끄러움 모르는 시선으로 상우를 뻔뻔하게 바라보았다. 먼저 눈을 피한 건 상대였다. 재홍은 헛기침을 두 번 하고서 갈색 구두를 벗었다. 그가 바닥에 놓인 슬리퍼에 발을 끼워 넣으려 하자, 상우가 재빨리 막았다.

"발 빼세요. 신으면 안 돼요."

앞코에 J라고 적힌 슬리퍼는 주인이 따로 있었다. 남자가 슬리퍼에서 발을 슬그머니 뺐다.

"신발장 열면 G1이라고 적힌 거 있어요."

그는 지시를 따라 손님용 슬리퍼를 꺼내 신고서 거실로 들어왔다. 상우는 그와 적정 거리를 유지하며 손으로 소파를 가리켰다.

"가장 오른쪽 자리에 앉으시고 제 허락 없이 일어나거나 이동하지 마세요."

상우는 물을 유리잔에 따라 컵 받침과 함께 그의 앞에 놓고서, 재홍에게서 두 칸 떨어진 끝자리에 앉았다. 얼마 동안 침묵이 감돌았다. 상대가 아무 말도 하지 않아서 상우가 먼저 운을 떼야 했다.

"저기요."

"말씀하십시오."

"표면적으로나마 화해합시다."

"……."

"순간적인 욕정에 눈이 돌아간 대가로 형제를 잃고 싶진 않잖아요. 잘못을 인정하고 저를 깨끗하게 포기하겠다고 맹세하시면, 제가 이 사태를 수습해 보겠습니다."

옆에서 바람 빠지는 소리가 들렸다. 상우는 왼쪽으로 고개를 슬쩍 돌렸다가 재홍이 주먹으로 입 가리고 웃는 모습을 보았다. 미처 눈치채지 못했는데 형제는 웃는 습관이 똑같았다. 상우는 이상할 정도로 익숙한 눈웃음을 멍하니 바라보다, 서둘러 다시 바닥을 노려보았다.

"상우 씨는…… 일편단심인가 봐요?"

"네. 저는 장재영이 아닌 다른 사람은 다 지점토로 보입니다. 그러니까 저와 간음할 생각을 접으세요."

"재영이 어디가 그렇게 좋습니까?"

상우는 인상을 찌푸렸다. 무심코 얼굴을 들었다가 저를 빤히 바라보는 재홍과 눈이 마주쳤다.

이상한 일이었다. 분명히 외형만 번듯할 뿐 매력 없다고 생각했는데, 다시 본 남자는 어딘가 달라 보였다. 오만한 자세와 살짝 미소 띤 입술은 시선을 끌어당겼으며 눈매에 눈을 떼기 어려운 구석이 있었다. 그리고 싶지 않은데 자꾸 눈길이 갔다.

'미쳤어. 저 사람은 장재영의 동생이야!'

상우는 제 볼을 붙잡고 억지로 고개를 앞으로 돌렸다.

"이상한 거 물어보지 마세요. 제게 사과하고 이제부터 불순한 시선으로 보지 않겠다고 약속하세요. 그러면 저도 재영이 형한테 오늘 있었던 불미스러운 사건을 최대한 축소해서 얘기하도록 노력할게요."

"상우 씨."

남자는 상우의 말을 무시하고 나직하게 이름을 불렀다. 상우는 기분이 이상해서 선뜻 대답할 수 없었다.

"추상우 씨?"

"……."

"사람이 부르잖아요."

단지 이름이 두 번 불렸을 뿐이다. 그런데 그 순간 상우는 강렬한 설렘을 느꼈다. 그런 동시에 자신이 너무 혐오스러워서 치가 떨렸다.

"이상하네. 왜 대답을 안 하실까."

"……네. 왜요."

"추상우 씨에게는 장재영밖에 없다, 확신할 수 있습니까?"

"조금 전에 같은 요지의 말을 했어요."

"또 하면 죽어요?"

저 남자, 목소리가 원래 이렇게 섹시했던가. 하긴, 말투가 달라서 그렇지 재영과 같은 음성이 아닌가. 차에서는 운전하느라, 수족관에서는 주변 소음이 심해서 집중하지 못한 것이 분명했다. 상우는 그의 목소리를 계속 더 듣고 싶어졌다.

"만일 우리가 단둘이 무인도에 있어도 재영이 생각하면서 이겨 낼 겁니까?"

"전 여행은 형이랑만 가요."

"재영이가 1년 동안 집을 비우면 허벅지 찔러 가면서 견딜 겁니까?"

"휴직하고 같이 가면 돼요."

"재영이가 직장에서 잘리고 재산을 전부 사회에 환원해도 같이 살 겁니까?"

"네."

"돈 한 푼 없는 거지새끼여도?"

"상관없어요. 사치스러운 소비 습관만 제재하면 제 수입으로 먹여 살릴 수 있어요."

"이야, 대단하시네……."

'가만, 내가 왜 이딴 질문에 일일이 대답하고 있지?'

무심코 다음 질문을 기다리고 있던 상우는 문득 불안해졌다. 대화의 패턴이 너무 익숙해서 저도 모르게 말려든 것이다. 쓰레기 같은 남자와 정다운 듯이 이야기를 나누다니. 해선 안 될 짓을 한 것처럼 얼굴이 벌게졌다.

"재영이가 한 반년쯤 안 씻고 와서 안아 달라고 하면……."

"이제 그만해요!"

상우는 불안감을 숨기려다 소리를 빽 지르고 말았다.

"왜 절 괴롭히는 거예요?"

"괴롭히다니요, 질문 몇 가지 한 것뿐인데."

상우는 더 쏘아붙이려고 입을 벌렸다가 멍하니 바닥을 보았다. 평소에 상우 근처에도 오지 않는 짐승이 거처에서 나와 소파 앞에서 얼쩡거리고 있었다. 그 녀석은 풀쩍 뛰어 재홍의 무릎에 안착하더니 몸을 둥글게 말았다. 남자는 당황한 눈치였다.

"……어, 처음 보는 고양이가 왜 이러지."

그는 짐승을 들어서 내려놓으려 했지만 그것이 더 깊이 안겨 들었다. 재홍은 난처해하면서도 고양이의 미간을 엄지로 문질렀다. 놀랍게도 그건 장재영이 습관적으로 하는 행동이었다.

상우는 눈을 가늘게 떴다. 그리고 그때까지 시선조차 제대로 못 마주치고 있던 남자를 자세히 관찰했다.

단정한 회색 여름 정장, 이마를 드러내고 가르마를 타 정리한 머리, 신사다운 분위기, 진중한 말투. 이 모든 것이 장재홍과 같았지만 이제 다른 점이 눈에 보였다.

왼쪽 귀에 뚫은 자국 세 개가 있었다. 왼손 약지에는 아무것도 없었지만 늘 반지를 끼고 있던 자리에 가느다란 흔적이 살짝 남아 있었다. 오른쪽 손등에는 3년 전에 요리하다 입은 화상 자국이 옅게 남았다.

그는 장재홍이 아닌 교묘하게 변장한 장재영이었다! 상우의 머리가 빠르게 돌아갔다.

i) 장재영은 나의 진심을 시험하는 질문을 던졌다. ≒ 장재영은 장재홍의 간음 시도를 인지하고 있을 가능성이 높다.

ii) 장재영은 화난 기색 없이 장재홍의 옷을 입고 등장했다. ≒ 장재영과 장재홍의 관계는 우호적일 가능성이 높다.

∴ 장재영과 장재홍은 처음부터 작당하고 나를 시험했을 가능성이 높다.

'이 새끼가, 장난칠 일이 따로 있지.'

상우는 열이 받았지만 당장 따지는 것보다 좋은 복수 방법이 떠올랐다. 그는 장갑을 벗어서 소파 테이블에 올려 두고 패딩 지퍼를 쭉 내렸다. 요란한 소리 때문에 재홍, 아니 재영이 옆을 돌아보았다. 상우는 패딩을 벗어서 옆자리에 두고 안에 입고 있던 티셔츠를 벗으며 맨몸을 드러냈다. 재영이 비주얼 베이직을 만져 주던 손을 멈춘 채 굳어 버렸다.

"옷은…… 갑자기 왜?"

"어차피 벗어야 하니까요."

눈을 빠르게 깜빡거리는 재영은 당황한 기색이 역력했다. 그 순간만은 연기하는 것도 잊은 듯했다.

한 칸 옆으로 붙어 앉자 낯선 향수 냄새가 훅 났다. 가까이서 보니 차이점은 더욱 뚜렷했다. 눈웃음을 자주 쳐서 눈가에 잔주름이 잡혀 가는 남자, 여름이고 겨울이고 함께 놀러 다니느라 살갗이 늘 그을린 남자. 그를 애초에 타인과 착각한 게 바보였다.

"재홍 씨."

"네, 네?"

재영은 약간 남아 있던 공간으로 물러나 무릎을 세워 앉았다. 그러고선 발로 상우의 허벅지를 세게 밀었다. 상우는 밀려나지 않으려 안간힘을 쓰며 소파 가죽을 붙잡았다. 짐승이 캭캭거리며 아래로 뛰어내렸다.

"장재영 언제 오는지 아세요?"

"지금요, 막, 곧, 당장…… 들이닥칩니다."

"그럼 안 되는데. 문 잠그고 오실래요? 형이 보면 오해할 것 같아서요."

"오…… 해할 짓은 안 해야죠?"

"네. 걸리면 둘 다 살해당할 가능성이 높아요. 그러니까 목숨 걸고 한 판 떠요."

심각하던 재영의 표정이 바뀌었다. 공포와 의구심에 질려 있던 눈매에 돌연 웃음기가 감돌았고 입술이 닫히며 삐딱한 미소를 지었다. 재영은 고개를 돌리고 피식 웃더니 다시 상우와 눈을 마주했다. 그가 한쪽 눈을 찡그리며 빈정거리듯 말했다.

"아, 추상우 씨 도박도 할 줄 알아요?"

"……."

"그런 기능이 있는지 몰랐네."

아무래도 무리한 연기를 펼치다 들킨 것 같았다. 상우는 한창 흥미롭던 참이라 장난이 여기서 끝나 버린 것이 아쉬웠다. 그러나 반대로 재영은 세상에서 가장 재미있는 일을 하고 있다는 듯이 두 눈을 반짝였다.

재영은 이전과 달리 건들거리는 태도로 소파에 등을 기대며 다리를 꼬았다. 질 좋은 실크가 번들거리며 허벅지 위로 주름이 잡혔다.

"추상우 씨."

나직하게 부르는 목소리에 상우는 고개를 들었다. 재영이 손가락을 까딱거리자 마법에 지배당한 것처럼 복종할 수밖에 없었다. 무릎걸음으로 쭈뼛쭈뼛 다가가자 재영이 오만한 표정으로 손가락을 뻗어 상우의 볼을 무성의하게 툭툭 쳤다.

"나랑 한 판 뜨고 싶어요?"

"……네."

"떠 주면, 나한테 뭐 해 줄 건데?"

"……."

"자지 빨아 주면 생각해 보고……."

"그거 잘 못하는데."

상우는 인상을 찌푸렸다. 분명히 장난치기 시작한 건 자신이었는데, 어느새 재영의 페이스에 말려들고 있었다. 역시 숙련자는 이길 수 없는 건가.

"가까이."

재영이 혀로 아랫입술을 천천히 핥으며 손가락을 까딱거렸다. 상우는 침을 꿀꺽 삼키고 그에게 다가갔다.

기다란 손가락 두 개가 상우의 입술 사이를 비집고 들어오더니 혀를 지그시 눌렀다. 그 별거 아닌 행동에 속이 울렁거렸다. 재영은 그러한 사정을 전부 알고 있다는 듯 상우의 눈을 빤히 바라보며, 손가락을 입 안 깊숙이 넣었다 빼기를 느릿하게 반복했다.

"여기에, 넣게 해 줄 거냐고."

대학교에서 연극배우를 했던 재영은 상우와 역할 놀이를 종종 하고 싶어 했다. 〈경찰과 도둑〉, 〈간호사와 환자〉, 〈인터넷 설치 기사와 집주인〉, 〈환경미화원과 노숙자〉, 〈마검사와 슬라임〉 등…….

그런 그가 오늘은 〈장재홍과 추상우〉가 하고 싶은 모양이었다. 연극은 이미 시작된 듯했으니, 상우는 남자친구가 마치 장재홍인 것처럼 연기해야 했다.

상우는 재영의 손가락을 입에 머금은 채 슬그머니 그의 무릎에 다가가 앉았다. 재영의 손목을 잡고 검지를 따라 혀를 미끄러뜨렸다.

"뭐 하는 겁니까?"

재영은 아무렇지 않은 척 물었지만, 상우를 바라보는 눈빛에서 연기로 도저히 가릴 수 없는 색욕이 뚝뚝 떨어졌다. 상우는 자유로운 한 손을 재영의 가슴에 갖다 댔다. 그리고 탄탄하게 근육 잡힌 배와 허리를 지나, 사타구니로 서서히 내렸다. 손끝에 돌덩이처럼 묵직하게 굳은 무언가가 만져졌다.

"빨아 달라면서요."

"……."

"그러려면 재홍 씨 음경 직경부터 확인해야 해요. 저는 입이 작은 편입니다."

재영은 그 대사가 마음에 들지 않는다는 듯 눈을 살짝 치켜떴다. 상우는 그의 성기를 바지 위로 천천히 문지르며 손가락을 빨았다. 이 정도 상태면 눈 뒤집혀서 달려드는 게 보통인데, 재영은 이상하게도 꼼짝도 하지 않았다.

"뭐 하세요? 장재영 오기 전에 빨리 성교해야죠."

"……그래야죠."

재영이 상우의 허리에 팔을 감고 몸을 거칠게 끌어당겼다. 상우는 그의 품에 바싹 안긴 채 숨을 몰아쉬었다. 재영의 손이 뒤통수에 닿더니 머리카락을 우악스럽게 움켜쥐었다. 그리고 억누른 목소리가 들렸다.

"재영이, 몰래, 섹스한다고 생각하니까, 흥분돼요?"

"네. 바람피우는 건 처음이에요."

"……."

"사실 다른 남자하고 성교하는 자체가 처음입니다. 재홍 씨가 두 번째 남자인 셈이죠."

대답을 기다렸지만 재영은 꼼짝도 하지 않았다. 아무래도 다 알아서 하기를 바라는 눈치였다. 상우는 셔츠 단추를 가장 위부터 풀기 시작했다. 근사한 몸에 밀착한 상의를 어서 벗기고 싶어서 손이 점점 바빠졌지만, 재영은 조금도 협조하지 않았다.

"바람을, 그동안, 피우고, 싶었나, 보지?"

위에서 소름끼치도록 차가운 목소리가 들렸다. 상우는 조금 놀라서 고개를 들었다가 험악한 표정의 재영과 눈이 마주쳤다.

웃음이 피식 나왔다. 자기는 역할 놀이할 때 더 저질스러운 말도 아무렇지 않게 지껄이면서, 마치 상우가 실제로 부도덕한 일을 하고 있다는 듯 구는 것이었다. 상우는 얼굴에서 애써 웃음기를 지우며 다시 단추로 손을 가져갔다.

"그건 아닌데, 해 보면 좋을 수도 있잖아요."

"아……. 좋으면, 계속하시게?"

"한 번 하는데 두 번 못 할 거 있나요? 다음엔 제가 몰래 찾아갈게요. 장재영 출장 갔을 때."

일부러 자극하는 말을 던지자 재영이 싸늘하게 웃었다. 늘 어디로 튈지 종잡을 수 없는 남자가 예상대로 반응하는 모습은 상우에게 짜릿한 쾌감을 주었다. 상우는 차가운 눈빛을 한 재영에게 키스할 것처럼 입술을 가까이 대고 속삭였다.

"재홍 씨, 저 많이 흥분했는데. 여기 만져 줘요."

그의 손을 붙잡고 아래로 내리려 했는데, 상우의 손은 곧바로 멀리 내쳐졌다.

"적당히 해라."

악다문 이 사이로 으스스한 목소리가 흘러나왔다. 게임을 그만하자는 신호였지만 상우는 멈추고 싶지 않았다. 7년째 함께 살아도 늘 상우를 놀려 먹는 건 재영이었고, 그 반대 경우는 거의 발생하지 않았기 때문이다. 겨우 찾아온 기회를 놓치기는 싫었다.

"왜 화내시는 겁니까, 재홍 씨?"

"그만해."

"알았어요. 자지 빨아 드리면 되잖아요."

상우는 잔뜩 삐친 남자친구를 달래기 위해 그의 허리춤으로 손을 가져갔다. 그러나 재영은 상우의 손목을 쳐내며 그의 가슴을 발로 밀었다. 재영이 갑자기 일어선 동시에 상우는 소파에서 굴러떨어졌다. 재영은 숨을 거칠게 들이마시고 내쉬기를 반복했다. 그러고선 탁자에서 물 잔을 들어 벌컥벌컥 마셨다.

'이게 화낼 일인가?'

상우는 잠깐 고민해 보고 아니라는 결론을 내렸다. 반대로 시뮬레이션해도 똑같았다. 어차피 놀이일 뿐이다. 상우가 무슨 말을 하든 그의 애인이 장재영이며, 바람피운 적이 없고 앞으로도 없으리란 사실은 변하지 않는다. 상우 또한 〈방문 판매원과 고객〉을 하면서 재영이 아무리 비과학적인 헛소리를 해도 인내한 기억이 있었다. 장난치지 말라고 해도 재영은 늘 자기 마음대로 하는데, 상우라고 안 될 건 뭐란 말인가.

상우는 창의력의 한계를 느끼며, 오늘 장재홍에게 들은 말을 베끼기로 했다.

"빨리 재홍 씨와 성교해 보고 싶어요."

"입 다물라고 했다."

"둘이 스타일이 비슷한지 정말 궁금……."

말이 끝나기도 전에 재영이 들고 있던 컵을 테이블에 콱 내려놓았다. 끔찍한 파열음이 나며 유리잔에 금이 쩍 갔다.

상우는 놀라서 그의 손부터 살폈지만, 다행히 다친 것 같지는 않았다. 재영은 반성하는 기색도 없이, 사나운 눈빛으로 상우를 쏘아보았다.

'와……. 성질 봐.'

한동안 평화로워서 잊고 있었다. 열 받으면 막무가내로 변하는 파트너의 특질을.

"닥치라고 몇 번을 말해!"

"그냥 장난일 뿐인데."

"너……."

재영은 입술을 열어 놓고 말을 잇지 못했다. 강도 7.5쯤 될까. 5년 전, 상우가 가출했다고 오해해서 소동 피운 이후 이렇게 심하게 화내는 건 오랜만에 보았다. 재영은 그때처럼 이를 악물고 낮게 내뱉었다.

"장난칠 일이 따로 있잖아."

그는 대답할 기회도 주지 않고 휙 뒤돌더니, 발소리를 쿵쿵 내며 2층으로 올라가 버렸다.

'너무 심했나…….'

홀로 남겨진 상우는 시무룩한 표정으로 서 있었다. 그만하라는 경고를 세 번 무시한 거야 잘못했지만, 바람피우는 척 몇 마디 했다고 불같이 화내는 게 이해되지 않았다. 더군다나 자기는 다른 사람 옷까지 입고 나타나서 대대적으로 장난쳐 놓고 말이다. 장재영은 알다 가도 모를 인간이었다.

"화를 내면 내는 거지, 컵은 왜 깨고 난리야."

이 유리잔은 재영이 해마다 하나씩 깨는 탓에 네 개들이 세트 중 이제 하나밖에 남지 않았다. 첫 번째는 식탁 위에서 성교하다 팔꿈 치로 쳐서, 두 번째는 설거지하다가 떨어뜨려서, 세 번째는 오늘, 애 인의 바람피우는 연기에 난동 피우느라. 그중 이번 파손 사유가 가 장 황당했다.

옷을 도로 입고서 컵을 버린 뒤 탁자를 닦고 나니 8분이 지나 있었 다. 고양이가 재영의 흔적이라도 찾는 듯 테이블 아래를 맴돌았다. 상우는 발끝으로 짐승의 꼬리를 툭 쳤다.

"야, 넌 네 주인이 왜 저러는지 알아?"

야옹.

"많이 화났나 봐. 양심도 없이."

상우는 재영이 사라진 방향을 물끄러미 바라보다 그쪽으로 발걸 음을 옮겼다. 카펫이 깔린 충계를 밟아 2층으로 천천히 올랐다. 게 임방을 지나 도착한 침실은 문이 닫혀 있었다.

똑똑. 상우는 문을 두드리고 잠시 기다렸으나 안에서 아무 소리도 들리지 않았다. 그는 문을 조심스럽게 열었다.

불 꺼진 방 안은 어두웠다. 살짝 열린 커튼 사이로 빛이 들어오기 는 했지만 방을 밝히기는 역부족이었다. 재영은 침대에 대자로 엎어 져 있었다. 신경질적으로 벗어던졌을 슈트는 허물처럼 바닥에 널브 러져 있었고 팬티바람이었다. 향수 냄새를 씻어 내려고 했는지 뒷머 리와 목이 젖어 있었다.

"자?"

상우는 침대맡으로 조심스럽게 다가갔다. 재영은 잠든 것 같았다. 하긴, 6일간 출장 갔다 와서 잠도 제대로 못 자고 곧바로 외출하느라 피곤했을 것이다.

'2시간만 자게 내버려 둬야겠다. 깨면 화가 풀려 있겠지? 그다음에 성교하고서 저녁 먹고 짐 싸라고 해야지.'

상우는 쪼그려 앉아 잘생긴 얼굴을 한참 동안 구경하다, 헝클어진 앞머리를 뒤로 넘겨 주었다. 쪽. 이마에 살짝 입 맞추고선, 침대 위로 올라가 다리 밑에 낀 이불을 꺼내 몸 위를 덮었다. 베개를 놔 주려고 머리를 살짝 든 순간, 재영이 눈을 번쩍 떴다. 돌연 그가 상우의 어깨를 눌러서 내려앉혔다.

"뭐, 뭐야?"

순식간에 몸이 뒤집히며 천장이 보였다. 상우는 어느새 등을 침대에 대고 있었고, 재영이 그의 허리에 올라탄 채 양팔을 붙잡고 있었다. 재영은 말없이 상우를 쏘아보기만 했다. 상우는 입을 무작정 벌렸다.

"자는 줄 알았어."

"……."

"이불만 덮어 주고 나가려고 했는데."

"할 말이 그딴 거밖에 없어?"

분명히 정답이 정해져 있는 물음인 것 같은데, 재영이 듣고 싶어 하는 말은 무엇일까.

i) 형은 형제를 이용해 내 진심을 시험해 놓고서 내가 5분 동안 장난쳤다고 화내는 행동, 불합리하다고 생각해.

ii) 실제로 바람피운 것도 아닌데 왜 화를 내? 바보야?

ⅲ) 내일부터 휴가인 거 잊었어? 짐이나 싸, 이 게으름뱅이야.

사실을 적시하는 것이 언제나 최선의 해법은 아니다. 인간은 감정의 동물이며 어떤 인간은 더욱 감정적이기 때문이다. 상우는 입을 다물어 버렸다. 재영은 눈을 치켜뜬 채 그런 상우를 찬찬히 관찰했다.

"방금 무슨 생각 했어?"

"⋯⋯."

"뭔가 짜증 나는 생각 한 것 같은데."

정당성을 떠나서 상우의 남자친구는 단단히 화가 난 듯했다. 2년 전, 모종의 오해로 그의 한정판 스케이트보드를 이베이에 팔았을 때 재영은 4.0 강도로 분노했다. 그때 상우는 구매자에게 돈을 일곱 배나 내고 물건을 도로 사 오면서 실수를 만회했다. 그러나 이번 분노는 실체가 없었다. 말하자면 원인이 허상이라 해결 방법이 없었다.

"자꾸 딴생각할래?"

억센 손아귀가 상우의 턱을 붙잡았다. 볼살이 밀려 올라가 얼굴이 우스꽝스러워 보일 텐데, 재영은 평소처럼 아기 복어 같다고 놀리는 대신 차가운 표정으로 입을 다물고 있었다. 그럼에도 상우는 미소가 지어졌다. 재영의 최근 출장은 너무 길었다. 행복한 상태든 화난 상태든, 함께 누워 있기를 얼마나 고대했던가.

"웃어?"

미간에 주름이 팍 잡힌 표정마저 예뻐 보였다. 상우는 입가에 웃음이 번지는 것을 느끼며 팔을 위로 뻗었다. 손끝이 이마에 닿자 재영이 더 심하게 인상을 썼다. 상우는 엄지로 그의 눈썹을 누르고서 콧날을 따라 손가락을 미끄러뜨렸다. 그리고 손바닥으로 볼을 감은 채 작게 말했다.

"많이 보고 싶었어."

"말 돌리지 마. 그런다고 내가 봐줄 줄……."

상우는 재영의 말을 무시하고 고개를 들어 그의 입술에 입 맞추었다. 재영은 가만히 당해 주었지만 언짢은 기색이었다. 상우는 같은 행동을 또 했다. 이번에는 재영이 얼굴을 트는 바람에 입술이 볼에 닿았다. 상우는 개의치 않고 두 번 더 했다.

"잠깐만, 너……."

쪽, 쪽, 쪽. 뽀뽀 폭격을 퍼붓자 재영이 어쩔 줄 몰라 하며 상체를 들어 올렸다. 상우는 아예 양팔을 그의 목에 감고서 제 쪽으로 끌어당겼다.

"야, 그만……."

목을 꽉 잡고 얼굴 여기저기에 빠르게 키스하자 재영이 포기한 듯 눈을 감았다. 성질이 한풀 꺾였지만 여전히 불만스러운 표정이었다.

"세상 쉽게 사네."

"……."

"애교 부리면 다야?"

재영이 눈을 거의 감다시피 하며 작게 떴다. 가볍게 토라졌을 때 볼 수 있는 표정은 화가 풀리고 있다는 신호였다. 한동안 부드러운 침묵이 그들을 감쌌다. 재영이 눈을 깜빡거리는 모습이 슬로 모션으로 처리한 영상처럼 느릿하게 보였다.

"키스하게 눈이나 감아."

상우가 입술을 만지작거리며 속삭이자 재영이 코웃음을 쳤다. 곧 그의 눈꺼풀이 속눈썹을 드러내며 스르르 감겼다. 심통 난 남자를 착한 애인으로 돌아오게 할 방법은 한 가지였다. 상우의 입술이 처음처럼 조심스럽게 그의 입술에 닿았다.

"또, 또 몸으로 때우려고……."

상우는 그가 쓸데없는 소리를 못 하게 하려고 입술을 삼켜 버렸다. 이윽고 재영의 입 모양이 틀어졌다. 상우는 눈을 감고 있었지만 그가 소리 없이 웃고 있다는 걸 알 수 있었다.

재영은 언제 심통 냈냐는 듯 키스에 전념했다. 그의 손이 볼을 감싸고 무릎이 다리 사이로 미끄러져 들어왔다. 재영은 한 팔로 상우의 허리를 감고서 숨이 막힐 정도로 꽉 안았다. 맹렬한 눈빛으로 쏘아보고 불평을 잔뜩 쏟아 낸 사람치고 행동이 자상하기 짝이 없었다.

입술은 한참 후에 떨어졌다. 재영은 상우의 쇄골에 턱을 댄 채 그를 내려다보았다. 전보다 눈빛이 누그러졌으나 이상하게도 밧줄에 꽁꽁 묶인 듯한 기분이 들었다. 상우는 그에게 기꺼이 속박된 채, 어둠 속에서 따스하게 빛나는 눈동자 속으로 잠겨 들었다.

해가 쌓이고 쌓여 재영은 처음 만났을 때처럼 새파랗게 젊지 않았다. 여전히 다양한 표정을 지닌 미남의 얼굴에는 이제 상우와 함께 보낸 세월이 스며들어 있었다. 상우는 날마다 함께 변해 가는 그의 모습이 변함없이 좋았다. 사랑이란 달콤한 병에 걸린 지 7년째, 상우는 해독제 찾기를 영영 포기한 채 왜곡된 세계에서 살아가고 있었다.

"추상우."

"……응."

"다시는 그런 장난치지 마."

'장난' 분야에 관해 장재영에게 훈계를 듣다니. 상우는 할 말이 많았지만 재영이 아기처럼 굴 때는 토론하기보다 비위 맞춰 주는 편이 훨씬 좋은 효과를 낸다는 걸 알았다. 고개를 끄덕이자 커다란 손이 천천히 다가와 눈두덩에 닿았다.

"네가 아무 짓도 안 했다는 거 알아. 하지만 네가 다른 사람을 이런 눈으로 보는 거…… 상상만 해도 기분 더러워."

"상상인데도?"

"싫어. 상상하게 하지 마."

"알았어. 안 할게."

얌전히 대답하자, 눈을 덮고 있던 손바닥이 상우의 정수리를 쓰다듬었다.

'정말 이상한 사람이야.'

장재영은 데이터를 무시하고 직관을 맹신하는 습성이 있었다. 그러나 상우가 볼 때 그 직관은 잘 들어맞지 않았다. 가령 재영은 상우에게 추근덕거린다는 이유로 회사 직원부터 햄버거 집 종업원에게까지 의심의 눈초리를 쏘아 댔지만, 그 무수히 많은 사례 중 실제로 상우에게 관심을 표현한 사람은 약 0.8%에 불과했다.(한 예로, 희생자 중 하나인 마이크 코너먼은 상우에게 집적대기는커녕 오히려 서로 사이가 안 좋은 축이었다.)

어쨌든 중요한 건 상우가 애인을 제외한 모든 사람에게 무관심하다는 사실이다. 합리적인 존재라면 81개월 동안 일관적으로 작동한 장치가 갑자기 다른 결괏값을 출력하리라고 '상상'하지 않으리라. 상우는 재영의 질투가 이성적 사고의 산물이 아닌, 그에게 상상력과 영감을 주는 레저라고 이해하고 있었다. 마치 영화 감상이나 VR 게임처럼.

상우는 이러한 생각을 입 밖으로 꺼내지 않았다. 반대로 그는 직관보다 데이터를 신뢰하는 타입이기 때문이다. 이런 경우에 뭐라고 말해야 하는지 정확히 알고 있었다.

"사랑해."

재영이 눈을 몇 번 깜빡거렸다. 그러고선 상우의 시선을 피하며 괜히 베개를 뚫어지도록 쳐다보았다.

"사랑한다니까."

재영은 못 들은 척 눈을 감고 상우의 품에 슬쩍 안겼다.

사소한 갈등 디버깅 완료
시스템 정상화

연애는 신규 개발만큼 유지 보수가 중요하다. 상우는 7년차 베테랑답게 이번에도 갈등을 성공적으로 봉합했다. 물론 장재영은 뒤끝이 심하기 때문에 언젠가 이 일을 다시 언급하겠지만, 일단은 한숨 돌렸다.

한동안 가만히 있던 재영이 상우의 목덜미에 코를 묻고 킁킁거렸다. 눈썹 끝이 만족스러운 듯 내려와 있었다.

"추상우 냄새…… 오랜만."

화를 빽 낸 다음에 어리광이라. 세상 쉽게 사는 건 본인 아닌가. 재영은 상우의 목 이곳저곳에 쪽쪽 입을 맞추더니, 그의 어깨를 쥐고 돌려 눕혔다.

상우는 그 박력 있는 행동에 다른 것을 기대했지만, 재영은 상우를 형제처럼 다정하게 안고서 티셔츠를 조금 끌어 내릴 뿐이었다. 무슨 짓을 하려는지 알 만했다. 상의를 입으면 교묘하게 보이지 않을 위치, 상우의 목덜미에는 복잡한 모양으로 장식된 J자가 반영구적으로 새겨져 있었다.

그들은 서로 소유하고 싶어 했지만 방법이 달랐다. 상우는 둘의 관계를 법적으로 인정받길 원했고, 재영은 상우의 몸에 제 이니셜을 영구적으로 적어 놓고서 종종 깨물고 싶어 했다. 둘은 각자가 왜 그런 것을 추구하는지 잘 이해하지 못했지만 존중했다.

재영은 한동안 상우의 목을 집요하게 물고 핥아 댔다. 간지러움을 참아 내는 동안 상우는 커다란 개 한 마리가 등에 올라탄 듯한 착각을 느꼈다. 짐승처럼 행동하는 거야 상관없지만, 이왕이면 발정기처럼 굴었으면 좋겠다고 그는 생각했다.

"아끼는 물건에 이름 적어 놓고 소유권을 재확인하는 건 아무리 봐도 어린이의 방식 같은데."

"조용히 해. 내 마음이야."

"우리 나이대에 걸맞은 방법도 있잖아."

"예를 들어?"

등 뒤에서 들린 목소리에 장난기가 가득했다. 재영은 눈치가 너무 빨랐고 '추상우 놀리기'를 본업보다 더 좋아했다. 상우는 자연스럽게 재영의 함정을 피했다.

"혼인 신고서에 서명하기."

"그건 겨울에 할 거고, 지금 할 수 있는 건 없어?"

목에 머물러 있던 재영의 손끝이 등을 타고 내려와, 허리를 살랑살랑 간질였다. 상우는 몸을 약간 비틀며 대답했다.

"성숙한 토론."

"그래? 알았어."

"어?"

"원래 1분 뒤에 섹스하려고 했는데, 성숙하게 토론이나 하자."

"안 돼!"

상우는 저도 모르게 소리치며 몸을 돌려 누웠다. 재영이 주먹으로 입가를 가리며 웃고 있었다. 그 모습이 귀엽다고 생각하는 동시에 상우는 짜증이 났다. 재영은 그저 장난에 환장했을 뿐, 성교할 생각이 전혀 없어 보였기 때문이다.

연애 초기, 눈만 마주치면 옷을 벗기려고 달려들었다가 마음처럼 안 되면 찢어 버리던 장재영은 어디로 갔는가. 상우는 그가 피곤한 상태라는 것도, 잠을 오랫동안 못 잔 상황에선 성욕이 들지 않는다는 걸 머리로 알았지만, 일주일 내내 기다려 온 순간이라 서운했다. 그런 상우를 가만히 보던 재영이 손가락으로 코끝을 톡 쳤다.

"너 장재홍한테 이상한 말 많이 한 것 같더라."

"내가 뭘?"

"섹스리스냐고 묻던데? 어이가 없어서."

"그런 말 안 했어. 그리고 사실이잖아."

"남들은 이틀 갖고 섹스리스라고 안 해."

"7일 찬데. 156시간째."

"폰 섹스는 안 쳐? 역시 육체파라니까…….."

상우의 배 위에 올려져 있던 재영의 손이 꿈틀거렸다. 다섯 손가락이 뱀처럼 청바지로 내려왔다. 골반을 감으며 뒤로 돌아와, 엉덩이 골 사이를 더듬거렸다.

"내가 곰팡이란 건 무슨 소리야?"

"첫인상과 달리 유익하다는 의민데."

"그래. 뭐시기 오류보단 낫네."

허벅지 안쪽, 연한 살을 천천히 쓸던 손가락이 고환을 스쳤다. 조금씩, 조금씩, 감질나는 속도로 중심에 가까워지다, 툭 튀어나온 기둥에 살짝 닿았다. 상우는 긴장하며 숨을 들이마셨다. 재영이 상우의 얼굴을 빤히 보며 음경 위를 톡톡 건드렸다.

"그리고 뭐? 장재영이 그렇게 입고 있었으면 이 자리에서 덮쳤을 거예요?"

"……."

대체 그 남자는 둘이서 한 얘기를 왜 죄다 나불거리고 다닌단 말
인가. 상우는 볼이 열기로 뜨거워지는 것을 느꼈다.

"그 옷, 다시 입고 올 테니까 덮쳐 볼래?"

진담인지 농담인지 구분하기 어려운 제안. 상우는 순간적으로 혹
했지만 함정을 구분하지 못할 정도로 우둔하지 않았다. 그는 쥐덫
위의 치즈로부터 눈을 과감히 돌렸다.

"그냥 해 본 소리야. 난 형이 지금처럼 나체인 상태를 가장 선호
해."

"정말이야?"

끄덕끄덕.

"그럼 저거 갖다 버려도 돼? 비싼 건데."

"……으응."

재영이 빙긋 웃었다. 그는 어느새 빳빳해진 중심 위로 엄지를 미
끄러뜨리며 속삭였다.

"아니면 지금 입고 올까?"

"……."

"자기가 좋아하는 정—석—적—인 스—타—일인데, 내가 그 정도
는 해 줄 수 있잖아."

상우는 기대감으로 거칠어진 숨을 숨기기 위해 입을 꽉 다물었다.
그러자 콧구멍이 커지는 느낌이 들었다. 재영이 그를 아무 표정 없
이 바라보다 툭 내뱉었다.

"대신 조건이 두 개 있어."

"어, 어……. 뭔데?"

"금지어. 바람, 불륜, 간음, 외도."

"……."

"그리고 내 쌍둥이를 지칭하는 모든 단어. 섹스하는 동안 내 귀에 들리면 곧바로 가출하고 휴가 내내 길바닥에서 노숙할 거야."

"안 할게. 절대 안 할게."

상우는 고개를 빠르게 저었다. 재영이 무언가 마음에 안 든다는 듯이 눈알을 굴렸다. 상우는 조심스럽게 물었다.

"두 번째 조건은?"

"그건 이따 알려 줄게."

두 번째 조건이 뭘까 골똘히 생각하는 사이 시야가 가려졌다. 재영은 상우의 머리 위에 이불을 던져 놓고 침대에서 뛰어내렸다. 쿵 소리가 나며 침대가 살짝 흔들렸다.

"10초만 있어 봐. 야한 생각 하면서."

"……응."

상우는 마음이 급했으나 어쩔 수 없이 눈을 감았다. 10초는 정말 길게 느껴졌지만 상우는 성실하게 숫자를 셌다. 약속 시간이 끝나기 1초 전, 지척에서 재영의 목소리가 들렸다.

"15초 추가."

"……뭐?"

"엿보기 금지."

그깟 옷 입는데 뭐가 그리 오래 걸린단 말인가. 상우는 짜증이 났지만 어쩔 수 없이 또 1부터 숫자를 셌다. 고통스러운 15초는 아주 천천히 지나갔다. 그러나 이번에도 약속 시간이 끝나기 1초 전, 재영이 크게 말했다.

"10초 추가."

아무래도 일부러 상우를 고문하려는 것 같았다. 옷은 부차적인 문제고 상우는 안에 든 사람이 당장 필요했다.

"그냥 오면 안 돼?"

"기다려 봐, 좀."

"나 발기했어."

"어. 아까 봤잖아."

"못 참겠는데……."

"안 돼. 기다려. 잠깐…… 됐다."

상우는 재빨리 이불을 걷어 내고 눈을 떴다. 재영이 눈앞에 서 있었다.

"어……."

아무렇게나 벗어 놨던 회색 정장 바지와 몸에 딱 맞는 흰 와이셔츠를 몸에 걸친 채 팔짱을 끼고 있었다. 타이까지 목에 단정하게 매고 헝클어진 머리를 정리해 놓았다. 상우가 아무 말도 못 하고 입을 벌리고 있는 동안 재영이 성큼성큼 다가왔다.

"상우야, 있잖아."

"응?"

"내가 이상한 소리를 들었는데……."

그가 주머니에 손을 넣은 채 침대에 삐딱하게 걸터앉았다. 허벅지를 감싼 회색 실크가 팽팽하게 당겨져 옆으로 밀어 놓은 성기의 윤곽이 그대로 드러났다.

"자기가 외간 남자를 넋 잃은 표정으로 엿보았다는 게 사실이야?"

"어?"

상우는 당황해서 '넋 잃은'이란 표현의 모호성을 지적하지 못했다. 비록 쌍생아란 특수성 때문이기는 하나 그 남자, 장재홍을 틈틈이

엿본 건 사실이었기 때문이다.

　재영이 미간을 찌푸리며 손가락을 상우의 이마에 얹더니, 세게 밀었다. 상우의 몸이 뒤로 풀썩 쓰러졌다. 재영이 상우의 어깨 양옆에 손바닥을 짚고 엎드리자 흰 천이 근육 모양대로 구겨지며, 왼쪽 가슴에 새겨 놓은 복잡한 모양의 S자와 오른팔의 문신이 살짝 비쳤다.

　"사실이냐니까."

　앞머리가 반듯한 이마 위로 흘러내리며 색채가 남달리 옅은 눈동자 위로 그림자가 졌다. 상우의 볼을 어루만지는 손등은 퍽 다정했지만 얼굴은 웃고 있지 않았다.

　"그냥 형하고 닮아서…… 나도 모르게…….."

　"신기해서?"

　"어, 어."

　"그럼 네 잘못이 아니네."

　"응!"

　"질투 나는 것도 내 잘못이 아니야, 상우야. 따지자면 네 탓이지."

　"……."

　"우리 애기, 형 열 받게 했으니 어떻게 해야겠어?"

　"아직 화 안 풀렸어?"

　"벌 받아야겠지?"

　재영의 입가가 구겨지며 비뚤어진 미소를 지었다. 불만스러운 얼굴에는 섬뜩한 구석이 있었는데, 타이트한 셔츠의 단추를 끝까지 채운 금욕적인 모습과 썩 잘 어울렸다. 그 순간에 재영은 말도 안 되는 이야기를 지껄이고 있다는 점만 제외하면 완벽했다. 상우는 죄를 인정해서가 아니라, 단지 얼른 벌 받고 싶어서 고개를 끄덕였다. 재영이 그를 내려다보며 말했다.

"벗어."

"……."

상우가 티셔츠와 바지, 속옷을 차례대로 벗고 접어서 내려놓는 동안 재영은 한순간도 그의 몸에서 눈을 떼지 않았다. 상우는 사이드 테이블에서 준비물을 잔뜩 꺼내 베개 옆에 놓은 뒤 민망한 기분에 이불 속으로 들어가 누웠다. 그러자 재영이 다음 지시 사항을 내렸다.

"손들고 있어."

상우는 용감하게 양손을 번쩍 들었다. 체벌당하며 성교하는 거라면 〈교사와 문제아〉 때 경험해 보았다. 재영이 때리는 척만 하고 자꾸 간질여서 고도의 연기력이 필요했지만.

재영은 제 벨트를 감질날 정도로 천천히 풀었다. 상우의 얼굴에서 시선을 떼지 않으며 가죽 벨트를 양옆으로 탁탁 잡아 폈다.

"더 위로."

그 말대로 하자 손등이 차가운 철제 프레임에 닿았다. 재영은 상우의 양 손목을 부여잡아 끌어당기더니, 벨트로 침대 틀에 묶어 버렸다.

팔을 몇 번 흔들어 보았지만 꽤 단단하게 고정된 손목은 빠져나오지 않았다. 상우는 조금 당황했으나 아무렇지 않게 여기려 애썼다. 팔목 속박이라면 〈경찰과 도둑〉 때 해 보았다. 침대에 묶여 있지는 않았지만.

"이게 두 번째 조건."

"……."

"지금이라도 관둘래?"

"아니."

상우는 재빨리 대답했고 재영은 피식 웃으며 이마로 손을 뻗었다.

똑바로 세운 검지가 미간에 톡 닿고서 콧날을 타고 느릿하게 내려갔다. 인중을 지나, 입술을 짓뭉개고서 턱에 잠시 머물렀다가 목으로.

상우는 어깨를 살짝 움츠리며 고개를 돌렸다. 쇄골을 간질이는 손길이 간지럽기도 했지만, 그보다 재영이 웃음기 없는 얼굴로 저를 관찰하고 있어서 민망했다.

아주 천천히, 가슴을 타고 내려온 엄지가 유두에 닿았다. 상우는 숨을 죽였다. 재영은 상우의 표정을 내려다보며 한동안 손가락만 움직였다. 상우의 숨이 거칠어지고 입술이 바르르 떨리기 시작했다.

재영이 손끝으로 지그시 누르고 둥글게 돌리며 괴롭힐수록 상우의 젖꼭지는 바짝 서서 반항했다. 상우는 신음을 내지 않기 위해 입술을 깨물었다. 그러자 재영이 상우의 눈을 빤히 바라보며 유두를 살짝 꼬집었다.

"아, 읏……."

상우는 몸을 비틀었지만 손목이 묶여 있다 보니 아무 일도 일어나지 않았다. 그를 가만히 내려다보던 재영의 목이 벌겋게 달아올랐다. 재영은 돌연 이불을 거칠게 치워 내더니, 상우의 허벅지 위에 앉았다. 이윽고 선홍빛 혓바닥을 쭉 내밀고 얼굴을 내렸다.

방은 끔찍할 정도로 조용했다. 상우가 몸을 움찔거려서 벨트 버클이 철제 프레임에 부딪쳐서 내는 소리와 시트 구겨지는 소리만이 간헐적으로 났다. 재영은 젖꼭지를 혀로 짓누르며 넓게 핥다가, 혀끝을 날름거리며 점점 빠르게 자극했다. 상우는 신음을 내지 않으려 안간힘을 썼지만 재영이 돌기를 입 안으로 빨아들였을 땐 입이 저절로 벌어졌다.

"으윽……. 아!"

재영은 입 안에서 혀를 능란하게 움직이며 유두를 희롱하다, 흥분을 참지 못할 때면 깨물었다. 물리적인 자극만으로 벅찬 상황에 양쪽을 번갈아 가며 입을 옮기는 모습과 질척이는 소리가 너무 야해서, 상우의 중심에서 나온 액체가 어느덧 허벅지 위로 흘러내렸다.

상우는 성기를 손으로 쥐고 끓어 넘치는 성욕을 해결하고 싶었지만 엉덩이를 들썩거리는 수밖에 없었다. 그는 이를 악문 채 제 페니스를 재영의 사타구니에 거칠게 비볐다.

"가만히, 좀 있어."

재영의 손이 땀 고인 등허리를 쓸어내리며 엉덩이 사이로 향했다. 언제 뜯었는지 모를 콘돔이 손가락에 씌워져 있었다. 곧 엉덩이 사이가 벌어지며 끈적하게 젖은 이물질이 침투했다. 재영이 상우의 한쪽 가슴을 문 채 그의 눈을 지그시 올려다보았다.

상우는 눈을 질끈 감고 고개를 돌렸다. 갖가지 변태 행위에 익숙해져 수치심이 사라진 지 오래라고 생각했는데, 이상하게도 부끄러워서 견딜 수 없었다. 저는 몸을 가릴 실오라기 하나 없이 빨가벗은데다 팔을 위로 들고 있는데, 재영은 목까지 단추를 채운 슈트 차림이니 어쩔 수 없었다.

"눈은 왜 감아, 애기야. 졸려?"

재영이 아무렇지 않게 속삭이며 손가락을 늘렸다. 그의 손끝이 민감한 부분을 스치며 안으로 푹 들어왔다가 내벽을 긁으며 빠져나갔다.

상우는 실눈을 뜨고 그를 살짝 훔쳐보았다가 눈이 마주치고 말았다.

"맨날 하는 건데 뭐가 그렇게 창피해?"

"일…… 주일 만이니까, 그렇지."

"진짜 그 이유 때문이야?"

"으, 윽……."

"아닌 거 같은데."

손가락이 더 노골적으로 움직였다. 툭, 툭, 민감한 부위를 건드리며 섹스하듯이 들락거렸다. 상우는 눈을 질끈 감고 고개를 베개에 묻었다. 재영이 제 몸을 보지 못하도록, 액을 질질 흘리는 성기를 보지 못하도록 손바닥으로 눈을 가리고 싶은데 팔이 위로 단단히 묶여 있어서 아무것도 할 수 없었다. 너무 불공평했다.

고요한 실내가 점액질 질척거리는 소리와 상우의 숨죽인 신음으로 가득했다. 이윽고 재영의 숨소리도 점점 거칠어졌다. 상우는 눈을 살짝 뜨고, 얼굴이 벌게진 채 이상한 눈빛을 하고 있는 남자와 시선이 마주쳤다. 아래를 내려다보니 회색 바지의 한쪽 허벅지 부근이 쿠퍼액으로 흠뻑 젖어 있었다.

"형…… 이거 그만, 하고……."

"어?"

상우는 달달 떨리는 다리를 뻗어 재영의 하체로 가져갔다. 거뭇하게 젖은 곳에 발가락을 갖다 대고 외설스러운 모양으로 튀어나온 기둥 모양을 따라 발가락을 미끄러뜨렸다. 재영이 부지런히 움직이던 손을 멈추었다.

"왜, 이거 먹을래?"

고개를 빠르게 끄덕이자 안을 채우고 있던 손가락이 빠져나갔다. 재영이 성급한 손길로 제 바지를 허벅지까지 내렸다. 눈을 감고 마음의 준비를 하고 있는데 별안간 얼굴 위로 그림자가 지더니 입술 사이로 축축한 살덩이가 비집고 들어왔다.

'그 뜻이 아닌데!'

대답 대신 목구멍에서 신음이 나왔다. 재영은 상우의 찌푸린 표정이 보이지 않는 것처럼 힘줄 돋은 성기를 입 안 깊숙이 밀어 넣었다.

폭력성 최고치. 심사가 뒤틀린 장재영은 침대에서 폭군이나 다름

없다. 성난 페니스가 상우의 입 안에서 거칠게 꿈틀거렸다. 상우는 입을 오므리려고 노력했지만 마음대로 되지 않았다. 평소에도 쉽지 않은데 재영이 화난 상태라면 더더욱.

"맛있어?"

'아니요…….'

재영은 질문을 해 놓고서 대답이 나올 공간에다 피스톤질을 하기 시작했다. 몇 번을 해도 익숙해지지 않는 행위. 상우는 늘 구강성교가 힘겨웠다. 그야, 인간의 노력으로 구강 용적이 증가하거나 성기의 부피가 감소할 리 없기 때문이다.

목구멍이 눌려서 무의식중에 뱉어 내려 하면 재영은 더 강한 힘으로 밀었다. 끝까지 들어갈 수 없는 길이인데도 고집스럽게 앞으로 내밀었다. 고통으로 눈이 감길 때마다 재영의 엄지가 눈꺼풀을 억지로 밀어 올렸다. 상우가 똑바로 눈을 마주치지 않을 때면 재영이 머리카락을 틀어쥐고 위를 보게 했다.

"헉, 헉……. 윽…… 학."

재영의 신음이 커질수록 상우의 물건은 더욱 단단해졌다. 쾌락에 젖어 턱 끝에서 땀을 뚝뚝 흘리는 남자친구의 모습은 비현실적일 정도로 섹시했다. 게다가, 입을 들락거리는 돌덩이 같은 성기가 몸에 들어오면 어떨까 상상하는 것만으로 배가 아팠다. 상우는 무심코 손을 내리려다 팔이 어디 묶여 있는지 상기했다.

'못됐다, 진짜.'

피우지도 않은 바람 때문에 당하는 복수. 어차피 말로 설득해 봐야 소용없고, 기분 풀릴 때까지 제멋대로 굴도록 놔둬야 한다는 걸 과거 데이터로 알고 있었다. 상우는 이렇게 된 거, 화라도 빨리 풀게 하자는 생각으로 입을 크게 벌렸다. 그때 재영이 돌연 빠져나갔다.

"다리, 벌려."

그는 숨을 거칠게 내쉬며 미친 사람처럼 두리번거렸다. 콘돔을 집어 뜯고 번들거리는 성기에 억지로 끼우며 상우의 허벅지 안쪽을 때리듯이 쥐었다. 그는 좁은 입구에 도저히 물리적으로 통과할 수 없을 듯한 물건을 거칠게 비벼 댔다. 불가능해 보여도, 그것은 상우의 안에 들어와 쾌감을 남기고 빠져나간 전적이 수도 없이 많았다.

재영은 여유 잃은 표정으로 상우의 발목을 당겨 제 어깨 너머에 던졌다. 양손으로 엉덩이 사이를 활짝 벌리더니 곧바로 성기를 쑤셔넣었다.

"아, 흐윽!"

단단히 각오하고 있었는데도 꽉 깨문 입술 사이에서 신음이 흘러나왔다. 성급한 손이 상우의 뺨을 붙들더니 아래로 천천히 미끄러졌다. 재영은 잔뜩 인상을 쓴 채 윤활제를 집어 필요 이상으로 많은 양을 성기 위로 짜 냈다. 상우의 팔을 틀어쥐며 턱을 어깨에 기댔다. 묵직한 기둥이 비좁은 통로를 억지로 밀며 몸 안으로 밀려들어 왔다.

"잠깐…… 아파. 아웃, 천천히…… 읍."

재영은 상우의 입을 입술로 막아 버리고 하던 일을 계속했다. 이물감이 심해서 눈물이 찔끔 났다. 머리 위에서 벨트 버클과 침대 프레임이 마구 부딪쳐 짤랑거렸다. 한두 번 해 본 일도 아니건만, 오랜만이라 그런지 재영이 유독 흥분해서 그런지 버겁기만 했다.

재영은 상우의 몸을 찢어 놓을 기세로 뿌리까지 밀고 들어왔다. 그런 뒤에야 입술을 놓아주었다.

"하아, 하아……. 네 남편 고자 만들 거야?"

"……."

"이거 끊어 먹으면 너만 손해야."

상우는 질끈 감고 있던 눈을 겨우 뜨고서 힘없이 깜빡거렸다. 삽입만으로 진을 다 빼 버린 기분이었는데 재영이 속살거리는 소리를 들으니 또 성욕이 샘솟았다.

앞을 보니 자극은 배로 강해졌다. 흐트러진 흑갈색 머리카락 아래 살짝 찌푸린 미간, 술 취한 사람처럼 헤까닥 돌아 버린 눈매, 거친 숨 때문에 오르내리는 가슴과 땀이 엉겨 붙은 관자놀이. 특히 자로 재서 지은 듯 딱 맞는 와이셔츠가 땀에 젖어 가슴에 찰싹 달라붙은 모습은 바라보는 것만으로 아래를 불끈거리게 했다.

'우와, 합법적으로 바람피우는 기분이다.'

상우는 속으로 금지어를 중얼거렸다. 그때 그의 생각이라도 읽은 듯 재영이 눈살을 찌푸렸다.

"방금 무슨 생각 했어?"

"……아무것도 아니야."

"빨리 말해."

상우가 고개를 젓자 재영의 눈빛이 더 날카로워졌다. 상우는 어쩔 수 없이 입을 열었다.

"부정한 행위를 법의 테두리 안에서 하고 있다는 착각."

"다른 새끼랑 섹스하는 것 같아서 존나 흥분된다고?"

재영은 그 말을 최악의 방식으로 왜곡해 해석했다. 안 그래도 심사가 꼬여 있는데 불을 지른 것 같았다. 이럴 땐 논리적인 설득이 통하지 않는다. 상우는 최대한 불쌍한 표정을 지으며 쩔쩔맸다.

"잘—못—했—어—요, 재—영—선—배."

"……"

"용—서—해—주—세—요."

재영은 진정성 있는 호소에 마음이 조금도 흔들리지 않은 듯했다.

그는 냉소적인 웃음을 흘리며 손가락을 넥타이와 목 사이에 넣고 당겼다. 상우의 눈을 똑바로 보며 타이를 풀었다. 길게 잡더니, 넓은 부분을 상우의 눈 위에 얹고 뒤를 묶어 버렸다. 시야가 깜깜해졌다.

이 또한 〈해적과 포로〉 때 경험해 보았지만, 이렇게 이것저것 한꺼번에 당해 본 적은 없었다. 아무리 심술이 났다고 해도 그렇지, 너무 불공평했다. 상우는 앞이 보이지 않아서 재영의 얼굴이 있을 만한 곳을 어림짐작하며 말했다.

"이건 너무하잖아. 지금 내 상황, 성교를 즐기기에는 자유도가 너무 적다고 생각해. 세 가지 제재 중 한 가지만 풀어 주⋯⋯."

재영이 살짝 빠져나갔다가 허리를 튕겨 올렸다. 준비되어 있지 않았던 상우는 저도 모르게 비명에 가까운 신음을 질렀다. 무심코 다리를 오므리려 하자 재영이 나머지 한쪽 다리까지 어깨에 올리며 상체를 상우에게 바싹 붙였다. 양손이 결박당하고 몸이 반으로 접힌 채 피스톤질이 시작되었다.

"으윽, 잠⋯⋯깐. 아, 파. 아파!"

흥분한 남성이 몸 안으로 막무가내로 밀고 들어왔다. 재영은 상우가 긴장 풀릴 때까지 몸 여기저기에 키스하며 기다려 주는 절차를 평소와 달리 생략해 버리고서 거칠게 몰아쳤다.

상우는 고통을 견디며 입술을 질끈 깨물었다. 눈물이 핑 도는 이유는 분명히 배려 없는 행위 때문이지만 그뿐만은 아니었다. 아무렇게나 쑤셔 박는 것 같은데, 그의 성기는 스치기만 해도 눈이 질끈 감기는 부위를 반복해서 짓이겼다.

한 침대에서 자며 수시로 합체한 지도 7년 차. 상우의 몸을 제 손바닥처럼 잘 아는 재영은 과녁을 놓치는 일이 없었다. 상우는 눈이 가려지고 팔을 속박당한 상황에 지나치게 흥분한 티를 내고 싶지 않앉으나, 배 속 깊은 곳에서 움튼 신음이 새어 나왔다. 상우가 숨을 헐떡이며 고개를 젓자 재영의 입술이 관자놀이에 닿았다.

"여보야, 내가 누구야."

'그깟 바보 같은 질문, 대답하나 봐라.'

입을 꾹 다문 채 대답하지 않자 잠시 행위를 멈추었던 재영이 더욱 강하게 짓쳐 들었다. 몸이 송두리째 흔들릴 정도로 격렬한 삽입에 상우는 비명을 질렀다.

"누구냐니까."

이를 악물고 고개를 저었다. 그러자 재영이 목을 틀어쥐며 철썩철썩 소리가 나게끔 하체를 맞부딪쳤다. 상우는 순식간에 여유를 잃었다.

"아, 아, 아읏! 으흡……."

재영은 작정한 듯 거칠게 굴면서도 양팔로는 상우의 허리를 꽉 안고 입술을 뺨 위로 미끄러뜨렸다. 으르렁거리는 듯한 숨결이 귀에 부딪쳤다.

앞이 보이지 않아 모든 감각이 더 민감하게 느껴졌다. 몸을 짓누르는 재영의 무게가, 그의 체취가, 야한 숨소리가, 질척거리는 점액질과 짤랑거리는 금속의 소리가. 수영장에 들어갔다 나온 것처럼 흠뻑 젖은 셔츠의 감촉이, 소리 낼 수밖에 없는 지점을 짓누르며 들어와 박히는 묵직한 페니스가.

"흐읏, 읏! 아, 학…… 형, 장……재영."

"어, 하아, 하아……. 정답."

상우는 자꾸 손이 묶여 있다는 사실을 잊고 재영을 향해 팔을 뻗으려 들었다. 그의 목에 팔을 두르고 매달리고 싶은데 불가능했다. 아쉬운 대로 허벅지를 양옆으로 힘껏 벌리자 재영의 양물이 더욱 깊이 들어와 내벽을 쳐올렸다.

"아, 아읔!"

몸이 쪼개지는 듯한 충격도 잠시, 고통은 놀랍도록 빠르게 쾌감으로 전환되었다. 세상에서 오직 한 사람만이 줄 수 있는 쾌락이었다. 재영이 깊숙이 삽입하며 상우의 머리카락을 거칠게 쥐고 당겼다. 그리고 단단하게 세운 혀가 페니스처럼 입 안으로 침투했다. 상우는 그것을 정신없이 빨며 재영의 왕복 운동에 맞추어 허리를 흔들기 시작했다.

철벅거리는 마찰음이 한층 거세졌다. 침이 입가에 질질 흐르고 맞닿은 가슴에 땀이 들러붙어 끈적거렸다. 희열이 머릿속을 마비시켜 부끄러움이 사라지고, 재영이 자신을 불공평하게 괴롭힌다는 원망조차 잊어버렸다. 불만이 있다면 단 하나, 이 순간에 그의 얼굴을 볼 수 없다는 사실뿐이었다.

"상, 우야."

신음과 신음 사이에 재영이 갈라진 목소리로 중얼거렸다. 그의 성기가 점점 굵어진다는 기분은 착각일까. 분명히 윤활제를 남용하는 걸 보았는데, 같은 지점을 집요하게 찍어 대는 남근은 번번이 힘겹게 들어왔다 안을 빽빽하게 긁으며 빠져나갔다.

"나……야."

"응, 으응."

"다른 새끼하고 헷갈리면, 죽여 버린다."

"하아, 하아. 으흑, 웃, 닥……쳐."

제대로 대답할 정신이 없었다. 상우는 재영의 움직임에 맞춰 엉덩이를 내리찍으며 고개를 저었다. 좁은 공간을 찢고 들어와 살갗을 밀어 올리는 감각에 그는 울고 싶은 기분이었다. 접합부가 꽉 맞물릴 때마다 머리카락이 쭈뼛쭈뼛 서고 몸이 떨렸다. 장재영을 밀어내고도 싶고, 그를 먹어 치워 버리고도 싶고, 그의 위에 올라타고도 싶었다. 무엇보다, 그의 얼굴을 눈에 담고 몸을 마음껏 만지고 싶었다.

"아, 흐윽, 싫어, 싫……어."

"뭐가, 싫어? 좋으면서."

"형…… 읔, 학! 보고 싶어."

울음을 꾹 참고 겨우 뱉어 낸 요청사항은 묵살당했다. 그뿐 아니라 오히려 재영을 자극한 것 같았다. 재영은 귓가에 거친 숨을 내뱉으며 이전보다 훨씬 빠르게 페니스를 처박았다.

"아, 아웃, 흐윽! 아……. 형, 제발. 제, 발……."

퍽, 퍽, 퍽, 속도는 점점 빨라져 상우가 그의 움직임을 전혀 따라갈 수 없게 되었다. 힘없이 재영에게 맡긴 몸이 미친 듯이 흔들리고 날카로운 금속음이 귀 아프도록 쩌렁거렸다. 이를 아무리 악다물어도 끝내 새어 나오던 신음은 곧 울음으로 치환되었다.

평소보다 때 이른 사정감이 물밀듯이 몰려왔다. 상우는 어떻게든 참으려 했지만 양손이 높이 묶여 있어서 저항할 방법이 전혀 없었다. 그의 둑은 끊임없이 들이치는 파도를 몇 차례 견디지 못하고 터져 버렸다.

백색 쾌감이 몸을 쓸어 가고 감각을 익사시키려 했다. 눈물, 땀, 정액. 쾌락으로 흠뻑 젖어 모든 것이 엉망이었다. 상우는 놀라기도 했고, 저를 꽁꽁 묶어 놓고 괴롭히는 재영이 밉기도 해서 엉엉 울었다.

재영은 상우의 몸 안에 제 성기를 힘껏 밀어 넣고서 잠시 머뭇거렸다. 곧 그의 입술이 광대뼈에 닿았다. 축축한 혀가 눈가를 핥더니 턱까지 쭉 미끄러졌다. 그리고 얼마 지나지 않아 눈앞이 밝아졌다.

물기로 흐려진 시야를 통해 상우는 재영과 눈이 마주쳤다. 재영은 제 볼을 타고 흐르는 정액을 손바닥으로 닦더니, 혀로 핥아 올렸다.

"나 목마를까 봐 그래?"

"그러니까 내가, 싫다고 했잖아!"

"괜찮아. 잘했어."

재영이 웃으며 상우의 허리를 양손으로 감아 살짝 들어 올렸다. 그 바람에 아직 몸에서 빠져나가지 않은 단단한 기둥이 위치를 바꾸며 예민한 부위를 짓눌렀다. 상우는 눈을 질끈 감으며 신음을 흘렸다. 조금 전에 사정한 물건이 지친 기색도 없이 슬며시 고개를 들었다.

"형, 잠깐만⋯⋯."

"왜?"

"손도 풀어⋯⋯ 줘. 나 답답해."

"나한테 장난친 벌인데?"

"풀어 줘, 이 못된 새끼야."

재영이 헛웃음을 닮은 한숨을 내뱉었다. 상우는 눈물 때문에 그 모습이 잘 보이지 않았다. 눈을 깜빡거리자 눈가에 고여 있던 액체가 볼을 타고 흘렀다.

"뭐 어쩌라고. 울면 다야?"

재영이 부드럽게 중얼거리며 몸을 숙였다. 그리고 언제 거칠게 굴었냐는 듯 상우의 눈가에 조심스럽게 키스했다. 혀를 넓적하게 눕혀 눈물을 핥아 내며, 손을 뻗어 침대 프레임에 단단히 묶어 놨던 벨트를 풀었다.

상우는 풀려나자마자 그의 목에 팔을 둘렀다. 다시는 떨어지지 않겠다는 듯 어깨에 매달리자 재영이 어이없다는 듯 웃었다.

"예뻐서 봐줬다."

"키스나⋯⋯ 해, 바보야."

"네."

재영은 상우의 입술 사이로 혀를 넣으며 그의 몸을 한 번에 일으켰다. 울고 난 뒤라 조금이라도 부드러워질 줄 알았는데 오히려 그 반대였다. 재영은 상우의 몸을 살짝 들어 안고서 철썩거리는 소리가 나도록 하체를 쳐올렸다. 흐느끼는 소리가 오히려 성욕에 불을 지른 듯했다. 상우는 재영의 반듯한 어깨를 꼭 안고 페니스를 더 빨리 받기 위해 엉덩이를 아래로 내리박았다.

"상…… 우야. 자제 좀 해 봐."

"으, 흐윽! 으윽!"

"자기, 너무 야해서, 나 자꾸 쌀 뻔하잖아."

재영이 낮게 속삭이며 상우의 엉덩이 사이를 활짝 벌렸다. 상우는 재영의 목을 꼭 끌어안고 있었지만, 삽입 행위가 한층 깊어지며 몸이 위아래로 정신없이 흔들렸다.

재영은 희미하게 웃으며 오늘 수없이 괴롭힘당해서 퉁퉁 부은 상우의 입술을 부드럽게 빨아들였다. 밑구멍에 빳빳하게 세운 성기를 쑤셔 박고 있으면서 혀로 눈물과 침으로 얼룩진 눈가를 조심스럽게 쓸었다. 골이 난 짐승은 다정한 연인으로 돌아온 듯했지만, 크게 달라진 것은 없었다. 오히려 하체끼리 부딪치는 템포는 더 빨라졌다.

"으, 흐윽, 아! 학, 아. 형……."

"왜, 여보……. 좋아?"

"아, 응…… 응."

상우의 뒤통수를 강하게 붙잡으며, 재영은 곧 실신할 사람처럼 몽롱한 표정을 지었다. 제대로 눈꺼풀을 들어 올리지도 못하면서 허리를 부끄러움 모르는 짐승처럼 흔들어 댔다. 손끼리 깍지를 끼고 입술과 입술이 맞닿았다. 둘이 몸을 맞대고 호흡을 맞추는 감각은 상우를 또다시 쾌감의 극단으로 몰고 갔다.

쏟아지는 자극이 버거워 눈을 감자마자 커다란 손바닥이 뺨을 때리듯이 쥐었다. 재영은 언제나 상우가 저를 봐 주기를 원했다. 힘겹게 눈을 뜨고 시선을 맞추자, 그가 원래도 살짝 처진 눈꼬리를 내리며 웃었다. 머리카락 끝에서 땀방울이 뚝 뚝 떨어질 정도로 격렬한 정사 중에 짓기에는, 황당할 정도로 청량한 미소였다.

상우는 울고 있던 것도 잊고 바보같이 웃어 버렸다. 재영이 멍한 표정으로 입을 벌리더니, 돌연 상우를 쓰러뜨리며 몸 위를 꽉 눌렀다. 하체를 빠르게 치대는 동시에, 목에 입술을 대고 살갗을 아프도록 빨아들였다.

"너, 이거 평…… 생, 웃, 나랑만 해."

"아, 아! 응, 으윽, 응."

"씨발, 바람피우기만, 해 봐. 내가, 내가 확, 아무튼 내가…….."

"웃, 으윽, 아, 개…… 소리, 그만 좀!"

깍지 낀 손에 힘이 들어가고 몸이 부들부들 떨렸다. 재영의 어깨에 이마를 비비며 눈을 질끈 감자, 그가 입 안에 손가락을 쑤셔 넣었다. 상우는 이제 한계였다. 재영의 손가락을 물고 팔로 그의 목을 졸라 보았지만, 더 버틸 수 없었다.

재영이 귓가에 이름을 부르며 성기를 뿌리까지 깊이 박은 순간, 새하얀 쾌락이 머리부터 발끝까지 뒤덮었다. 온통 뜨거웠다. 머릿속도 몸속도 한 사람으로만 가득했다. 희열 때문에, 장재영 때문에 숨이 멎어 버릴 것만 같았다.

"하아, 하아…….."

재영은 오랫동안 상우의 몸을 부술 기세로 안고 있었다. 그러다 돌연 고개를 들고서 입술을 찾아왔다. 손가락이 머리칼 사이를 파고

들고 손바닥이 볼을 감쌌다. 둘 다 숨이 끝까지 찬 상태라 몇 초마다 입을 떼야 했지만, 입술은 곧바로 다시 붙어 버렸다.

　재영이 한참 동안 콧잔등을 구기며 뺨과 코, 입술 등을 무작위적인 방식으로 깨무는 바람에, 상우는 한참 지나서야 지난 성교의 소감을 말할 수 있었다.

　"형, 출장 간 사이에 나한테 많이 굶주렸구나."

　목소리가 그새 쉬어서 갈라져 나왔다.

　"내 얼굴 좀 안 보인다고 통곡한 여보가 할 말은 아닌 거 같은데."

　재영이 웃으며 받아쳤다. 머리카락은 땀범벅이었고 먼 거리를 달려온 사람처럼 가슴이 거칠게 오르내렸다.

　"더워."

　그는 얼굴을 찡그리며 상우의 몸속에서 빠져나갔다. 앉은 채로 단추를 풀기 시작했는데, 몇 개 풀다가 인내심이 사라졌는지 티셔츠처럼 막무가내로 벗으려 들었다. 비 맞은 사람처럼 옷이 몸에 찰싹 붙어서 쉽지 않은 듯했다. 그러다 급기야 북 찢어지는 소리가 났다.

　"셔츠를 쫄티로 만들어서 입으니까, 씨발 이 모양이지."

　재영은 한때 근사한 셔츠였던 천 쪼가리를 벽에 던지고, 땀과 정액으로 얼룩진 남의 정장 바지를 벗어서 멀리 걷어찼다.

　'역시 아무것도 안 입은 게 제일 좋아.'

　상우는 콘돔을 하나 쥐고 몸을 일으켰다. 재영의 무릎에 냉큼 앉아 입술에 키스하자, 그가 기다렸다는 듯 양팔로 허리를 감쌌다. 콘돔 아래 허옇게 엉겨 붙은 흔적이 아니라면 사정했는지 모를 성기가 건들거리며 상우의 허벅지 안쪽을 툭툭 쳤다.

　"여보야, 이번에 내기할래?"

　"응? 무슨 내기?"

"먼저 가는 사람이 입으로 오천만 번 해 주기."

"……안 할래."

상우가 콘돔을 새 걸로 교체하고 그 위에 윤활제를 묻히는 동안 재영은 날라리처럼 여유를 부리며 쓸데없는 말을 지껄였다. 그러나 상우가 어깨를 붙잡고 올라타서 성기를 먹어 치웠을 땐 표정이 변했다.

"야…… 잠깐."

재영은 상우의 어깨를 손바닥으로 쓸어내리며 신음을 나직하게 내뱉었다. 그러고서 변태 같은 얼굴로 그를 또다시 눕히려고 들었다.

"내 턴이야. 이제 자기는 가만히 있어."

상우가 어깨를 밀며 그리 말하자 재영이 술 취한 사람처럼 실실 웃었다.

"싫다면?"

"손목 묶어 버린다. 눈에는 눈, 이에는 이."

"만져 달라고 찡찡거릴 거면서, 입만 살았어……."

재영이 상우의 엉덩이를 양손으로 주무르며 눈웃음쳤다. 상우는 대답하는 대신 얄미운 남자의 가슴을 밀어 베개 위로 넘어뜨렸다.

"……그때까지만 해도 기획자치고 성격이 너무 빡빡하다고만 생각했거든. 근데 마지막 날 맥주 한잔하는데 입을 다물 줄 모르는 거야. 딸 자랑을 2시간 동안 들었어."

"딸이 있어? 나랑 통화했을 땐 미혼 같다고 했잖아."

"어. 알고 보니 애가 셋이더라고. 나 덴마크어도 배웠어."

재영이 손가락으로 공중에 글씨를 적으며 상우가 알아들을 수 없는 말을 중얼거렸다.

"욕이지?"

"어떻게 알았지."

재영은 이력서상으로는 5개 국어 능통자였는데, 욕으로만 치면 14개 국어를 구사했다.

"아, 그리고 우리 결혼식에 오겠대. 그래서 알겠다고 했어."

"언제 봤다고 결혼식엘 초대해?"

"어쩌다 보니……."

상우는 짜증스럽게 얼굴을 찌푸렸다. 안 그래도 하객 수가 초기 설정값보다 훨씬 늘어나서 예민해졌는데, 재영은 잊을 만하면 한두 명씩 야금야금 늘려 나갔다. 얼마 전에는 너무 멀어서 절대로 안 올 거라던 최유나가 여행할 겸 참석하겠다고 변덕을 부려서 1이 추가되지 않았던가. 정말 골 아픈 문제였다.

"그럼…… 183명?"

"마음에 안 드는 목소리네."

처음에 상우가 정한 수는 소수였다. 자신과 1만으로 나눌 수 있는 소수가 오로지 배우자만 사랑하겠다는 의식과 잘 맞는다고 상우는 생각했다. 그런 의미에서 합성수인 183은 마음에 들지 않았다.

"약수가 너무 많잖아."

"그럼 네 명 더 초대해서 187명 만들자. 내 키에 맞춰서."

"신장은 시간이 지나면서 변동하는 수치인데 대체 무슨 의미가 있어?"

"뭐? 내가 늙으면 쪼그라들기라도 한다는 거야?"

"……그 뜻이 아니고. 최근에 쟀을 때 188cm 나왔잖아. 그처럼 키는 유동적인 수치라는 거야."

머리카락에 왁스를 바른 탓이거나 양말이 두꺼워서일 텐데, 재영은 1cm 성장했다고 고집스럽게 주장했다.

"나 그때 발꿈치 살짝 들었어."

"……."

"그럼 189명으로 맞추자. 그건 소수 맞지?"

"아니. 약수가 1, 3, 7, 9, 21, 27, 63, 189. 이렇게 헤픈 수는 절대 반대야."

상우가 진지하게 한 말에 재영이 농담이라도 들은 것처럼 웃어 댔다.

"그냥 4월 4일 4시 44분에 44명 불러서 해."

"지금 장난해? 그깟 미신하고, 모든 일이 완벽하길 바라는 내 바람하고 같다는 거야?"

"아냐. 당연히 다르지. 자기는 미신 같은 거 안 믿잖아."

재영은 웃음기를 감추지 않으며 상우의 등에 들러붙었다. 그가 목에 쪽 입 맞추고서 말했다.

"그럼 191은 소수야?"

"어."

"그럼 그거로 해. 19금 같고 좋네."

"알았어."

상우는 한숨을 쉬었다. 하객 수의 초기 설정값은 현재 수치의 약 53%밖에 되지 않았다. 그런데 이제 너무 늘어나서 '작은 결혼식'이라고 하기 곤란한 규모가 되었다.

"다 형 때문이야. 101명이 완벽했는데."

"아냐. 그건 달마시안 생각나서 별로였어."

"……."

"상우야."

"왜."

"하객이 몇 명이든 무슨 상관이야? 우리 둘이 결혼한다는 사실이 중요한 거지."

"웃기시네. 〈사랑의 인사〉 틀면 결혼 안 하겠다고 보이콧할 때는 언제고."

"아……. 솔직히 그건 좀 아니잖아."

등 뒤에서 하품하는 소리가 들렸다. 상우는 재영의 팔을 끌어당겨 머리를 살짝 비볐다. 그러자 허리를 안은 손에 힘이 들어가며 뒤통수에 재영의 입술로 추정되는 무언가가 붙었다가 떨어졌다.

이렇게 누워서 이야기하는 게 기분 좋기는 해도, 상우는 언제까지 이 상태를 방치해야 할지 의문이 들었다. 졸리다던 재영은 네 번 사정하고도 상우의 몸에서 나갈 생각이 없어 보였기 때문이다.

"형, 나 씻고 싶어."

"조금만 더 이러고 있자."

"'조금'이 몇 분인데?"

"10분."

커다란 손이 정수리에 닿더니 머리카락을 이리저리 헝클어뜨렸다. 이 같은 대화가 이전에도 세 번은 오갔으나 재영은 상우의 허리를 놔주지 않았다. 한 번은 몸부림을 쳐서 징글징글한 물건을 겨우 빼냈지만, 그는 그의 '불쌍한 아이'가 추워한다면서 다시 처넣었다.

상우는 아무 짓도 안 하고 넣고만 있겠다는 약속을 받고서 그를 내버려 두었다. 조금이라도 야한 짓을 시도하면 곧바로 일어날 생각이었는데, 재영은 정말로 상우를 뒤에서 끌어안고 얌전히 있었다. 어깨를 할짝거렸다가, 등허리를 따라 손가락을 미끄러뜨렸다가, 실없는 농담을 했다가, 귀에 바람을 불었다가, 상우의 뒷모습과 잘 놀았다.

한동안 엉덩이를 주무르던 손이 등뼈를 타고 문신이 있는 곳까지 올라왔다. 재영은 그곳을 쓰다듬으며 중얼거렸다.

"그런데 여보, 안 본 사이에 왜 이렇게 살 빠졌어?"

'아닌데.'

상우는 성장기가 지나고서 늘 같은 체중을 유지하는데도 재영은 핼쑥하다느니, 여위었다느니, 말랐다느니 하는 말을 가끔 했다. 그럴 때는 체중 이야기를 꺼내 봤자 제 눈과 손이 더 정확하다고 아득바득 우기기 일쑤라, 비위를 맞춰 주는 편이 나았다.

"자기가 6일 동안 옆에 없으니까 스트레스가 생겨서 열량 소모율이 높아졌나 봐."

"그래? 진짜야?"

"으응."

"안 그래도 맛있는 거 해 주려고 장 봐 왔어."

"……휴가 앞두고 장을?"

"잔소리 금지."

재영은 상우의 허리를 더 세게 끌어안았다.

'3주짜리 휴가 전날 장을 보다니. 정말 이상한 사람이야.'

재영의 스타일상 오늘 먹을 음식뿐 아니라 충동적으로 여러 가지 샀을 텐데, 보나마다 죄다 냉동실행일 것이다. 이런 날은 간단히 배달 음식을 시켜 먹거나 동네 레스토랑에서 한 끼 해결하는 것이 현명한 선택이다.

'게다가 짐도 하나도 안 쌌지.'

휴가 직전에 출장이 잡힐 때부터 불안하기는 했다. 그래서 미리 짐을 싸 놓으라고 귀에 못이 박이도록 잔소리했는데, 재영은 기어이 텅 빈 여행 가방을 그대로 둔 채 덴마크로 출국했다.

'내일 출발이니 청소도 해야 하고.'

재영이 6일 동안 없었다 보니 집은 놀랍도록 깨끗하게 유지되었지만, 그래도 고양이만 두고 집을 오래 비울 예정이니 정리할 필요가 있었다. 이웃이 하루에 두 번씩 방문할 예정이었지만 고양이를 돌봐 주러 오는 것뿐이었다.

이렇게 할 일이 많은데, 장재영은 섹스를 원 없이 해 놓고서 고작 고추가 춥다는 핑계로 파트너를 침대에 묶어 두는 것이다. 상우는 생각을 마치고 입을 열었다.

"이제 일어나. 할 일이 많아. 일단 효율을 위해 같이 샤워하면서 저녁 메뉴를 상의하자. 씻기만 할 거고 또 넣으려고 하면 진짜 화낼 거야. 지금은 요리하는 것보다 배달시키는 게 좋은 선택이라고 생각해. 식사 주문하고, 기다리는 동안 나는 청소기를 밀 테니까 자기는 짐을 싸."

"……."

"형?"

허리를 꼭 붙들고 있던 손이 편안하게 침대에 놓여 있는 꼴이 불안했다. 귀를 기울이니 뒤에서 고른 숨소리가 들렸다. 불길한 마음에 슬쩍 뒤돌아보니 재영은 잠들어 있었다.

"야, 장재영!"

상우는 그가 너무 깊은 잠에 빠져 버리기 전에 어깨를 흔들었지만 소용없었다. 귀에 대고 이름을 불러도 미동도 없었다. 수면 중이라기보다 차라리 코마 상태에 가까워 보였다.

출장국 시차와 비행 시간, 비행기에서 영화 보느라 잠을 안 자는 재영의 버릇을 고려하면 약 23시간 동안 깨어 있었다고 추측할 수 있다. 그렇다면 내일 아침까지 깨지 않을 것이다.

"너무하네, 진짜."

상우는 한숨을 쉬며 침대에서 내려왔다. 다리가 후들후들 떨렸지만 천천히 기어 다니며 여기저기 던져 놓은 빨랫감과 콘돔을 치우고 시트를 정리했다. 수건에 물을 묻혀 재영의 몸을 닦아 주고 새 속옷을 입혔다.

나가기 전, 할 일이 있었다. 상우는 침대 위로 올라가 잠든 재영을 꼭 껴안았다. 그리고 그의 귓가에 또박또박 속삭였다.

"추상우하고 결혼하고 싶다."

재영은 5년 전에 상우의 청혼을 기뻐하며 수락하기는 했지만, 결혼을 해도 그만 안 해도 그만이란 마인드를 갖고 있었다. 그깟 서류 없이도 현재 생활이 만족스럽고, 이미 결혼한 거나 마찬가지인 삶을 살고 있어서 차이를 모르겠다는 주장이었다. 상우는 그를 논리로 설득하는 데 실패한 뒤로 기회가 생길 때마다 무의식을 세뇌하려고 애썼다.

"추상우하고 결혼하고 싶다."

같은 문장을 반복해서 다섯 번 들려주자 재영의 입술이 달싹거렸다. 개념을 습득했다는 신호일까? 상우는 그에게 더 바싹 다가가 동태를 살폈다. 재영이 얼굴을 살짝 찡그리며 입을 벌렸다.

"추상우……."

"결혼."

"내…… 거."

"추상우하고 결혼하고 싶다."

"귀……여운 상우…….."

"결혼하고 싶다."

"섹……스."

상우는 남자친구의 얼굴에 베개를 던질까 하다가 빨랫거리를 들고 나왔다.

장재영은 악몽을 꾸었다.

그는 상우와 함께 미로처럼 복잡한 악의 도시를 헤매고 있었다. 무기는 레이저건 하나씩. 두 사람은 등을 맞댄 채 영화처럼 적을 처리하고 하늘에서 펑 터지는 폭탄을 배경으로 진하게 키스했다. 중반까지는 머리카락이 쭈뼛쭈뼛 설 정도로 신나는 블록버스터였는데 중간에 상우가 사라지는 바람에 장르가 공포물로 바뀌었다.

꿈속에서 재영은 실종된 상우를 찾아다니느라 눈이 퉁퉁 붓고 목이 쉬었다. 그 와중에 작살을 든 괴물들이 왜인지 모르게 '결혼하고 싶다'란 말을 구호처럼 외치고 다녀서 위화감이 들었다.

삐익! 삐익! 삐익!

재영은 기분 나쁜 소리와 함께 현실로 돌아왔다. 손바닥을 뻗어 알람 시계를 탁 치자 날카로운 소리가 멎었다.

'어휴, 꿈이라 다행이다.'

그는 이마에 손을 얹고 안도의 한숨을 쉬었다. 장재홍이 앵무새처럼 '결혼, 결혼' 거리는 바람에 이렇게 이상한 꿈까지 꾸게 된 것 같았다. 그는 상우에게 꿈 내용을 이야기해 주기 위해 돌아누웠지만 옆자리는 비어 있었다.

"거참…… 부드러운 키스로 깨워 달라고 몇 번이나 얘기해도."

휴일에 추상우는 재영을 깨우고 싶은 시간에 저 기분 나쁜 알람 시계를 맞춰 놓고서 자기 할 일을 했다. '부드러운 키스'로는 재영이 잘 일어나지 않고, 일어난다고 하더라도 성교가 발생해 오전을 통째로 날려 버릴 가능성이 높다는 이유였다. 제가 아침부터 섹스하고 싶을 땐 알몸으로 누워서 애교를 부려 댔지만, 그렇게 꿈같은 일은 두세 달에 한 번 일어날까 말까였다.

재영은 다시 눈을 감고 이불을 말며 옆자리로 굴러갔다. 상우의 베개에 얼굴을 푹 묻고 그의 체취를 들이마시고 있는데 전화가 왔다. 발신자는 예상한 그대로였다. 재영은 통화를 수락하고 기기를 귀에 갖다 댔다.

"어, 자기야……."

—당장 내려와.

상우는 제 할 말만 하고서 통화를 끊어 버렸다. 재영은 검게 변한 핸드폰 화면을 보며 중얼거렸다.

"화났네."

남들은 상우의 말투가 늘 똑같다고 하지만 그건 아무것도 모르는 소리였다. 그는 언성을 높이는 법은 거의 없어도 섭섭한 일이 있으면 표정과 말투에서 티가 났다. 그리고 지금은 분명히 불만족스러운 상태였다.

"왜지."

재영은 욕실에서 샤워하며 전날 일을 되새김질했다. 갑자기 찾아온 장재홍에게 시달렸고, 그가 마음만 먹으면 이 관계를 깰 수 있다고 착각하길래 충동적으로 둘을 인사시켰다. 상우의 반응이 궁금해서 그들을 따라다녔고, 상우가 장재홍을 처리한 뒤에 불쌍한 동생을 호텔에 데려다줬다. 장재홍의 옷을 입고 집에 왔다가 상우가 열 받게 하는 바람에 컵을 하나 깼다. 상우가 애교를 부려서 화가 사르르 풀려 버리고 끝내주는 섹스. 그 뒤엔 기억이 없었다.

"……저녁 혼자 먹었겠다."

게다가 짐도 하나도 안 쌌다. 같이 영화 보는 날이었는데 잠들어 버렸고, 휴가 전날이라 정리할 게 많을 텐데 혼자 청소했을 것이다. 혼날 일이 너무 많았다.

재영은 양치까지 마치고서 전신 거울 앞에 섰다. 상우의 기분을 조금이라도 풀어 볼 요량으로 상큼한 휴가지 복장(하와이안 셔츠, 보드숏, 하트 모양 선글라스)에 서핑 보드를 옆구리에 끼고 1층으로 내려갔다.

상우는 대형 캐리어를 막 잠그고 있었다. 재영을 힐끔 보더니 어이없다는 표정으로 다시 가방을 내려다보았다. 그에게 달려가서 볼에 뽀뽀하려고 입술을 들이밀었는데, 상우는 기다렸다는 듯이 몸을 옆으로 틀어 피해 버렸다.

"휴가지 헷갈린 거 아니지?"

"……"

"좋은 말로 할 때 갈아입고 와."

"뽀뽀해 주면."

"싫어. 아침이나 먹어."

찬바람이 쌩쌩 불었다. 재영은 의기소침해진 채 식탁에 앉아, 상우가 차려 놓은 식사를 바라보았다. 커다란 그릇에 무설탕 통곡물 시리얼이 가득 담겨 있었다. 영양분이 균형적이라며 상우가 늘 주문해 먹는 제품은 모양과 맛이 꼭 고양이 사료 같았다.

재영은 상우가 다른 곳을 보고 있을 때 시리얼을 재빨리 반쯤 덜고 그릇에 우유를 부었다. 때마침 고양이가 무릎에 올라와 가르랑거려서 목덜미를 긁어 주며 먹기 시작했다.

상우는 이 방 저 방 오가며 한동안 부산하게 굴더니 캐리어 두 개를 문 앞에 갖다 놓았다. 재영은 그동안 식사를 재빨리 해치우고 주방에서 그릇을 대강 헹궜다. 그러고서 뒷짐 지고 상우의 뒤를 졸졸 따라다녔다. 투명 인간 취급 당했지만.

'뭐 할 일 없나.'

괜히 공과금 고지서를 뒤척이던 재영은 발목 근처에서 맴돌던 고양이에게서 힌트를 얻었다.

"아! 우리 비비도 맘마 먹어야……."

"내가 이미 줬어."

"여행 가기 전에 청소기라도 한 번 돌……."

"내가 이미 했어."

"내 짐은……."

"내가 이미 쌌어."

"……."

"의류는 착용 빈도를 기준으로, 그 외는 필요성에 따라 골랐어."

상우는 칼같이 말을 자르고 재영의 옆을 쌩 지나갔다. 휴가지에서 상하의가 따로 노는 옷차림으로 잔뜩 사진 찍히겠지만 불평할 처지는 아니었다. 재영은 그의 뒤통수에 대고 크게 말했다.

"미안해, 자기야."

"……응."

상우는 이런 일을 예견한 듯, 출장 가기 전에 휴가 짐을 미리 싸

놓으라고 충고했다. 그 말 들을 걸 그랬다고 재영은 뒤늦게 잘못을 뉘우쳤다.

"어제 저녁 혼자 먹었어?"

"어."

"뭐?"

"냉동 감자튀김, 인스턴트 수프."

윽. 소고기 안심과 아스파라거스를 구워 주려고 했는데……. 옆에 재킷 포테이토를 곁들여 배 터지게 먹이려고 했는데. 자업자득이라 할 말이 없었다.

상우는 문 앞에 스노보드 두 개를 갖다 놓고서 전화기를 들었다.

[안녕, 테드 브라운. 네 이웃인 추상우야. 나하고 제이가 오늘 휴가 갈 예정인 건 인지하고 있지? 그래. 네가 지난달에 한 약속을 상기해 주려고 전화했어. 제이의 고양이를 맡아 줘서 고맙다는 말을 재차 전달할게. 이 동물을 굶기거나 학대하지 않는다면 우리도 네 휴가 때 너의 개를 성의 있게 돌볼 거야. 현관 열쇠 위치는 이전 휴가들과 비교할 때 변동 사항이 없어. 요청 사항을 망각했다면 신발장 위의 매뉴얼을 읽어 줘. 그리고…….]

상우는 영어가 놀랍도록 빠르게 늘어서 어휘의 풍성함과 문법의 정확성은 원어민을 능가한 지 오래였지만, 회화가 자연스러워지는 데에는 한계가 있었다. 말투가 저 모양인데도 미스터 추는 은근히 이웃에게 인기가 많았다.

상우가 이웃과 통화하는 동안 재영은 고양이를 안아 들고 이마에 코를 비비며 작별 인사를 했다.

"비비야, 형들 오늘부터 여행 갈 건데 잘 지낼 수 있지? 이번에도 테드 아저씨가 밥 주고 화장실 치워 주러 올 거야. 맘마 많이 먹고,

신나게 놀고, 외박하지 말고. 나가면 동네 친구들이랑 잘 지내고. 누가 시비 걸면 꼭 선빵 때려야 돼. 알았어?"

비비는 무섭도록 영리한 고양이였다. 재영은 녀석이 인간의 말을 모두 알아듣는다고 확신했다. 비록 상우는 동의하지 않았지만.

재영은 통화를 끝낸 상우가 옆을 지나갈 때를 노려 붙잡고 키스하려고 했지만, 그는 날렵하게 몸을 피했다.

"12분 안에 출발할 거니까 옷 제대로 입고 차고로 와. 늦으면 화낸다."

상우는 현관문을 열더니 캐리어 두 개를 양손에 끌고 나가 버렸다. 재영은 배낭을 주워 어깨 한쪽에 메고 스노보드 두 개를 들었다.

문을 열고 바깥으로 나가니 따사로운 햇살이 쏟아졌다. 그는 차고로 가려던 목적을 잊고 서서, 손바닥을 세워 이마에 대고 전경을 바라보았다. 눈부시게 아름다운 여름날이었다.

멍하니 서 있는 사이 비비가 배웅하러 나왔고, 옆 동네 사는 학생 두 명이 자전거를 타고 지나가며 인사했다. 그리고 심기 불편한 추상우가 한 번 집에 들어갔다 나왔다. 재영은 휘파람을 불며 그를 따라 차고로 들어갔다.

게임방이 상우의 취향에 완벽하게 맞춰져 있듯, 차고는 재영의 왕국이었다. 이곳의 왕인 재영은 내부 디자인과 청결 상태에 절대적인 재량을 지녔다. 'HOME'이라고 적은 글자 사이로 블랙 맘바가 기어가는 그래피티는 작년 겨울에 덧칠한 거였다. 그전에는 이를 드러낸 늑대 낙서가 벽면을 차지하고 있었다.

그 아래엔 반년 동안 치우지 않은 스프레이와 페인트 통, 붓이 널브러져 있었다. 한구석에는 자전거와 전동 킥보드, 롤러스케이트, 무릎 보호대와 헬멧 따위가 두 개씩, 그리고 스케이트보드 여러 개가 무질서하게 겹쳐져 있었다. 투명한 플라스틱 상자 두 개에는 농구공, 축구공, 볼링공, 야구 장갑과 배트, 배드민턴과 테니스 채, 프리스비 같은 스포츠 용품이 너저분하게 쌓여 있었지만 상우는 차고의 상태를 늘 못 본 척했다.

재영은 전날 (상우를 속이기 위해) 빨간 스포츠카를 몇 블록 아래 세워 놓은 기억이 있었는데, 차량은 어느새 있어야 할 자리에 있었다.

재영은 세 칸 중 정중앙에 위치한 오프로드용 SUV의 트렁크를 열었다. 그가 짐을 차에 싣는 동안 상우는 여행용 힙색을 허리에 맨 채 문 앞에 서서 핸드폰을 보았다. 상우는 여행 떠나기 10분 전에 늘 준비물을 체크하는 습관이 있었다.

재영은 상우를 지나쳐 차고에서 나가는 척하다가, 급하게 방향을 틀어 그를 뒤에서 껴안았다.

"……뭐야?"

어깨에 턱을 대고 그가 빠져나갈 수 없도록 팔에 힘을 주었다. 상우는 한참 동안 가만히 있다가, 다시 핸드폰을 눈높이로 들어 올렸다. 재영은 첫 줄을 크게 읽었다.

"여권."

"……가방A에."

"내 것도?"

상우가 고개를 끄덕였다. 재영은 상으로 그의 볼에 입 맞추었다.

"캐나다 달러."

"가방A에."

이번에는 반대편 볼에 뽀뽀했다. 상우는 얼굴을 찡그렸지만 피하지 않았다.

"국제 운전면허증."

"가방A에."

"내 것도 챙겼어?"

"어."

또 같은 곳에 입술을 부딪치자 상우의 입가가 조금 꿈틀거렸다.

"방한복."

"가방D에."

네 번째 뽀뽀. 상우의 목소리가 점점 부드러워졌다. 스키복, 고글, 스노보드, 장갑, 침낭, 망원경, 카메라…… 목록은 계속해서 이어졌다. 마지막 비상 약품까지 확인하고 나자 상우가 말했다.

"끝."

그는 볼일이 끝났으면 비키라는 듯 팔꿈치로 재영의 가슴을 밀었지만, 재영은 감싸 안은 어깨에 더욱 들러붙었다.

"여행 경로."

귓가에 그리 속삭이자 상우가 검지로 제 관자놀이를 가리켰다.

"머리에."

재영은 뜻밖의 재치 있는 대답이라고 생각하며 그의 목에 입술을 비볐다.

"여행 계획표."

"머리에."

이번에는 귀에 키스하고 귓바퀴를 살짝 깨물었다.

"기대감."

상우는 한동안 고민하는 듯하더니 말없이 제 심장을 가리켰다. 그게 뭐 그리 대단한 행동이라고, 재영은 품에 안은 남자가 사랑스럽게 느껴졌다. 재영은 그의 뒤통수에 키스한 뒤, 어깨에 턱을 기대며 속삭였다.

"제일 중요한 거 빼먹었는데, 상우야."

"그럴 리 없어."

"사랑, 챙겼어?"

"당연하지. 그건 늘 여기에……."

자신 있게 뻗은 상우의 손가락이 심장과 고간 사이를 헤매다 혼란을 일으킨 듯했다. 방황하던 검지는 그 중간 어딘가에서 멈추었다.

재영은 상우를 돌려세우고 그를 으스러지도록 세게 껴안았다. 늘 밥 먹듯이 하는 충동적인 행동이었다. 그런데 이상하리만치 마음이 뜨거워졌다. 그를 안는 것이 한두 번도 아니건만, 마치 아름답고 가냘픈 동물이 품 안으로 뛰어 들어온 것처럼 심장이 벅찼다. 상우는 조금 놀란 기색이었다.

"형?"

재영은 그의 부름을 무시하고 이마와 관자놀이, 귀에 조심스럽게 키스했다. 입술이 닿는 곳마다 달콤한 향이 나는 것만 같았다. 환한 햇살을 받은 팔목도, 그림자로 얼룩진 볼도, 모조리 손 뻗어 만지고 싶어졌다.

'어제 그렇게 해 놓고도 성에 안 찼나……. 나도 참 어지간하네.'

재영은 자기 성찰을 하다가 관두었다. 세상은 아름다웠지만 이해할 수 없는 일투성이였다. 그리고 그중 가장 기막힌 불가사의는 그가 품에 끌어안은 존재였다.

"감성적인 상태인 건 알겠는데, 타이밍이 적절하지 않잖아."

추상우가 저렇게 이상한 소리를 해도 어쩔 수 없었다. 일상을 아무렇지 않게 살아가다가도 이유 없이 감정이 벅찰 때가 있었다. 6년이 넘도록 꺼뜨리지 않고 지켜 낸 불꽃이 자랑스러워서, 가볍디가벼운 자신을 누가 여기까지 견인했는지 잘 알아서, 그가 생색 한 번 내지 않아도 이 관계를 유지하기 위해 얼마나 노력하는지 너무 잘 알아서, 그 외에도 수많은 이유로 재영은 '감성적'으로 변하곤 했다.

"지금 출발해야⋯⋯."

"사랑해."

재영은 상우가 못 들을 수 없게끔 귀에 대고 속삭였다.

"문득 솟구쳐 표현할 길 없는 애정을 '감성적'이라고 퉁치는 너의 호방함마저도 사랑해."

그 세 글자는 재영의 제일가는 무기였다. 진심을 담아 꺼내기만 하면 상우가 어떤 상태든 간에 말랑말랑해지는 마법의 주문이었다. 그걸 두 번이나 썼으니 살얼음이 끼었던 상우의 바다도 녹아 버렸다. 자연스럽게 깊고 뜨거운 입맞춤이 이어졌다.

상우는 '12분 안에 짐을 완벽하게 꾸려 여행지로 출발하라!'라는 시급한 퀘스트를 제쳐 두고, 발꿈치를 들며 재영의 목에 팔을 둘렀다.

너저분한 차고 안에서 휴가지에 안 맞는다고 거절당한 차림을 하고도 영화 같은 키스를 쟁취하는 능력이 아무에게나 허락되지는 않는다. 재영은 자신이 지독하게 운 좋은 놈이라고 생각했다.

또한, 재영은 욕심 많은 놈이었다. 원래 적당히 화기애애한 분위기를 만들어 놓고서 공항으로 출발할 생각이었는데, 막상 입술이 닿고 보니 다른 생각이 들었다. 재영은 눈을 살짝 떴다가 상우의 혀가 입술 사이에서 감질나게 날름거리는 걸 보았다. 음란한 충동이 기름 부은 듯 활활 타올랐다.

'착한 생각, 바른 생각, 건전한 생각⋯⋯.'

그런 마음도 몰라주고, 완전히 키스에 몰입한 상우는 재영을 미치게 했다. 재영의 가슴에 찰싹 달라붙어서는 그의 혓바닥을 마치 다른 것 빨듯, 정성스럽게 핥는 것이었다. 이게 유혹이 아니라면 대체 무언가.

재영은 하반신의 상태를 들키지 않으려고 조금씩 뒤로 물러났다. 그러다 보니 벽에 뒤통수가 부딪쳐 쾅 소리가 났다. 상우는 개의치 않고, 재영의 머리를 당겨 각도를 틀며 혀로 입 안을 휘저었다.

'순수한 생각, 맑은 생각, 영롱한 생…… 씨발. 그딴 거 몰라.'

재영은 상우의 양 볼을 붙잡고 입술을 삼켜 버렸다. 마음 같아선 그를 통째로 삼킬 수도 있을 것 같았다. 상우의 허리를 붙잡아 당기자 하체끼리 맞닿았다. 상우는 움찔거렸지만 재영은 그가 잔소리하지 못하게 머리를 고정하고 혀를 입 안 깊숙이 넣었다.

"으, 읍!"

상우는 심상치 않은 분위기를 느끼고 재영의 어깨를 밀어내려 했다. 그게 잘 안 되니 주먹으로 가슴을 쳤다. 계속 맞고 있다가는 멍 들게 생겼다. 재영은 입술을 떼고, 몸을 재빨리 굽혀 상우의 허벅지를 팔로 감고 그를 번쩍 들어 올렸다.

"지금 나가야 하는데! 너 미쳤어?"

얼굴이 벌게진 채 버둥거리는 남자를 어깨에 둘러메고서 재영은 웃음을 실실 흘렸다.

"양갓집 추상우 보쌈하는 기분, 두근거린다."

"놔, 이 미친놈아!"

"이 마을에 이렇게 고운 도령이 있었다니! 내 당장 이 자를 궁궐에 가둬 두고 밤낮으로……."

재영은 상우의 무릎에 턱을 맞고서 입 다물었다. 이 상태로 집까지 가는 건 무리란 판단에 플라스틱 박스 위에 상우를 앉혔다. 아니, 앉히려고 하다가 차가운 바닥으로 굴러떨어졌다. 상우는 출구를 향해 기어가려고 했지만 발목을 붙잡혔다.

"형. 비행기 출발 시간까지 3시간밖에 안 남았어. 이건 아니야."

그는 질질 끌려오면서도 심각한 얼굴로 재영을 설득하려 들었다. 그러나 재영은 지금 출발하고 싶지 않았다. 오랜만에 함께 시간을 보내는 연인과 정신없는 공항에 있기보단 나란히 누워 알몸으로 뒹굴거리고, 잡담하고, 든든한 식사도 한 끼 해 먹이고 싶었다. 재영은 상우를 무작정 껴안았고 상우는 안간힘을 쓰며 벗어나려 했다. 엎치락뒤치락 오르락내리락 한동안 힘 싸움이 벌어졌다.

"헉, 헉, 여보는, 왜 쓸데없이 힘을 빼? 이럴 시간에 한 번 하고서 출발했겠다."

"그게 무슨 소리야? 우리가 성교할 때 소모하는 평균 시간을 생각해 봐!"

"아냐. 넣자마자 쌀 자신 있어. 작년 크리스마스 때처럼."

"조건이 다르지. 그땐 내가 이벤트 복장을 착용하고 있었잖아."

"지금도 그때만큼 흥분되는데."

"닥쳐!"

"잘 생각해 봐. 이대로 출발하면 우리 지난번처럼 또 비행기에서 하게 될걸."

상우는 얼굴을 빨갛게 물들이며 입을 다물었다. 보고타행이었던가. 공항 보안 검색대에서 장난치다가 불꽃이 튀는 바람에, 그들은 정욕을 적절한 방법으로 처리하지 못한 채 비행기에 탑승했다. 상우는 존엄한 고등 동물로서 건전한 공중도덕을 지키겠다고 선언했지만 재영의 집요한 공작 끝에 7시간 중 2시간도 채 견디지 못하고 화장실에서 밀회했다.

"그때 되게 좋았는데. 그치……."

지나치게 흥분한 상우가 자꾸 소리 내는 탓에 재영은 손바닥으로 그의 입을 틀어막고서 뒤에서 박아야 했다. 그때까지만 해도 무난했는데, 중간에 기체가 흔들리고 안전벨트 매라는 경고가 뜨면서 상우가 나가려고 한 게 문제였다. 재영은 당연하게도 그를 보내 주지 않았다. 그날 상우는 섹스하는 내내 울었지만 안전벨트를 못 매서 그런 것 같지는 않았다.

"그건 실수였어. 쾌락과 안전을 맞바꿔선 안 돼."

"맞는 말이야. 공중보단 안전한 평지가 낫지."

"……."

기적적인 논리로 상우를 눌러 버린 재영은 기다렸다는 듯이 그의 티셔츠를 가슴까지 올렸다. 상우는 불만스러운 표정이었지만 얌전하게 팔을 들어 올렸다. 그의 얼굴 사이로 상의가 빠져나가고, 곧 재영의 옷도 벗겨졌다. 그들은 서늘한 바닥에 앉은 채로 길게 입 맞추었다. 어느 순간 상우가 키스하다 말고 심각한 표정으로 재영의 가슴을 밀어냈다.

"잠깐. 비행기 놓칠 텐데…… 어떻게 하려고?"

"다음 거 타야지. 내일 출발해도 되고."

"휴가철이라 표가 매진됐을 가능성이 높아."

"그렇지? 그럼 일정 망가지겠네, 너 때문에."

"왜 나 때문이야?"

"여보가 너무 섹시해서 내가 이렇게 됐잖아. 이 상태로 밖에 어떻게 나가. 남들이 다 내 고추만 쳐다볼 텐데."

재영은 상우의 손을 제 사타구니로 가져갔다. 머릿속에 다른 생각이 가득한 상우는 곧 터질 것처럼 발기한 성기를 건성으로 쓰다듬으며 중얼거렸다.

"차로 가는 방법도 있기는 해. 훨씬 오래 걸리긴 하겠지만."

"그것도 좋다. 오랜만에 캠핑도 하고."

"밤에 별도 보고."

"야외 섹스도 실컷 하고."

"……또 벌레 물리긴 싫은데."

"우리, 일단 하다 만 것부터 하고 결정할까?"

"응."

상우는 언제 내뺐냐는 듯 자연스럽게 눈을 감고 고개를 틀었다.

6년이 넘는 시간 동안 그는 충동과 감정의 세계로, 재영이 사는 곳으로 수도 없이 넘어왔다. 착실하게 세워 둔 계획은 자주 어그러졌지만, 그사이 상우는 개의치 않는 법을 배운 듯했다. 그러다가도 그는 계산과 이성의 세계로 훌쩍 날아가 버리곤 했지만 상관없었다. 그럴 때는 재영이 그가 사는 곳으로 찾아가면 되었다.

"형, 이거 852달러짜리 성교인 건 알지?"

"몰라. 이제 조용히 해."

입씨름하기엔 시간이 아까웠다. 휴가야 매년 있고 항공권이야 얼마든지 또 사면 된다. 그러나 어느 날 하늘을 봤는데 너무 아름다워서 넋을 잃고 있다가 무심코 옆을 보았더니 더한 것이 있다는 걸 깨달은 순간, 매일 보는 연인에게 다시 반하는 순간, 같이 사는 남자가 문득 너무 사랑스러워서 견딜 수 없는 순간, 이렇게 반짝이는 순간은 값으로 매길 수 없다는 게 재영의 생각이었다.

재영은 상우를 제 무릎 위에 앉히고 열기로 뜨거워진 목 위로 입술을 미끄러뜨렸다. 턱 아래 연한 살을 입 안으로 빨아들였다가 빗장뼈까지 혀를 쭉 내렸다. 쇄골을 입술로 애무하자 상우가 그에게 상체를 바싹 붙이며 몸을 비틀었다. 재영은 움푹 들어간 허리의 곡선을 손가락으로 쓸어내렸다.

상우를 한창 녹이고 있는데 주황색 꼬리가 눈앞에서 왔다 갔다 했다. 상우가 짜증스럽게 고개를 돌렸다. 재영은 이 불화를 해결하기 위해 손가락으로 출구를 가리켰다.

"비비! 형들 교미할 거니까 집에 갑니다, 실시."

야옹.

"오랫동안 할 거야. 기다리지 마세요."

재영은 고양이가 차고 바깥으로 나가는 것을 확인하고서 리모콘을 작동했다. 푸른 셔터가 내려오며 서서히 그들은 바깥과 단절되었다.

재영은 제 품에 파고드는 상우를 번쩍 안아 들고서 가장 아끼는 차량 보닛 위로 올렸다. 붉은 배경 위로 까만 머리카락이 흐트러졌고 좁은 창으로 새어 들어온 신비로운 햇살이 상우의 얼굴에 쏟아졌다. 공중에는 먼지가 떠다니며 춤추었고 거울처럼 재영의 모습을 비추는 검은 눈은 황홀한 빛으로 반짝이고 있었다.

'그림 한번 끝내주네.'

재영은 앞에 보이는 아름다운 것들을 눈꺼풀로 차단하며 몸을 숙였다. 그러자 다른 감각들이 더욱 찬란한 형태로 밀려들었다.

"상우야……."

재영은 아직도 가끔 그와 살갗을 맞댈 때마다, 은명동의 10평짜리 원룸에 처음 들어갔던 날, 너무 어려서 그야말로 아기 같던 추상우가 화장실 문을 걸어 잠그며 그를 화나게 했던 날을 떠올리곤 했다.

그와 한번 자 보겠다고 발악하던 때가 있었는데, 그러한 가벼움은 까마득히 멀어진 지 오래되었다. 이 블랙 맘바는 직선밖에 모르는 짐승으로, 재영의 심장을 향해 굴을 파고 들어와 마음이란 방 안에 똬리를 틀고 나가지 않았다. 먹이로는 언제나 진심만 삼켰고 다른 것은 뱉어 버렸다.

"상우야."

"응."

사랑이란 필터를 씌운 시야는 온통 불그스름했다. 늘 재영을 안달하게 하는 하얀 목에는 열정의 흔적이 붉게 피었고, 양 볼은 상기되어 있었다. 단단히 깍지 낀 손을 통해 따스한 색감의 열기가 전해졌다. 그리고 구슬 같은 눈동자 안에서 한 번도 꺼진 적 없는 불꽃이 타올랐다.

"추상우."

바람이 거세도 꺾이지 않는 나무. 위태로운 외발자전거의 두 번째 바퀴.

상우와 정신적으로 연결된 것이 분명한 그 순간, 재영은 자신이 눈앞의 남자를 얼마나 깊이 사랑하는지, 그로 인해 자신이 얼마나 괜찮은 사람이 되었는지, 그리고 행운과 행복, 삶, 순간과 영원 따위에 대해 뒤죽박죽 생각했다. 그러나 어느 것도 입 밖으로 내지 않았다. 그런 것을 몇 번 설명해 보았지만 상우는 피상적으로만 이해하는 경향이 있었다.

그들은 본래 다른 온도, 다른 색채 속에서 살아가는 다른 부류의 사람이었다. 서로를 인생에 들이고부터는 수많은 교집합이 생겨났지만, 여전히 그들은 동일하다기보다 이질적이다. 그렇기 때문에 이 연애는 그의 세계에서 오직 유일하며 대용품이 없다고 재영은 생각한다.

"여보야, 뜨거워."

"당연하지. 오늘 최고 기온이 무려…… 읍!"

감수성으로 무장한 요정들이 뮤즈 자리를 독점하던 시대는 철 지난 지 오래다. 21세기 아티스트의 뮤즈가 독심술 기능 따위 미탑재한 로봇 청소기인들, 뭐 어떻단 말인가.

〈끝〉

시맨틱 에러 2

1판 1쇄 발행 2020년 1월 10일
1판 8쇄 발행 2023년 5월 31일

지은이 저수리
펴낸이 최원영
편집장 예숙영
책임편집 이세련
편집디자인 한방울
영업 김민원
물류 이순우 박찬수

펴낸곳 ㈜디앤씨미디어
출판등록 2002년 5월 1일 제117-90-51792호
주소 서울시 구로구 디지털로 26길 111 JnK디지털타워 503호
대표전화 (02)333-2513 팩스 (02)333-2514
전자우편 tone@dncmedia.co.kr

ISBN 979-11-264-4956-9 (04810)
ISBN 979-11-264-4954-5 (세트)